W9-DER-004

PANÉGYRIQUES
DE S. PAUL

SOURCES CHRÉTIENNES
Fondateurs : H. de Lubac, s.j. et † J. Daniélou, s.j.
Directeur : C. Mondésert, s.j.

N° 300

JEAN CHRYSOSTOME

PANÉGYRIQUES DE S. PAUL

INTRODUCTION, TEXTE CRITIQUE, TRADUCTION ET NOTES

PAR

Auguste PIÉDAGNEL
de l'Oratoire

Ouvrage publié avec le concours du Centre National des Lettres

LES ÉDITIONS DU CERF, 29, Bd de Latour-Maubourg, PARIS 7e
1982

La publication de cet ouvrage a été préparée avec le concours de l'Institut des Sources Chrétiennes (E.R.A. 645 du Centre National de la Recherche Scientifique)

ISBN 2-204-01973-9

INTRODUCTION

De tous les Pères de l'Église, aucun sans doute n'a plus souvent parlé de l'apôtre Paul que Jean Chrysostome. Nous possédons de lui des homélies remarquables sur chacune des Épîtres ainsi que sur les *Actes des Apôtres*. Mais, en outre, lorsqu'il commente même l'Ancien Testament, le souvenir de S. Paul se présente spontanément à lui et il ne résiste pas à la joie de lui consacrer une digression.

C'est que probablement nul n'a plus souvent lu et relu les *Actes* et les Épîtres. Déjà durant les trois ans qu'il passa après son baptême dans l'*ascétérion* d'Antioche [1], il eut l'occasion de prendre contact avec ces textes et de s'enthousiasmer pour ce

1. Il s'agit d'un groupe de jeunes gens, désireux de *s'exercer* à une vie chrétienne plus fervente, qui s'étaient groupés, durant l'exil de saint Mélèce, autour du prêtre Diodore, collaborateur du futur évêque Flavien. Cette communauté, qui fut surtout florissante de 372 à 375 environ, ne constituait pas un monastère : c'est ainsi que Jean, par exemple, rentrait le soir près de sa mère, Anthousa. Mais on y menait une sorte de vie monastique, qui réservait notamment de nombreuses heures, chaque jour, à la lecture de l'Écriture sainte. Nous trouvons des renseignements sur cet *ascétérion* et sa haute qualité religieuse dans SOCRATE, *H.E.*, VI, 3, *PG* 67, 665 B, 668 A ; SOZOMÈNE, *H.E.*, VIII, 2, 5-7, éd. J. Bidez, *GCS 50*, Berlin 1960, p. 350-351 (*PG* 67, 1513 C, 1516 A) et THÉODORET, *H.E.*, ch. 39, *PG* 82, 1277 A. Chrysostome a fait également un bel éloge de Diodore, qu'il appelle à deux reprises son père : *In Diodorum Tarsensem*, § 3, 4, *PG* 52, 763 B-C, 764 B – 765 A. Voir aussi A.J. FESTUGIÈRE, *Antioche païenne et chrétienne*, Paris 1959, 1re partie, ch. V, p. 181-183, 187.

grand apôtre. Nouvelles lectures et méditations approfondies, au cours des six années (375-381) pendant lesquelles il se retira en solitaire [1] dans les montagnes voisines d'Antioche. Enfin ces lectures se poursuivront toute sa vie [2].

Or, en plus des homélies sur les Épîtres de Paul et sur les *Actes,* et des nombreuses allusions que nous trouvons dans son œuvre, nous connaissons sept panégyriques de l'apôtre Paul que Chrysostome a prononcés pour exalter sa personne, ses vertus, sa mission [3]. Nous en présentons une nouvelle édition.

Bien que la pensée de Chrysostome se développe de façon parfois sinueuse, on peut cependant dégager dans chacun de ces panégyriques un ou plusieurs thèmes principaux :

Ier panég.	La supériorité de Paul sur les personnages de l'Ancien Testament : Abel, Noé, Abraham, Isaac, Jacob, Joseph, Job, Moïse, David, Élie, Jean-Baptiste.
IIe —	Paul, suprême exemple de vertu. Il est rempli de l'amour du Christ qui est pour lui l'essentiel. Il témoigne que l'homme peut aspirer aux plus hautes vertus.
IIIe —	Parmi toutes les vertus de Paul, c'est sa charité qui a brillé avec le plus d'éclat. Charité d'ordre spirituel : envers les Juifs et envers les païens. Charité dans l'ordre matériel.
IVe —	Vocation de Paul. La diffusion merveilleuse de l'Évangile, fondée sur la puissance de la Croix. Rôle important de Paul à ce point de vue.
V^e^ —	Notre corps mortel n'est pas un obstacle à la vertu. Diversité apparente des comportements de Paul, justifiée par les différentes circonstances de son apostolat.

1. Cf. *Palladii Dialogus de vita S. Johannis Chrysostomi,* éd. P.R. Coleman-Norton, Cambridge 1938, ch. V, p. 28.

2. Chrysostome a précisé lui-même qu'il écoutait la lecture des Épîtres de Paul toutes les semaines, souvent à deux et parfois même à quatre reprises, chaque fois qu'on célébrait la mémoire des saints martyrs, et il continue : « Pour nous, tout ce que nous savons, nous l'avons appris dans notre commerce habituel avec lui et dans la vive affection que nous éprouvons à son égard » (*Argumentum Epist. ad Rom., PG* 60, 391 B).

3. Cf. *PG* 50, 473-514 ; *BHG* 1460, k, m, n, p, q, r, s.

VIe panég. Différents griefs formulés contre Paul. Griefs d'ordre général : il a redouté les coups, la mort. Réponse : sa force d'âme résidait dans sa volonté, soutenue par la grâce. Griefs d'ordre particulier : son attitude à l'égard d'Alexandre le fondeur, du grand prêtre, de Jean surnommé Marc. Réponse à ces griefs.

VIIe – Paul, porte-étendard du Christ. Deux moments de son ministère : sa prédication initiale à Damas ; le voyage à Rome. Courage et rayonnement de Paul dans les persécutions.

CHAPITRE Ier

CIRCONSTANCES HISTORIQUES

1. Le lieu La plupart de ces panégyriques, sinon tous, semblent bien avoir été prononcés à Antioche.

Pour le IVe, nous avons dans le contenu même de ce discours deux attestations claires. Tout d'abord, Jean y rappelle, comme un fait bien connu de tous ses auditeurs, l'incendie du temple d'Apollon situé dans le faubourg de Daphné[1] ; il y voit le signe d'un châtiment divin, à la suite de l'ordre donné par l'empereur Julien de déplacer le tombeau du martyr Babylas, qui était proche de ce temple et qui, selon les païens, empêchait Apollon de rendre ses oracles[2]. Puis, quelques lignes après, il fait allusion à une autre catastrophe. Les nombreuses sources, dont les habitants d'Antioche étaient si fiers, furent soudain taries : « Cela ne s'était jamais produit auparavant, mais seulement lorsque l'empereur eut souillé cette contrée par des sacrifices et des libations[3]. » Tout le monde savait, à Antioche, que l'empereur Julien avait fait rouvrir les temples païens et avait rétabli les sacrifices aux dieux. Mais ce sont surtout les premiers mots de ce passage qui sont significatifs : « Les sources de notre pays, dont le cours l'emporte sur les

1. Cf. *infra*, note complémentaire n° 1.
2. *IVe Panég.*, 6, 6-12.
3. *IVe Panég.* 6, 16-19.

fleuves[1]... ». Sans aucun doute, ce IVe panégyrique a bien été prononcé à Antioche.

Pour les autres, le texte même ne fournit pas une telle indication. Si la présence dans tous ces discours des mêmes habitudes de style, des mêmes procédés de rhétorique montre qu'ils sont bien de Chrysostome, il paraît difficile, en l'absence de données aussi nettes que celles que nous venons de relever, de les localiser *tous* avec autant de sûreté à Antioche ou à Constantinople. Pourtant quelques arguments nous font pencher fortement pour la première hypothèse.

Le premier de ces arguments nous est donné par le début de l'homélie *Sur les Calendes,* qui a certainement été prêchée à Antioche. De ce texte que nous citons à la fin de ce chapitre[2], il résulte, en effet, que Chrysostome a prononcé avant cette homélie au moins un éloge de Paul devant ses auditeurs d'Antioche et qu'il a l'intention de reprendre à l'avenir ce sujet dans cette même cité.

Le second argument se fonde sur la teneur comparée de deux de ces panégyriques, le Ier et le IIe, avec celle du IVe. Pour le Ier discours, si l'on examine les matériaux (τόποι) dont il est formé, on constate que c'est le seul de ces sept panégyriques qui soit encore assez proche du genre littéraire de l'ἐγκώμιον. C'est le seul, en effet, où, selon la coutume des auteurs de panégyriques, l'orateur exprime d'abord son embarras (ἀπόρησις) d'avoir à faire un tel éloge, et le seul dont le développement se compose d'une succession de comparaisons (συγκρίσεις), traditionnelles dans les ἐγκώμια[3]. Il ne semble guère possible d'envisager que ce Ier discours ait été prononcé après le IVe, aux développements variés et amples, et à la construction plus savante. Quant au IIe panégyrique, il paraît lui aussi antérieur au IVe. En effet, à la fin de celui-ci, Chrysostome s'exprime ainsi : « Je l'ai souvent dit et je ne cesserai de le dire, (Paul) avait un corps comme le nôtre, la même façon de se nourrir, et une âme comme la nôtre[4]. » Or, même si cette réflexion lui était familière, on remarque qu'elle constitue l'un des thèmes dominants du IIe panégyrique[5] : ces

1. *IVe Panég.*, 6, 16-17.
2. Voir *infra*, p. 20.
3. Sur ce sujet, voir *Introd.*, ch. II, « Le genre littéraire », p. 25, 29.
4. *IVe Panég.*, 21, 5-7.
5. *IIe Panég.*, 1, 9-13 ; 2, 5-9 ; 3, 18-19 ; 8, 5-9 ; 9, 1-6 ; 10, 16-17.

paroles de l'exhortation finale du IVe discours pouvaient donc rappeler aux auditeurs un sujet déjà développé auparavant dans un autre éloge de l'Apôtre.

Restent le IIIe, le Ve, le VIe et le VIIe panégyriques.

Le IIIe a un objet propre : la charité de S. Paul envers le prochain. Il serait bien étonnant que Chrysostome, après avoir laissé entendre dans l'homélie *Sur les Calendes* qu'il songeait encore à prononcer l'éloge de Paul, n'ait pas réservé, durant les douze années de son ministère à Antioche, un discours spécial à ce thème d'un intérêt pastoral si important.

Que peut-on dire alors des Ve, VIe et VIIe discours ? On sait que, comme le IVe, ils contiennent tous les trois une allusion à une fête liturgique qui était effectivement célébrée à Antioche [1]. Mais il est très probable qu'une telle fête existait aussi à Constantinople [2]. Cette allusion ne saurait donc être décisive par elle-même pour établir sûrement le lieu de ces trois discours. Nous pensons toutefois qu'ils ont également été prononcés toujours dans la même cité, pour les raisons que voici.

Le Ve panégyrique explique principalement comment S. Paul savait varier ses attitudes et ses paroles selon l'intérêt spirituel de ses fidèles. Or c'était là une réflexion fréquente de Chrysostome, comme il le souligne lui-même en propres termes [3], et le développement assez long où il montre l'Apôtre bannissant toute vaine gloire, même quand il faisait son propre éloge [4], est aussi un sujet qui lui tenait à cœur. Parlant si souvent de S. Paul, nous croyons qu'il n'a pas attendu non plus d'être à Constantinople pour proposer ces mérites à ses auditeurs, dans un panégyrique spécial.

Le VIe discours débute par cette phrase : « Voulez-vous aujourd'hui, mes bien-aimés, que laissant de côté les grandes et merveilleuses vertus de Paul, nous mettions sous nos yeux ce qui pour certains semble donner prise en quelque sorte à l'attaque, et nous verrons que ces traits eux-mêmes, tout autant que les autres, le rendent illustre et grand [5]. » Ces termes supposent à la fois que Chrysostome a déjà pro-

1. Voir *infra*, p. 14.
2. Voir *infra*, note complémentaire n° 2.
3. *Ve Panég.*, 4, 1-3.
4. *Ibid.*, § 10-13.
5. *VIe Panég.*, 1, 1-4.

noncé plusieurs éloges où il exaltait les vertus exceptionnelles de l'Apôtre, ce qui est précisément le cas des Discours I-V, et qu'il ne saurait y avoir un très grand intervalle entre ces discours précédents et celui qu'il commence maintenant.

Enfin il n'y a pas lieu non plus, nous semble-t-il, de renvoyer le VIIe panégyrique à la période du ministère épiscopal de Jean. On est frappé, il est vrai, dès de début de ce discours, par sa tonalité particulièrement majestueuse, mais Chrysostome était tout à fait en mesure d'user de ce style avant de devenir évêque de Constantinople. En outre, si l'on examine l'une des sections de ce panégyrique, à savoir le récit du voyage de Paul vers Rome [1], on constate que non seulement il est composé d'allusions assez brèves, mais que son vocabulaire est différent de celui des homélies correspondantes sur les *Actes des Apôtres* [2] prononcées à Constantinople au tout début du Ve siècle [3].

Bref, et dans la mesure où l'on peut s'appuyer sur des indices fournis par la critique interne, ces sept panégyriques semblent bien avoir été prononcés tous à Antioche.

2. L'occasion et l'auditoire

Ces homélies sont entièrement consacrées à l'éloge de S. Paul. On le voit dès le début du Ier panégyrique : « Quel discours sera donc à la hauteur des grandes actions de cet homme ? Quelle langue pourra parvenir à prononcer les éloges de ce personnage ? Quand une seule âme, en effet, possède ensemble toutes les vertus humaines, et toutes au plus haut point..., comment réussir en vainqueur des éloges aussi sublimes [4] ? »

1. *VIIe Panég.*, § 8-9.

2. Cf. *In Act. Apost., hom.* LIII, 1-4, et *hom.* LV, 1-2, *PG* 60, 369 C – 371 D, 379 B – 382 A.

3. On ne saurait non plus tirer argument, en faveur de sa localisation à Constantinople, de la doxologie plus longue et la plus solennelle qui termine ce VIIe Discours. Car il est fort possible qu'elle ait été apposée postérieurement par un scribe byzantin, soucieux de réunir ces sept panégyriques en une même collection.

4. *Ier Panég.*, 1, 11-17.

L'exorde du IVe discours évoque son auditoire « Le bienheureux Paul *qui nous a aujourd'hui (*τήμερον) *rassemblés...* [1] ». Une allusion du même genre se trouve dans l'exorde du Ve panégyrique ; non seulement celui-ci contient dès les premières lignes une invitation aux auditeurs : « Qu'ils écoutent les vertus héroïques de Paul », mais, après avoir rappelé que la vertu est le bien suprême, Chrysostome ajoute : « *Le bienheureux Paul qui nous a rassemblés aujourd'hui* (τοῦ νῦν συναγαγόντος ἡμᾶς) nous le montre clairement [2]. » Dans le VIe, l'orateur, tout en désirant, comme nous l'avons indiqué, varier le thème de l'éloge, le commence d'une manière analogue : « Voulez-vous *aujourd'hui* (τήμερον) [3]... ? » Le VIIe est une reprise plus solennelle des précédents : « Puisque Paul fait *aujourd'hui* (τήμερον), lui aussi, son entrée, non dans une ville, mais dans l'univers entier, accourons donc tous ensemble [4]... »

Peut-on préciser davantage les circonstances qui rassemblaient les auditeurs de Jean ? La présence, à trois reprises, dans les passages que nous venons de citer, d'un adverbe temporel très précis (τήμερον), et une autre fois de l'adverbe νῦν accompagné du verbe συνάγω, nous invite à penser que quelques-uns de ces panégyriques ont été prononcés lors d'une fête liturgique où S. Paul était célébré de façon assez solennelle.

De quelle fête alors s'agissait-il ? Il est sans doute difficile de l'établir avec une entière précision, étant donné qu'à cette époque les églises orientales ne suivaient pas exactement les même usages.

On sait que plusieurs de ces Églises avaient adopté, une quarantaine d'années environ après Rome, c'est-à-dire un peu

1. *IVe Panég.*, 1, 1.
2. *Ve Panég.*, 1, 3-4.22-23.
3. *VIe Panég.*, 1, 1-2.
4. *VIIe Panég.*, 1, 6-8.

avant l'année 380, la fête de Noël du 25 décembre [1]. Tel était, en particulier, le cas de Césarée de Cappadoce, de Constantinople et d'Antioche [2].

Or certaines éprouvèrent presque aussitôt le besoin de commémorer, juste après la fête de Noël, quelques personnages néotestamentaires dont la fête était comme une sorte d'écho de cette solennité [3] : c'est ainsi qu'on voit apparaître la fête de S. Étienne, celles de trois disciples du Christ, S. Pierre, S. Jacques et S. Jean, et celle de l'apôtre S. Paul. De cet usage, nous possédons des attestations explicites : pour l'Asie Mineure, celle du *Calendrier Syriaque de Nicomédie,* traduit en 411 [4], et pour la Cappadoce, celle de Grégoire de Nysse, au début de l'Oraison funèbre qu'il prononça à la mémoire de S. Basile [5], vraisemblablement à Césarée, le 1er janvier 381 [6].

D'autre part, même à Jérusalem qui n'adopta au plus tôt la fête de Noël que vers la fin du VIe siècle [7], si l'on consulte le *Lectionnaire arménien,* qui témoigne des usages liturgiques de la Ville Sainte au cours des années qui précèdent le Concile d'Éphèse (431), on relève un cycle de fêtes analogue, à l'exception de la journée même du 25 décembre, où se trouve notée la

1. Cf. *Commentarius perpetuus in Martyrologium Hieronomynianum, Acta Sanctorum, novembris,* T. II, *Pars posterior,* Bruxelles 1931, p. 7, n° 1.

2. Voir J. Daniélou, «La chronologie des Sermons de S. Grégoire de Nysse», dans *Rev. des Sc. Rel.* (1955), p. 366 ; J. Bernardi, *La Prédication des Pères cappadociens,* Paris 1968, p. 205.

3. Sur ce sujet, voir A. Baumstark, *Liturgie comparée,* 3e éd. revue par B. Botte, Chevetogne et Paris 1953, p. 204-206.

4. *P.O.,* X, p. 11 (éd. Nau); B. Mariani, *Breviarium Syriacum* (Fribourg-en-Brisgau 1956), p. 27, dans *Rerum Ecclesiasticarum documenta, Series minor, Subsidia studiorum* 3. Le premier éditeur, F. Nau, soulignait (*op. cit.,* p. 7-9) que cette traduction reflétait un original grec plus ancien, postérieur à 362.

5. *In laudem fratris Basilii, PG* 46, 789 A.

6. Voir J. Bernardi, *La prédication...,* p. 313-315 et *infra,* note compl. n° 2.

7. Cf. *Comm. in Martyr. Hieron., loc. cit.*

commémoration du roi David et de S. Jacques, le premier évêque de Jérusalem[1].

Mais une difficulté apparaît, quand on recherche la répartition exacte de ces fêtes au cours des trois ou quatre journées qui suivaient Noël. Pour la commémoration des apôtres Pierre et Paul notamment, on remarque une relative diversité.

C'est ainsi que dans le *Calendrier Syriaque de Nicomédie* et dans le *Codex Arménien de Jérusalem* cette fête est commune aux deux apôtres, et elle est fixée au 28 décembre[2].

En Cappadoce, au contraire, dont Grégoire de Nysse est un témoin, les trois apôtres Pierre, Jacques et Jean, comme il le dit lui-même à trois reprises dans son second Éloge de S. Étienne[3], étaient commémorés le même jour, c'est-à-dire le 27 décembre[3].

Ce témoignage de Grégoire de Nysse et son allusion, par ailleurs, à l'usage de célébrer également la fête de S. Paul dans les jours qui suivaient Noël[5], ont conduit H. Usener à reconstituer pour la Cappadoce le calendrier que voici : le 26 décembre, fête de S. Étienne ; le 27, fête des saints apôtres Pierre, Jacques et Jean ; le 28, fête de S. Paul[6].

1. Voir, à ce propos, F.C. Conybeare, *Rituale Armenorum,* 1905, p. 516-527 ; *Le Codex Arménien 121 de Jérusalem,* n° 71-74, *P.O.* XXXVI, éd. A. Renoux, Bruxelles 1971, p. 367-373 ; G. Garitte, *Le Calendrier palestino-géorgien,* Bruxelles 1958, p. 418-419.

2. Cf. *P.O.* X, p. 11 (éd. Nau) et *Breviarium Syriacum,* p. 27 : *Et in vigesima octava, in Konun priore* [= *in mense decembri*], *in urbe Roma, Paulus, Apostolus, et Simeon Cephas, caput Apostolorum Domini nostri; Codex arménien 121 de Jérusalem,* n° 73, *P.O.* XXXVI, p. 371 : « Le 28 du même mois [décembre], commémoration de Paul et de Pierre, apôtres ».

3. Cf. *Altera laudatio S. Stephani, PG* 46, 725 C, 730 B, 732 C.

4. Voir J. Bernardi, *La prédication..., op. cit.*, p. 293-294. — On notera que la majeure partie de ce « second Éloge de S. Étienne » est consacrée aux trois apôtres Pierre, Jacques et Jean ; J. Bernardi présente de cette anomalie apparente une explication très intéressante.

5. *In laudem fratris Basilii, PG* 46, 789 A.

6. Cf. H. Usener, *Das Weihnachtsfest, Religionsgeschichtliche Untersuchungen,* 1re partie, 2e éd., Bonn 1911, p. 255-259. — H. Lietzmann

Avec de telles données, à la fois très proches les unes des autres et cependant dissemblables pour la fixation précise de la fête de S. Paul, comment situer alors l'usage qui était sur ce point celui d'Antioche autour de l'année 390?

H. Lietzmann, en s'appuyant notamment sur le fait que dans nos sept panégyriques Chrysostome fait plus d'une fois allusion à «l'apôtre Paul qui rassemble les fidèles [1]», tandis que S. Pierre est passé sous silence, en conclut que l'Église d'Antioche suivait le même usage que la Cappadoce et fêtait, le 28 décembre, seulement S. Paul [2].

Cependant, le silence presque total [3] de Chrysostome, en ces discours, à propos de S. Pierre, pour impressionnant qu'il soit dans la perspective d'une fête commune aux deux apôtres, n'est sans doute pas un argument péremptoire. En effet, nous connaissons, par ailleurs, un cas semblable, celui de l'homélie n° XIII d'Hésychius de Jérusalem : celle-ci est consacrée presque entièrement à S. Paul, et elle fut pourtant prononcée lors d'une fête de S. Paul et de S. Pierre, un 28 décembre [4]. En second lieu, il ne faut pas oublier que ces panégyriques ont été, presque certainement, tous prononcés à Antioche, où le souvenir des séjours de Paul dans cette ville à *cinq* reprises différentes [5], demeurait particulièrement précieux. Enfin, étant donné que jusqu'au concile de Chalcédoine (451), sous le pontificat de Juvénal (422-458), Jérusalem et Antioche faisaient

a rappelé l'essentiel de ces pages dans *Petrus und Paulus in Rom,* Berlin et Leipzig 1927, p. 126-128. – Voir aussi J. DANIÉLOU, *art. cit.*, p. 351.

1. Voir *supra,* p. 14. – H. LIETZMANN *(op. cit.,* p. 128) omet de signaler à ce propos un passage également intéressant extrait du Ve Panégyrique (1, 3-4.22-23) que nous avons cité plus haut, p. 14.

2. Cf. *Petrus und Paulus in Rom., ibid.* (p. 128).

3. Il y a, à vrai dire, quatre allusions à l'apôtre Pierre en ces panégyriques : V, 3, 7-8 ; VI, 4, 14-20 ; 10, 20-21 ; VII, 4, 4 ; mais celles-ci sont trop brèves pour constituer un développement.

4. Cf. M. AUBINEAU, *Les Homélies festales d'Hésychius de Jérusalem,* Bruxelles 1978, p. 492-494, 499-509.

5. Voir *infra,* p. 144, n. 1.

partie du même patriarcat[1], il n'est pas interdit de supposer qu'il y avait beaucoup de traits communs entre les calendriers liturgiques des deux villes.

Malgré tout, l'omission dans chacun de ces sept discours d'un véritable développement sur S. Pierre est d'un certain poids, et nous serions tentés de pencher pour l'interprétation de H. Lietzmann, c'est-à-dire pour la célébration à Antioche, le 28 décembre, d'une fête de S. Paul seul. Mais il faut bien reconnaître qu'on ne peut l'établir avec assurance. De toute façon, il demeure hautement probable que Chrysostome a prononcé certains de ces panégyriques à cette occasion.

Enfin, peut-on évaluer au moins approximativement la durée qui a pu s'écouler entre le premier et le septième de ces discours ? A cet égard, il semble difficilement acceptable que Chrysostome ait prononcé la série de ces homélies en une même semaine, à l'occasion d'une fête qui n'autorisait pas un tel déploiement. Et rien ne prouve non plus, contrairement à ce que dit H. Lietzmann sans le justifier[2], qu'on doive songer uniquement à des panégyriques annuels, c'est-à-dire chaque 28 décembre, sur un espace de sept ans.

L'incidence de la fête liturgique dont nous venons de parler pour quelques-uns de ces panégyriques suppose que la série de ces sept discours s'est échelonnée sur plusieurs années, et leur contenu même semble bien confirmer également cette impression.

A partir du IVe panégyrique, en effet, certaines réflexions de Chrysostome paraissent correspondre à une expérience pastorale plus riche et plus nuancée : ainsi, lorsqu'au sujet de la vocation de Paul il exhorte dans ce discours les incroyants à préparer leur cœur pour entendre, eux aussi, l'appel de Dieu[3]..., ou lorsque, dans le Ve, il donne des conseils sur les

1. Voir E. HONIGMANN, « Juvenal of Jerusalem », in *Dumbarton Oaks Papers*, n° 5 (Cambridge, Massachusetts 1950), ch. VI, p. 245-246.

2. Cf. *op. cit.*, p. 128.

3. *IVe Panég.*, 4, 6-16.

traitements variés qu'il convient d'appliquer aux âmes malades[1], ou encore lorsqu'il fait ressortir dans le VIe certains côtés humains du caractère de Paul.

Une évolution se remarque également, semble-t-il, dans le domaine du style. Si les trois premiers panégyriques sont formés de phrases le plus souvent simples[2], les autres, et surtout le IVe et le VIIe, contiennent des périodes plus savantes. Il est vrai que Jean possédait dès le début de son apostolat une maîtrise indéniable de la parole. Pourtant nous pensons qu'il y a dans ces discours une certaine progression oratoire[3], qui suppose pour leur déroulement une succession de plusieurs années.

Quels étaient alors les auditeurs de Jean? Étaient-ils nombreux, et de quel milieu social? Nous ne trouvons dans ces discours aucune réponse vraiment nette à ces questions. Par certaines précautions oratoires, par l'insistance avec laquelle Chrysostome répète ou résume certains arguments, il s'adressait, semble-t-il, selon la coutume, à un auditoire mêlé, où se coudoyaient des chrétiens appartenant à différentes classes de la société et peut-être aussi des païens, anciens élèves de Libanios, attirés par la réputation de l'orateur.

La date En ce qui concerne la date de ces discours, et notamment celle du Ier panégyrique, est-il possible d'obtenir, à l'intérieur de la période que nous avons évoquée, une précision plus grande?

1. *Ve Panég.*, 7, 11-17.

2. On signalera une exception dans le courant du IIIe Panégyrique : 6, 3-16.

3. Harry M. HUBBEL («Chrysostom and Rhetoric», in *Classical Philology*, 1924, n° 19, p. 268) a noté, lui aussi, cette progression, en insistant surtout sur la grande différence qui existe entre le Ier de ces discours, fondé simplement sur une série de comparaisons, et la composition beaucoup plus artistique du VIIe (voir *infra*, ch. II, p. 32-33) : «*... from the rather crude imitation to the artistic independence of the last*».

Nous avons à ce sujet un point de repère dans l'homélie *Sur les Calendes*. Voici, en effet, ce que Chrysostome dit au début : « Naguère, quand nous célébrions la gloire du bienheureux Paul, vous éprouviez une telle allégresse qu'on eût dit qu'il était sous vos yeux... *Je me proposais de revenir aujourd'hui sur ce sujet ;* mais j'ai dû porter mon attention sur un autre, qui réclame plus impérieusement ma parole, puisqu'il s'agit de remédier aux désordres de toute la cité. *Ceux qui désirent entendre l'éloge de Paul* doivent avant tout imiter sa vertu pour être plus dignes d'entendre un tel éloge [1]. » Les termes de ce texte indiquent clairement que Chrysostome a déjà prononcé au moins une fois un éloge de Paul avant cette homélie, et qu'il a l'intention d'en prononcer d'autres par la suite. L'éloge ou les éloges qui ont précédé l'homélie *Sur les Calendes* lui seraient donc de peu antérieurs. Mais sur la date précise de celle-ci les historiens ne sont pas d'accord. Pour Tillemont, il s'agirait peut-être du mois de janvier 387 [2], tandis que selon Schwartz dont les arguments paraissent plus précis, l'année 388 conviendrait mieux [3].

Les six premiers panégyriques paraissent devoir être situés au début et dans la première partie du ministère de Jean à Antioche, c'est-à-dire un peu avant et un peu après 390. Quant au VIIe, même s'il était postérieur, étant donné le ton plus solennel de ce discours, rien n'indique qu'on doive lui attribuer une date beaucoup plus tardive. Si l'on prend comme dates extrêmes possibles les années 387 et 397, on cernera assez bien le problème de datation de ces panégyriques.

1. Cf. *Homilia in Kalendas,* § 1, *PG* 48, 953 B-C.

2. Cf. TILLEMONT, *Mémoires pour servir à l'histoire ecclésiastique des six premiers siècles,* t. XI, « Vie de Saint Jean Chrysostome », Paris 1706, Article XIX, p. 51, et note 24 (p. 565-566).

3. Cf. E. SCHWARTZ, *Christliche und jüdische Ostertafeln,* dans *Abhandl. der Königl. Gesellsch. der Wissensch. zu Göttingen Phil.-Histor. Kl., N.F.,* VIII, n° 6, Berlin 1905, p. 176-177, et L. MEYER, *Saint Jean Chrysostome, maître de perfection chrétienne,* Paris 1934, Introduction, p. XXVII.

CHAPITRE II
LE GENRE LITTÉRAIRE

Le genre littéraire de l'ἐγκώμιον, ou *panégyrique,* fut souvent pratiqué dans la littérature patristique grecque du IVe siècle. C'est ainsi que nous pouvons lire, par exemple, quelques panégyriques dans les écrits de Basile de Césarée, de Grégoire de Nazianze, de Grégoire de Nysse et d'Astérius d'Amasée[1]. Mais dans ce genre-là, comme dans plusieurs autres, la moisson la plus abondante se recueille dans l'œuvre de Chrysostome. En ce qui concerne l'Ancien Testament, il a fait longuement dans trois homélies l'éloge de David pardonnant à Saül[2], et composé deux panégyriques en l'honneur des sept frères Maccabées et de leur mère[3]. Pour les apôtres, on ne peut lui attribuer avec certitude que ces sept panégyriques de

1. A l'exception de deux panégyriques des sept frères Maccabées et de deux autres de saint Étienne chez Grégoire de Nysse, ces auteurs ont composé le plus souvent l'éloge de martyrs ou d'évêques de leur région et de leur époque, ou d'une époque un peu antérieure. On trouvera le titre de plusieurs de ces œuvres en se reportant à H. DELEHAYE, *Les Passions des martyrs et les genres littéraires,* Bruxelles 1966, ch. 2, p. 134-147.

2. Cf. *PG* 54, 677 C – 686 D, 687 A – 695 A, 698 A – 708 D.

3. La *PG* présente trois panégyriques en l'honneur de ces Martyrs d'Israël (*PG* 50, 617 C – 628 B). Mais le troisième, plus bref (625 D – 628 B), est d'une authenticité très douteuse (cf. *PG* 50, 617). Aussi bien la plupart des manuscrits anciens que nous possédons ne contiennent-ils que les deux premiers (voir *infra* ch. IV, § 2, « Description des manuscrits »). De même, on trouve aussi dans la Patrologie quelques autres panégyriques de personnages de l'A.T. : le patriarche Joseph, le prophète Élie, Job, les trois enfants dans la fournaise, etc. Mais ils ont été classés déjà par Montfaucon parmi les œuvres apocryphes de Chrysosotome (voir *PG* 56, 563-600).

S. Paul[1]. Il a surtout célébré la mémoire de plusieurs martyrs[2] et de quelques évêques de l'Église d'Antioche ; ainsi nous avons un panégyrique d'Ignace, un autre d'Eustathe et un de Mélèce[3]. Quant à Flavien, dont Jean fut le collaborateur filialement dévoué durant son ministère à Antioche, s'il n'a pas eu droit à un éloge spécial, on trouve dans quelques homélies certains passages qui parlent de lui dans le style du panégyrique[4].

On sait que ce genre littéraire fut également illustré dans la littérature grecque profane, surtout aux IIIe et IVe siècles de notre ère. L'ἐγκώμιον se présente alors comme l'une des variétés de l'éloquence *épidictique,* ou d'apparat, très abondante à cette époque. Les rhéteurs en étaient les grands maîtres : à Alexandrie, à Athènes, à Césarée de Cappadoce, à Constantinople, à Laodicée, à Smyrne, et naturellement à Antioche, avec Libanios, dont Jean fut très vraisemblablement l'élève[5]. Ces rhéteurs enseignaient les règles des ἐγκώμια et en

1. A la suite de ces sept panégyriques, deux de nos manuscrits (*A, M*) en présentent un huitième, toujours en l'honneur de S. Paul, mais dans une teneur différente. Aucun de ces deux textes n'est authentique : ils reprennent en les mêlant différents passages des panégyriques précédents (voir *infra,* ch. IV, § 2, p. 55, 62). On trouve aussi dans la *PG* un autre panégyrique intitulé *In Apostolos Petrum et Paulum* (*PG* 59, 491-496), également considéré comme apocryphe (voir J.A. DE ALDAMA, *Repertorium pseudo-Chrysostomicum,* Paris 1965, p. 133).

2. On trouvera plusieurs exemples de panégyriques de ces martyrs dans *PG* 50, 520 D – 526 B, 571 C – 583 C, 605 D – 618 A, 629 B – 640 D, 665 D – 706 B.

3. Pour le panégyrique de S. Ignace qui porte le titre d'Ignace Théophore, voir *PG* 50, 587-596 ; pour celui d'Eustathe, *PG* 50, 597-606 ; pour celui de Mélèce, *PG 50,* 515-520.

4. Cf. *hom. Cum presbyter...,* § 2-4, *SC* 272, p. 402 s. ; *De statuis, hom.* III, § 1-2, *PG* 49, 47 A – 49 C ; *hom.* XXI, § 1-4, *PG* 49, 212 C-220 C.

5. Voir l'une des premières œuvres de Chrysostome, où il paraît bien faire allusion lui-même à Libanios sans le nommer (*A une jeune veuve,* ch. 2, *SC* 138, Paris 1968, p. 120) et SOCRATE, *H.E.,* VI, 3, *PG* 67, 665 A-B). La

montraient souvent eux-mêmes l'application [1]. Selon Théon d'Alexandrie, on distinguait originellement trois grandes catégories d'éloges : l'ἐγκώμιον, en l'honneur des vivants, l'ἐπιτάφιος λόγος, à la mémoire des morts, et l'ὕμνος qui célébrait les dieux [2]. Mais, pour les éloges d'un personnage disparu de ce monde, une autre classification s'établit : le καθαρὸν ἐγκώμιον, composé longtemps après la mort du défunt, ou d'autres panégyriques, composés au contraire dans les semaines qui suivaient. En ce dernier cas, l'orateur avait le choix entre trois genres littéraires différents : la μονῳδία, le παραμυθητικὸς λόγος, l'ἐπιτάφιος λόγος, ce dernier rejoignant pour une grande part le καθαρὸν ἐγκώμιον [3].

Trouvons-nous dans ces sept panégyriques de l'apôtre Paul quelques traces des règles traditionnelles de l'ἐγκώμιον ? On étudiera à ce propos successivement la τάξις, ou plan, les τόποι, ou thèmes principaux, enfin les αὐξήματα, ou procédés oratoires d'embellissement.

L'ordonnance d'un καθαρὸν ἐγκώμιον ou celle d'une grande partie de l'ἐπιτάφιος λόγος se déroulait selon le schéma sui-

valeur de ces témoignages a été mise en doute. Il est vrai que Jean ne figure pas parmi les élèves de Libanios dont le nom nous a été conservé (voir P. PETIT, *Les élèves de Libanios*, Paris 1957) ; mais il n'est pas vraisemblable qu'un jeune homme riche n'ait pas suivi les cours du plus illustre sophiste de la ville.

1. On trouve, par exemple, dans l'œuvre de LIBANIOS quelques oraisons funèbres ou éloges, dont deux en l'honneur de l'empereur Julien (*Libanii Oratio* XVII, éd. R. Foerster, t. II, Leipzig 1904, p. 206-221, *Libanii Oratio* XVIII, *ibid.*, p. 236-371), et un éloge des empereurs Constance et Constant (*Laudatio Constantii et Constantis, Orat.* LIX, t. IV, Leipzig 1908, p. 208-296).

2. Cf. L. SPENGEL, *Rhetores graeci*, coll. Teubner, t. II, Leipzig 1854, p. 109.

3. Sur ces trois genres littéraires et leurs règles respectives de construction chez Ménandre de Laodicée, voir L. SPENGEL, *Rhetores graeci*, t. III, Leipzig 1856, p. 434-437, 413-418, 418-422 (voir aussi GRÉGOIRE DE NAZIANZE, coll. Hemmer-Lejay, t. VI, *Discours funèbres*, Paris 1908, *Introd.*, p. XVIII-XXV).

vant : après un exorde plutôt bref, les mérites d'un héros ou d'un souverain étaient longuement retracés, et d'abord ceux de sa patrie et de la ville où il avait vu le jour, ceux de sa famille, puis ses qualités naturelles, rendues plus belles encore par l'éducation reçue, ses vertus morales et les actions qui les avaient illustrées, la brillante renommée qui avait été la sienne ; avant de terminer, l'orateur comparait ce personnage à plusieurs autres qui l'avaient précédé ; enfin prenaient place une péroraison solennelle et une prière aux dieux [1]. Un cadre était donc fixé à l'orateur, et le développement suivait les différentes étapes biographiques du héros ou du souverain.

Or, dans les panégyriques prononcés par les Pères cappadociens, on retrouve des traces de ce plan. Non seulement Grégoire de Nazianze, dans les éloges de son frère Césaire et de Basile de Césarée, suit le schéma classique des ἐπιτάφιοι λόγοι [2], tout comme Grégoire de Nysse, dans les oraisons funèbres de Mélèce, de Pulchérie, fille de Théodose, et de son épouse Flacilla, celui des παραμυθητικοὶ λόγοι [3], mais, en outre, dans quelques éloges de martyrs ce dernier ne peut s'affranchir du schéma du καθαρὸν ἐγκώμιον [4], et il en est ainsi

1. Pour ce schéma, énoncé par Ménandre, voir L. SPENGEL, *op. cit.*, t. III, p. 368-377, 418-422, et GRÉGOIRE DE NAZIANZE, *op. cit.*, t. VI, *Introd.*, p. XXV-XXVI.

2. Cf. *Discours funèbres, op. cit., Introd.*, p. XXVII, XXIX-XXXI.

3. *Oratio funebris in Meletium episcopum* (coll. W. Jaeger), éd. A. Spira, vol. IX, *Sermones, Pars I,* Leyde 1967, p. 441-457 ; *Oratio consolatoria in Pulcheriam, ibid.*, p. 461-472 ; *Oratio funebris in Flacillam imperatricem, ibid.*, p. 475-490. Voir aussi L. MÉRIDIER, *L'influence de la seconde sophistique sur l'œuvre de Grégoire de Nysse,* Rennes 1906, ch. XV, p. 251-274. – L. Méridier a fait remarquer à juste titre (p. 251-252) que, malgré le titre d'ἐπιτάφιος λόγος indiqué pour la Ire et la IIIe de ces oraisons funèbres (*PG* 46, 852 et 877), celles-ci n'en présentent nullement le schéma, mais au contraire celui du παραμυθητικὸς λόγος.

4. Cf. J.A. STEIN, *Encomium of St. Gregory of Nyssa on the Brother St. Basil,* Washington 1926, p. 2-60 = *PG* 46, 788 C – 818 D (malgré le mot grec d'ἐπιτάφιος présent dans le titre, *PG* 46, 788, il s'agit d'un καθαρὸν ἐγκώμιον). Voir aussi *De vita S. Gregorii Thaumaturgi, PG* 46, 893 A –

parfois, même quand plusieurs siècles le séparent du saint qu'il exalte, comme dans son second panégyrique de S. Étienne [1]. Plus indépendant, Basile a rejeté formellement [2] le schéma des éloges profanes; mais de cette façon il l'évoque et lui fait encore quelques minces concessions [3].

Au contraire, les panégyriques de Chrysostome, même quand ils célèbrent des martyrs presque contemporains, même quand l'orateur prononce l'éloge de Mélèce cinq ans [4] seulement après sa mort, ne présentent pour ainsi dire aucune trace de tels schémas [5]. Ses exordes y ont des dimensions très variées : dans nos sept panégyriques, l'un d'entre eux au moins est assez long [6], et il n'y en a pas dans le IVe. Tout au plus peut-on relever dans l'exorde du premier discours une affirmation fréquente au début des éloges chrétiens ou profanes : «Quand une seule âme possède ensemble toutes les vertus humaines, et toutes au plus haut point..., comment réussir en vainqueur des éloges aussi sublimes [7] ?» Les orateurs aimaient à déclarer ainsi l'embarras (ἀπόρησις) qu'ils éprouvaient pour se mettre à la hauteur de leur héros [8].

957 D; *Oratio laudatoria de S. Theodoro, PG* 46, 736 D – 748 D (authenticité discutée). Se reporter également à L. Méridier, *op. cit.*, ch. XV, p. 233-237, 239-242, 242-243.

1. Cf. *Altera laudatio Sancti Stephani, PG* 46, 721 A – 736 B.

2. Cf. *In Gordium martyrem*, § 2, *PG* 31, 492 C-D; *In Sanctos quadraginta Martyres*, § 2, *PG* 31, 509 B-C; *In Mamantem Martyrem*, § 2, 589 D – 592 B.

3. Cf. *In Gordium martyrem*, § 2, 493 B-C; *In S. Quadraginta Martyres*, § 2, 509 C.

4. Cf. *De Sancto Meletio Antiocheno*, § 1, *PG* 50, 515 A.

5. Voir *supra*, p. 22, n. 2 et 3.

6. *Ve Panég.*, 1, 1 – 3, 13.

7. *Ier Panég.* 1, 13-17.

8. Dans l'antiquité profane, Ménandre de Laodicée donnait nettement ce conseil à ceux qui auraient à prononcer des éloges : voir L. Spengel, *Rhetores graeci*, vol. III, p. 368-369. – Pour l'antiquité chrétienne, voir Chrysostome, *In sanctos Maccabaeos II*, § 1, PG 50, 623 B-C; Basile, *Hom. in quadraginta Martyres*, § 1, *PG* 31, 508 C; Grégoire de

D'autre part, aucun de ces discours ne présente un déroulement de la vie de S. Paul fondé sur une classification de vertus variées et sur la succession chronologique des événements qui lui donnent peu à peu sa richesse. Pour chacun d'eux, Chrysostome choisit un thème principal, et il le développe selon des types de construction très différents : parfois, le procédé est simplement énumératif[1], parfois le discours s'ordonne autour de deux parties distinctes et relativement bien proportionnées[2], parfois le développement se fait irrégulier et plus sinueux, sans que soit brisée cependant l'unité de son thème[3].

Enfin, si chacun de ces panégyriques se termine par une exhortation à imiter les vertus de Paul, celle-ci est toujours très brève, ainsi que la prière qui la suit. On peut noter, vers la fin du IVe discours, une période oratoire solennelle[4] qui ressemble un peu à une péroraison. Mais en général la fin de ces panégyriques ne présente, ni pour les idées exprimées ni pour leur tonalité, la variété de plusieurs péroraisons des éloges profanes ou chrétiens de cette époque[5].

Chrysostome a donc, pour l'ordonnance de ces discours, emprunté fort peu à ses prédécesseurs. La raison en est sans doute, pour une grande part, que nous avons affaire à des καθαρὰ ἐγκώμια, et que ceux-ci sont en la circonstance prononcés longtemps après la mort de l'apôtre Paul. Mais cette explication est insuffisante. Basile, et surtout Grégoire de

NAZIANZE, *Éloge de Basile de Césarée, op. cit.* § I, 1-3 ; § X, 3-4, p. 58, p. 76-78 ; GRÉGOIRE DE NYSSE, *In quadraginta Martyres, Oratio laudatoria* III, *PG* 46, 773 D, 776 A-B ; *De vita S. Gregorii Thaumaturgi, PG* 46, 893 A – 896 A.

1. *Ier Panég.*, p. 116-139.

2. *IIIe Panég.*, p. 164-179, et *VIe Panég.*, p. 260-291.

3. *IIe Panég.*, p. 142-161, *Ve Panég.*, p. 230-259 et *VIIe Panég.*, p. 292-321.

4. *IVe Panég.*, § 18-20.

5. Voir, en particulier, les péroraisons qui figurent dans l'Éloge de Césaire (§ XVI-XVIII) et celui de Basile (§ LXXXI-LXXXII) par GRÉGOIRE DE NAZIANZE : cf. coll. Hemmer-Lejay, t. VI, *op. cit.*, p. 34-40 et 228-230.

Nazianze et Grégoire de Nysse ont eu du mal à s'affranchir totalement des modèles laissés par les rhéteurs. Chrysostome, au contraire, s'est montré très indépendant et méfiant à l'égard de tels schémas qui lui semblaient réservés aux éloges d'ordre profane.

Si nous examinons les idées contenues dans ces panégyriques, y rencontrons-nous quelques lieux communs habituellement présents dans la plupart des éloges d'un héros, d'un souverain ou d'un saint ? Du fait même que Chrysostome n'a pas suivi le schéma traditionnel des éloges, un certain nombre de ces lieux communs disparaissaient, tels que l'éducation de Paul ou les mérites de sa ville natale[1].

Par ailleurs, on remarque en ces panégyriques quelques développements hérités du stoïcisme. Chrysostome aime à insister sur la vertu, qui est le souverain bien, et même le seul bien[2]. Paul est parvenu à un très haut degré de perfection[3]; nous aussi, nous pouvons tous y arriver en imitant la vigueur de sa volonté qui, par des entraînements sans cesse réitérés, deviendra aussi forte que les inclinations naturelles[4]. Un stoïcien n'eût pas été dépaysé en entendant ce langage[5]. S'agit-il de vertus particulières, on s'aperçoit que Chrysostome en a souligné chez l'Apôtre quelques-unes, qu'on retrouve comme

1. Chrysostome connaissait la haute qualité morale et religieuse de l'éducation reçue par Paul à Jérusalem (*Act.* 22, 3 ; cf. 5, 34-39), et il savait aussi que Tarse était une ville importante et un centre d'hommes cultivés (*Act.* 21, 39). — Sur la qualité culturelle de la ville de Tarse, voir *infra*, p. 205, n. 5.

2. *Ve Panég.*, 1, 1-27 ; 2, 8-11 ; 3, 1-3.

3. *IIe Panég.*, § 1 ; *IVe Panég.*, 21, 1-15 ; *VIe Panég.*, § 2-7.

4. *VIe Panég.*, 5, 7-15 et § 6-7.

5. On consultera avec grand profit, même si son étude s'arrête avant le IVe siècle et si elle se rapporte à des questions beaucoup plus vastes, le livre de M. Spanneut : *Le stoïcisme des Pères de l'Église, de Clément de Rome à Clément d'Alexandrie*, Paris 1957 (pour notre propos, voir p. 258-266 et 432-434).

une sorte de monnaie courante dans d'autres panégyriques. C'est certainement le cas pour les vertus de courage (ἀνδρεία)[1], de fermeté (καρτερία)[2], de résistance (ὑπομονή)[3], de bienfaisance à l'égard des pauvres (κηδεμονία, φιλοξενία, φιλοτιμία)[4] et, du moins pour les éloges chrétiens, de chasteté (σωφροσύνη)[5] et d'humilité (ταπεινοφροσύνη)[6]. Il existe encore dans la présentation des vertus de Paul deux autres réflexions d'ordre moral qui figurent dans d'autres éloges de cette époque : l'alliance harmonieuse chez le même homme de tendances contraires, et le souci de régler au mieux son ministère. Ainsi Chrysostome montre que S. Paul savait aussi bien faire appel à des reproches qu'à la persuasion et à la douceur[7], de même que, s'il parlait de lui le plus souvent avec humilité, il savait également faire valoir ses titres d'apôtre authentique[8]. C'est que Paul recherchait uniquement le bien de ses fidèles[9], en s'adaptant aux circonstances. On reconnaît là l'idéal de l'οἰκονομία[10], qui n'était pas inconnu de la sagesse antique[11].

1. *Ve Panég.*, 8, 14-17; *VIIe Panég.*, 10, 1-7.
2. *Ier Panég.*, § 8.
3. *Ier panég.*,§ 7 et *IIe Panég.*, 7, 1-11.
4. *Ier Panég.*, § 11.
5. *Ier Panég.*, § 9.
6. *Ve Panég.*, 8, 17-23. – Ainsi Grégoire de Nazianze exalte-t-il chez Basile la pauvreté (ἀκτησία), l'austérité de vie (ἐγκράτεια), l'amour de la virginité (παρθενία), son dévouement pour les affamés et les malades (cf. *Éloge de Basile, op. cit.*, LX-LXIII, p. 182-192).Grégoire de Nysse, lui aussi, rappellera ces mêmes vertus : *In laudem fratris Basilii, PG* 46, 801 D, 809 D, 816 D, 817 A-D.
7. *Ve Panég.*, 16, 1-13. Voir aussi Grég. de Naz., *Éloge de Basile, op. cit.*, XL, p. 142-145.
8. *Ve Panég.*, 8, 17-23 et § 9-10.
9. *Ibid.*, 8, 17-23; 10, 8-24; 14, 17-20.
10. Pour ce mot lui-même, voir *Ve Panég.*, 3, 18 et 5, 10.
11. On sait la fortune que le mot οἰκονομία eut chez les Pères de l'Église, notamment quand ils évoqueront l'*économie divine,* manifestée dans l'Incarnation du Christ, puis dans sa Passion et sa Résurrection (sur ce sujet, voir *Ve Panég.*, p. 240, n. 1). – Mais dans l'application que fait

Quant aux comparaisons (συγκρίσεις), que Ménandre de Laodicée recommandait de soigner beaucoup dans l'ἐγκώμιον[1], les Pères de l'Église ont eux aussi usé de ce procédé, par exemple Basile[2], Grégoire de Nazianze[3] et plus largement encore Grégoire de Nysse[4]. Pour sa part, Chrysostome a inséré dans ces panégyriques quelques brèves comparaisons de S. Paul avec Moïse[5], Samuel et David[6], les trois jeunes Hébreux dans la fournaise[7] et avec l'apôtre Pierre[8] ; surtout, il leur a consacré entièrement son premier discours, destiné à montrer que Paul est supérieur à tous les grands personnages de l'Ancien Testament.

Pourtant, en lisant ces panégyriques, on constate que Chrysostome, dans certains thèmes qu'il y introduit, abandonne quelques usages de l'éloge, et que, d'autre part, ses arguments fondamentaux y sont proprement chrétiens. On peut remarquer d'abord que, refusant parfois une généralisation excessive, plutôt que de prêter à Paul le prestige de l'érudition et de l'éloquence, il a tendance, au contraire, à minimiser ses

Chrysostome de ce terme à l'apôtre Paul (*Ve Panég.*, 3, 18), il s'agit d'un sens général, attesté dans la langue classique, de *comportement bien réglé.* Un tel mot trouvait naturellement sa place dans un éloge (cf. GRÉG. DE NAZ., *Éloge de Basile, op. cit.*, XXXIX, 3, p. 142 ; LXIX, 2, p. 206), et d'autant mieux que la vertu d'harmonie qu'il suggère appelait aisément le recours à une antithèse (cf. *Ve Panég.*, 8, 12-23, et *Introd.*, p. 32-33).

1. Cf. L. SPENGEL, *Rhetores graeci,* vol. III, *op. cit.*, p. 376-377.

2. Cf. *In Barlaam Martyrem,* § 2, *PG* 31, 485 B ; *In Gordium Mart.*, § 2, *PG* 31, 496 B, § 7, 504 B-D ; *In Mamantem Mart.*, § 3, *PG* 31, 593 B — 596 A.

3. Cf. *Éloge de Basile, op. cit.*, XXXVI, p. 136 ; LXX-LXXVI, p. 208-221.

4. Voir surtout *Altera laudatio S. Stephani, PG* 46, 729 C — 731 A ; *In quadraginta Martyres* (III), *PG* 46, 785 C-D ; *In laudem fratris Basilii, PG* 46, 798 C — 814 A ; *De vita S. Greg. Thaum.*, *PG* 46, 905 B-C, 908 C-D, 924 D — 929 A, 932 D — 933 B.

5. *VIIe Panég.*, 4, 9-19.

6. *Ve Panég.*, § 14.

7. *VIe Panég.*, 6, 8-9.

8. *Ve Panég.*, 3, 7-8 ; *VIe Panég.*, 4, 14-20 et 10, 20-21.

connaissances humaines, notamment sa culture profane[1]. Il n'hésite pas non plus à examiner dans tout un discours les griefs éventuels d'un adversaire de Paul[2]; même si la réponse à ces griefs lui est une occasion d'exalter encore les mérites de l'Apôtre, il laisse entrevoir ainsi certaines infirmités de sa nature humaine[3], et Harry M. Hubbel a noté avec justesse qu'il y avait là comme une contradiction avec les règles habituelles de l'ἐγκώμιον[4]. On notera également que, comme le font les Pères de l'Église en général et les Pères cappadociens en particulier, c'est uniquement à l'Ancien et au Nouveau Testament qu'il emprunte les comparaisons dont nous venons de parler. Ainsi rendait-il chrétiens certains lieux communs hérités du stoïcisme, d'autant plus que dans ces panégyriques trois thèmes majeurs sont mis en évidence : la prééminence de la charité, le mystère de la croix et le souci du salut des âmes.

En effet, plus que la recherche d'actions éclatantes ou l'illustration de hautes fonctions qui étaient souvent la matière des éloges profanes, plus même que les vertus de chasteté, de pauvreté volontaire ou de fermeté devant l'épreuve, c'est avant tout, explique Chrysostome, la charité de Paul qui a fait sa grandeur[5]. C'est là un développement proprement chrétien.

Le mystère de la croix est un thème encore plus caractéristique. C'est surtout dans le IVe panégyrique qu'en élargissant son développement au point de déborder la personne de Paul, Chrysostome a donné à ce sujet une importance remarquable. Toute la partie centrale de ce discours est consacrée au mystère du Christ crucifié, dont le rayonnement est devenu déjà immense en cette fin du IVe siècle. Or la Croix est le contraire

1. *IVe Panég.*, 10, 14-18 ; 11, 16-20 ; 13, 1 et p. 204, n. 1.

2. *VIe Panég.*, p. 260-291.

3. *VIe Panég.*, 3, 17-23 ; 5, 5-10.

4. Cf. « Chrysostom and Rhetoric », in *Classical Philology*, n° 19, 1924, p. 272.

5. Tout le IIIe Panégyrique en est l'illustration. Chrysostome y souligne spécialement le haut degré de cette charité dans le § 1, dans le § 2 (li. 1-2) et dans les § 9 et 10.

d'une action éclatante ; elle est même un échec et une infamie. Si donc tant d'hommes se prosternent devant la croix du Christ, c'est qu'ils y ont reconnu, avec la lumière de l'Esprit, le témoignage prodigieux de la puissance de Dieu et de son amour [1].

Enfin, Chrysostome laisse constamment transparaître en ces discours ses sentiments de prêtre et de pasteur. Plus que l'édification morale, c'est le salut des âmes qu'il désire avec passion. A la fin du VIe discours, il a souligné fortement la grave responsabilité de celui qui a reçu un tel ministère [2]. Et ce salut en Jésus-Christ, qui doit aboutir, un jour, à l'impérissable couronne de gloire [3], commence déjà en ce monde : c'est la délivrance du péché [4], c'est une communion d'amour avec le Christ à laquelle doit aspirer le chrétien à l'exemple de Paul [5], et c'est en même temps le devoir de travailler à répandre cette foi et cette vie [6].

Qu'en est-il alors du style de ces panégyriques ou, plus précisément, des procédés rhétoriques d'amplification ou d'embellissement auxquels Chrysostome a eu recours ? C'est là surtout qu'apparaît le plus largement l'héritage de l'ἐγκώμιον. Nous indiquerons ici brièvement quelques exemples de cinq de ces procédés : les répétitions, les antithèses, les hyperboles, les comparaisons et les périodes oratoires [7].

1. *IVe Panég.*, § 7 ; 9, 1-17 ; 13 ; 14, 1-16.
2. *VIe Panég.*, § 12.
3. *IIe Panég.*, 10, 19-20 ; *IIIe Panég.*, 10, 17-18 ; *IVe Panég.*, 21, 14-15 ; *VIe Panég.*, 14, 7-8 ; *VIIe Panég.*, 8, 8-10.
4. *Ier Panég.*, 4, 1-10 ; 5, 12-23 ; *IVe Panég.*, 1, 1-10 ; 9, 13-17.
5. *VIe Panég.*, 8, 4-7.
6. *VIe Panég.*, 9, 5-10 ; *VIIe Panég.*, 2, 14-20.26-28 ; 3, 20-25.
7. On trouvera une étude détaillée des divers procédés de rhétorique employés par Chrysostome, notamment dans ses panégyriques, en se reportant à l'étude très précise qu'en a faite Th.E. AMERINGER, *The Stylistic Influence of the Second Sophistic on the Panegyrical Sermons of St. John Chrysostom, A study in greek Rhetoric,* Washington D.C. 1921, ch. III-VII, p. 29-100.

Assez souvent, en l'espace de quelques lignes, Chrysostome répète le même mot ou un mot de même racine pour frapper davantage ses auditeurs. Dans le IIIe panégyrique, il prononce onze fois de suite, juste avant la fin, le mot ἀγάπη ou le verbe ἀγαπάω[1]. Au début du VIIe, où il exalte la croix que porte l'Apôtre, on trouve le verbe βαστάζειν également à onze reprises[2]. Dans le VIe, le mot προαίρεσις revient dix-neuf fois au cours d'un même développement[3]. Parfois, c'est au début de la phrase que le même mot est répété sous forme d'anaphore : σφόδρα τῆς παρούσης ἤρα ζωῆς.., καὶ σφόδρα αὐτῆς ὑπερεώρα[4]. Parfois, l'identité du même son à la fin de plusieurs mots qui se suivent est destinée à provoquer un effet d'harmonie : πανταχοῦ μαστιζόμενος, ὑβριζόμενος, λοιδορούμενος[5].

D'autre part, ces panégyriques fourmillent de membres parallèles. Parfois ceux-ci se correspondent sans s'opposer véritablement, comme lorsque Chrysostome évoque la lutte contre diverses passions désordonnées[6] ; mais le plus souvent ils se présentent sous forme d'antithèses. Dans le second discours, Chrysostome montre, en une série de formules qui s'opposent et se renforcent parfois par des chiasmes, comment l'apôtre Paul, contrairement à la plupart des hommes, recherchait les fatigues, la pauvreté et les outrages[7]. Le début du IVe discours, consacré à la conversion de S. Paul, se développe lui aussi par le moyen d'une antithèse entre la cécité passagère qui l'accompagna et la lumière dont cette privation de la vue fut la source[8]. Mais c'est surtout dans le VIIe pané-

1. *IIIe Panég.*, 9, 1 — 10, 15.
2. *VIIe Panég.*, § 1-2.
3. *VIe Panég.*, § 3-8.
4. *Ve Panég.*, 3, 25-27 (cf. *VIIe Panég.*, 5, 9-15).
5. *IIe Panég.*, 3, 3-4 (cf. *IIIe Panég.*, 6, 14-15 ; *VIIe Panég.*, 4, 8-9).
6. *IIIe Panég.*, 1, 15-17 ; cf. p. 164, n. 1.
7. *IIe Panég.*, 3, 7-17 ; voir aussi 4, 13-17.
8. *IVe Panég.*, 1, 3-5 ; 2, 23-24.

gyrique, le plus solennel de tous, que les antithèses prennent le plus d'éclat. Dès le début, Chrysostome y oppose le cortège grandiose de l'empereur qui arrive dans une ville précédé de son étendard et de ses soldats, à l'entrée de Paul dans le monde, portant la croix et accompagné des anges[1]. Et quand il y rappelle, vers la fin, les persécutions endurées par l'Apôtre, de nouveaux contrastes s'offrent encore à son esprit : « On le chassait, et c'était bien réellement une poursuite, mais le résultat, c'était l'envoi en mission d'apôtres. Et ce qu'auraient fait des amis ou des partisans, ses ennemis le faisaient[2]... » Les nombreuses antithèses de ces discours sont tout à fait dans le style de l'ἐγκώμιον[3].

On ne s'étonnera pas non plus de voir figurer en ces panégyriques un grand nombre d'hyperboles. Lorsque Chrysostome évoque, par exemple, l'étendue du champ apostolique de S. Paul, dans plusieurs passages il parle de l'univers entier[4]. S'il en vient à énumérer avec précision les peuples convertis par l'Apôtre, sans que pourtant il soit allé lui-même dans tous ces pays, il termine cette liste en disant que Paul « est devenu puissant au point d'amener à la vérité... tout le genre humain, en moins de trente ans en tout[5] ». Quand il fait allusion aux révélations extraordinaires de Paul, il ajoute aussitôt qu'« aucun prophète et aucun apôtre n'en eurent jamais » de pareilles[6]. Cet apôtre, qui surpassa tous les hommes du temps présent et des âges passés, chaque jour montait plus haut[7], et gagnait à sa cause *tous* ses adversaires[8]. Et cependant — nouvelle hyperbole en sens inverse —, il était absolument dépourvu de culture

1. *VIIe Panég.*, 1, 1-11.
2. *VIIe Panég.*, 11, 17-26.
3. Cf. Harry M. HUBBEL, « Chrysostom and Rhetoric », *art. cit.*, p. 273.
4. *Ier Panég.*, 4, 1-10 ; *IIe Panég.*, 8, 9-23 ; *IIIe Panég.*, 6, 1-4.
5. *IVe Panég.*, 10, 5-11 (sur ce passage, voir *infra*, p. 202-203, n. 4).
6. *Ve Panég.*, 10, 1-4.
7. *IIe Panég.*, 1, 12-13 ; 2, 11-12.
8. *IVe Panég.*, 10, 27-31 ; 17, 1-10 ; 17, 18-19 ; *VIIe Panég.*, 11, 9-16.

et dans sa pauvreté il ne possédait même pas un manteau[1]. Réellement il était non seulement au-dessus de la plupart des hommes, mais il s'élevait au niveau des anges[2].

Quant aux comparaisons destinées à mieux camper le personnage de S. Paul, en plus de locutions métaphoriques[3] familières à Chrysostome, on trouve en ces discours des évocations imagées beaucoup plus longues. C'est, par exemple, celle qui met en parallèle l'habileté de Paul en présence des maladies de l'âme et la diversité des traitements prescrits par un médecin[4]; ce sont les comparaisons empruntées à l'art militaire, quand il s'agit d'expliquer la conversion merveilleuse de cités entières[5]; c'est encore l'allusion au ministère pastoral, plus ardu que le combat de l'athlète dans les jeux du cirque, ou que la fonction de pilote d'un navire[6].

Plusieurs de ces comparaisons revêtent en même temps l'allure d'une période. Ainsi, dans le IIIe panégyrique, Chrysostome décrit l'ardeur apostolique de Paul à l'aide d'une phrase de quatorze lignes, avec une série de membres symétriques et d'assonances[7]. Le VIIe discours présente aussi quelques développements assez amples et très soignés: ceux qui se rapportent au zèle de Paul sitôt après sa conversion[8], ou à ses

1. *IVe Panég.*, 10, 15-16.21-22.

2. *VIe Panég.*, 2, 6-9.

3. Parmi celles-ci, l'une, très fréquente chez Chrysostome, montre l'apôtre Paul toujours sur les pistes où s'entraînent les athlètes (ὑπὲρ τὰ σκάμματα πηδῶν) : *Ier Panég.*, 8, 10-11.

4. *Ve Panég.*, § 7.

5. *IVe Panég.*, 13, 13-19; 14, 2-11 (voir aussi *VIIe Panég.*, 10, 9-18).

6. *VIe panég.*, 12, 13-22. – Pour une étude plus détaillée, chez Chrysostome, des métaphores, souvent empruntées à l'art militaire, aux jeux athlétiques, à l'hippodrome ou à la navigation, selon l'usage courant des sophistes, et, d'autre part, sur la variété parfois artificielle de ses comparaisons, voir Th.E. AMERINGER, *The Influence of the Second Sophistic..., op. cit.*, ch. V, p. 56-67, et ch. VI, p. 68-85.

7. *IIIe Panég.*, 6, 3-16.

8. *VIIe Panég.*, 6, 1-15.

emprisonnements [1]. Dans le IVe, le rappel des nombreux obstacles qui se dressaient devant l'Apôtre se déroule avec une certaine solennité [2]. Mais la plus belle période figure vers la fin de ce même discours : prenant comme points de comparaison d'abord le feu qui purifie les champs, puis le lever du soleil qui illumine tout, l'orateur y proclame, dans une phrase d'une étendue extraordinaire et riche d'illustrations colorées, les fruits merveilleux de la prédication de Paul [3].

Et pourtant, on doit noter également que, malgré ces nombreux procédés oratoires, Chrysostome sait garder souvent un ton familier et naturel. Ce ton familier résulte d'abord de l'insertion en ces discours de certaines expressions de la diatribe [4]. Or, si le style de la diatribe n'occupait qu'une place restreinte dans l'ἐγκώμιον, en l'y introduisant plus largement Chrysostome donnait déjà par là même plus de vie à son style.

Ainsi peut-on remarquer en ces discours l'emploi du verbe φησί, en incise, sans sujet particulier. On le trouve une fois dans le VIIe discours, trois dans le IVe et quatre dans le VIe [5].

1. *VIIe Panég.*, 10, 9-21.
2. *IVe Panég.*, 16, 5-19.
3. *IVe Panég.*, 18, 1-32. – Cette longue période descriptive et minutieusement détaillée constitue, à proprement parler, un exemple de la figure de style appelée ἔκφρασις, chère à la rhétorique ancienne. Ménandre en avait donné la théorie avec un exemple relatif à la description du visage (voir L. Spengel, *Rhetores graeci*, t. III, Leipzig 1856, p. 436, li. 15 s.). On notera également que dans nos sept panégyriques l'amplitude de certaines comparaisons est telle qu'elles tendent aussi vers l'ἔκφρασις : *IVe Panég.*, 13, 13-19 ; 14, 3-11 ; *Ve Panég.*, 7, 1-11 ; *VIIe Panég.*, 10, 9-18. On trouvera une étude parallèle dans L. Méridier, *L'influence de la seconde sophistique sur l'œuvre de Grégoire de Nysse*, ch. IX, p. 139-152.
4. Sur ce sujet, voir A. Oltramare, *Les Origines de la diatribe romaine*, Lausanne 1926, Introd., « La diatribe grecque », ch. 1, « Caractères généraux », p. 9, 11, 23-24, 31, 42.
5. Voici les références de ces passages : *IVe Panég.*, 3, 1 ; 8, 1 ; 8, 5 ; *VIe Panég.*, 1, 5 ; 4, 1 ; 10, 1 ; 11, 1 ; *VIIe Panég.*, 4, 1. Leur nombre est peu élevé, mais il n'y en a pour ainsi dire aucun dans les Éloges chrétiens de cette époque. Un seul chez Grégoire de Nysse : *Oratio consolatoria in Pulcheriam* (coll. W. Jaeger), éd. A. Spira, vol. IX, *Sermones*, Leyde 1967,

Mais ce qui est le plus fréquent, c'est l'emploi de la deuxième personne du *singulier* pour représenter l'ensemble des auditeurs : par exemple, des impératifs présents ou aoristes : ἄκουε, ἄκουσον, ὅρα, ἐννοήσον, πρόσθες τούτοις, ἀναμνήσθητι, πίστευε τοίνυν et le fameux σκόπει δέ, qui forme à lui seul une phrase. Parfois cet impératif est placé en incise : εἰπέ μοι[1]. A deux reprises même, cette interpellation à l'auditeur s'accompagne d'un vocatif cher à Chrysostome : ἀγαπήτε[2].

On peut signaler encore un grand nombre de phrases brèves

p. 466 (les deux autres exemples cités par L. MÉRIDIER, *L'influence de la seconde sophistique..., op. cit.*, ch. XV, p. 262, avec la référence à *PG* 46, 868 C et 869 B, ne relèvent pas de cet emploi). Dans les Panégyriques prononcés par Basile et par Grégoire de Nazianze, il n'y a aucun exemple de ce genre.

1. En réunissant les nombreux passages où cette deuxième personne du singulier est celle d'un verbe, et quelques autres où elle est indiquée par le pronom personnel, nous avons relevé 154 exemples de cet emploi. Or les panégyriques composés par les Pères cappadociens sont très loin d'atteindre un tel chiffre. Un seul exemple chez BASILE : *In quadraginta Martyres*, § 6, *PG* 31, 516 C, et quatre chez GRÉGOIRE DE NAZIANZE : *Éloge de Césaire*, XIII, 1 ; XXI, 5, coll. Hemmer-Lejay, t. VI, p. 26, 46 ; *Éloge de Basile*, LVII, 1 ; LXIII, 1, *ibid.*, p. 172, 188. Chez GRÉGOIRE DE NYSSE, s'il y en a un assez grand nombre dans deux de ses oraisons funèbres, c'est uniquement quand il aborde la seconde section (παραμυθία) de ces discours : voir *Oratio consolatoria in Pulcheriam*, coll. W. Jaeger, vol. IX, *Sermones, Pars* I, éd. A. Spira, p. 465, li. 5 – 466, li. 22 (= *PG* 46, 868 D – 869 D) ; p. 470, li. 14-20 (= *PG* 46, 873 D, 876 A) ; p. 471, li. 7 (= *PG* 46, 876 C) ; *Oratio funebris de Flacilla imperatrice, ibid.* p. 483, li. 13 – 489, li. 3 (= *PG* 46, 885 D – 892 C). En revanche, l'éloge funèbre de S. Mélèce, dans lequel précisément la παραμυθία est très réduite, n'en offre aucun (voir *ibid.*, éd. A. Spira, vol. IX, p. 441-457 (= *PG* 46, 852-864). Quant à ses καθαρὰ ἐγκώμια (*PG* 46, 702-849, 893-957), y compris *la Vie de sainte Macrine* (*SC* 178, p. 136-267 = *PG* 46, 960-1000), la plupart ne présentent que quelques exemples, fort peu nombreux, de cet emploi. Seul le panégyrique *In laudem fratris Basilii* en contient un peu plus, dix exactement (*PG* 46, 788 C – 818 D) et seulement dans certaines sections, au lieu de former un tissu continu comme dans ces sept panégyriques de Chrysostome que nous éditons.

2. *Ve Panég.*, 13, 10 ; *VIIe Panég.*, 2, 1.

et simples. Les adresses à l'auditeur prennent le plus souvent une forme dénuée d'emphase, soit qu'elles amorcent une nouvelle réflexion, soit qu'elles coupent à dessein un développement oratoire, soit qu'elles concluent toute une argumentation[1]. Parfois, c'est une allusion biblique, libellée sur le ton même de la conversation : « Abraham... abandonna sa patrie, sa maison, ses amis et ses parents », parce que « le commandement de Dieu, c'était tout pour lui[2] ». Quelquefois intervient une réflexion pittoresque : « Au nom du larron crucifié..., le démon s'enfuira-t-il ? Nullement, mais il se mettra à rire[3]. » Également, au lieu des comparaisons savamment développées dont nous avons parlé, on trouve des images plus populaires. Pour l'apôtre Paul, « les tyrans et les peuples exhalant leur colère étaient comme des moucherons[4]... » ; la vie chrétienne ne consiste pas « à dormir et à ronfler[5] ». Enfin, usant assez souvent de redites que la rhétorique eût plutôt désavouées, volontairement Chrysostome répète un conseil déjà donné dans les lignes qui précèdent[6]. Ce n'est plus alors un style d'apparat minutieusement ordonné à l'avance, mais celui du pasteur qui ne se fait aucun scrupule littéraire de reprendre sans cesse les mêmes exhortations, parce que son but est d'obtenir la conversion des cœurs.

Il faut conclure. Incontestablement, Chrysostome a usé volontiers en ces panégyriques de figures de rhétorique, et son style y a pris parfois de magnifiques envolées. Ce qu'il avait pu admirer dans sa jeunesse ne lui semblait pas à rejeter totalement ; en outre, le panégyrique admettait aisément le ton gran-

1. Voici un exemple pour chacun de ces trois cas : *IIIe Panég.*, 5, 9-10 ; *IVe Panég.*, 14, 1-2 ; *VIe Panég.*, 9, 10-11.

2. *Ier Panég.*, 6, 3-4.

3. *IVe Panég.*, 9, 13-15.

4. *IIe Panég.*, 5, 9-10.

5. *VIe Panég.*, 9, 8-9.

6. *Ier Panég.*, 6, 21-23 ; *IVe Panég.*, 14, 24-26 ; 21, 5-9 ; *Ve Panég.*, 4, 1-3 ; *VIe Panég.*, 8, 14-18.

diose, et peut-être l'orateur n'était-il pas mécontent de montrer dans la cité d'Antioche qu'il était capable de manier remarquablement la langue grecque en divers genres littéraires. Cela ne pouvait que servir la diffusion du message chrétien [1].

Mais, en dehors de ces procédés d'embellissement, Chrysostome ne s'est guère préoccupé, en composant ces discours, des règles de l'ἐγκώμιον. D'abord il n'a cessé de juger sévèrement les procédés des rhéteurs [2], trop orientés vers des morceaux de bravoure plus ou moins sincères, ou destinés à illustrer des attitudes morales qui ne s'accordaient pas toutes avec celles de l'Évangile. L'éloge des saints devait à ses yeux rechercher, au contraire, uniquement la conversion des âmes. Enfin il s'agissait du grand apôtre qui a évangélisé tant de nations, non par l'éloquence de ce monde, mais par la prédication du Christ crucifié : mettant son cœur en harmonie avec celui de S. Paul, Chrysostome a donc manifesté avant tout en ces panégyriques la pureté de son zèle apostolique et la ferveur de sa charité.

1. Nous avons à ce propos vivement apprécié les pages où Th.E. AMERINGER explique que Chrysostome, sans rien altérer de la pureté du message évangélique, a tenu à conserver dans son éloquence le patrimoine de la culture grecque (*op. cit.*, ch. II, p. 20-28 et Conclusion, p. 101-103), apparaissant ainsi « comme l'un des premiers avocats d'un compromis entre l'Hellénisme et le Christianisme » (p. 103). Et il rappelle heureusement, pour finir, le mot de VILLEMAIN (*Tableau de l'éloquence chrétienne dans le IVe siècle,* nouv. éd., Paris 1849, ch. IV, p. 216) : « Chrysostome est, par excellence, le Grec devenu chrétien. »

2. Cf. H.M. HUBBELL, « Chrysostom and Rhetoric », *art. cit.*, p. 267.

CHAPITRE III

PORTRAIT DE SAINT PAUL

La fréquence avec laquelle Chrysostome a parlé de S. Paul dans ses homélies prouve qu'il vivait dans une communion intime de pensée et de cœur avec lui. Très souvent, avec une spontanéité et une ferveur qui révèlent l'intensité de son admiration, il a proposé son exemple aux fidèles qui l'écoutaient. Comment alors n'aurait-il pas accueilli avec joie l'idée de consacrer sept discours au panégyrique de ce grand apôtre, afin d'y développer davantage les traits principaux de sa physionomie spirituelle si riche et pour lui d'autant plus attrayante que leurs personnalités avaient entre elles de réelles affinités ?

L'énergie de Paul Un premier trait qu'il mentionne souvent dans ces éloges de saint Paul, est son extraordinaire énergie. A plusieurs reprises, il y affirme que cet apôtre est parvenu à un degré exceptionnel de vertu [1] et qu'il fut ainsi l'auteur d'actions quasi parfaites [2]. Mais pour être concret, il a surtout illustré de deux manières différentes cette énergie de l'Apôtre.

Il aime d'abord à montrer le courage de Paul à travers ses courses apostoliques. Dès le Ier panégyrique, il évoque avec

1. *IIe Panég.*, 1, 1 – 2, 13 ; *IIIe Panég.*, 1, 1-8 ; *Ve Panég.*, 1, 1-23 ; *VIe Panég.*, 3, 17-28 ; 7, 1 – 8, 14 ; *VIIe Panég.*, 2, 26 – 3, 5.

2. Pour évoquer ces actions, Chrysostome emploie plusieurs fois le terme de κατόρθωμα. Sur le sens de ce mot, voir p. 114, n. 2.

une formule hyperbolique cet apôtre parcourant « toutes les contrées que domine le soleil[1] ». Dans le IIe, il souligne par deux images expressives les victoires de son apostolat, « comme s'il avançait solennellement dans un cortège triomphal et dressait sur la terre de continuels trophées[2] ». Dans le IIIe, il insiste davantage encore, en détaillant quelques-unes de ses multiples activités : « Par sa présence ou par ses lettres, par ses discours ou par ses actes, par ses disciples ou par lui-même, redressant ceux qui tombaient, affermissant ceux qui tenaient bon[3]... » Pourtant Paul ne possédait dans un tel combat aucun des trésors dont les hommes, en général, se glorifient : ni la richesse, ni la noblesse d'origine, ni le prestige de l'éloquence[4] ; tel un soldat, qui s'avancerait seul sur le champ de bataille face à de nombreux ennemis puissamment armés[5], il renversait les forteresses[6] et gagnait à sa cause même ses persécuteurs[7]. Les grandes cités du monde antique l'attirent : Athènes, Corinthe, Éphèse, Rome surtout. Avec une admiration particulièrement vive, Chrysostome regarde Paul sur le navire qui l'emmène vers la capitale de l'Empire : « Ce n'était pas un combat sans conséquence qui lui était proposé, c'était la conversion de la ville de Rome[8]. » Et ce n'est pas tout encore : loin de vouloir s'arrêter là, le voici qui court vers l'Espagne[9].

Cette activité inlassable de Paul plaisait à Chrysostome. Non qu'il ait lui-même traversé aussi souvent la mer et parcouru autant de continents. Mais lorsqu'il prit la décision d'aban-

1. *Ier Panég.*, 4, 4-5.
2. *IIe Panég.*, 3, 3-5.
3. *IIIe Panég.*, 6, 3-16.
4. *IVe Panég.*, 10, 11-27 ; 11, 16-22.
5. *IVe Panég.*, 13, 13-19.
6. *IVe Panég.*, 17, 15-18.
7. *IVe Panég.*, 10, 27-31 ; 17, 7-10 ; *VIIe Panég.*, 11, 1-16.
8. *VIIe Panég.*, 9, 10-11.
9. *VIIe Panég.*, 9, 25-26. Sur ce voyage hypothétique de Paul en Espagne, voir *infra*, p. 313, n. 3.

donner le genre de vie des solitaires, c'est bien parce qu'un tel idéal et une telle ardeur apostolique l'attiraient. S. Paul fut son modèle dans le travail débordant qui fut aussi le sien : préparation des catéchumènes au baptême [1], nombreuses prédications, zèle missionnaire qui le portera, par exemple, à demander à un prêtre goth de prononcer l'homélie dans l'église Saint-Paul de Constantinople [2], à se préoccuper de la succession épiscopale en ces contrées barbares [3], et à écrire aux prêtres et aux moines de Phénicie de persister inlassablement à évangéliser les païens [4], sans oublier la rédaction de ses nombreux traités ou homélies, le tout sans répit et au mépris de ses fatigues.

Il existe une autre forme de l'énergie de l'apôtre Paul qui retient encore plus souvent l'attention de Chrysostome, c'est son courage indomptable au moment des persécutions. Il exalte tantôt la résignation [5] de Paul, et tantôt sa résistance et sa fermeté [6]... Paul endura « les bourrasques d'innombrables épreuves [7]... » ; plus résistant encore que Job, supportant flagellations, emprisonnements et toutes sortes de souffrances morales..., il avait une âme « plus résistante que le roc et qui l'emportait sur le fer et sur le diamant [8] ». Cependant toutes sortes d'adversaires se déchaînaient contre lui : les Juifs qui le harcelaient sans cesse [9], les païens vexés de voir une nouvelle religion supplanter les cultes de leurs ancêtres [10], les faux

1. Voir notamment *Huit catéchèses baptismales*, éd. A. Wenger, *SC* 50, Paris 1958.

2. Cf. *In undecim homilias, hom. VIII, Postquam presbyter gothus,* 31, *PG* 63, 501 D – 502 A.

3. Cf. *Lettres à Olympias,* IX, 5b, *SC* 13 bis, Paris 1968, p. 236-239.

4. Cf. *Epistola* 123, *PG* 52, 676 D – 678 B.

5. *Ier Panég.*, 7, 1-11.

6. *Ier Panég.*, § 7 (li. 11-13), 8 et 10 ; *IIe Panég.*, 5, 10-12 ; *VIe Panég.*, 2, 9-12.

7. *Ier Panég.*, 8, 6-7.

8. *Ier Panég.*, 10, 10-11 ; 12, 3-13 (cf. *IIe Panég.*, 7, 1-11).

9. *IIIe Panég.*, 3, 1-5 ; *IVe Panég.*, 16, 21-26.

10. *IVe Panég.*, 16, 17-19.

apôtres jaloux de son influence[1], et, pour finir, l'empereur Néron lui-même[2]. Mais, en toutes ces circonstances, il tint bon[3], se précipitant même « à l'endroit du combat qui le ferait le plus souffrir[4]... » « Malgré les insolences qu'il subissait, il attaquait davantage[5]. » Et sans doute apparemment Paul sera-t-il vaincu, puisqu'on le jettera en prison et, peu après l'année 65, de façon définitive. Mais ces chaînes sont pour lui un titre encore plus éminent de fierté et de gloire, et tel un général qui se bat ardemment et ranime ses troupes « plus en raison des blessures qu'il reçoit que de celles qu'il donne[6] », tel était l'apôtre Paul au milieu de tant de souffrances et dans sa marche intrépide vers le martyre.

Cette résistance héroïque de Paul provoquait l'émerveillement de Chrysostome, qui s'efforça de la reproduire à son tour. Comme S. Paul, il n'hésita jamais à proclamer l'Évangile avec ses exigences de pauvreté et de renoncement ; à Constantinople, en particulier, il ne se priva pas de dénoncer la vie trop luxueuse de certains hauts dignitaires ecclésiastiques ou de la Cour impériale, se préparant ainsi des tempêtes et des orages qui ne manqueront pas d'éclater. On se tromperait toutefois si l'on pensait qu'un tel courage fût, pour Paul ou pour Chrysostome, une vertu naturelle et aisée. Dans le VIe panégyrique, Chrysostome a noté ce qu'il appelle, peut-être à tort, la peur de l'apôtre Paul, en certaines circonstances, devant la souffrance et devant la mort[7] : Paul et Chrysostome demeuraient des hommes, l'un et l'autre d'une nature très sensible. Paul a connu des déceptions très douloureuses, quand il songeait à l'obstination de ceux qui refusaient la foi[8], ou aux chutes

1. *IVe Panég.*, 15, 3-9.14-17 ; 17, 11-12 ; 18, 8 ; *Ve Panég.*, 10, 4-8.14-17.
2. *IVe Panég.*, 15, 3-9.
3. *IVe Panég.*, 17, 14.
4. *VIIe Panég.*, 6, 20-21.
5. *VIIe Panég.*, 10, 5-7.
6. *VIIe Panég.*, 10, 9-18.
7. *VIe Panég.*, 1, 5-18 ; 2, 1-9 ; 3, 17-28 ; et § 4 et 8.
8. *IIIe Panég.*, 3, 13-14.24-29 ; 4, 11-15.

morales de ceux qui l'avaient reçue[1]. Loin de se décourager, il a poursuivi néanmoins jusqu'au bout son ministère, comme le ferait, un jour, Chrysostome : car, sur la route de l'exil, « ses os brisés et sa chair meurtrie[2] » ne l'empêcheront pas de maintenir intacte sa résistance et de citer ce mot de Paul, que lui-même mettait en pratique : « La tribulation engendre la patience, et la patience, la vertu éprouvée[3]. »

La charité de Paul A travers ces exemples d'énergie, on a pu percevoir le motif principal qui les inspirait : un amour passionné pour Dieu et pour les hommes. Tel est le second regard, plus intérieur déjà, que Chrysostome invite à porter sur Paul : un regard qui découvre les diverses formes de cette charité.

De lui-même, Paul avait une nature passionnée. Chrysostome l'a noté, surtout au début du IVe panégyrique, lorsque citant l'*Épître aux Galates,* là où Paul fait allusion à sa persécution contre les chrétiens, il ajoute ce commentaire : « C'est précisément à cause de ce caractère violent et inabordable qu'il avait besoin d'un frein plus fort, de peur que, tout en se laissant emporter par l'impétuosité de son zèle, il refusât en même temps d'obéir aux paroles qui lui étaient dites. C'est pourquoi Dieu réprime chez lui cette ardeur insensée... en le rendant aveugle, et c'est à ce moment qu'il lui parle[4]... » Mais sitôt que Saul dc Tarse a rencontré le Seigneur transfiguré et reçu le baptême, il mettra ce caractère passionné au service dc la charité : charité envers Dieu à cause surtout de cet amour prodigieux que constitue l'Incarnation de son Fils, charité envers les hommes, tous rachetés par le sang de Jésus-Christ.

C'est surtout dans le IIe panégyrique que Chrysostome parle de l'amour de Paul envers Dieu qui était pour lui le tré-

1. *Ier Panég.,* 12, 13-20 ; *IIe Panég.,* 6, 11-13 ; *IVe Panég.,* 17, 10-13.
2. *Lettres à Olympias,* VI, 1 c, *SC* 13 bis, p. 128-129.
3. *Rom.* 5, 3-4. Cf. *Lettres à Olympias,* XVI, 1 a, p. 362-363.
4. *IVe Panég.,* 2, 15-23 (cf. *VIIe Panég.,* 4, 7-9).

sor le plus riche de tous. «... Sans cet amour, il ne souhaitait prendre rang ni parmi les Dominations, ni parmi les Principautés et les Puissances ; avec cet amour, au contraire, il préférait se trouver parmi les derniers des hommes... Pour lui, il n'existait qu'un châtiment, la perte de cet amour..., tout comme son plaisir intense, c'était d'obtenir cet amour : voilà la vie, voilà l'univers entier, voilà le sort des anges..., voilà le royaume, voilà la promesse, voilà une infinité de biens [1].» Quand, dans le Ve discours, il évoque les diverses formes à travers lesquelles Dieu s'est révélé aux hommes, toute sa phrase monte vers l'humanité de Jésus, qui le conduisit à accepter la mort [2]. Quand il fait allusion à l'admiration de Paul pour le Christ crucifié, il cite l'un des grands textes pauliniens : «Je n'ai rien voulu savoir parmi vous sinon Jésus-Christ et Jésus-Christ crucifié [3]», et il nous fait entrevoir l'amour brûlant de l'Apôtre pour Celui qui nous a aimés jusqu'à «la folie de la croix [4]». Dans son homélie de conclusion sur l'*Épître aux Romains,* Chrysostome écrira : «Paul aimait le Christ comme nul autre ne l'a jamais aimé [5].»

Or Chrysostome a parlé lui aussi avec passion de cet amour de Dieu pour les hommes : «Dieu ne nous aime pas, en effet, comme nous l'aimons, dit-il dans le IIe panégyrique, mais à un degré tellement supérieur que la parole est impuissante à l'expliquer [6].» Dans le Traité *Sur la Providence de Dieu,* il précisera que cet amour de Dieu pour nous surpasse tous les amours humains, même celui d'un père et d'une mère pour leurs enfants, même celui d'un homme pour sa jeune épouse [7].

1. *IIe Panég.,* § 4-5.
2. *Ve Panég.,* 5, 1-6.
3. *I Cor.* 2, 2. Cf. *IVe Panég.,* 11, 20-21.
4. Cf. *I Cor.* 1, 23 ; *IVe Panég.,* 12, 2-5.
5. Cf. *In Epistol. ad Rom., hom.* XXXII, 3, *PG* 60, 680 B.
6. *IIe Panég.,* 7, 22-23.
7. Cf. *Sur la Providence de Dieu,* VI, 3-15, *SC* 79, Paris 1961, p. 96-103.

Il médite également sur le prix dont Dieu nous a rachetés : « Il était cloué à une haute croix, on lui crachait au visage, on le souffletait, on le tournait en dérision..., on mettait les scellés sur son tombeau[1]. » Paul et Chrysostome : deux cœurs qui ont vraiment donné au Christ avec enthousiasme tout leur amour, et Paul se reconnaîtrait sous la plume de Chrysostome, lorsque ce dernier, vers la fin d'une homélie, prononçait ces paroles à l'égard du Christ : « Aimons-le, aimons-le avec ferveur[2]. »

Mais, dans ces panégyriques, c'est le plus souvent du second aspect de la charité de Paul que parle Chrysostome : son amour pour les hommes. On reconnaît bien là le souci qu'il avait de proposer à ses auditeurs un certain nombre d'attitudes concrètes dans le domaine de la charité spirituelle ou temporelle. Il l'a fait surtout dans le IIIe panégyrique. Paul y est dépeint d'abord comme aimant ses ennemis : « ceux qui à cinq reprises le flagellèrent, ceux qui le lapidèrent, ceux qui l'enchaînèrent, ceux qui avaient soif de son sang[3] ». A la pensée surtout que de nombreux Juifs risquaient de se damner, Chrysostome non seulement fait allusion à plusieurs reprises au souhait de Paul d'être anathème pour que ses frères soient sauvés[4], mais il consacre à ce problème qui obsédait l'Apôtre un développement que nous commenterons plus loin[5]. A diverses reprises, il rappelle la sollicitude de Paul à l'égard de ceux qu'il a évangélisés : « Qui est faible sans que je sois faible,

1. *Sur la Providence de Dieu,* VIII, 7, p. 136-137 ; XVII, 3-7, p. 224-229.

2. Le substantif grec employé dans ce passage est particulièrement expressif : φιλήσωμεν αὐτόν..., φιλήσωμεν αὐτὸν θερμότητι ψυχῆς *(In Act. Apost., hom.* XLIV, 4, *PG* 60, 314 B).

3. *IIIe Panég.,* 3, 1-5.

4. Pour l'indication des passages de ces panégyriques où Chrysostome cite ou évoque ce verset de *Rom.* 9, 3, voir p. 133, n. 2.

5. Voir *IIIe Panég.,* § 3-4, et *Appendice* 2 : « Le problème du salut des Juifs ».

qui est scandalisé sans qu'un feu ne me brûle[1] ? » Au sujet d'un de ses adversaires qui, à Corinthe, avait cherché à entraver son autorité, le mot qu'il admire le plus est celui-ci : « Faites prévaloir envers lui la charité[2]. » Enfin il désire voir ses disciples parvenir à un haut degré de charité : « Je voudrais rendre tout homme parfait dans le Christ Jésus[3]. »

Jamais Paul n'oublie non plus les besoins d'ordre matériel, qu'il s'agisse de ses disciples en mission ou de leurs auxiliaires, ou de chrétiens dénués de ressources et éprouvés : « Je vous recommande Phébée, notre sœur, diaconesse de l'église de Cenchrées... ; prends toutes dispositions pour le voyage du juriste Zénas et d'Apollos, afin qu'ils ne manquent de rien[4]... » ; que Philémon reçoive son ancien esclave, Onésime, en lui pardonnant et en l'accueillant comme un frère bien-aimé[5] ; que les diverses communautés aient à cœur de mettre de l'argent de côté pour les chrétiens pauvres de Jérusalem[6]... ; et que le travail de l'ouvrier apostolique lui permette de vivre ainsi qu'à ses compagnons, car Paul est fier d'annoncer l'Évangile du Christ gratuitement[7].

Ces conseils très concrets correspondaient aux préoccupations de Chrysostome, qui insiste très souvent sur ce devoir primordial de la charité : « Plus le frère que vous recevez est petit, plus le Christ est présent en sa personne »... « Ordonnez qu'il y ait toujours un pauvre parmi vous[8]. » Sur le plan spiri-

1. *II Cor.* 11, 29. Cf. *IIe Panég.*, 6, 12-13 ; *Ier Panég.*, 12, 13-20 ; *IVe Panég.*, 17, 12-14. – Pour la citation ou l'évocation de ce verset de la IIe *Épître aux Corinthiens* dans l'œuvre de Chrysostome, voir p. 131, n. 2.

2. *IIIe Panég.*, 5, 18-24. – Dans ce passage, Chrysostome confond cet adversaire de Paul avec le fornicateur de Corinthe : sur ce sujet, voir *IIIe Panég.*, p. 172, n. 1.

3. *Col.* 1, 28. Cf. *IIIe Panég.*, 5, 26-28.

4. *Rom.* 16, 1 ; *Tite* 3, 13. Cf. *IIIe Panég.*, 7, 3-8 ; 8, 1-7.

5. *IIIe Panég.*, 8, 9-15.

6. *IVe Panég.*, 11, 6-9.

7. *Ier Panég.*, 11, 17-22 ; 15, 16-18 ; *IIIe Panég.*, 8, 25-27. Voir aussi p. 130, n. 1.

8. Cf. *In Act. Apostol.*, *hom.* XLV, 3, 4, *PG* 60, 318 A, 320 A.

tuel, profondément attaché lui aussi à ses fidèles, il souffrait, par exemple, de leur médiocrité : « Si je ne pleure pas devant vous, je verse ces larmes dans la solitude de ma maison... ; pour moi, vous êtes tout[1]. » Sans cesse il les portait en lui-même : « Ah ! s'il m'était possible d'ouvrir mon cœur et de vous le montrer, vous verriez que vous y êtes tous présents, hommes, femmes et enfants[2]. »

Liberté et grâce dans le cœur de Paul

Mais Chrysostome a pénétré plus profondément encore dans la personnalité humaine et chrétienne de S. Paul en découvrant les sources de son énergie et de sa charité. Car il a pris soin de bien marquer que ces vertus n'étaient pas le fruit de sa seule décision personnelle, mais aussi de la grâce de Dieu. A plusieurs reprises dans ces panégyriques, il a noté la présence et l'influence simultanée de ces deux forces dans le cœur de Paul. A la fin du second discours, par exemple, il s'exprime ainsi : « Voici pourquoi j'admire la puissance de Dieu et pourquoi je suis émerveillé du zèle de Paul, c'est parce qu'il a reçu une si grande grâce, tout en apportant personnellement une âme si bien préparée[3]. » Cet homme « a possédé au plus haut degré, dit-il encore, ces deux trésors : les dons qui viennent de l'Esprit de Dieu, et les forces qui proviennent de la volonté personnelle[4]. » La formule la plus expressive se trouve sans doute dans le VIIe panégyrique : « D'où venait donc à Paul une telle grandeur ? A la fois de lui et de Dieu ; et si elle venait de Dieu, c'est en même temps parce qu'elle venait de lui, car Dieu ne fait pas acception de personnes[5]. »

En examinant de plus près quelques pages de ces discours qui mettent l'accent sur l'une ou l'autre de ces deux forces en

1. Cf. *In Act. Apostol., hom.*XLIV, 4, *PG* 60, 312 C-D.
2. Cf. *In Act. Apostol., hom.* XLIV, 4, *PG* 60, 313 B.
3. *IIe Panég.*, 9, 10-13.
4. *Ve Panég.*, 3, 4-5.
5. *VIIe Panég.*, 3, 17-20.

l'âme de Paul, on ne sera pas surpris de voir que Chrysostome, qui a toujours fortement défendu et exalté l'existence et la noblesse de la liberté humaine [1], ait fait nettement ressortir le rôle important tenu par la décision personnelle de l'Apôtre. A propos de sa vocation, par exemple, il prend soin d'observer que Paul demeurait parfaitement libre de répondre ou non à l'appel du Seigneur : « Que personne... ne pense qu'il y ait eu contrainte dans cette vocation, car il pouvait retourner à son point de départ... Dieu ne contraint personne, il nous laisse, au contraire, maîtres de nos décisions, même après son appel [2]. » Pour exprimer cette décision généreuse de Paul, Chrysostome se sert de deux mots qui reviennent souvent : προθυμία, προαίρεσις. Le mot προθυμία se trouve présent dans presque tous ces panégyriques. Mais c'est surtout dans un passage du VIe discours [3] que ces deux mots seront illustrés : même si le commentaire s'y fait plus général, Chrysostome n'y perd pas de vue l'apôtre Paul, en se référant à certaines de ses paroles qui dénotent la noblesse de sa volonté : « Je meurtris mon corps et je le réduis en servitude », ou encore : « Je suis crucifié pour le monde [4]. » Il semble que la formulation la plus éloquente dans sa simplicité même et sa concision soit donnée à la fin du IVe panégyrique. On y sent bien l'insistance de Chrysostome sur la liberté de l'apôtre Paul et l'ardeur de sa volonté : « Paul avait un corps comme le nôtre... et une âme comme la nôtre, mais c'est sa volonté qui fut remarquable et son zèle éclatant. » Si donc, continue-t-il en interpellant familièrement ses auditeurs, « tu disposes bien ton esprit, rien ne t'empêchera de recevoir la même grâce [5] ».

1. Sur ce sujet, voir l'indication de plusieurs lieux parallèles dans l'œuvre de Chrysostome, p. 244, n. 2.
2. *IVe Panég.*, 2, 1-3 ; 4, 1-3.
3. *VIe Panég.*, § 3-8.
4. *I Cor.* 9, 27 ; *Gal.* 6, 14. Cf. *VIe Panég.*, 7, 1-2.5-6 ; 8, 5.15.
5. *IVe Panég.*, 21, 6-11.

« Recevoir la même grâce » : en effet, dans la vie et le ministère de l'apôtre Paul comme chez tous les saints, l'apport primordial et prépondérant provient toujours de la grâce de Dieu. On pourra relever dans ces discours trois aspects différents de cette grâce. Parlant de la conversion de Paul, Chrysostome précise bien que Dieu reste maître, pour faire entendre son appel, du moment qui lui paraît le plus favorable : « Laisse à l'incompréhensible Providence de Dieu le soin de choisir le moment opportun [1] » ; puis il cite la phrase célèbre de Paul qui montre jusqu'à quel point lui-même avait conscience de ce mystère : « Quand celui qui, dès le sein maternel, m'a mis à part et appelé par sa grâce daigna révéler en moi son Fils [2]... », et il conclut en ces termes : « Personne en aucune manière... n'a trouvé le Christ par ses seules forces, mais c'est le Christ qui s'est personnellement manifesté [3]. »

Les merveilles de la grâce divine chez l'apôtre Paul, ce sont encore les faveurs surnaturelles que le Seigneur lui a prodiguées. En les distinguant nettement de la grâce initiale de son baptême [4], Chrysostome a précisé quelques-unes de ces faveurs : les guérisons corporelles [5], et surtout les entretiens mystiques exceptionnels qu'il eut avec le Christ : « Il le ravit jusqu'au paradis, l'éleva jusqu'au troisième ciel, le fit participer à des mystères si ineffables qu'il n'est permis à aucun de ceux qui partagent la nature humaine d'en parler [6] », et l'exaltation de ces faveurs sur les lèvres de Paul lui-même, sans que soit altérée en rien son humilité, occupera la dernière et longue section du Ve panégyrique [7].

1. *IVe Panég.*, 3, 1-4.
2. *Gal.* 1,15. Cf. *IVe Panég.*, 3, 4-7.
3. *IVe Panég.*, 3, 9-12.
4. *Ve Panég.*, 3, 8-10 ; *VIIe Panég.*, 6, 15-17 ; Voir aussi p. 235, n. 3, et p.307, n. 1.
5. *Ve Panég.*, 3, 5-7 ; *VIIe Panég.*, 2, 5-14.
6. *II Cor.* 12, 2-4. Cf. *IIe Panég.*, 8, 1-5.
7. *Ve Panég.*, § 10-13.

Enfin, il existe une troisième manifestation de la grâce dans le ministère de Paul, c'est la réalité de la croix. Ce qui a assuré la fécondité de sa prédication, explique-t-il, c'est la participation effective de Paul à la croix qu'il proclamait [1]. Car la souffrance acceptée avec amour pour le Christ et pour le monde est une grâce : « Vous avez reçu la grâce, écrivait Paul aux Philippiens, non seulement de croire au Christ, mais encore de souffrir pour lui [2]. » Ainsi, dans le ministère de Paul, cette grâce, qui lui permettait de refléter plus purement le visage du Christ et son amour, augmentait personnellement son attirance spirituelle : « La présence de liens et de coups de fouet le rendait plus resplendissant que la robe de pourpre et le diadème pour ceux qui les portent [3]. » En même temps Paul avait bien conscience que face à « l'ange de Satan [4] », qui le souffletait, c'était de la grâce du Christ qu'il tenait sa force : « Ma grâce te suffit, car ma puissance se déploie dans la faiblesse [5]. » Et Chrysostome le savait également, lui dont la santé fut toujours très fragile, les ennemis, tenaces et influents, l'exil, dur et humiliant, sans que jamais fût brisée son action de grâces pour cette participation plus grande à la passion du Sauveur.

La joie de Paul En contemplant sans cesse la personnalité de Paul, comment Chrysostome n'aurait-il pas été sensible, en outre, à la joie qui débordait de son cœur ? Cette joie provenait d'abord de la diffusion de l'Évangile et des nombreuses conversions au Christ : « Grâces soient rendues à Dieu qui partout nous associe à son

1. *IVe Panég.*, 11, 20-23 ; 12, 1-8 ; 13, 1-8 ; 15, 3-14 ; 17, 1-19. Voir aussi *VIIe Panég.*, 1, 8-9.20-23 ; 2, 14-18 ; 10, 18-21.

2. *Phil.* 1, 29. Cf. *VIIe Panég.*, 2, 19-20.

3. *VIIe Panég.*, 2, 3-5.

4. *VIe Panég.*, 8, 7-8. — Sur le sens de cette expression employée par Paul (*II Cor.* 12, 7), voir *infra*, p. 276, n. 1.

5. *II Cor.* 12, 9.

triomphe[1].» Sur le navire qui l'emmenait vers Rome, il portait des chaînes, mais «tout en se réjouissant comme s'il était envoyé pour assumer une charge très importante[2]»; et si, à Rome même, quelques faux apôtres prêchaient l'Évangile sans intention droite, peu lui importait : « D'une manière comme de l'autre, hypocrite ou sincère, le Christ est annoncé[3]». Chrysostome cite ainsi le premier membre de ce verset de l'*Épître aux Philippiens,* mais le second résonnait en son cœur : «De cela, je me réjouis et me réjouirai encore[4].»

Surtout, Chrysostome se plaît à faire ressortir en ces sept discours la joie de Paul au moment de ses tribulations. Non seulement la perspective de la mort augmentait sa joie, à la pensée qu'il contemplerait le Christ dans la pleine lumière et dans la béatitude[5], en compagnie d'un grand nombre d'autres disciples[6], mais, au sein même de ces tribulations, déjà en ce monde Paul tressaillait de joie[7] : «Je me complais dans les faiblesses, dans les outrages, dans les persécutions[8].» Oui, Paul se réjouissait des coups de fouet et se glorifiait de ses chaînes[9]. Et cette oblation joyeuse incluait le don total de sa vie. «Même si mon sang doit se répandre en libation sur le sacrifice et l'oblation de votre foi, j'en suis heureux et je m'en réjouis avec vous tous; c'est pourquoi, vous aussi, soyez heureux et réjouissez-vous avec moi[10].»

1. *II Cor.* 2, 14. Cf. *IIe Panég.*, 3, 6-7.
2. *VIIe Panég.*, 9, 9-10.
3. *IVe Panég.*, 15, 14-20.
4. *Phil.* 1, 18.
5. *IIe Panég.*, 3, 9-10; 6, 1-7; *Ve Panég.*, 3, 26-29; 4, 11-12; *VIe Panég.*, 4, 11-13.
6. *VIIe Panég.*, 8, 8-10.
7. *IIe Panég.*, 2, 15-18. Le verbe employé pour évoquer cette joie est particulièrement fort : ἐσκίρτα.
8. *II Cor.* 12, 10. Cf. *IIe Panég.*, 2, 18-19.
9. *VIe Panég.*, 8, 12-14.
10. *Phil.* 2, 17-18. Cf. *Ier Panég.*, 4, 12-15; *IIe Panég.*, 2, 15-17.

Or peu d'hommes, dans l'Église, mieux que Chrysostome, auront écouté cet appel de saint Paul à la joie. Tous ces panégyriques se terminent par une exhortation à imiter son exemple, pour que nous recevions un jour les mêmes biens, dans cette patrie céleste où nous pourrons voir également Paul[1] à côté du Christ. Chrysostome, lui aussi, à travers ses nombreuses épreuves, garda toujours une très grande joie : « Je m'envole de joie, écrit-il à Olympias au milieu de son exil, je bondis, car j'ai là en réserve un grand trésor[2]... » « Il faut être en fête, et bondir, et danser et mettre des couronnes[3]. »

Paul et Jean : il y avait entre ces deux hommes une sorte d'harmonie préétablie. L'un et l'autre, épris de sincérité et d'absolu, ont manifesté dans leur vie une admirable énergie, inspirée par une fervente charité, dans une disponibilité sans réserve et joyeuse à la grâce du Seigneur. En toute circonstance Jean n'a cherché à être qu'un serviteur du Christ : « Gloire à Dieu pour tout », aimait-il à répéter. Et Paul, de sa prison, écrivait aux Philippiens : « Maintenant comme toujours, le Christ sera glorifié dans mon corps, soit que je vive, soit que je meure ; car pour moi, vivre, c'est le Christ, et mourir m'est un gain. »

1. *IIIe Panég.*, 10, 16-17.

2. *Lettres à Olympias,* IX, 3 f, *SC* 13 bis, p. 230-231.

3. *Lettre* VIII, 4 b, p. 172-173. – Dans le recueil des *Lettres à Olympias,* on trouve très souvent l'exhortation à la joie, exprimée notamment à l'aide des verbes χαίρειν, σκιρτᾶν, στεφανοῦσθαι, χορεύειν (cf. *SC* 13 bis, p. 172, n. 4).

CHAPITRE IV

HISTOIRE DU TEXTE

A. Les manuscrits

Le texte des sept panégyriques sur S. Paul nous est parvenu à travers un nombre relativement restreint de manuscrits : à cause de leur genre oratoire, il semble que ces textes aient rencontré moins d'intérêt que d'autres de Chrysostome.

A notre connaissance, il en existe quatorze. Nous les avons collationnés [1]. En voici la liste chronologique, avec le sigle que nous avons attribué à chacun.

I. Nomenclature des manuscrits

1. A	= Parisinus gr. 755	Panég. I-VII	XIe s.
2. B	= Vaticanus gr. 1628	Panég. I-VII	XIe s.
3. C	= Marcianus gr. 113	Panég. I-VII	XIe s.
4. D	= Marcianus gr. 567	Panég. I-VII	XIe s.
5. E	= Patmiacus 164	Panég. I-VII	XIe s.
6. F	= Laurentianus Plut. IX cod. 4	Panég. I-VII	XIe s.
7. L	= Athous Lavra B 112	Panég. I-VII	XIe s.
8. G	= Athous Lavra B 94	Panég. I-VII	XIIe s.
9. P	= Athous Stavronikita 22	Panég. I-VII	XIIe s.
10. M	= Athous Panteleimon 58	Panég. I-VII	XIIIe s.
11. H	= Parisinus gr. 728	Panég. I	XIIIe s.
12. J	= Vaticanus gr. 820	Panég. IV	XIVe s.
13. R	= Athous Vatopedi 637	Panég. I	XVe s.
14. K	= Londinensis Addit. 21983	Panég. I-VII	XVIe s. [2]

1. En ce qui concerne les *cod.* de l'Athos, voir note complém. n° 3.
2. Nous avons vu encore trois autres mss du Mont Athos, qui contien-

Comme on le voit, sur ces quatorze manuscrits onze seulement possèdent la série complète des sept panégyriques. Quant aux autres, le *Parisinus gr. 728* (H), le *Vaticanus gr. 820* (J) et l'*Athous Vatopedi 637* (R), qui ne contiennent que l'un d'entre eux, nous leur consacrerons également une notice descriptive (voir *infra,* p. 63-66). Mais, en ce qui concerne l'apparat critique, nous n'avons tenu compte ni de J, ni de R, pour le motif que nous précisons plus loin (IV. « Établissement du texte », p. 83-84, n. 1) ; nous avons, au contraire, retenu les leçons du ms. H, pour la raison que nous indiquons dans cette même note.

II. Description des manuscrits collationnés

1. Parisinus gr. 755 : A.

Paris, Bibl. nat., XIe s., parch., 295 × 240 mm., 415 fol., sur 2 colonnes, 26 lignes.

Ce ms. a été inventorié par H. Omont, A. Ehrhard et F. Halkin[1]. Il comprend plusieurs panégyriques ou homélies d'auteurs diffé-

nent chacun le IIe panégyrique. Ce sont l'*Athous Lavra Ω 32,* l'*Athous Lavra K 122,* et l'*Athous Vatopedi 1026.* Nous n'avons pas tenu compte de ces mss. Le premier est du XVIe ou du XVIIe s. ; le second, du XVIIe ; le troisième, du XVIIIe siècle. Les deux premiers portent entre chaque ligne une paraphrase explicative, faite le plus souvent de synonymes, et qui servait sans doute d'exercice de vocabulaire pour les enfants. Ils sont très vraisemblablement, selon M. Richard que nous avons consulté à ce sujet, la copie d'une édition antérieure. Quant au troisième, l'*Athous Vatopedi 1026,* il se présente avec des caractères grecs tout à fait modernes : c'est certainement la copie d'une édition antérieure.

1. Voir H. OMONT, *Inventaire sommaire des mss grecs de la Bibl. Nationale,* n° 755, tome I, Paris 1886, p. 126 ; A. EHRHARD, *Überlieferung und Bestand der hagiographischen und homilestichen Literatur der grieschischen Kirche, Erster Teil,* II, Leipzig 1938, p. 237-239 ; F. HALKIN, *Manuscrits grecs de Paris, Inventaire hagiographique,* Bruxelles 1968, p. 58-59.

rents. En tête figurent *huit*[1] panégyriques de Chrysostome, en l'honneur de l'apôtre Paul (ff. I-61v) ; viennent ensuite vingt panégyriques de Nicétas[2], dont le premier est consacré à l'apôtre Pierre (ff. 62-76), le second, à l'apôtre Paul (ff. 76-93v), le troisième aux apôtres Pierre et Paul (ff. 93v-103v)[3].

Panég. I	ff. 1 - 7v	Panég. V	ff. 27 -34
II	ff. 7v-12	VI	ff. 34 -40v
III	ff. 12 -16v	VII	ff. 40v-46v
IV	ff. 16v-27		

Ce manuscrit est en excellent état de conservation. Une note écrite au dernier folio (f. 415v) nous apprend que ce ms. provient du monastère de la Sainte-Trinité de l'île de Chalki[4]. Ainsi nous sommes sûrs que ce *cod. Parisinus gr. 755* n'est autre que le ms. qui a servi à Savile pour son édition, d'après la copie faite par Slade (voir *infra,* p. 93-94). Il fait partie de la collection des manuscrits rapportés d'Orient par F. Sevin et M. Fourmont, à la suite de leur

1. Le huitième panégyrique que présente ce manuscrit (ff. 47-61v), et qui commence par ces mots Τοὺς τῶν ἁγίων βίους (*PG* 63, 839-848, *BHG* 1465) entre dans la catégorie des *Eclogae,* n°36. Cet *Ecloga* est constitué de fragments empruntés à des homélies chrysostomiennes authentiques (voir J.A. DE ALDAMA, *Repertorium...,* n° 510), provenant en majorité des panégyriques précédents, et reproduits pêle-mêle. Savile avait déjà noté (t. VIII, p. 936) qu'il ne s'agissait pas d'un panégyrique prononcé tel quel par Chrysostome.

2. Il s'agit de Nicétas de Paphlagonie, également connu sous le nom de Nicétas le Rhéteur, ou le Philosophe, du xe siècle, qu'il faut sans doute distinguer de Nicétas David, évêque de Dadybra. Voir H.-G. BECK, *Kirche und Theologische Literatur im Byzantinischen Reich (Handbuch der Altertumswissenschaft),* XII, 2, 1, Munich 1959, p. 548, 549, 565, 566.

3. Pour les folios 307-415, de plusieurs mains différentes (xie et xiie siècles), voir A. EHRHARD, *op. cit.,* p. 225, note 2, et F. HALKIN, *loc. cit.*

4. Voici cette note importante et pittoresque à la fois : ἡ βίβλος αὕτη πέφυκεν τῆς παντουργοῦ Τριάδος · τῆς ἐν τῇ νήσῳ Χάλκῃ · τε μονῆς τε τοῦ Ἐσόπτρου · καὶ εἴ τις βουληθοῖ ποτε λαθραίως ταύτην ἆραι · κεχωρισμένος ἔσται Τριάδος τῆς ἁγίας ἐν τῷ αἰῶνι τούτῳ γε καὶ ἐλευσομένῳ. A. EHRHARD (*op. cit.,* p. 238, n. 1) a remarqué judicieusement que « cette note semble due à une seconde main postérieure, qui a peut-être composé facticement ce codex dans sa forme actuelle ». Pour en finir avec ce codex *A,* nous relèverons la méprise de la reliûre, qui porte au dos le nom de Grégoire de Nazianze.

voyage, dans les années 1729 et 1730, en Grèce, à Constantinople et dans les îles des environs ; parmi eux figurent plusieurs homélies et discours de Chrysostome[1].

2. *Vaticanus gr. 1628 : B.*

Bibl. Vat., XIe s., parch. (sauf les ff. 1 et 226, en papier), 415 × 295 mm., 226 fol., sur 2 colonnes, 32 lignes.

Panég.	I	ff. 121 -125v	Panég.	V	ff. 138 -142v
	II	ff. 125v-128v		VI	ff. 142v-147
	III	ff. 128v-131		VII	ff. 147 -150v
	IV	ff. 131v-138			

Ce codex est composé uniquement de textes de Chrysostome, qui sont pour la plupart des *Sermones panegyrici.* Il commence toutefois par l'homélie *Cum presbyter fuit ordinatus* (*PG* 48, 693-700 ; *SC* 272, p. 388 s.), aux ff. 1-6v ; ensuite on trouve le premier panégyrique en l'honneur du martyr Babylas, aux ff. 6v-40v, appelé aussi *Contra Julianum et Gentiles* (*PG* 50, 533-572 ; *BHG* 208) ; celui qui précède nos sept éloges de l'apôtre Paul est consacré au martyr Julien, aux ff. 113-121 (*PG* 50, 665-676 ; *BHG* 967) ; – les deux qui les suivent, aux sept frères Maccabées, aux ff. 151-158v (*PG* 50, 617-626 ; *BHG* 1008 et 1009). Voir C. GIANNELLI, *Codices vaticani graeci,* Cité du Vatican 1950, t. I, n° 1628, p. 302-303, et R. DEVREESSE, « Les manuscrits grecs de l'Italie méridionale », *Studi e Testi,* n° 183, p. 19, note 8. Ce ms. se présente en parfait état, avec une belle reliure aux armes d'Urbain VIII.

C'est presque certainement l'un des mss de l'Abbaye de Sainte-Marie du Patir, fondée au XIIe siècle en Italie méridionale, et appelée plus tard Abbaye de Rossano[2]. La bibliothèque de cette abbaye fut, en effet, découverte et exploitée par les érudits romains du XVIe siè-

1. H. OMONT a décrit ce voyage de F. Sevin et de M. Fourmont dans son livre intitulé *Missions archéologiques en Orient,* Paris 1902. On en trouvera le récit, p. 1081-1095, puis la liste des mss acquis par Sevin, p. 1095-1118, enfin la description de notre codex, au numéro 114, p. 1113. Il faut, à ce dernier endroit, corriger le chiffre de 22 panégyriques composés par le rhéteur Nicétas : il n'y en a que 20 (cf. F. HALKIN, *op. cit.,* p. 58).

2. Pour l'histoire de l'Abbaye de Sainte-Marie du Patir et de ses manuscrits, voir P. BATIFFOL, *L'Abbaye de Rossano,* Paris 1891.

cle, notamment par le cardinal Sirleto. D'autre part, dans son étude : « Per la storia dei manoscritti greci di Genova, di varie Badie basiliane d'Italia e di Patmo », *Studi e Testi,* t. 68 (Cité du Vatican 1935), G. Mercati indique, à la p. 86, la liste de ces manuscrits provenant de l'abbaye du Patir, avec quelques précisions à leur sujet (p. 87-98), — et plus loin (p. 299) il ajoute, en note, cette remarque : « Le *Vaticanus gr. 1628* doit être venu [de Rossano] à la Bibliothèque Vaticane sous Paul V [1605-1621] avec les autres mss du Patir enregistrés dans la liste éditée plus haut (p. 86), bien qu'il ne figure pas dans cette liste ». (Voir aussi les pages 308 et 332 de ce même livre.)

Sur ce ms., on consultera également A. Ehrhard, *op. cit.,* II, p. 220-224.

3. *Marcianus gr. Fond. antico 113 : C.*

Venise, Bibl. Saint-Marc, XIe s., parch., 334 × 250 mm., 207 fol. sur 2 colonnes, 28 lignes.

Panég.	I	ff. 146 -153	Panég.	V	ff. 172 -179
	II	ff. 153 -157^{v}		VI	ff. 179^{v}-186
	III	ff. 157^{v}-161^{v}		VII	ff. 186 -192
	IV	ff. 161^{v}-172			

Ce codex est composé uniquement de textes de Chrysostome, *Sermones panegyrici.* Il est mutilé et a perdu notamment ses 16 premiers folios. Dans son état actuel, il commence dans le courant du panégyrique sur Babylas, qui devait être précédé d'un autre texte. Comme dans le *Vaticanus gr. 1628,* le panégyrique qui précède les sept Éloges de l'apôtre Paul est consacré au martyr Julien (ff. 134-146), et les deux qui suivent, aux sept frères Maccabées (ff. 192-204), cf. *PG* 50, 617-626, *BHG* 1008 et 1009. Ce manuscrit fut donné, en 1468, à la Bibl. Saint-Marc de Venise par le Cardinal Bessarion [1]. Pour ce manuscrit, consulter A.M. Zanetti et A. Bongiovanni, *Graeca D. Marci Bibliotheca codicum manuscriptorum per titulos digesta...,* Venise 1740, n° 113, p. 67-68, et A. Ehrhard, *op. cit.,* II, p. 220-224.

1. Voir H. Omont, « Inventaire des manuscrits grecs et latins donnés à Saint-Marc de Venise (1468) », dans *Revue des Bibliothèques,* IV (1894), p. 132 et 154 (n° 142).

4. *Marcianus gr. Fond. Antico 567 : D.*

Venise, Bibl. Saint-Marc, XIe s., parch., 340 × 255 mm., 254 fol., sur 2 colonnes, 29 lignes.

Panég.	I	ff. 160 -166	Panég.	V	ff. 184^{v}-190^{v}
	II	ff. 166 -170		VI	ff. 191 -196^{v}
	III	ff. 170^{v}-174^{v}		VII	ff. 197 -202
	IV	ff. 174^{v}-184			

Ce codex comprend à peu près les mêmes panégyriques que le précédent. Comme le *Vaticanus gr. 1628,* il commence par l'homélie *Cum presbyter fuit ordinatus,* suivie aussitôt du panégyrique sur Babylas (ff. 11-58) ; nous y retrouvons également, juste avant les sept Éloges de l'apôtre Paul, le panégyrique consacré au martyr Julien (ff. 149-159^{v}) et, immédiatement après, les deux panégyriques en l'honneur des sept frères Maccabées (ff. 202^{v}-213). Ce codex est entré à la Bibl. Saint-Marc le 13 mars 1625 et fait partie d'un groupe de 21 manuscrits, légués alors à cette Bibliothèque par l'humaniste Giacomo Gallicio [1].

Pour ce manuscrit, consulter également A.M. ZANETTI et A. BONGIOVANNI, *Graeca D. Marci Bibliotheca codicum manuscriptorum per titulos digesta..., op. cit.,* n° 567, p. 297-298, et A. EHRHARD, *op. cit.,* t. II, p. 220-224.

5. *Patmiacus 164 : E.*

Patmos, monastère de saint Jean l'Évangéliste, XIe s., parch., grand in-4°, 236 fol., sur 2 colonnes, 29 lignes.

Panég.	I	ff. 141^{v}-147	Panég.	V	ff. 164 -169^{v}
	II	ff. 147 -151		VI	ff. 169^{v}-175
	III	ff. 151 -155		VII	ff. 175 -179^{v}
	IV	ff. 155 -164			

1. Cf. M. FINAZZI, « La donazione della raccolta di codici greci di Giacomo Gallicio alla Repubblica di Venezia », in *Miscellanea Marciana di studi bessarionei,* Padoue 1976, p. 103-118. Nous remercions vivement M. le Directeur de la *Biblioteca Nazionale Marciana,* à Venise, de nous avoir donné cette précision et cette référence.

Ce codex, composé lui aussi de *Sermones panegyrici* de Chrysostome comprend un certain nombre de fautes de copiste et quelques endroits usés, et il a perdu, au début, 24 folios. Les textes qui le composent, et notamment ceux qui précèdent et qui suivent les sept Éloges de S. Paul, sont les mêmes que ceux de *Vaticanus gr. 1628* et des *Marc. gr. 113 et 567.*

Ce ms. n'est pas mentionné dans le Catalogue de la Bibliothèque de Patmos au XIVe siècle, édité par A. Mai (*PG* 149, 1047-1052), ni par Sp. Lambros, dans Νέος Ἑλληνομνήμων I, 1913, p. 213-215. On consultera à son sujet J. SAKKELION, Πατμιακὴ βιβλιοθήκη, Athènes 1890, p. 87-88, A. EHRHARD, *op. cit.*, p. 220-224, et la notice plus détaillée de Madame Astruc, attachée à la Section grecque de l'Institut de Recherche des Textes, où son travail peut être consulté.

6. *Laurentianus Plut. IX, cod. 4 : F.*

Florence, Bibl. Medic. Laurent., XIe s., parch., 350 × 255 mm., 204 fol., sur 2 colonnes, 30 lignes.

Panég. I	ff. 142-147v	Panég. V	ff. 165-171
II	ff. 148-152	VI	ff. 171-177
III	ff. 152-156	VII	ff. 177-182
IV	ff. 156-165		

Ce codex, lui aussi entièrement consacré à des *Sermones panegyrici* de Chrysostome, est composé à peu près des mêmes textes, et dans le même ordre, que ceux du *Vaticanus gr. 1628,* des *Marciani gr. 113 et 567,* et du *Patmiacus 164*[1].

Voir A.M. BANDINI, *Catalogus manuscriptorum Bibliothecae Mediceae Laurentianae,* tome I, Florence 1764, n° 15, p. 391-392, et A. EHRHARD, *op. cit.,* II, p. 220-224.

Montfaucon a connu ce manuscrit au cours de son séjour en Italie[2].

1. On notera cependant que le premier panégyrique se rapporte à tous les saints (ff. 2-7).

2. Cf. *Bibliotheca bibliothecarum,* Paris 1739, I, 261 A, et voir *infra,* B., «Éditions et traductions», p. 98.

7. Athous Lavra B 112 : L.

Mont Athos, monastère de la grande Lavra, XIe s., parch., 330 × 235 mm., 288 fol., sur 2 colonnes, 46 lignes.

Panég.			Panég.		
	I	ff. 189 -191		V	ff. 198 -200
	II	ff. 191 -192		VI	ff. 200v-202v
	III	ff. 192v-194		VII	ff. 202v-204v
	IV	ff. 194v-197v			

Ce codex commence par les Commentaires de Chrysostome sur les Actes des Apôtres (ff. 1-188v), puis se continue par le texte de nos sept panégyriques, dans une teneur identique à celle du *Parisinus gr. 755* (A) (voir p. 70-71, 81-82) ; aussitôt après viennent les panégyriques de Nicétas, déjà rencontrés dans le *Parisinus gr. 755* (voir *supra*, p. 55).

On peut consulter à son sujet, si l'on n'a pas le bonheur de faire soi-même un voyage à ce monastère, Spyridon LAURIOTÈS et J. EUSTRATIADÈS, *Catalogue of the greek manuscripts in the Library of the Laura*, Cambridge 1925, n° B 112, p. 29, et A. EHRHARD, *op. cit.*, II, p. 237-239.

Ce manuscrit, en assez bon état de conservation, présente donc deux ressemblances avec notre *Parisinus gr. 755* (A) : l'identité des leçons pour le texte des sept panégyriques sur S. Paul, et la présence des panégyriques de Nicétas qui le suivent. Mais on remarque en même temps deux différences : à l'inverse du *Parisinus gr. 755*, ce codex ne contient pas de 8e panégyrique sur S. Paul, et, d'autre part, il commence par les Commentaires sur les *Actes des Apôtres*, qu'on ne trouve nullement dans le ms. A.

Le texte de nos sept panégyriques a certainement été copié sur le même modèle que celui du ms. A, comme nous le montrons plus loin (III. Classement des mss, p. 71).

8. Athous Lavra B 94 : G.

Mont Athos, monastère de la grande Lavra, XIIe s., parch., 270 × 200 mm., 256 fol., à pleine page, 25 lignes.

Panég.			Panég.		
	I	ff. 194v-202v		V	ff. 225 -233
	II	ff. 202v-207v		VI	ff. 233 -240v
	III	ff. 208 -213		VII	ff. 240v-247v
	IV	ff. 213 -225			

Ce codex, mutilé à la fin, contient la même collection de panégyriques que le *Vaticanus gr. 1628*, les deux *Marciani gr. 113 et 567*, le *Laurentianus Plut. IX, cod. 4*, et le *Patmiacus 164*, auquel il ressemble plus exactement encore, puisqu'il commence comme lui par un panégyrique consacré à tous les saints (ff. 3^{v}-10^{v}). Le texte de nos panégyriques et de la plus grande partie de ce manuscrit y est le plus souvent bien conservé et d'une écriture de qualité.

Sur ce ms., voir Spyridon LAURIOTÈS et S. EUSTRATIADÈS, *Catalogue of the greek Manuscripts in the Library of the Laura, op. cit.*, p. 25. A. EHRHARD *(op. cit.)* ne décrit pas ce manuscrit.

9. *Athous Stavronikita 22 : P.*

Mont Athos, monastère Stavronikita, XIIe s., parch., 245 × 310 mm., 231 fol., sur 2 colonnes, 28 lignes.

Panég. I	ff. 159^{v} 166	Panég. V	ff. 186^{v}-193^{v}
II	ff. 166^{v}-171	VI	ff. 193^{v}-200
III	ff. 171 -175	VII	ff. 200^{v}-206^{v}
IV	ff. 175^{v}-186^{v}		

Aux ff. I-II se trouve une table de toutes les homélies contenues dans ce codex, avec attribution explicite à Chrysostome.

Le premier texte, aux ff. 1-8, est un panégyrique *De sanctis Martyribus* (*PG* 50, 705-712 ; *BHG* 1188). Le texte qui précède nos Éloges sur S. Paul est le panégyrique en l'honneur du martyr Julien, aux ff. 148^{v}-159^{v} ; les deux qui suivent les Éloges de S. Paul sont les deux panégyriques en l'honneur des frères Maccabées, aux ff. 206^{v}-218.

Pour l'analyse de ce codex, voir la notice du R.P. M. AUBINEAU : « Neuf manuscrits chrysostomiens, *Athos Stavronikita 4, 7, 10, 12, 13, 15, 22, 31, 32* », dans *Orientalia Christiana Periodica*, t. 42 (1976), p. 76-91, et surtout les p. 81-84.

Comme l'a remarqué M. Aubineau, « ce recueil s'apparente à un petit groupe, fort rare, de six *panegyrica* chrysostomiens du XIe s., qu'a étudiés A. Ehrhard dans son *Überlieferung*... t. II, p. 221-223 : Florence, *Laur. IX 4 ; Paris gr. 759 ; Patmos 164 ; Vatican. gr. 1628 ;* Venise, *Marc. gr. 113 et 567*. On trouve dans ces mss un lot de 24 pièces, authentiquement chrysostomiennes, consacrées à la louange des martyrs, dont l'ordonnance reflète très probablement un groupement fort ancien[1]. Mais, en ce qui concerne le *Paris. gr. 759,* ce ms. ne contient pas nos sept Éloges sur S. Paul.

10. Athous Panteleimon 58 : M.

Mont Athos, monastère Panteleimon, XIIIe s., parch., 280 × 220 mm., 431 fol., à pleine page, 32 lignes[2].

Panég. I	ff. 303-308	Panég. V	ff. 321 -325^{v}
II	ff. 308-311	VI	ff. 325^{v}-329^{v}
III	ff. 311-314	VII	ff. 329^{v}-333^{v}
IV	ff. 314-321		

Ce codex comprend trois parties, dont la première est un panegyricon chrysostomien pour toutes les fêtes fixes de l'année liturgique. Le premier texte est le panégyrique *De Sanctis Martyribus* (*PG* 50, 705-712 ; *BHG* 1188), déjà mentionné à propos du cod. *Stavronikita 22;* celui qui précède nos sept panégyriques est un Éloge inédit des apôtres Pierre et Paul (*BHG* 1501 a), avec la date du 29 juin, attribué à Chrysostome, *inc.* Πέτρον καὶ Παῦλον τοὺς μαθητάς (ff. 301-303) ; prennent place alors les sept Éloges de l'apôtre Paul, toujours pour le 29 juin (303-333^{v}). Le VIIe de nos panégyriques est suivi d'un VIIIe, comme dans le *Parisinus gr. 755* (voir *supra,* p. 55, et n. 1), mais dans une teneur différente : dans ce *cod. Panteleimon 58,* ce VIIIe panégyrique (ff. 333^{v}-337^{v}) est simplement la reprise du texte du premier, avec beaucoup de corrections volontaires, qui sont de toute évidence l'indice d'un remaniement postérieur[3]. Après ce VIIIe panégyrique figure, aux ff. 337^{v}-341, pour le 30 juin, l'homélie *In duodecim apostolos* (*PG* 59, 495-498 ; *BHG* 159) qui n'est pas de Chrysostome[4].

1. Voir *Orient. Christ. Period.* t. 42, p. 83.

2. Ce codex comporte très exactement 32 lignes pour les folios de la Ire partie, 33 pour ceux de la IIe, et 36 pour ceux de la IIIe.

3. En face des premières lignes qui reproduisent l'*Incipit* du Ier Panégyrique, mais dans un ordre de mots différents (soit Λειμῶνα ἀρετῶν καὶ παράδεισον πνευματικὸν οὐκ ἄν τις ἁμάρτοι...), une note marginale suffirait à alerter le lecteur sur le texte artificiellement remanié de ce VIIIe Panégyrique. Voici cette note: οὗτος ὁ λόγος κρειττότερος τῶν ἑπτὰ ἑτέρων λόγων τοῦ Χρυσοστόμου ὧν ἐποίησεν εἰς τὸν ἅγιον Παῦλον.

4. Cf. J.A. DE ALDAMA, *Repertorium... pseudo-Chrysostomicum,* n° 95.

Ce codex *Panteleimon 58* appartient au même petit groupe de *panegyrica chrysostomica* dont il a été parlé à l'occasion du cod. *Stavronikita 22.*

Pour l'analyse plus détaillée des pièces de ce *codex,* on se reportera à la notice que le R.P. M. AUBINEAU lui a consacrée dans *Analecta Bollandiana,* t. 92 (1974), p. 79-96[1].

11. Parisinus gr. 728 : H.

Paris, Bibl. nat., XIIe s., parch., 335 × 235 mm., 370 fol., tantôt sur 2 colonnes[2], tantôt à pleine page, notamment pour les ff. 365-370 qui nous intéressent : ces folios ont 33 lignes par page.

Panég. I ff. 366^v^-370^v^

Ce codex se compose de deux œuvres de Chrysostome, de longueur très inégale : le *Commentaire sur les Actes des Apôtres* (ff. 1-364^v^)[3], et le premier panégyrique sur l'apôtre Paul (ff. 366^v^-370^v^)[4].

Voir H. OMONT, *Inventaire sommaire des manuscrits grecs de la Bibl. nationale,* t. I, Paris 1898, n° 728, p. 119, et F. HALKIN,

1. Parmi les textes attribués à Chrysostome dans ce *cod. Panteleimon 58,* quelques-uns ne sont pas authentiques. On se reportera, pour les textes édités, au livre de J.A. DE ALDAMA, *Repertorium...,* en partant de leurs *Incipit,* qu'a notés M. AUBINEAU, *Anal. Boll.* t. 92, fasc. 1, 2, p. 81-84, 93-94. Il faut émettre également, semble-t-il, des réserves pour l'authenticité de pièces non encore éditées que contient ce ms.

2. Ce *Cod. Parisinus gr. 728* est, de fait, écrit sur 2 colonnes du f. 1 au f. 332^v^, – puis, à pleine page du f. 333 au f. 356^v^, – sur 2 col., du f. 357 au f. 364^v^, – enfin, à pleine page du f. 365 au f. 370^v^.

3. Voir E.R. SMOTHERS, « Le texte des Homélies de saint Jean Chrysostome sur les Actes des Apôtres », dans *Recherches de Science Religieuse,* t. XXVII (1937), p. 525, 533.

4. Ce panégyrique y est même précédé d'une autre homélie très brève sur l'apôtre Paul (ff. 365-366^v^), dont l'*Incipit* Ὁρᾷς πῶς πάντα προεώρα ἡ ἁγία καὶ θεῖα κεφαλὴ n'est attesté ni à la fin de *PG* 64 ni dans J.A. de Aldama.

Manuscrits grecs de Paris, Inventaire hagiographique, Bruxelles 1968, n° 728, p. 55 [1], et *BHG* 1460 k.

Ce manuscrit, d'une écriture parfois moins nette que celle des mss mentionnés précédemment, est entré à la Bibl. Nationale dans la seconde moitié du XVIIe s., provenant de la collection du Cardinal Mazarin *(Maz. 19, Regius 1956).* Montfaucon en a fait la collation et indiqué les variantes importantes (tome II, Paris 1718, col. 478-480, *PG* 50, 474-477 ; se reporter aussi plus loin, *Histoire des Éditions,* p. 97-98 et note). Bien que ce *cod. Parisinus gr. 728* (H) ne contienne que le Ier de nos panégyriques, il revêt une certaine importance pour l'établissement de notre texte, à cause de l'identité quasi totale de ses leçons avec celles du *Parisinus gr. 755* (A), et celles du *Lavra B 112* (L) qui commence, comme lui, par le commentaire des Actes des Apôtres (voir *supra,* p. 60, et III. Classement des manuscrits, p. 70-71 et notes).

12. *Vaticanus gr. 820 : J.*

Bibl. Vat., XVIe s., sur papier, 410 × 290 mm., 309 fol., sur 2 colonnes, 36 lignes.

Panég. IV ff. 79^v-86

Ce codex, qui ne contient que notre IVe panégyrique est un Ménologe pour le trimestre d'été. L'œuvre qui précède ce panégyrique sur Paul est l'Éloge inédit des apôtres Pierre et Paul, attribué à Chrysostome (*inc.* Πέτρον καὶ Παῦλον τοὺς μαθητάς...), déjà rencontré dans le *cod. Athous Panteleimon 58* (voir *supra,* p. 62 : cf. *BHG* 1501 a), et qui prend place dans ce ms. aux ff. 77^v-79^v. Celle qui le suit est un Éloge sur Paul, de Théodore Daphnopatis, constitué d'extraits

1. On corrigera dans H. Omont le lapsus du catalogue (I, p. 119) : *ejusdem oratio in laudem S. Petri* (ff. 365-370), puisqu'il s'agit effectivement de notre Ier Panégyrique sur Paul, ainsi que la légère erreur de l'indication des folios, en réalité ff. 366^v – 370^v. – D'autre part, F. Halkin indique comme référence pour le texte de ce panégyrique, au lieu des ff. 366^v – 370^v, les ff. 356 – 360. Une main postérieure a biffé, en effet, la première numérotation des six derniers folios de ce codex (ff. 365-370^v) en lui substituant les numéros 355-360. On lit également, au bas du f. 324^v, qu'il faut se porter pour la suite au f. 357 (en réalité, f. 356^v), et en haut de la page de l'ancien f. 365 qu'il faut se porter au bas du f. 356^v.

empruntés aux œuvres de Chrysostome, aux ff. 86-97, l'*Ecloga* n° 30 (*PG* 63, 787-802).

Voir R. Devreesse, *Codices Vaticani graeci,* Cité du Vatican, t. III (1950), n° 820, p. 355, et A. Ehrhard, *op. cit.,* p. 67-71.

Ce texte du IVe panégyrique sur Paul se rattache au groupe des mss *CFGP* (voir *infra, III. Classement des manuscrits,* p. 70); il fut probablement copié sur le ms. C, c'est-à-dire le *cod. Marc. gr. 113,* avec, en plus, l'insertion de quelques gloses (cf. note 1, p. 83-84).

13. Athous Vatopedi 637 : R.

Mont Athos, xve s., sur papier, 240 × 180 mm., 389 fol., sur 2 colonnes, 24 lignes.

Panég. I ff. 180-187[v]

Ce manuscrit est le 2e tome d'un *Panegyrikon* (*cod. 636-637*), du Vendredi Saint à la Décollation de S. Jean-Baptiste.

Le premier texte de ce *cod. 637* est l'homélie de Chrysostome sur la trahison de Judas, *PG* 49, 373-382 (ff. 5-19[v]); celui qui précède le premier Éloge de S. Paul est un panégyrique pseudo-chrysostomien [1] sur les apôtres Pierre et Paul, aux fol. 175[v]-180, *inc.* Οὐρανοῦ καὶ γῆς ἅμιλλαν (*PG* 59, 491-496; *BHG* 1497); puis vient le texte de notre Ier panégyrique sur Paul (ff. 180-187[v]), le seul que contienne ce codex; ensuite prennent place les deux Éloges des sept frères Maccabées (ff. 187[v]-199) [2].

1. Cf. J.A. de Aldama, *Repertorium,* n° 364.

2. Comme cette description le fait déjà pressentir, cette collection de panégyriques mélange plusieurs sources : Métaphraste, *Homéliaire de Grégoire Palamas,* et sans doute une collection identique ou analogue à celle du *Parisinus gr. 755,* et du *Lavra B 112.* La collation de ce *cod. Vatopedi 637* pour notre Ier panégyrique témoigne, en effet, d'une parenté étroite avec les textes du *Par. gr. 755* et du *Lavra B 112,* comme avec celui du *Par. gr. 728.* On y trouve, en outre, du f. 80[v] au f. 93, le panégyrique de Nicétas sur Jean l'Évangéliste, qui figure aussi dans le *Par. gr. 755* (ff. 112-124[v]), et dans le *Lavra B 112* (ff. 222[v]s.). — Ce ms. *Vatop. 637* contient également, aux ff. 199[v] – 212, un autre discours de Nicétas « Sur la translation des reliques de saint Étienne ». Cette œuvre, qui porte parfois aussi le nom de Michel Psellos (voir *BHG,* 1651), ne figure ni dans le *Par. gr. 755,* ni dans les mss apparentés décrits par A. Ehrhard.

Voir S. Eustratiadès, *Catalogue of the Greek Manuscripts in the Library of Vatopedi,* Cambridge 1924, n° 637, p. 127-128, et A. Ehrhard, *op. cit.,* III, p. 312-314[1].

Ce codex, malgré son caractère très incomplet pour les textes qui nous intéressent et son époque tardive, nous a fourni cependant pour le premier de nos panégyriques un document intéressant, puisque ses leçons rejoignent celles du *Parisinus gr. 755,* du *Lavra B 112* et du *Parisinus gr. 728,* et dérivent de la même famille.

14. Londinensis Additional 21983 : K.

Londres, British Museum, xvie s., sur papier, 288 × 215 mm., 378 fol., à pleine page, 33 lignes (quelques folios sont du xive s., restes d'un ms. antérieur : ff. 4-19, 26-29, 32-72, et les lacunes qui s'y trouvent ont été exactement suppléées par le copiste du xvie s.).

Panég.	I	ff. 89 -93^{v}	Panég.	V	ff. 106^{v}-110^{v}
	II	ff. 93^{v}-96^{v}		VI	ff. 110^{v}-114^{v}
	III	ff. 96^{v}-99^{v}		VII	ff. 114^{v}-118
	IV	ff. 99^{v}-106^{v}			

Ce codex est entièrement composé d'œuvres de Chrysostome. Le texte qui précède les sept Éloges de l'apôtre Paul est constitué des Homélies I-XIII *Sur les Statues,* aux ff. 4-88^{v} (*PG* 49, 15-144), et celui qui les suit contient les deux panégyriques sur les sept frères Maccabées, aux ff. 118^{v}-125^{v}. Ce manuscrit, qui offre le même texte que le groupe CFGP (voir *infra,* note 1, p 83-84) paraît bien avoir été copié sur le ms. *Laurentianus Plut. IX, cod. 4* (F), puisqu'il lui est partout identique, y compris dans les 14 leçons, souvent erronées, qui leur sont propres[2].

1. Le catalogue des mss de Vatopedi, rédigé par S. Eustratiadès, p. 127-128, indique en tête du n° 637 attribué à ce codex qu'il est en papier et du xve siècle ; d'autre part, au dernier folio (389^{r}) se trouve un colophon, reproduit par S. Eustratiadès, qui le confirme. De fait, l'écriture des ff. 180-187 qui nous intéressent, et qui ressemblent à des caractères du xie siècle, est une écriture d'imitation, ce que m'a confirmé le R.P. Paramelle, directeur de la Section grecque à l'Institut de Recherche et d'Histoire des textes, à Paris.

2. On trouvera plus loin la liste de ces 14 leçons (cf. *infra,* p. 84).

Il a appartenu au Cardinal du Perron, qui le légua à l'Abbaye de Saint-Taurin, d'Évreux. Il fut ensuite acquis, le 30 avril 1857, par le British Museum, où nous en avons fait la collation.

Voir M. RICHARD, *Inventaire des manuscrits grecs du British Museum,* tome I, Paris 1952, p. 37-38.

III. Classement des manuscrits

1. Caractéristiques extérieures

a. *Intitulés.* Les mss A, L, F, G, P, K ont un intitulé identique : Τοῦ ἐν ἁγίοις πατρὸς ἡμῶν Ἰωάννου ἀρχιεπισκόπου Κωνσταντινουπόλεως τοῦ Χρυσοστόμου ἐγκώμιον εἰς τὸν ἅγιον ἀπόστολον Παῦλον.

Dans les mss B, D, M, la mention ἀρχιεπισκόπου est absente. Quant aux mss C, E, ils réduisent la formule initiale à τοῦ αὐτοῦ[1].

1. Nous avons relevé ici seulement les intitulés des mss qui présentent le texte intégral de nos sept panégyriques, y compris le ms. *K*, copié sur *F*, dont nous ne tiendrons compte ni dans le classement des mss, ni pour l'établissement du texte (voir *infra*, p. 84). – Il n'est pas sans intérêt toutefois d'indiquer, en note, qu'en tête du Ier panégyrique que donnent le *Parisinus gr. 728 (H)* et l'*Athous Vatopedi 637 (R)*, on trouve également l'intitulé suivant : Τοῦ ἐν ἁγίοις πατρὸς ἡμῶν Ἰωάννου ἀρχιεπισκόπου Κωνσταντινουπόλεως τοῦ Χρυσοστόμου ἐγκώμιον εἰς τὸν ἅγ. ἀπόστ. Παῦλον. Or ces deux mss appartiennent au même groupe que *A L* (voir *supra*, p. 64, 66, et stemma, p. 85).
– Quant au titre du *Vaticanus gr. 820 (J)*, qui offre seulement le IVe Panégyrique, voici ce qu'on lit au f. 79[v] : Τοῦ ἐν ἁγίοις πατρὸς ἡμῶν Ἰωάννου ἀρχιεπισκόπου Κωνσταντινουπόλεως καὶ οἰκουμενικοῦ φωστῆρος τοῦ Χρυσοστόμου ἐγκώμιον εἰς τὸν ἅγιον ἀπόστολον τοῦ Χριστοῦ καὶ μέγαν Παῦλον, λόγος δ΄. Dans ce titre embelli, qui porte en lui-même l'indice d'une époque postérieure, on trouve cependant les deux mots ἀρχιεπισκόπου Κωνσταντινουπ. qui l'apparentent aux intitulés de *F G P*.

b. *Séquences.* Dans les mss B, C, D, E, F, G, P, K, les panégyriques sur l'apôtre Paul sont suivis de deux Éloges de Chrysostome sur les sept frères Maccabées.

Dans le ms. M, ils sont suivis d'abord d'un VIIIe panégyrique sur Paul, qui n'est pas authentique (voir *supra,* p. 62), puis, aux ff. 337v-341, de l'homélie *In duodecim apostolos* (*PG* 59, 495-498), qui ne l'est pas non plus [1] ; un peu plus loin, aux ff. 348-356v, on trouve trois homélies sur les frères Maccabées.

Enfin, il convient de placer ensemble, au point de vue de leurs séquences, les deux mss A et L. Le ms. A présente, sitôt après les sept Éloges sur l'apôtre Paul, un VIIIe panégyrique en son honneur, mais dont le contenu est différent de celui du ms. M [2]. Après ce VIIIe panégyrique, artificiellement intercalé à cet endroit, on trouve vingt panégyriques de Nicétas [3]. Or, dans le ms. L, s'il n'y a aucune trace d'un VIIIe panégyrique en l'honneur de Paul, on retrouve également, sitôt après nos sept Éloges de l'apôtre, ces panégyriques de Nicétas.

c. *Doxologies.* Pour les Ier, IIe, IIIe, Ve et VIe panégyriques, les mss A, L, C, F, G, P donnent la doxologie suivante : ᾧ ἡ δόξα καὶ τὸ κράτος νῦν καὶ ἀεὶ καὶ εἰς τοὺς αἰῶνας τῶν αἰώνων. Ἀμήν.

(Pour le IVe panégyrique, ils n'ont pas les mots νῦν καὶ ἀεὶ καὶ).

Les mss B, D, E, M omettent *invariablement* νῦν καὶ ἀεὶ καὶ dans les panégyriques I-VI.

Quant au VIIe panégyrique, il offre dans tous les mss une doxologie plus développée, qui a peut-être été composée pour clore la collection [4].

1. Cf. J.A. DE ALDAMA, *Repertorium...,* n° 95.
2. Cf. *supra,* p. 55 et n. 1.
3. Cf. *supra,* p. 55, n. 2.
4. Voici cette doxologie du VIIe panégyrique : χάριτι καὶ φιλανθρωπίᾳ τοῦ Κ. ἡμῶν Ἰησοῦ Χριστοῦ δι'οὗ καὶ μεθ'οὗ τῷ Πατρὶ δόξα, ἅμα τῷ ἁγίῳ Πνεύματι, εἰς τοὺς αἰῶνας τῶν αἰώνων. Ἀμὴν.

Ces diverses remarques semblent suggérer déjà trois groupements possibles :

– les mss C F G P
– les mss B D E M[1]
– les deux mss A L[2]

2. *Variantes*

L'étude du texte confirme l'hypothèse suggérée par les caractéristiques extérieures. Elle invite à classer les manuscrits en trois groupes : BDM ; CFGP ; AL.

Si nous omettons, pour le moment du moins, de classer le ms. E, c'est parce que, comme d'ailleurs les deux mss AL, il se rattache, tantôt au groupe BDM, tantôt au groupe CFGP. Mais, pour ce qui concerne les deux mss AL, étant donné qu'ils présentent 62 leçons qui leur sont propres, ils nous ont semblé mériter en même temps une catégorie spéciale.

Voici quelques exemples illustrant ces trois constatations :

a)

	BDM	AL CEFGP
I, 14, 6	μετὰ τούτων	μετὰ τούτους
II, 6, 2	ὑπομεῖναι	ἐπιμεῖναι
III, 5, 27	πάλιν ἀλλαχοῦ	ἀλλ. πάλιν
V, 3, 27	διά τε τὴν φιλοσοφίαν	διὰ τ. φ.
13, 22-23	φέροντας εἰς μέσον	φέρ. αὐτὰ εἰς μέσον
VI, 1, 1	παρόντες τὰ μεγάλα	παρέντες τὰ μεγ.
8, 15	ὑπωπίαζω τὸ σῶμα	ὑπωπ. τ. σ. + καὶ δουλαγωγῶ
VII, 2, 11	δραπετεύειν ποιεῖν	δραπ. π. + καὶ εἰκότως
6, 6	ἐνέμεινεν	ἀνέμεινεν

1. Le fait, pour le ms. *M*, de présenter un VIIIe panégyrique ne détruit pas en effet la ressemblance qu'il présente avec *B D* pour les intitulés, et avec *B D E* pour les doxologies.

2. La présence, en effet, dans ces deux *codices* des panégyriques de Nicétas, et dans ces deux-là seulement, suggère une origine différente de celle des autres mss.

b)

	BDM AL E	CFGP
I, 15, 19	ἔλεγεν	φησίν
II, 5, 7	οὐδὲ... οὐδὲ	οὔτὲ... οὔτὲ
5, 10	θάνατος δὲ αὐτῷ	ἔτι τε θάνατος
6, 11	τὰς ἄλλας ταλαιπωρίας	τὰς ταλαιπ.
7, 18-19	τοῦτο σμικρόν	οὗτος σμικρόν
III, 1, 11	δία τοῦτο	καλῶς δὲ
3, 8	ἀναχαιτίζων	ἀναστέλλων
5, 18	καὶ ὑπὲρ τοῦ πεπορνευκότος ἄκουσον αὐτοῦ πῶς	καί σκόπει πῶς ὑπὲρ τοῦ πεπ.
IV, 7, 13	πάντες	πάντες + προσκυνοῦσι
15, 7	ἐξαφθέντος	πλατυνθέντος
16, 18	καταλυομένης	ἀνατρεπομένης
V, 6, 2	οὐκ ἄν κατεγνώσθη	*om.*
8, 1-2	ὅταν ὁ Θεὸς... κεχρημένος ᾖ	ὅπου ὁ Θεὸς... κέχρηται
VI, 3, 5	συνεισάγει	παρέξει
4, 4-5	ἡμεῖς... στενάζομεν	καθ' ὑπερβολὴν ἐβαρήθημεν... καὶ τοῦ ζῆν
4, 15	ὅτι ἕτοιμός ἐστι τὴν ψυχὴν ἐπιδοῦναι	ὑπὲρ τοῦ διδασκάλου τὴν ψυχὴν θήσειν
10, 27	δείκνυσι	δῆλον ποῖει
VII, 3, 11	κατηξιώθησαν τιμῆς	κατηξ. τοιαύτης τιμῆς
9, 2	καταθέμενον	κατατιθέμενον

c) Exemples de leçons propres à AL[1] :

	AL	Cett.
I, 4, 2	τὴν οἰκουμένην	τὴν οἰκ. πᾶσαν
7, 11	ἀνάγειν	εἰσάγειν
15, 15-16	ὑπὲρ τὰ προστάγματα	ὑ. τ. προστ. + ἔζησε

1. Ces leçons propres à *A L* sont aussi celles du ms. *H,* qui ne contient, lui, que le Ier Panégyrique, — à quelques exceptions près toutefois (voir *Ier Panég.,* Apparat critique, 3, 5 ; 11, 10 ; 12, 11 ; 14, 25.28).

II, 9, 2	ἄνθρωπον ὄντα	ἄνθρωπον
10, 14	τῶν κατορθωμάτων	τῶν κατορθωμένων
III, 6, 14-15	ὑπερασπίστης	προασπίστης
8, 1	ἀπὸ γραμμάτων	ἀπὸ τῶν γρ.
IV, 1, 9-10	αὐτῷ ἕπεσθαι	αὐτῷ πανταχοῦ ἕπ.
7, 17-18	τῶν κωλυμάτων	τῶν κωλυόντων
V, 6, 18	δι'αὐτὰ μὲν οὖν ταῦτα	διὰ ταῦτα μ. ο. ταῦτα
15, 5	ἀποκρῦψαι	ἀποκρύψασθαι
VI, 1, 12	μέγαν	μέγα
11, 1-2	μέλλει σε	σε μέλλει
VII, 2, 5	τὸ διάδημα	τὰ διαδήματα
7, 10	τῆς ὁμονοίας	τῆς ὁμον. + τῆς συμφωνίας
9, 18-19	ἡ... χάρις	ἡ... χάρις + πνευματική

La spécificité des 62 leçons propres à AL se remarque d'autant plus que, de toute évidence, quelques-unes d'entre elles, non citées dans les lignes qui précèdent, sont des fautes : c'est le cas d'une vingtaine de leçons environ [1].

Nous signalerons pour finir que L ne peut avoir été copié sur A, puisque deux lacunes de plusieurs lignes en A (IV, 5, 3-4 ; 7, 6-7 : voir apparat) ne se retrouvent pas en L, sans parler de très nombreuses fautes de distraction en A que L ne présente pas non plus (voir *infra,* p. 82, n. 2).

En dehors des combinaisons ci-dessus énoncées, on trouve aussi les répartitions suivantes : parfois d'un côté BDM + E, – et, de l'autre, AL + CFGP, – et plus souvent, d'un côté BDM + AL, – et, de l'autre, CFGP + E. En voici quelques exemples :

1. Voir Apparat critique, *I^er^Panég.*, 6, 9.21 ; 12, 1 ; 16, 3 ; *IIe*, 3, 7 ; 7, 18 ; *IIIe*, 3, 3 ; 8, 1 ; *IVe*, 9, 19 ; 10, 21 ; 10, 28 ; *V^e^*, 4, 3 ; 8, 20 ; 16, 13 ; *VIe*, 5, 9-10 ; 12, 17 ; *VIIe*, 2, 29 ; 4, 12 ; 7, 1 ; 11, 20.

a)

	BDM E	AL CFGP
I, 1, 2	πολλῇ	πολὺ
6, 9-10	αὐτοῦ τοῦτο αὐτὸ δηλοῦντος	αὐτοῦ τοῦτο δηλ.
II, 8, 2-3	εἰς τρίτον οὐρανὸν	εἰς τρίτ. ἀνήγαγεν οὐρ.
III, 6, 12	ἐκβοῶν	ἐμβοῶν
IV, 3, 20	πόθεν	πῶς
7, 21	εἶπε	εἴπατε
17, 8	ἐν μέσῳ τοσούτων λύκων	ἐν μέσῳ λ.
18, 21	καὶ κῶμοι	καὶ κῶμοι + καὶ πορνεῖαι
V, 12, 7	οὐδὲ οὕτως	οὐδὲ τούτοις
13, 23	ὅσα... συνέφερεν	ὅσα... χρήσιμα
VI, 1, 20-21	τῆς ἀγάπης τοῦ Χριστοῦ	τῆς ἀγ. τοῦ Θεοῦ
VII, 2, 29	αὐτὸ	οὕτως
9, 15-16	ἀλλ' ἑαυτῷ	ἀλλ' ἐκείνους ἑαυτῷ

b)

	BDM AL	CFGP E
I, 2, 7	ὅπερ ἕκαστος εἶχε καλὸν	ὅπ. ἕκ. εἶχε καλ. + ἢ
II, 7, 11-12	τί μοι	τί μοι + δεῖ παραβάλλειν
III, 2, 11	τῇ τῶν δαιμόνων ὑπερβολῇ	τῇ τ. δαιμ. ὑποβολῇ
9, 14	καὶ πάλιν	καὶ πάλιν + τὸ γὰρ
V, 3, 27	ὑπὲρ τῆς ὑπεροψίας	ἀπὸ τῆς ὑπερ.
5, 5	νῦν δὲ αὐτοάνθρωπος	*om.*
14, 8	δικαιοσύνην	ὑπὲρ δικαιοσύνης
VI, 4, 17-18	ὅταν δὲ γηράσῃς ζώσουσί σε...	ὅταν δὲ γηρ. ἐκτενεῖς τὰς χεῖράς σου, καὶ ἄλλος σε ζώσει...
5, 13	πόσῳ	πολὺ
6, 6	εἶδες	οὐκ εἶδες
12, 6	ἀντεπιδιδόναι	ἐπιδιδόναι
13, 16	ποθεινότερος	ποθεινότερος + μᾶλλον

VII, 1, 14	τίς φησιν	Ἰακὼβ φ.
2, 16-17	διὸ ἐβόα · τύπον καλοῦ ἡμᾶς ἔχοντες	διὸ καὶ ἔλεγε · Μιμηταί μου γίνεσθε καθὼς ἔχετε τύπον ἡμᾶς
4, 1	φησι	θέλεις μαθεῖν
5, 14	κατηγορήθη	κατεδικάσθη
6, 21	ἐμπεσών	ἐμβάλλων
10, 13	τὸ αἷμα ῥέον	αἵματι πεφυρμένον

IV. Établissement du texte

Dans la tradition mêlée que présente notre texte, trois données principales ont particulièrement retenu notre attention. La première nous a amené à un choix quasi invariable, dans tous les cas où nous la trouvions. La seconde, avec ses diverses combinaisons, nous a paru plus complexe et supportant mal une manière uniforme de procéder. La troisième, malgré le caractère plus rare de son illustration, nous a pourtant permis de discerner quel est vraisemblablement le meilleur des trois groupes de manuscrits représentés. Nous préciserons maintenant chacune de ces trois données.

1. Pour l'établissement du texte, nous avons presque toujours admis les combinaisons suivantes : AL CFGP E cont BDM, ou même simplement AL CFGP contre BDM E. Dans le premier cas, deux groupes nettement différents sont convergents avec, en outre, la rencontre du ms. E dont l'origine est plus complexe (voir stemma, p. 85). Dans le second, la réunion de ces deux groupes, même sans la présence de E, garantit le plus souvent la leçon retenue.

En se reportant aux variantes des mss BDM, citées plus haut (p. 69), il est évident que ceux-ci ou bien comportent des omissions (V, 13, 22-23 ; VI, 8, 15 ; VII, 2, 11), ou bien ont substitué un mot à un autre (I, 14, 6 ; II, 6, 2 ; VII, 6, 6), et cette confusion va parfois jusqu'au non-sens : παρόντες (au lieu de παρέντες) τὰ μεγάλα Παῦλου (VI, 1, 1-2). Mêmes omissions importantes dans le groupement BDM + E (II, 8, 2-3 ; IV, 18, 21 ; VII, 9, 15-16), ou substitutions de mots, encore difficiles à retenir (IV, 3, 20 ; 7, 21 ; V, 12, 7 ; VI, 1, 20-21). En vérité, l'adoption du groupement AL CFGP E ou du groupement AL CFGP ne prête guère à contestation.

2. La difficulté, surtout à partir du IIIe panégyrique, où les variantes deviennent plus nombreuses, réside dans la valeur exacte qu'il convenait d'attribuer au groupe CFGP. Devions-nous plutôt suivre cette famille, ou plutôt nous en détourner ? Il nous a semblé qu'on ne pouvait résoudre uniformément ce problème.

A ce sujet, on peut faire d'abord une première remarque, à savoir que la valeur de ce groupe CFGP paraît plus ou moins grande, selon que le ms. E vient s'y joindre ou non.

Dans le premier cas, un ms. d'une origine partiellement différente, le ms. E (voir stemma, p. 85) vient corroborer la leçon de cette famille, ce qui nous a invité à l'adopter pour plusieurs passages.

a) Parfois il s'agit, en effet, dans le groupe opposé BDM AL de mots sautés (I, 13, 5 ; II, 7, 11-12) ;

b) parfois, plus précisément, d'une citation scripturaire tronquée ou altérée (VI, 4, 17-18 ; 8, 5 ; VII, 2, 17.18 ; 9, 2-3) ;

c) parfois d'une confusion de préposition, de cas ou de nombre (V, 3, 27 ; 14, 8 ; VII, 5, 9 ; 7, 9-10) ;

d) enfin de quelques passages mal venus dans le contexte (III, 6, 13-14), voire impossibles à admettre (VI, 5, 3 ; VII, 9, 13-15).

Voici la teneur de ces exemples :

	Leçon retenue : CFGP E	Leçon refusée : BDM AL
a)		
I, 13, 5	ἐξαλειφθῆναι εἵλετο τῆς τοῦ Θεοῦ βίβλου	ἐξ. εἵλετο τῆς βίβλου
II, 7, 11-12	τί μοι δεῖ παραβάλλειν	τί μοι

b)

VI, 4, 17-18	ἐκτενεῖς τὰς χεῖράς σου (*Jn* 21, 18)	*om.*
8, 5	ἐμοὶ κόσμος ἐσταύρωται κἀγὼ τῷ κόσμῳ (*Gal.* 6, 14)	τῷ κόσμῳ ἐσταυρῶμαι καὶ ὁ κόσμος ἐμοὶ
VII, 2, 17	μιμηταί μου γίνεσθε, καθὼς ἔχετε τύπον ἡμᾶς (*Phil.* 3, 17)	τύπον καλοῦ ἡμᾶς ἔχοντες
2, 18	ἃ ἠκούσατε καὶ εἴδετε ἐν ἐμοὶ ταῦτα πράσσετε (*Phil.* 4, 9)	ἃ εἴδετε ἐν ἐμοὶ καὶ ἠκούσατε (*om.* ταῦτα πρασ.)
9, 2-3	πρὸς τὸν Φῆστον Ἀγρίππας (*Act.* 26, 32)	καὶ ὁ Φῆστος

c)

V, 3, 27	ἀπὸ τῆς ὑπεροψίας	ὑπὲρ τῆς ὑπεροψίας
14, 8	ὑπὲρ δικαιοσύνης	δικαιοσύνην
VII, 5, 9	ἐπεπήδησάν ποτε καὶ ἕτεροι	ἐπεπήδησε γάρ ποτε καὶ ἕτερος
7, 9-10	τοῦ συμφέροντος	τῶν συμφερόντων

d)

III, 6, 13-14	καθάπερ τις στρατηγὸς ἄριστος	καθ. τις στρατηγος ἢ ἄριστος ἰατρός
VI, 5, 3	οὐδὲ τὸν... σπουδάζοντα	οὐδὲ τὸν... σπουδ. + ἃ οὐκ ἔνι οὐδὲ ἐλάβομεν ταῦτα
VII, 9, 13-15	ἐξ ἧς ἐμάνθανον ὅτι πάντες οἱ πλέοντες μετ' αὐτοῦ σῴζονται	καὶ ἔλεγε τὰ εἰρημένα · οἷον ὅτι σοι κεχάρισμαι τοὺς ἀνθρώπους *(sic)*

Cependant, même dans les cas où notre texte présente cette combinaison, on ne saurait prendre toujours le même parti. Il nous a semblé, en effet, qu'on devait parfois rejeter la leçon de CFGP E à l'avantage de BDM AL. Voici quelques exemples :

	Leçon retenue : BDM AL	Leçon refusée : CFGP E
I, 2, 6	ὅπερ ἕκαστος εἶχε καλὸν	ὅπερ ἕκ. εἶχε καλὸν + ἢ
III, 2, 11	τῇ ὑπερβολῇ	τῇ ὑποβολῇ[1]
V, 5, 5	νῦν δὲ αὐτοάνθρωπος	*om.*
VI, 3, 1	δύνατον γὰρ	ὥστε δύνατον
6, 1	εἰ βούλει	εἰ βουληθείης
7, 1	τοῦτό ἐστι	ὅτι δὲ τούτῳ
8, 9	τοῦτο δὲ οὐδὲν ἕτερόν ἐστιν ἢ δεῖξαι μέχρι τοῦ σώματος	οὐδὲν ἕτερον διὰ τούτου ἢ μέχρι τοῦ σώματος δείκνυσιν
13, 10	κατεφύτευσε	ἐνέθηκεν
VII, 2, 11-12	εἰ γὰρ λῃσταὶ τοῦτο ὁρῶντες τὸ σημεῖον	εἰ γὰρ πολεμίοι βασιλέως σῆμ. ὁρῶντες
4, 1	φησί	θέλεις μαθεῖν
6, 15-16	οὔπω χαρίσματα πολλὰ τῆς χάριτος ἦν αὐτῷ	οὐδὲν ἀπὸ τῆς χάριτος ἐργαζόμενος τέως καθάπερ μετὰ ταῦτα φαίνεται πολλὰ καὶ μεγάλα
7, 3-4	μὴ ἐν τοσαύτῃ ῥύμῃ προθυμίας αὐτοῖς ἀντιπεσεῖν	αὐτοῖς μηδὲ ἀντιπεσεῖν ἐν τῇ τοσ. ῥύμῃ τῆς προθ.
11, 1	ἐξέλαμψεν	ἐξελ. + οὐδὲν ἐντεῦθεν παραβλαβείς

Si l'on examine de près, en effet, certains de ces exemples fournis par les mss CFGP E, on y trouve non seulement des fautes de distraction (la leçon de I, 2, 6 n'a pas de sens, et celle de V, 5, 5 est une omission importante), mais en outre, il semble bien qu'un copiste soit intervenu dans l'un des modèles antérieurs, avec le souci de substituer un mot à un autre (III, 2, 11 ; VI, 13, 10 ; VII, 2, 11-12), ou encore de présenter un texte grammaticalement mieux lié (VI, 3, 1 ; 7, 1) ou plus explicite (VI, 8, 9 ; VII, 4, 1 ; 6, 15-16 ; 7, 3-4 ; 11, 1).

1. Voir *infra*, p. 165, n. 2 l'explication de notre choix.

Or, nous avons cru observer ce même procédé, lorsqu'il s'agit du groupe CFGP seul, sans la présence du ms. E à ses côtés. Pour quelques-uns de ces panégyriques, ce procédé est même plus accentué et cela se comprend si, comme nous le croyons, la branche CFGP a divergé du tronc central un peu plus tôt que le ms. E (voir stemma p. 85). On ne peut donc suivre non plus sans discernement le groupe CFGP contre le groupe BDM AL E.

Ces manuscrits CFGP ont évidemment eux aussi des fautes de distraction (par exemple en II, 6, 11 : καὶ ταλαιπωρίας au lieu de καὶ τὰς ἄλλας ταλαιπωρίας en BDM AL E; en II, 7, 18-19 : οὗτος σμικρόν, au lieu de τοῦτο σμικρόν; en V, 13, 8-9 : κακὸν τὸ περὶ ἑαυτοῦ λέγειν μέγα τι au lieu de κακὸν μέγα τὸ ... μέγα τι. Mais surtout plusieurs passages semblent faire penser à l'intervention dans le texte d'un copiste antérieur. On peut en relever sans doute quatre modalités différentes : a) parfois des mots de liaison sont substitués à d'autres (II, 5, 10; III, 1, 11; 3, 25; 5, 21-22; VI, 1, 22); b) parfois un mot pittoresque se trouve affaibli (III, 3, 8; IV, 15, 17) ou même gravement changé (III, 6, 1); c) une citation de l'Écriture se trouve mise à la place d'une autre, pour éviter une répétition (VI, 4, 4-5); d) enfin, à plusieurs reprises, des mots semblent bien avoir été ajoutés pour rendre le texte plus explicite (III, 1, 2-3; 5, 1-2; IV, 19, 15-17; VI, 3, 2-4; 4, 14), au risque de l'embarrasser. Voici les relevés de ces divers procédés.

	Leçon retenue : BDM AL E	Leçon refusée : CFGP
a)		
II, 5, 10	θάνατος δὲ αὐτῷ	ἔτι τε θάνατος
III, 1, 11	διὰ τοῦτο	καλῶς δὲ
3, 25	διὸ	ὅρα πῶς
5, 21-22	Ἐκ γὰρ πολλῆς θλίψεως, φησί,	διὸ καὶ ἔλεγεν · Ἐκ γάρ πολ. θλ.

b)

III, 3, 8	ἀναχαιτίζων	ἀναστέλλων
IV, 15, 7	ἐξαφθέντος τοῦ λόγου	πλατυνθέντος τ. λόγ.
III, 6, 1	εἶδες ψυχὴν ὑπερβαίνουσαν πᾶσαν τὴν γῆν	εἶδες ψ. ὑπερβ. φιλοσοφίαν

c)

VI, 4, 4-5	ἡμεῖς αὐτοὶ ἐν ἑαυτοῖς στενάζομεν (*Rom.* 8, 23)	καθ' ὑπερβολὴν ἐβαρήθημεν ὑπὲρ δύναμιν ὡς ἐξαπορηθῆναι ἡμᾶς καὶ τοῦ ζῆν (*II Cor.* 1, 8)

d)

III, 1, 2-3	καὶ ὅτι πρὸς αὐτὸν δυνάμεθα πτῆναι τὸν οὐρανόν	καὶ ὅτι ἂν ἔρρωται ἡμῖν αὕτη (ἡ ἰσχὺς) πρὸς αὐτὸν δύναται πτῆναι τ. οὐρ.
5, 1-2	Ἆρ' οὖν πρὸς Ἰουδαίους μόνον τοιοῦτος, πρὸς δὲ τοὺς ἔξωθεν οὐχί ;	Ἆρ' οὖν πρ. Ἰουδ. μόν. τοιοῦτος, πρὸς δὲ τ. ἔξ. οὐ τοιοῦτος, ἄπαγε · ἀλλὰ
IV, 19, 15-17	Ὁ δὲ Κιττιεὺς... κατέλυσε.	Ὁ δὲ Κ... κατέλυσε τὸν βίον.
VI, 3, 2-4	καὶ οὐδέν ἐστιν ὅπερ ἀδύνατον ἀνθρώποις τῶν ὑπὸ Χριστοῦ κελευσθέντων	οὐδὲν γάρ ἐστι τῶν ὑπὸ Χριστοῦ κελευσθέντων ὅπερ ἀδύν. ἀνθρ. κατορθωθῆναι
4, 14	καὶ ὁ κορυφαῖος	καὶ ὁ κορ. + Πέτρος

Cependant, parfois nous avons cru devoir donner la préférence au groupe CFGP contre le groupe BDM AL E :

a) Celui-ci, en effet, comporte des omissions dont certaines sont particulièrement graves, soit qu'elles rendent la phrase moins facile à suivre (III, 1, 12-13 ; IV, 7, 13 ; VI, 2, 7 ; VII, 3,

11), ou même incompréhensible (III, 8, 25-27) ; on trouve également à un endroit, deux lignes sautées par ces six mss (III, 5, 11-12) ;

b) en outre, parmi les inversions que présentent ces mss, l'une au moins est très gauche (VI, 2, 9) ;

c) par ailleurs, il semble que le groupe BDM AL E ait lui aussi parfois substitué certains mots à d'autres (III, 7, 14-15 ; IV, 9, 18 ; 16, 17-18 ; V, 8, 1-3 ; 9, 3-4), et très certainement, le nom des destinataires de l'Épître aux Éphésiens confondu avec les Philippiens (III, 8, 25) ;

d) à divers endroits, enfin (VI, 1, 8 ; VII, 2, 3 ; 9, 2), les temps des verbes sont mieux adaptés au contexte dans les mss CFGP que dans les autres. Voici ces exemples :

	Leçon retenue : CFGP	Leçon refusée : BDM AL E
a)		
II, 1, 12-13	δεικνὺς ὅτι	*om.*
IV, 7, 13	πάντες προσκυνοῦσι σταυρωθέντα	πάντες [τὸν] σταυρωθέντα
VI, 2, 7	συνεχωρεῖτο πάσχειν	συνεχωρεῖτο
VII, 3, 11	κατηξιώθησαν τοιαύτης τιμῆς	κατηξ. τιμῆς
III, 8, 25-27	αὐτοὶ οἴδατε ὅτι... ὑπηρέτησαν αἱ χεῖρες αὗται	ὅτι... ὑπηρέτ. αἱ χεῖρες αὗται
5, 11-12	ἐλθών, οὐχ οἵους θέλω, εὕρω ὑμᾶς, καὶ μετ' ὀλίγα, μὴ πάλιν	*om.*
b)		
VI, 2, 9	[Παῦλος] τῶν ἀγγέλων εἷς ἦν	[Παῦλος] τ. ἀγγ. ἦν εἷς

c)

III, 7, 14-15	...ἐσπούδαζεν ἀμείβεσθαι · διὸ καὶ ἔλεγεν	ἐσπούδ. ἀμείβ. · διὸ μετὰ σπουδῆς ἔλεγεν
IV, 9, 18	οὐ τοιαῦτα αὐτοῦ τὰ παραγγέλματα	οὐ ταῦτα φησὶν τὰ παραγ.
16, 17-18	θεραπείας δαιμόνων ἀνατρεπομένης	θερ. δαιμόνων καταλυομένης
V, 8, 1-3	ὁ Θεὸς... οὐ πάντοτε	ὁ Θεὸς... μὴ πάντα
9,3-4	καθαρὸς... ἦν	καθ. ... ἀπέστη
III, 8, 25	καὶ Ἐφεσίοις...ἔλεγεν	καὶ Φιλιππησίοις... ἔλεγεν

d)

VI, 1, 8	ὅτε καὶ πράγματα παρέσχε	ὅτε καὶ πρ. παρεῖχε
VII, 2, 3	βαστάζων οὐκ ἔκαμνε	β. οὐκ ἔκαμε
9, 1-2	ὁρῶν τὸ δικαστήριον... κατατιθέμενον	ὁρ. τὸ δικ. ... καταθέμενον

Bref, en ce qui concerne la valeur du groupe CFGP, il semble bien qu'il présente parfois quelques adjonctions ou corrections par rapport au texte primitif, mais que, d'autre part, surtout quand le ms. E se rencontre avec lui (voir *supra*, p. 74-75), il offre dans un certain nombre de cas la bonne leçon contre le groupe BDM AL.

Nous avons donc affaire certainement à une tradition manuscrite assez contaminée. Au point où nous en sommes de notre discussion, voici, en tout cas, deux constatations que nous pouvons souligner :

a) Le groupe BDM, quand il est seul, ne présente presque jamais la leçon correcte[1].

1. On signalera, comme une exception, un passage du VIIe panégyrique (4, 12), où la leçon ἀνεχομένης paraît la seule recevable : quant aux deux autres éliminées, la première (celle de *A L*) est une faute d'orthographe très nette, la seconde (celle de *CFGP E*) semble un commentaire (voir apparat).

b) La rencontre des deux mss AL avec le groupe CFGP E, ou même avec CFGP, garantit le plus souvent la bonne leçon ; il en est de même parfois, lorsqu'ils se rencontrent avec les mss BDM E, ou seulement avec BDM.

Reste donc à examiner la troisième des données annoncée plus haut (voir *supra,* p. 69-71) : que vaut, plus précisément le groupe AL ?

3. *Valeur du groupe AL.*

a) On ne peut le suivre d'une manière constante, puisque parfois nous avons cru devoir choisir la leçon du groupe CFGP E ou même celle du groupe CFGP (voir *supra,* p. 74-75, 79-80).

b) Cependant le fait que la rencontre de AL avec CFGP E ou CFGP, ou même parfois avec BDM E ou BDM, garantit dans plusieurs cas la bonne leçon accorde déjà à ces deux mss AL un crédit particulier [1].

Enfin, on doit ajouter que dans une douzaine de cas environ il semble que les mss AL soient les seuls à présenter la bonne leçon.

Il en est ainsi probablement pour les leçons suivantes :

	AL	Cett.
I, 7, 11	ἀνάγειν	εἰσάγειν
15, 15-16	ὑπὲρ τὰ προστάγματα	ὑπ. τὰ προσ. + ἔζησε
IV, 6, 16	αἱ παρ' ἡμῖν	αἱ παρ' ἡμῶν
VII, 2, 5	τὸ διάδημα	τὰ διαδήματα
7, 10	τῆς ὁμονοίας	τῆς ὁμον. + τῆς συμφωνίας
9, 18-19	ἡ Παύλου χάρις	ἡ Π. χάρις + πνευματική

1. A ces deux mss *AL,* il faut joindre évidemment, pour le Ier panégyrique, le ms. *H* (voir *supra,* p. 70, n. 1, et *infra,* p. 83, n. 1).

Et c'est certainement le cas pour les quatre leçons que voici :

I, 16, 1-4	ὅταν... σπουδάζωμεν	ὅταν... σπουδάζομεν
IV, 16, 8	ἕκαστος... ἐπύκτευε	ἕκαστος... ἐπύκτευον
V, 6, 17-18	δι' αὐτὰ μὲν οὖν ταῦτα	διὰ ταῦτα μ. ο. ταῦτα
VI, 1, 12	μέγαν	μέγα[1]

Une dernière question se pose alors au sujet de ces deux mss AL, presque toujours identiques. Y a-t-il moyen d'attribuer une préférence, c'est-à-dire une plus grande pureté, à l'un de ces mss plutôt qu'à l'autre ?

A cet égard, on serait tenté au premier abord de retenir plutôt le ms. L, puisque sur les 60 leçons du ms. A qui lui sont propres, plus de 50 d'entre elles sont de toute évidence des fautes de distraction. On les discernera aisément dans l'apparat[2]. Inversement, nous n'avons guère de faute de ce genre dans le ms. L[3].

1. En se reportant au contexte, on verra, en effet, que l'emploi du neutre est ici un non-sens.

2. En voici seulement quelques exemples : des fautes d'orthographe : II, 4, 1, τῷ au lieu de τὸ ; 6, 24, ἔχων au lieu de ἔχον ; III, 3, 7, τοῖς ἐπεμβαίνοντας αὐτοῖς au lieu de τοὺς ἐπεμβ. αὐτοῖς ; 8, 7, αὐτοὺς λείπῃ, au lieu de αὐτοῖς λ. ; 9, 16-17, ὡς ἑαυτόν au lieu de ὡς σεαυτόν ; IV, 16, 10, ὡσοὶ au lieu de ὡς ; V, 15, 8, ἅπασας au lieu de ἅπασαν ; – des mots omis : II, 3, 5, om. συνεχῆ ; IV, 3, 6-7, τὸν Υἱὸν αὐτοῦ, om. Υἱὸν ; 6, 16, om. αἱ πηγαὶ ; VI, 2, 7, om. ὅτι ; – ou même à deux reprises une omission plus importante, de 9 mots (IV, 5, 3-4) et de 6 mots (IV, 7, 6-7) ; – des inversions : I, 14, 4, φανῇ τούτων ; III, 10, 12, αὐτὸν οὕτως ; V, 3, 14, κινδύνοις ὄντα ; VII, 11, 15, ὁ λόγος πάλιν. – Le copiste a même écrit parfois des mots qui rendent le passage inintelligible tel quel : IV, 2, 19, κατασκευάζει, au lieu de κατευνάζει ; VI, 3, 11-12, τὸ μὲν γὰρ μὴ φοβηθῆναι (μὴ est en trop) ; VII, 6, 5, τοῦ παρόντος au lieu de τοῦ πάντος.

3. Le ms. *L, Lavra B 112,* présente, à vrai dire, un passage curieux. En effet, au IVe panégyrique (9, 20-21'), on lit dans *BDM E* et *CFGP* le texte : καὶ μάγων πόλλη πολλάκις ἐγένετο φορά, que nous avons reproduit. En *L*, on trouve à la fin de cette phrase, le mot διαφορά, qui semble une erreur. Encore convient-il de remarquer qu'il n'est pas ici dénué de sens. Le ms. *A* omet φορά.

Pourtant, malgré les fautes de distraction de A, qui n'ont pas trait directement à notre recherche, nous serions enclin, pour notre part, à lui donner la préférence. En effet, peut-être dans trois passages de notre texte le ms. A est-il le seul à fournir la bonne leçon.

On lit, au § 6 du VIe panégyrique (l. 12), dans le ms. A seul : ...καθὼς τὰ προειρημένα ἀπέδειξεν (*cett.* τὰ εἰρημένα). La leçon de A est sans doute la meilleure, d'autant que son copiste ne semble pas avoir eu l'habitude d'inventer. Quelques lignes plus loin (7, 1), la leçon de A : τοῦτό ἐστι μάλιστα καλόν est vraisemblablement préférable à τοῦτό ἐστι μάλιστα εἶναι καλόν *(cett.)*. En tout cas, sans aucun doute, au § 11 de ce même discours (l. 13-14), voici le texte que nous présente A : πάντα οὖν ὅσα ἂν λέγωσιν ὑμῖν ποιεῖν ποιεῖτε. Il est ainsi le seul à ne pas ajouter la seconde moitié de ce verset de *Matthieu* 23, 3^{b}, κατὰ δὲ ἔργα αὐτῶν μὴ ποιεῖτε, qui n'avait rien à faire en l'occurrence sur les lèvres de Chrysostome.

Cette légère préférence pour le ms. A une fois indiquée, on n'oubliera pas l'essentiel de la discussion qui précède, à savoir que, malgré une tradition manuscrite complexe et contaminée, les deux mss AL nous ont paru assez souvent constituer le meilleur groupe, celui qui se rapproche le plus du texte original. Savile l'avait lui-même pressenti en retenant d'ordinaire, à partir des deux *codices* qu'il a connus, un plus grand nombre de leçons du ms. provenant de l'île de Chalki (voir Histoire des Éditions, p. 93-94), actuellement *Parisinus gr. 755* (A), que du ms. *Lavra B 94* (G)[1].

1. Dans la discussion précédente, nous n'avons tenu compte ni des mss *R* et *H* d'une part, ni des mss *J* et *K* d'autre part. Le ms. *R*, du XVe siècle, qui ne contient que le Ier panégyrique est, en effet, identique aux mss *A* et *L* ; nous n'en tenons donc pas compte non plus dans l'apparat critique, puisqu'il dérive manifestement de manuscrits dont nous nous sommes servis. Quant au ms. *H*, qui est du XIIIe siècle et qui ne contient, lui aussi, que le Ier panégyrique, il ressemble également très souvent aux mss *A* et *L* ; cependant, pour l'apparat critique, nous avons gardé ses leçons, parce qu'il nous a paru corroborer ces deux mss, sans en dépendre pour autant.

Pour les mss *J* et *K*, le premier d'entre eux, du XIVe siècle, ne contient que le IVe panégyrique, et il est identique, sauf pour quelques leçons qui lui sont propres et qui sont de toute évidence ou des fautes ou des gloses postérieures, aux mss du groupe *CFGP*; il dérive donc d'une même origine que ces mss et vraisemblablement du même modèle que *C*, comme l'indiquent deux variantes propres à *C* et à *J* (IVe Panég., 2, 12 : Ἐκκλησίαν + τοῦ Θεοῦ *CJ*; 3, 20 : πῶς – ἐκέρδανεν *om. CJ*). En outre, une autre variante de ce IVe panégyrique, présente dans *AL* (6, 23 : ἀπολεῖφθεν, au lieu de ἀποληφθὲν) se retrouve aussi en *C* et en *J*, et non en *F* et en *P*. Nous n'avons pas fait entrer le ms. *J* dans notre apparat. Le second de ces mss, *K*, du XVIe siècle, non seulement appartient aussi au groupe *CFGP*, mais il présente en tout 14 leçons qui lui sont communes avec *F* seul, et dont plusieurs sont erronées. Voici le relevé de ces 14 leçons :

I, 10, 10	μυρίοις	μυρίων
14, 11	τῆς	+ τοῦ
II, 2, 14	ὄπισω	ὄπιθεν
5, 1-2	ἀποτυχεῖν	ἀποσχεῖν
III, 2, 10	αὐτὸν	*om.*
4, 13	εἴσιν	ἔστιν
8, 14	ἡλίκος	ἡλικῶς
IV, 7, 1	ου[2]	ὁ
7, 20	καὶ	*om.*
16, 18	πάλαι	παλαιοῖς
VII, 2, 9	σιμικίνθια	σικίνθια
2, 12-13	ἀλλ'ἀμετασρεπτι	ἀλλὰ μεταστρ.
2, 21	ἀξιώματα	ἀξιώματος
5, 7	ἐδήλωσε... ψῆφος	*om.*

De toute évidence, le ms. *K* a été copié sur le ms. *F*; nous n'en tiendrons donc pas compte non plus pour l'apparat.

STEMMA

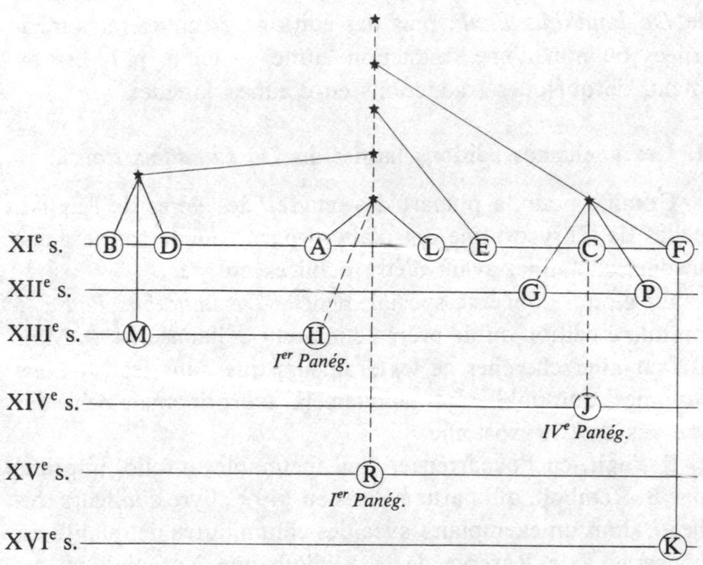
XIe s.
B
D
A
L
E
C
F
XIIe s.
G
P
XIIIe s.
M
H
Ier Panég.
XIVe s.
J
IVe Panég.
XVe s.
R
Ier Panég.
XVIe s.
K

B. Éditions et traductions

Nous parlerons successivement dans ce dernier paragraphe des éditions latines d'œuvres de Chrysostome, qui contiennent le *De Laudibus Pauli,* puis des éditions grecques, accompagnées ou non d'une traduction latine, – enfin, plus brièvement, de quelques traductions en d'autres langues.

I. Les anciennes éditions latines du *De Laudibus Pauli.*

Comme pour la plupart des œuvres des Pères de l'Église, celles de Chrysostome ont d'abord paru sous la forme d'une traduction latine, avant d'être publiées en grec.

En ce qui concerne spécialement le *De Laudibus Pauli,* la première édition qui le présente remonte à l'année 1499. Mais il faut aller chercher ce texte ailleurs que dans les premiers volumes qui publièrent uniquement ou principalement des œuvres de Chrysostome.

Il s'agit, en l'occurrence, d'un incunable in-folio, imprimé par B. Rembolt, qui parut à Paris en 1499 : livre d'ailleurs très beau, dont un exemplaire avec des enluminures de qualité est conservé à la Réserve de la Bibliothèque Nationale. Il est consacré à des commentaires de S. Augustin sur les Épîtres de S. Paul, réunis par Bède le Vénérable [1]. Or ces commentaires sont suivis de la traduction latine du *De Laudibus Pauli* de Chrysostome : l'imprimeur les y a fait ajouter, à la gloire du grand apôtre exalté par S. Augustin dans les pages qui précèdent. Les commentaires d'Augustin se trouvent du fol. 1 au fol. 227, et les sept homélies de Chrysostome, du fol. 227v au

1. Bède le Vénérable, qui passa une grande partie de sa vie en Angleterre et qui mourut en 735, a écrit une *Historia ecclesiastica Anglorum,* dont la première impression remonte à 1474. On lui doit aussi quelques Commentaires sur l'Écriture, ainsi que des extraits des Pères de l'Église. Le premier grand recueil de ses œuvres parut à Paris, en 1544 (3 volumes).

fol. 235 [1]. Le texte latin est celui d'Anien [2], comme l'indique la Lettre au prêtre Évangelus qui précède la Ire homélie : *Incipit Epistola Aniani ad Evangelum presbyterum* (f. 227v). Ce texte d'Anien semble bien avoir été ainsi imprimé pour la première fois [3]. On notera enfin que cette édition ne présente que sept panégyriques. L'auteur le souligne même expressément, au dernier folio : *Finis homiliarum VII S. Joh. Chrysostomi de laudibus beati Pauli apostoli.*

Après cette première édition, nous en citerons immédiatement une autre du même genre, c'est-à-dire un livre qui, après

1. Cet incunable provient, comme l'indique le folio de garde, de la Bibliothèque d'un ancien prieuré de moines augustins, fondé en 1373 au diocèse de Cambrai, et portant alors le nom de *Rubrea vallis*, aujourd'hui Rothenthal, près de Bruxelles : voir M. COTTINEAU, *Répertoire topo-bibliographique des Abbayes et Prieurés*, tome II, Mâcon 1937, fasc. 6, p. 2542. – Pour les diverses bibliothèques qui contiennent cet incunable, on consultera HAIN, n° 1983, PROCTOR, n° 8310, PELLECHET, n° 1496, et POLAIN, n° 385.

2. Anien exerçait, au début du Ve siècle, la fonction de diacre à Céléda, en Campanie. De l'œuvre de Chrysostome, il a traduit, en latin, les 7 panégyriques sur S. Paul, une homélie pascale, *inc.* Εὐλογητὸς ὁ Θεός, *Sermo ad neophytos,* et les 25 premières homélies sur S. Matthieu (voir Chr. BAUR, « L'entrée littéraire de S. Chrysostome dans le monde latin », *RHE*, 1907, p. 249-265, et aussi, pour l'homélie pascale, JEAN CHRYSOSTOME, *Huit Catéchèses baptismales,* éd. Wenger, *SC* 50 bis, Paris 1970, p. 30-34, 106, 151-181). – La lettre d'Anien à Évangelus sera reproduite dans des éditions postérieures, ainsi que dans Montfaucon, t. II, 475-476, et Migne, *PG* 50, 471-472. Sur la question d'éventuelles traces semi-pélagiennes en cette version du *De laudibus Pauli,* voir *infra*, p. 98-99, n. 5.

3. Cette traduction latine, telle qu'elle figure dans cet incunable, contient des impropriétés et plusieurs paraphrases par rapport au texte grec des manuscrits dont nous disposons maintenant. On la retrouve, avec parfois déjà des différences, dans la plupart des éditions latines du XVIe siècle. A son tour, F. du Duc y opéra quelques heureuses corrections (voir t. V, p. 572-624). Montfaucon en ajouta certaines autres, indépendamment même de celles qu'il a indiquées dans la marge (t. II, p. 476-517), ainsi que J.A. Gaume (cf. *infra,* p. 92, n. 4). Enfin la Patrologie de Migne (*PG* 50, 473-514) a corrigé encore le texte latin de Montfaucon pour le rapprocher davantage du texte grec. Nous savons que, depuis quelques années, le Dr. A. Primarès, de Vienne, prépare une édition critique du texte d'Anien.

les Commentaires de S. Bruno[1] sur les Épîtres de S. Paul, ajoute également ces sept homélies *De laudibus Pauli.* S'il est moins volumineux que le précédent, le fait qu'il soit construit selon le même plan suggère qu'il a sans doute été inspiré par lui. Les commentaires sur les Épîtres de Paul se trouvent du fol. 1 au fol. 190, et les sept Éloges de S. Paul par Chrysostome, précédés de la Lettre d'Anien à Évangelus (f. 190^{v}), prennent place du fol. 191 au fol. 202^{v}[2]. Ce livre parut à Paris en 1509, imprimé lui aussi par B. Rembolt[3]. Après la VIIe homélie figure la même indication que dans l'édition précédente : *Finis homiliarum S. Joh. Chrysostomi de laudibus beati Pauli apostoli.* Toutefois, une main postérieure a écrit, au bas du dernier folio des exemplaires consultés, avec une encre de couleur différente : *Est et 8^{a} homilia quam videre est inter opera S. Joh. Chrysostomi*[4].

1. On sait que S. Bruno a composé notamment une *Expositio in Psalmos* (*PL* 152, 637-1420) et une *Expositio in omnes Epistolas Pauli* (*PL* 153, 13-566) : c'est cette seconde œuvre qui figure dans ce livre. On remarquera qu'après le commentaire sur l'*Épître aux Hébreux* figure, au f. 190^{r}, le texte d'une brève Épître de Paul aux chrétiens de Laodicée, mais sans commentaire, avec le libellé suivant : *Epistola beati Pauli ad Laodicenses, nuper in antiqua bibliotheca inventa.* Cette Épître est aussi reproduite dans *PL* 153, 565-568, avec, en outre, le sous-titre que voici : *Sed, quia inter catholicas vulgo non legitur, non est a Brunone elucidata.*

2. Il faut corriger, à cet endroit, un chiffre erroné de Chr. BAUR, qui dans son livre sur *Jean Chrysostome et ses œuvres dans l'histoire littéraire*, Louvain-Paris 1907, (p. 149, n° 58), indique les f. 199^{v} – 202^{v}.

3. Chr. BAUR signale à la même page (n° 56) qu'une édition de ce livre avait déjà vu le jour à Paris, en 1508, et il indique à ce propos la localisation d'un exemplaire, à Bâle, avec la mention suivante : *Bal., Inc. 723.* – De l'édition de 1509, nous avons vu nous-même deux exemplaires identiques, conservés à la Réserve de la Bibliothèque Nationale. Dans le livre intitulé *Index Aureliensis Catalogus Librorum sedecimo saeculo impressorum, Prima Pars, tomus V*, Baden-Baden 1974, p. 367, nous avons lu que ce livre se trouve aussi à Berlin *SB* (*Bt.* 1030 et *Bn.* 2895, 1), à Budapest *NB* (*Ant.* 1858), à Cambridge *UL* (*Adams B* 1836), à Copenhague *KB* (21-273), à Cracovie *BJ*, et à Londres *BM* (1475. c. 28).

4. On comprendra dans les lignes qui suivent la raison d'être de cette addition postérieure, relative à une VIIIe homélie.

Nous avons tenu à citer d'abord ces deux éditions de 1499 et de 1509, à cause de la netteté de leur plan et de l'authenticité des sept panégyriques qu'elles présentent. Nous signalerons maintenant trois éditions qui parurent entre l'année 1500 et l'année 1510, et dont deux contenaient *huit* homélies *De laudibus Pauli.*

Dans son livre sur *S. Jean Chrysostome et ses œuvres dans l'histoire littéraire* (Louvain-Paris 1907), Chr. Baur mentionne, à la page 148, n° 54, la première édition latine importante des œuvres de Chrysostome, parue à Venise en 1503, comprenant 6 tomes in-folio, distribués en 2 volumes ; dans l'analyse qu'il en fait ensuite, il indique que les homélies *De laudibus Pauli* prennent place au début du VIe tome.

A la page précédente (p. 147, n° 47), il avait déjà signalé la parution, sans lieu ni date, de quelques Commentaires de Chrysostome sur les Épîtres de Paul, précédés de *huit* homélies *De laudibus et excellentia eiusdem apostoli,* avec la mention suivante : « trad. par Lucas Bernardus ». Cette édition est, en réalité, la reprise d'une section de celle de Venise, dont nous venons de parler, et elle fut publiée également dans cette même ville, autour de 1505 [1].

Enfin, toujours au début du XVIe siècle, en 1510, paraissent à Leipzig quatre homélies *De laudibus Pauli,* traduites par G. Trapezontius : ce sont les homélies n^{os} I, II, VII et VIII [2].

Après l'année 1510, si nous suivons le cours du XVIe siècle, nous nous apercevons que ces huit homélies *De laudibus Pauli* sont presque toujours insérées dans les œuvres complètes de Chrysostome qui paraissent en plusieurs villes d'Europe,

1. Voir note complém. n° 4.

2. Nous remercions le Dr. Helmut CLAUSS, directeur de la *Forschungsbibliothek Gotha,* où se trouve un exemplaire de cette édition de 8 feuillets in-fol., de nous avoir indiqué les numéros et les *Incipit* de ces 4 homélies. Pour la VIIIe : *saepe fulgido coeli globo delectatus oculus,* qui n'est pas authentique, voir *infra,* p. 91.

notamment à Bâle, Anvers, Augsbourg, Londres, Oxford, Paris, Venise et Rome et dont le contenu s'étoffe peu à peu [1].

Nous avons, pour notre part, repéré et parcouru ces huit homélies dans une édition de Paris, publiée en 1536 par *Johannes Hucherius Vernoliensis*. Cette édition in-folio se divise en 5 tomes : le texte de ces huit homélies se trouve au tome III, de la p. 227 à la p. 237^v. Sans dire explicitement d'où il tient sa traduction, l'auteur reproduit, à quelques nuances près, le texte d'Anien [2]. Il en est de même dans une édition de Venise, in-4°, publiée en 1548-1549, par *Gentianus Hervetus Aurelius*, comprenant aussi 5 tomes (voir t. III, p. 172-180^v) et reprise, toujours à Venise, en 1574 et en 1583 (t. III, p. 275-288^v). Enfin, dans une autre édition de Paris, en 1588, l'imprimeur Nivellius explique d'abord dans sa Dédicace que celle-ci est plus complète que les précédentes grâce à plusieurs manuscrits provenant de la Bibliothèque de Catherine de Médicis [3], et cette Dédicace est suivie de la traduction du *Dialogue* de Palladius sur la vie de Chrysostome (tome I, p. 1-35) ; dans ce

1. Pour la liste exhaustive de ces éditions, se reporter à Chr. BAUR, *op. cit.*, surtout de la p. 148 à la p. 175. Voir aussi M. AUBINEAU, *Codices Chrysostomi graeci, I, Codices Britanniae et Hiberniae,* Paris 1968, Introduction, p. xv, où il indique 25 éditions qui se sont échelonnées de 1526 à 1606, et que Savile a connues.

2. On trouve cependant, par rapport au texte d'Anien des deux éditions de 1499 et de 1509, une modification notable au Ve Panégyrique pour les lignes suivantes (6, 1-2) : ...Παῦλος, τὸν ἑαυτοῦ μιμούμενος Δεσπότην οὐκ ἂν κατεγνώσθη. Au lieu de la formule : *Paulus, creditae sibi dispensationis modum saepe variando, nequaquam de domini sui mutatione culpatus est,* on lit dans cette édition de 1536 : *Paulus, creditae... variando, de domini sui imitatione culpatus est.* Cette dernière traduction, un peu moins éloignée du texte grec vers la fin, ne rend pas non plus avec justesse l'expression verbale : οὐκ ἂν κατεγνώσθη, et c'est elle qui passera dans la plupart des éditions du XVIe s., ainsi que chez Fronton du Duc (t. V, p. 604) et Montfaucon (t. II, p. 502). — Sur ce passage, voir *infra*, p. 240, n. 3.

3. Cf. *Divi Johannis Chrysostomi Operum, tomus primus, D. Nicolao Pellevaeo, Archiepiscopo Senonensi, Sebastianus Nivellius Typographus S.*

beau livre (in-fol.), qui comprend 5 tomes, le texte des 8 homélies *De laudibus Pauli* se trouve au t. III, p. 678-712[1].

Ainsi donc, au début du XVIe siècle, aux *sept* panégyriques sur S. Paul qui seuls sont authentiques s'est ajoutée une VIIIe homélie, fabriquée par un auteur dont le nom n'est pas connu et d'ailleurs ne mérite guère de l'être. Cette VIIIe homélie, en effet, beaucoup plus brève que les sept autres, sans aucune originalité et étrangère au style de Chrysostome, porte en elle-même les signes d'une composition postérieure et artificielle. Savile l'avait déjà jugée sévèrement[2].

1. Une édition d'Anvers, de 1553, dont un exemplaire se trouve à la Bibliothèque Sainte-Geneviève (*Joh. Chrysostomi Conciones in celebrioribus aliquot annis habitae...*, n° I, 499 pages in-8°), ainsi qu'une autre, parue à Bâle en 1539 (*Opera Joh. Chrysost.*, tome IV, p. 1587-1630) présentent même neuf homélies *De Laudibus Pauli* (p. 211-289 de l'éd. d'Anvers). La 9e homélie en question est, en réalité, la reprise d'un texte composite, contenu également dans l'édition de Paris (1536), et qu'on trouve encore, par exemple, dans celle de Venise (1574) et dans une autre de Paris (1588), texte intitulé *De ferendis reprehensionibus et de conversione Pauli*. Le commentaire sur la conversion de Paul est très différent de celui de notre IVe Panégyrique, et beaucoup plus détaillé.

2. Voir H. SAVILE, *Johannis Chrysostomi opera omnia...*, t. VIII, p. 936. – Cette VIIIe homélie dont l'*Incipit* est le suivant : *Saepe fulgido coeli globo delectatus oculus...* n'a rien à voir avec deux Éloges sur S. Paul que Savile a remarqués dans certains *codd. graeci* (t. VIII, p. 936), sans noter leur identité et leur origine : ce sont l'*Ecloga* n° 30, d'une part : Τῆς μὲν ἐπιγραφῆς τῶν ἀποστολικῶν ...(*PG* 63, 787-802) et d'autre part l'*Ecloga* n° 36 : Τοὺς τῶν ἁγίων βίους... (*PG* 63, 839-848). Savile explique (*ibid.*) que ces deux textes sont formés, en effet, d'« extraits d'œuvres chrysostomiennes, raccordés ensemble par la suite, mais non prononcés tels quels par Chrysostome », et il ajoute que pour cette raison il les a rangés ailleurs, dans la catégorie des *Eclogae* : t. VII, p. 829-839, 839-848. A propos de ces deux textes, voir aussi J.A. DE ALDAMA, *Repertorium...* n° 486 et n° 510.

II. Les éditions grecques [1].

1. Nomenclature de ces éditions.

On sait que l'édition des œuvres complètes de Jean Chrysostome fut entreprise en même temps par Sir Henry Savile, en Angleterre, et par le jésuite Fronton du Duc, en France. L'édition de Savile, uniquement en grec, parut à Eton, en 1612 [2]. Elle comprend 8 volumes. Le texte des sept panégyriques sur l'apôtre Paul se trouve au t. VIII, de la p. 33 à la p. 60.

L'œuvre de Fronton du Duc, où le texte grec est accompagné de la traduction latine, comprend 6 tomes, dont le premier est daté de 1609, et les autres s'échelonnent entre 1614 et 1624 [3]. Parmi eux le tome V comprend, de la p. 572 à la p. 624, le texte grec de ces sept panégyriques, avec la traduction latine d'Anien, comme l'indique le sous-titre du Ier panégyrique, dans la colonne latine : *Aniano interprete* (p. 572). Ce tome V est daté de 1616. C'est donc l'édition de Savile qui pour notre texte est antérieure à celle de Fronton du Duc.

Au XVIIIe siècle, Dom Bernard de Montfaucon a publié, de 1718 à 1738, une nouvelle édition plus complète des œuvres de Chrysostome, en 13 volumes, qui mettent eux aussi la traduction latine en regard du grec. Le texte de nos sept panégyriques se trouve au t. II, de la p. 476 à la p. 517, qui porte la date de 1718 [4].

1. D'après les recherches que nous avons faites, aucune *édition grecque* du *De laudibus Pauli* n'a vu le jour avant de paraître, pour la première fois, insérée dans l'édition générale de H. Savile (1612).

2. Le premier volume, précédé de la table des matières, porte sur le frontispice la date de 1613, et les 7 autres celle de 1612.

3. Cette édition de F. du Duc († 1624) est beaucoup moins complète que celle de Savile, puisqu'elle ne contient pas les grands Commentaires de Chrysostome sur le Nouveau Testament, et que c'est à tort que l'édition en 12 volumes de 1636 à 1642 (Paris, Cl. Morel), imprimée à nouveau à Francfort en 1698, les lui attribue (sur cette erreur, voir Chr. BAUR, *S. Jean Chrysostome et ses Œuvres..., op. cit.*, p. 85 et p. 109, n° 146).

4. Cette édition de Montfaucon fut réimprimée à Venise, de 1734 à 1741,

2. *Sources manuscrites de ces éditions.*

Édition de Savile : 1612.

A la fin du tome VIII, Savile a ajouté quelques notes à la fois brèves et très intéressantes, où il indique notamment les manuscrits qui ont servi à l'établissement de son texte. Voici la note qu'on relève à la page 934, au sujet de ces sept Éloges de l'apôtre Paul : *« Constantinopoli descriptae sunt hae septem orationes (neque enim plures sunt* γνήσιαι*), opera et diligentia saepius memorati semperque memorandi Samuelis Sladii* τοῦ μακαρίτου *: castigatae autem et meliores factae ex alio ms. in monasterio S. Laurae in monte Sancto, olim Atho appellato. »*

Cette note est le résumé d'un voyage que nous avons pu reconstituer en nous reportant, lors d'un séjour à Oxford, à un document précieux : *Bodleian Library, Auctarium E. 3. 15* (= codex Q de Savile)[1]. Ce codex est la copie de plusieurs manuscrits de Chrysostome que Slade, envoyé par Savile, a transcrits à Constantinople ou dans les îles des environs, entre le mois de mars et le mois de juillet 1610. On y trouve le texte des sept panégyriques de S. Paul, du f° 132v au f° 157.

puis en 1780. A Paris, de 1834 à 1839, Jean-Alexis Gaume en présenta une nouvelle édition (13 volumes in-4°). Le texte de nos panégyriques s'y trouve au t. II, p. 564-618. L'auteur, qui a examiné, lui aussi, le *Cod. Reg. 1956* (sur ce codex, voir *infra*, p. 97), précise, à la p. 563, que pour la traduction latine des panégyriques I et II, il a repris celle d'Anien, corrigée par L.C. Valckenaer (cf. *infra*, p. 99, n. 2), dont il reproduit aussi les notes. – C'est cette édition de J.-A. Gaume qui a été reproduite par Migne dans son édition des œuvres de Chrysostome (*PG* 47-64 ; pour les 7 panégyriques sur S. Paul, voir *PG* 50, 473-514), avec un supplément de pièces disparates. Toutefois, en ce qui concerne les *Homélies sur S. Matthieu*, le texte de Migne reprend celui de l'édition donnée par F. Field, Cambridge 1839 (sur ce sujet, consulter A. WENGER, *Dict. de Spiritualité*, art. « Saint Jean Chrysostome », t. VIII, Paris 1972, col. 332). – Enfin, de 1865 à 1873, J.F. Bareille a réédité le texte grec de Migne, en l'accompagnant d'une traduction française (voir *infra*, p. 103).

1. Sur ce document, voir M. AUBINEAU, *Codices Chrysostomi graeci, I*, p. 142, n° 22.

Or, au bas du f° 132, on lit cette rubrique de Slade : *« Reperi (April 5° isto) in supradicta /insula/ Chalces et monasterio Sanctae Trinitatis desideratas orationes octo*[1] *Chrysostomi De Laudibus Pauli... Codex qui continet eas vetustus est, membranaceus... Descripsi omnes et singulas ut abhinc ordine suo sequentes, quarum primam versa pagina docebit.»*

Ensuite, après avoir copié ce manuscrit de l'île de Chalki, il va plusieurs fois au mont Athos, en particulier au monastère de la sainte Lavra, dont le nom se trouve indiqué pour la première fois au f° 172.

La lecture de ce codex de Slade révèle qu'il a utilisé pour le texte de ces sept panégyriques deux manuscrits : celui de Chalki, qui lui sert de manuscrit de base, maintenant notre *Parisinus gr. 755* (voir *supra,* p. 54-56), et un manuscrit de la sainte Lavra, du Mont Athos, dont les variantes sont relevées en marge, avec l'indication suivante : *ex monte Atho, m. s. Laurae.* D'après la teneur de ces variantes, il s'agit de l'actuel *cod. Lavra B. 94* (voir *supra,* p. 60-61)[2].

Savile ne mentionne nulle part une autre source que ces deux manuscrits[3].

1. Sur ce chiffre *huit* des Orationes indiqué ici, et sur le contenu de ce VIIIe panégyrique qui, dans le codex copié par Slade à l'île de Chalki, fait suite aux sept autres, et qui est tout simplement l'*Ecloga* n° 36, voir p. 55 et n. 1.

2. Une main postérieure, celle de Savile vraisemblablement, est intervenue, soit pour corriger le texte même, en intervertissant par exemple l'ordre des mots, soit pour signaler en marge une addition à opérer, ou une variante ; ces indications sont précédées de deux signes différents, selon qu'il s'agit de termes à substituer à ceux du codex de Chalki, ou de simples variantes destinées à être signalées.

3. La note de Savile au t. VIII, p. 936, dont nous avons parlé, contient un *pluriel* se rapportant à un VIIIe panégyrique. Mais ce pluriel ne saurait nous égarer. De fait, après avoir affirmé, à la p. 934, qu'il n'y a que 7 panégyriques authentiques (*neque enim plures sunt* γνήσιαι), Savile écrit, à la p. 936 : *Praeter has septem orationes, latina editio octavam habet ; quin et codd. nostri octavam exhibuerunt.* – Pour le VIIIe panégyrique des éditions latines, jugé déjà comme inauthentique par Savile (*ibid.,* p. 936), voir *supra,* p. 91 et n. 2. Quant à un VIIIe panégyrique présent dans les mss grecs eux-

Édition de Fronton du Duc : 1616.

A aucun endroit, Fronton du Duc n'indique avec précision les manuscrits qu'il a consultés. Dans l'Adresse au Lecteur qui figure au début du Ier tome, il signale qu'il a eu connaissance pour les œuvres de Jean Chrysostome de plusieurs manuscrits de la Bibliothèque Royale[1]. Mais à ce propos il n'a certainement pas connu notre *Parisinus gr. 755,* qui n'est parvenu à Paris, venant d'Orient, qu'après 1730, ni non plus notre *Parisinus gr. 728,* qui n'est entré à la Bibliothèque Royale que dans la seconde moitié du XVIIe siècle[2].

Pour ce qui regarde l'Italie, il remercie le Cardinal Baronius de lui avoir envoyé le texte de quelques homélies provenant de la Bibliothèque Vaticane et du monastère de Grotta Ferrata[3]. Notre *cod. Vaticanus gr. 1628* est bien entré à la Bibliothèque Vaticane sous Paul V (1605-1621)[4]; mais, outre que le délai paraîtrait un peu court pour que Fronton du Duc ait pu en établir la collation, il ne fait nulle part allusion à ce manuscrit.

Fronton du Duc cite ensuite le nom de deux autres érudits, notamment le R.P. Gretserius, qui lui a adressé de Bavière des

mêmes, sur les deux mss que Savile a connus, celui de l'île de Chalki (*Parisinus gr. 755 :A*) et celui de l'Athos (*Lavra B. 94 : G*), seul le premier en comporte un. Il n'a certainement pas connu l'*Athous Panteleimon gr. 58,* qui présente lui aussi un VIIIe panégyrique, d'une autre teneur que celui de Chalki (voir *supra,* p. 62). Par conséquent, il paraît très vraisemblable que le pluriel *codd. nostri octavam exhibuerunt* fait allusion à la fois au ms. de l'île de Chalki et à l'*Ecloga* n° 36, reproduit dans certains mss que Savile a connus sans les préciser : Τοὺς τῶν ἁγίων βίους (voir *supra*, p. 55, n. 1, et J.A. DE ALDAMA, n° 510).

1. Cf. *Æquo lectori Fronto Ducaeus S. D.,* t. I. Voir aussi, t. I, *post paginam 240,* avec une nouvelle numérotation (p. 1-132) : *In S. Iohannis Chrysostomi homilias ad populum Antiochenum et reliquas tomi V, Notae Frontonis Ducaei,* p. 1 (l'expression *tomi V* s'applique ici au dernier tome de plusieurs éditions *latines* de la fin du XVIe siècle, dont F. du Duc a mieux aimé transférer un grand nombre d'homélies en son premier volume).

2. Voir *supra,* p. 63-64.

3. Cf. *Æquo lectori..., loc. cit.*

4. Voir *supra,* p. 56-57.

copies de quelques manuscrits, en particulier en ce qui concerne des *Sermones panegyrici*[1]. Mais il n'y a aucun ms. de nos panégyriques en Allemagne, comme on peut s'en rendre compte en se reportant au livre de M. Aubineau, qui indique tous les mss de Chrysostome présents dans les Bibliothèques d'Allemagne[2].

M. Richard a noté explicitement que Fronton du Duc a connu et utilisé l'actuel *cod. Londinensis Additional 21983*, qui contient plusieurs homélies de Chrysostome, dont nos sept panégyriques sur saint Paul, du f° 89 au f° 118[3].

Toutefois, si Fronton du Duc a pu lire dans ce *cod. Londinensis Additional 21983* le texte de ces panégyriques, il n'en a tenu aucun compte pour son édition. En effet, le texte qu'il présente est le même que celui de Savile, à part quelques exceptions fort peu nombreuses et insignifiantes, tandis que le *cod. Londinensis Additional 21983*, comme le *cod. Laurentianus Plut. IX cod. 4* auquel il ressemble entièrement pour la teneur de ces panégyriques, offrent un texte très différent de celui de Savile[4].

Il est donc très vraisemblable que pour ces panégyriques Fronton du Duc a connu l'édition de Savile, et qu'il l'a tout simplement reproduite.

1. Cf. *Æquo lectori..., loc. cit.* – Il signale également qu'il a découvert plusieurs panégyriques dans la Bibliothèque de Catherine de Médicis, à laquelle il avait eu accès dans les dernières années du XVIe siècle (t. I, *Notae F. Ducaei*, p. 104).

2. Cf. M. AUBINEAU, *Codices Chrysostomi Graeci : II, Codices Germaniae*, Paris 1968. – De fait, si le premier volume de F. du Duc (1609) présente plusieurs panégyriques de martyrs, nettement plus nombreux que ceux des éditions latines de la fin du XVIe siècle, on n'y trouve pas nos sept « Éloges sur l'apôtre Paul ».

3. Cf. M. RICHARD, *Inventaire des mss grecs du British Museum*, Paris 1952, p. 37-38. Cette même notice de M. Richard nous apprend que ce *cod. Londinensis Additional 21983* se trouvait, au XVIe siècle, à l'abbaye Saint-Taurin d'Évreux. Pour l'histoire de ce manuscrit, voir *supra*, p. 66.

4. Voir *supra*, p. 67-71 et p. 84.

Édition de Montfaucon : 1718.

Dans la Préface de son Ier tome, Montfaucon signale d'abord les éditions de Savile et de Fronton du Duc [1]. Il fait allusion à ses sources, en provenance d'Italie, de France, d'Angleterre et d'Allemagne, pour l'ensemble de son édition, mais sans préciser ni les œuvres ni les manuscrits [2]. Dans la Préface du dernier tome, après avoir fait à nouveau une allusion très rapide à ces mêmes sources et à leur provenance [3], il ajoutera cette remarque : *« De Manuscriptis vero ad singula opera adhibitis ante initium cuiusque operis agitur : quare non est quod ea de re pluribus differamus, sed eo lectorem mittimus* [4]. »

Nous nous sommes alors reporté à l'*Admonitio* qui précède le texte du *De Laudibus Pauli*, mais il n'y est nullement question de sources manuscrites [5].

Nous avons cependant l'attestation précise d'unc des sources de Montfaucon pour le Ier de nos panégyriques, car il en a porté quelques variantes, exactement 3 en tout, au bas des colonnes grecques, avec la mention *Ex cod. Reg. 1956* [6]. Sitôt

1. Cf. MONTFAUCON, *Opera S. Johannis Chrysostomi*, t. I, Paris 1718, *Praefatio*, § I-II.

2. Voir t. I, *Praefatio*, § III, *De suscepto novae parandae Editionis consilio : ... Iter Italicum anno 1698 suscepi, unde multa ex Romanis aliisve Italicis Bibliothecis corrasi...; tribus exactis in hoc itinere annis, post reditum id a Praefectis nostris impetravi ut ex sodalibus quatuor vel quinque conferendis Bibliothecarum Regiae, Colbertinae et Coislinianae codicibus perpetuo incumberent... Interim vero cum amicis id per litteras egi, ut si qua in Angliae et Germaniae Bibliothecis ad eam rem opportuna essent, ea nobis transmitterentur,...* et § XIII : ... *In Bibl. Vaticana dum Romae versarer, innumera exscripsi, collegi, contuli. Post reditum (meum),... ex ista vero Bibliotheca multa nobis apographa transmisit... Bernardus Andreas Lama.*

3. Cf. t. XIII (1738), p. I-II : *De Manuscriptis Chrysostomi opera complectentibus.*

4. Cf. t. XIII, *ibid.*, p. II.

5. Cf. t. II, p. 474-475.

6. Voici ces trois variantes. Au Ier panégyrique, à la p. 478, 2e colonne B, on lit ce texte : ἀλλὰ καὶ Παῦλος μόνος ἐν ἅπασι τοιοῦτος, avec cette note,

fini le texte du Ier panégyrique, il n'indique plus aucune variante. Il s'agit, en effet, d'un codex de la Bibliothèque Royale, anciennement n° 1956, notre actuel *Parisinus gr. 728,* du XIIIe siècle, qui ne contient de fait, que le Ier panégyrique et dont nous avons parlé[1].

Si l'on se reporte cependant à la table du premier volume de *Bibliotheca Bibliothecarum,* et de façon plus précise aux pages qui ont trait aux manuscrits de la Bibliothèque Laurentienne de Florence, nous savons que Montfaucon a connu le *cod. Laurentianus Plut. IX, cod. 4,* puisqu'il y fait allusion, et notamment aux sept homélies *De Laudibus Pauli*[2]. Il a sans doute connu également le *Vaticanus gr. 1628,* entré à la Bibliothèque Vaticane sous Paul V (1605-1621)[3], ainsi que le *Marcianus gr. 113* et le *Marcianus gr. 567,* entrés à la Bibliothèque Saint-Marc, le premier en 1468, et le second en 1625[4].

Bref, à part quelques variantes indiquées pour le Ier panégyrique et extraites de notre *Parisinus gr. 728,* le texte de Montfaucon reproduit d'une façon à peu près partout identique celui de Fronton du Duc et de Savile[5].

au bas de cette même page, première colonne : μόνος *deest in Reg.* (cf. notre texte : 5, 2-3) ; – à la p. 480, 2e colonne B, on lit : τὸν πενίᾳ συζῶντα, et un peu plus loin, 2e colonne E : ὅτι ἐξαλειφθῆναι εἵλετο τῆς τοῦ Θεοῦ βίβλου ; or, au bas de cette page, première colonne, on voit cette note : *Reg.* τῷ πενία συζῶντι et 2e colonne : τοῦ Θεοῦ *deest in Reg.* (cf. notre texte : 11, 10 ; 13, 5). – En examinant l'apparat critique de ce premier panégyrique, le lecteur verra qu'il y avait encore quelques variantes de ce *cod. Reg. 1956,* maintenant *cod. Parisinus gr. 728, H,* que Montfaucon n'a pas jugé utile de relever, et dont l'une pourtant était importante, parce qu'elle offre seule la bonne leçon parmi tous les mss (voir *Apparat, Ier Panég.,* 14, 25).

1. Pour l'histoire de ce ms., voir *supra,* p. 63-64.
2. Cf. MONTFAUCON, *Bibliotheca bibliothecarum,* Paris 1739, I, 261 A.
3. Voir *supra,* p. 56-57.
4. Voir *supra,* p. 57-58.
5. On ne trouve, en effet, dans le texte grec du *De laudibus Pauli* de Montfaucon que quelques très rares innovations par rapport aux textes de Savile et de Fronton du Duc. On remarquera la très heureuse apparition de

Cette édition de Montfaucon fut réimprimée : à Venise, comme nous l'avons dit plus haut, de 1734 à 1741, puis en 1780 [1], ainsi qu'à Roveredo (Tyrol), de 1753 à 1764 [2].

la forme σάρκα, au lieu de σάρκας des éditions précédentes (t. II, p. 513). – Sur ce sujet, voir *VIIe Panég.*, 3, 14-16 et la note. D'autre part, en ce qui concerne sa traduction latine, Montfaucon a précisé lui-même qu'il reproduisait celle d'Anien, mais qu'il indiquait quelques corrections dans la marge, là où Anien n'avait pas rendu exactement le texte de Chrysostome, tout en affirmant qu'il ne l'avait pas déformé pour favoriser l'hérésie pélagienne (voir t. II, *De Laudibus Pauli, Admonitio,* p. 475). De fait, on trouve dans les colonnes *latines* de Montfaucon, t. II, 476-517, quinze corrections de ce genre, qui correspondent à des omissions, des paraphrases ou des impropriétés de terme dans le texte d'Anien. Mais, à un endroit (*VIe Panég.*, 1, 1-2), là où le grec présente παρέντες, Montfaucon n'a pas rectifié le texte d'Anien, dont la paraphrase ne rend pas la limpidité du texte grec (t. II, p. 506 = *PG* 50, 502); et, d'autre part, un censeur pointilleux pourrait reconnaître dans deux passages du texte d'Anien, gardés également tels quels par Montfaucon, un accent ou un appui semi-pélagien qui n'est pas dans le texte originel (comparer de très près le texte grec du *IIe Panég.*, 9, 10-13, et celui du *VIe Panég.*, 5, 10-15, avec la traduction latine : MONTFAUCON, p. 466 B = *PG* 50, 482 C et p. 508 D = *PG* 50, 505 A).

1. Cf. p. 92, n. 4. – Voir aussi Chr. BAUR (*S. Jean Chrysostome et ses œuvres..., op. cit.),* p. 117, n° 199, pour la première réimpression, et p. 119, n° 217, pour la seconde (14 vol. in-4°).

2. Avant de terminer ce paragraphe consacré aux éditions gréco-latines de ces panégyriques, nous signalerons aussi un livre de J. PATOUSAS, Ἐγκυκλοπαιδεία φιλολογική, paru à Venise en 1710, dans lequel on trouve le IIe Panégyrique, de la p. 16 à la p. 21. Un autre livre fut publié à Leyde, en 1784 : Ti. HEMSTERHUSII, *Orationes, quarum prima est de Paulo Apostolo. L.-C. Valckenari tres Orationes.* Or l'Éloge de Paul composé par T. Hemsterhuis (p. 1-32) est précédé de nos deux premiers panégyriques en grec et latin (*Introduction,* p. I-LVI). La traduction latine est celle d'Anien avec quelques corrections (cf. *Praefatio* : *...cum veteris Interpretis Aniani versione ex Cod. Ms. aliquoties emendata)* qui sont l'œuvre de L.C. Valckenaer. Celui-ci explique, en plusieurs notes, ces corrections apportées au texte latin d'Anien et de Montfaucon et établies d'après un manuscrit latin qu'il n'identifie pas (voir p. II, n. 1). – Enfin on retrouve ces deux panégyriques dans la publication posthume des écrits de L.C. VALCKENAER : *Opuscula philologica, critica, oratoria,* t. II, Leipzig 1809, p. 178-228.

III. Traductions en langues modernes

En 1735 [1], paraissait à Paris un livre de 612 pages, in-8°, intitulé *Les Panégyriques des Martyrs par saint Jean Chrysostome, traduits du grec, avec un abrégé de la vie de ces mêmes martyrs, par le R.P. de Bonrecueil, prêtre de l'Oratoire* [2]. On y trouve les sept panégyriques de saint Paul, de la p. 275 à la p. 379 [3].

Nulle part l'auteur n'indique dans sa Préface [4] quel texte grec il avait sous les yeux. On peut présumer qu'il a suivi, en général, le texte de Montfaucon ou celui de Fronton du Duc. Il paraît avoir examiné aussi l'édition de Savile, ainsi qu'en témoigne sa façon de rendre un passage particulier [5].

1. Si quelques traductions françaises de traités ou d'homélies de Chrysostome, notamment sur l'Évangile de S. Matthieu, sont déjà parues dans le courant du XVIIe siècle, nous n'y avons pas trouvé nos sept panégyriques. Ceux-ci semblent bien n'avoir pas été traduits dans une langue moderne avant 1735.

2. Le P. Joseph Duranty de Bonrecueil (1662-1756), dont le travail fut estimé dès le XVIIIe siècle (voir *Journal des Savants,* 1736, p. 316-317, 492-495), a également traduit les *Lettres de Chrysostome,* Paris 1732, 2 vol. in-8° ; à la fin du Ier volume prennent place, en outre, deux autres traités de son exil : *Quod nemo laeditur* (I, p. 312-373 = *PG* 52, 459-480), *Adversus eos qui scandalizati sunt* (I, p. 374-514 = *PG* 52, 479-528). Il a traduit, en outre, *Les œuvres de Saint Ambroise sur la Virginité* (Paris 1729, in-12°) ainsi que ses *Lettres* (Paris 1741, 3 vol. in-12°), enfin, les *Psaumes de David, expliqués par Théodoret, Saint Basile et Saint Chrysostome* (Paris 1741, 7 vol. in-12°).

3. On remarquera avec intérêt qu'à part une exception (*IIIe Panégyrique des Maccabées,* p. 425-428), tous les panégyriques contenus dans ce livre sont authentiques. D'autre part, sur un point de détail, on rectifiera une erreur typographique (p. 349), où se trouve comme titre pour la seconde fois, *Cinquième Panégyrique* au lieu de *Sixième,* qu'il faut substituer.

4. Cette Préface (p. I-XLVIII) montre surtout comment ces Panégyriques des Martyrs illustrent les dogmes, la morale et la discipline sacramentelle de l'Église.

5. Au *IIIe Panégyrique* (6, 13-14), les éditions de F. du Duc et de Montfaucon présentent le texte suivant : καθάπερ τις στρατηγὸς ἢ ἄριστος ἰατρός. Or de toute évidence, les deux mots ἢ et ἰατρός sont une glose (voir note *in loc.*). Savile l'avait déjà soupçonné, en adoptant la leçon du ms. provenant de l'Athos qu'il connaissait (notre *Athous Lavra B 94*), et en

Nous avons lu intégralement cette traduction. Parfois le texte grec est allongé ou même altéré par de légères additions. Cependant la traduction est d'une réelle qualité, et en quelques endroits elle nous a aidé à pénétrer plus sûrement le sens.

Toujours pour le XVIIIe siècle, nous signalons la présence de quelques-uns de nos panégyriques dans l'œuvre de l'Abbé A. Auger, *Homélies, Discours et Lettres, choisis de Saint Jean Chrysostôme,* 4 vol. in-8°, Paris 1785. Au tome III se trouvent, de la p. 65 à la p. 67, le sommaire des sept panégyriques de saint Paul, puis, de la p. 68 à la p. 92, la traduction du second, du troisième et d'un assez bref extrait du quatrième (§ 17-20)[1]. Cette traduction, de valeur inégale, est différente de celle du P. de Bonrecueil. Le titre du IIe panégyrique est suivi des références aux éditions de Montfaucon (t. II, p. 482), de F. du Duc (t. V, p. 498) et de Savile (t. VIII, p. 37).

En ce qui concerne le XIXe siècle, on peut mentionner d'abord, à la rigueur, la traduction de six de nos panégyriques dans l'œuvre assez volumineuse de M. N.S. Guillon, *Bibliothèque choisie des Pères de l'Église grecque et latine,*

présentant ici son texte de la manière suivante : καθάπερ τις στρατηγὸς [ἢ] ἄριστος [ἰατρός] (t. VIII, p. 41). Le P. de Bonrecueil traduit «comme un habile général d'armée» (p. 306). Il semble bien que ce sont les crochets du texte de Savile qui l'ont invité à supprimer les deux mots : ἢ ἰατρός. – A un autre endroit (*VIe Panégyrique,* 11, 2), l'auteur a bien traduit οἶδα μὲν par «Je sçai que...» (p. 359). Or dans les éditions antérieures on lit οἴδαμεν (en lat. *novimus*). Au contraire, tous les mss portent οἶδα μὲν. D'où une question : le P. de Bonrecueil aurait-il fait des sondages sur un ms. de Rome ou de Venise, ou plutôt sur le ms. de Chalki, arrivé à Paris vers 1830 (cf. *supra,* p. 55-56)?

1. Après cet extrait du IVe Panégyrique, on trouve dans ce livre, de la p. 92 à la p. 110, la traduction de trois autres passages, précédés des références pas toujours exactes aux éditions de Montfaucon, de F. du Duc et de Savile, où Chrysostome fait également l'éloge de l'Apôtre. Ils correspondent aux titres et colonnes de Migne que voici : 1) *De profectu Evangelii,* § 4 (*PG* 51, 313 D – 314 D, 317 B-C); 2) *In Epist. II ad Cor., hom.* XXV, 2-3 (*PG* 61, 572 D – 574 D); 3) *In Epist. ad Rom., hom.* XXXII, 2-4 (*PG* 60, 678 C – 682 A).

25 tomes in-8°, Paris 1822-1828, et Bruxelles 1828-1830. On y trouve, aux tomes X-XIX inclus, la plupart des œuvres de Chrysostome, dont les *Panégyriques de saint Paul,* au tome XVI (Paris 1826), p. 492-527. Malheureusement cette traduction est très défectueuse[1].

Plus d'intérêt présenterait pour nous un autre texte, s'il ne se limitait pas au VIIe Panégyrique, paru dans un livre de C. Poussin : *Les Panégyriques de la Sainte Vierge et des Saints,* Paris 1857, in-12°, p. 239-249[2].

On sait qu'après 1863 paraissent quasi simultanément trois traductions françaises des œuvres de Chrysostome, importantes en étendue et différentes entre elles. Nous les rappelons ici, avec les références à nos sept panégyriques.

En 1863, à Bar-le-Duc, paraît le Ier volume d'une collection qui devait en compter onze (in-4°), intitulée : *Saint Jean Chrysostome, œuvres complètes, traduites pour la première fois en français, par un groupe de prêtres de St-Dizier.* A partir du second volume (1864), le titre sera suivi de cette mention : *sous la direction de M. Jeannin.* Les sept panégyriques sur S. Paul se trouvent au t. III (1864), p. 333-365[3].

1. En effet, le texte du VIe Panégyrique n'y figure pas, les autres se suivent sans titre pour les séparer, et surtout le texte grec est souvent abrégé et contracté avec de nombreuses omissions, comme l'auteur l'indique lui-même au bas des pages, en référence à l'édition de Cl. Morel, c'est-à-dire de F. du Duc. L'auteur entreprend même de prouver qu'une bonne traduction est celle qui sait éliminer du texte original ce qui n'est que secondaire ... (t. XI, p. 41).

2. Ce livre, publié dans l'intention de rendre service aux prédicateurs pour plusieurs fêtes de l'année liturgique, contient notamment certains panégyriques de Chrysostome, dont quelques-uns non authentiques. Le VIIe panégyrique de S. Paul, que C. Poussin destine à la «Fête de la Commémoration de Saint Paul (30 juin)», comporte une traduction différente de celle du P. de Bonrecueil.

3. A la fin du Ier et du VIIe panégyriques (p. 337 et 365), on trouve la mention suivante : *traduit par M.C. Portelette.* — D'autre part, le traducteur du IIe et du IIIe s'est inspiré du texte d'A. Auger (voir *supra,* p. 101), comme l'indique une note, au bas des p. 338 et 341 : *Traduction de l'Abbé Auger, revue.* De fait, à part la traduction d'un bref fragment du IIe Panégyrique :

Après cette collection, paraît presque en même temps, à Paris et à Nancy à la fois, celle de C.-E. Joly, avec ce titre : *Œuvres complètes de S. Jean Chrysostome, traduites du grec en français par M. l'abbé Joly*. Cette collection, qui ne comprend que 8 volumes in-4° (1864-1867) à cause de ses colonnes plus serrées, présente les œuvres de Chrysostome dans un ordre différent par rapport à l'édition de J.-B. Jeannin. Les sept panégyriques sur S. Paul y figurent au t. III (1864), p. 1-26. La traduction est souvent éloignée du texte et tourne parfois à une paraphrase de type oratoire.

Enfin, une autre traduction voit le jour, celle de J.-F. Bareille, publiée sous trois formes différentes, dont la plus intéressante est l'édition qui comprend à la fois le texte grec et sa traduction française, en 20 volumes in-4°[1], Paris 1865-1873, avec ce titre : *Œuvres complètes de saint Jean Chrysostome, d'après toutes les éditions faites jusqu'à ce jour :* voir les sept panégyriques de saint Paul au tome IV (1866), p. 129-188[2].

Τίνι... τῆς εἰκόνος (7, 9-11), que A. Auger avait omis volontairement (voir sa note de la p. 74), et la correction d'une grave erreur typographique au bas de la p. 76, l'édition de J.B. Jeannin reproduit presque partout le texte de son devancier. – On signalera enfin que cette édition paraît à nouveau en 1874, toujours à Bar-le-Duc, et à nouveau en 1887, à Arras, mais que, selon la remarque de Chr. BAUR (p. 213, n° 94), il s'agit, plutôt que d'éditions nouvelles proprement dites, des vieux exemplaires de 1863, auxquels on a donné un nouvel en-tête. (voir édit. de 1887 pour nos panégyriques, même référence : t. III, p. 333-365).

1. Le texte grec est le même que celui de la *PG* de Migne, tomes 47-63. – Ces 20 volumes sont suivis d'un 21e, paru en 1878, et consacré à une table générale et analytique. Bien que celle-ci ne soit ni exhaustive ni assez bien organisée, on y trouve quelques références utiles, notamment en ce qui concerne S. Paul (p. 217-231).

2. J.F. Bareille a également publié, à part, sa traduction française en 19 volumes in-8° (1864-1872) : voir t. IV (1865), p. 128-184, pour les 7 panégyriques de S. Paul, et sous une seconde forme, en 10 volumes in-4° (1865-1873), chaque volume en comprenant deux de l'édition précédente, t. II (1866), p. 415-445.

Si la traduction de J.-F. Bareille est, elle aussi, parfois trop large, il faut reconnaître cependant qu'elle est loin d'être sans valeur et que, pour les œuvres de Chrysostome non encore éditées et traduites dans la collection « Sources Chrétiennes », notamment les Homélies sur saint Matthieu, sur saint Jean et sur les Épîtres de saint Paul, elle demeure encore un instrument de travail très précieux.

Depuis cette édition complète de J.-F. Bareille, il n'y avait pas eu de nouvelle traduction française de ces panégyriques jusqu'à une date très récente. C'est, en effet, en 1980 qu'est parue la traduction de cette œuvre particulière, avec le titre suivant : *Jean Chrysostome, Homélies sur saint Paul,* coll. *Les Pères dans la Foi.* Nous l'avons lue avec beaucoup d'intérêt. Si l'on constate, de-ci de-là, que son auteur, M. Patrice Soler, n'a pas connu l'ensemble de la tradition manuscrite et si, d'autre part, la version française qu'il donne de ces sept Éloges est parfois un peu trop allongée par rapport au texte grec, il n'en reste pas moins que cette traduction est, dans l'ensemble, juste et alerte.

En ce qui concerne les éditions allemandes, on trouve ces sept panégyriques dans les œuvres complètes de Chrysostome qui paraissent autour de 1750 et dans la seconde moitié du XVIIIe siècle, et dont chacune comprend 10 tomes. La première fut publiée à Leipzig, de 1748 à 1751 : voir t. II (1749), *Predigten und kleine Schriften,* p. 531-662. On retrouve la même collection dans l'édition de 1772, publiée à Augsbourg et à Innsbruck, t. II, p. 415-509 ; de nouveau à Augsbourg, dans l'édition de 1781-1782, t. II (1781), p. 416-496 ; enfin, à Prague, en 1785, t. II, p. 374-451 [1].

D'autre part, une traduction allemande de ces sept panégyriques fut établie par M. Schmitz, et parut dans la *Bibliothek*

1. Nous remercions vivement le Dr. Schneiders, Directeur à la Bayerische Staatsbibliothek de Munich, ainsi que le Fr. Engelbert Grau, Bibliothécaire du Couvent S. Anna à Munich, qui ont bien voulu nous envoyer ces références.

der Kirchenväter, éd. par F.X. Reithmayr et V. Thalofer, Kempten 1879, t. III, p. 298-387.

En langue anglaise, une traduction de ces Éloges a été publiée à Boston, en 1963, par le Rev. Thomas Halton : *In Praise of Saint Paul by St. John Chrysostom*[1].

On trouvera également une traduction en espagnol de ces panégyriques dans les œuvres complètes de Chrysostome que publie à Mexico, depuis 1965, le R.P. Rafael Ramirez Torres, s.j. : voir *Obras completas de San Juan Crisostomo,* Mexico, editorial JUS, t. I (1965), « Siete homilias en honor del santo apostol Pablo », p. 551-613.

Nous signalerons enfin une traduction arménienne des *Sermons et Panégyriques* de Chrysostome, faite par P.E. Thomadschaneau, publiée à Venise en 1818, en deux tomes[2].

Conclusion : Originalité de cette édition

En ce qui concerne la tradition manuscrite, nous avons pu examiner quatre *codices,* assez anciens, non encore utilisés. Trois proviennent des Bibliothèques du Mont Athos, très précieuses pour tous les chercheurs : l'*Athous Lavra B 112* : L (XIᵉ s.) ; l'*Athous Stavronikita 22* : P (XIIᵉ s.) ; l'*Athous Panteleimon 58* : M (XIIIᵉ s.). Le quatrième provient de l'île de Pat-

1. En revanche, on ne trouve pas ces panégyriques dans les œuvres globales de Chrysostome qui ont été éditées en langue anglaise dans le courant du XIXᵉ siècle, ni pour l'Angleterre dans la collection *A Library of the Fathers on the Holy Catholic Church, anterior to the division of the east an west* (Oxford 1839-1848, volumes 4-27), ni pour l'Amérique dans la collection *Christian Literatur Company, the Nicene and Post-Nicene Fathers, First series* (Buffalo et New-York, 1888-1894, vol. 9-14).

2. Malheureusement, les deux exemplaires de cette édition qui étaient conservés à la Bibliothèque Bavaroise de Munich ont disparu au cours de la guerre de 1940-1945, ainsi que nous l'a précisé également le Dr. Schneiders.

mos, au monastère de saint Jean l'Évangéliste, *Patmiacus 164* : E (XIe s.). Trois de ces manuscrits nous ont beaucoup éclairé pour l'établissement de notre texte.

La collation de l'*Athous Panteleimon 58,* M, n'a pas représenté pour nous un apport original. Ce manuscrit est, en effet, identique au *Vaticanus gr. 1628,* B, et au *Marcianus gr 567* : D (le premier très probablement connu de Montfaucon, et le second peut-être aussi), et la leçon de ces trois manuscrits, quand elle est seule, est défectueuse.

Mais il n'en est pas de même des trois autres manuscrits, qui ont été pour nous très importants. L'*Athous Stavronikita 22,* P, est venu appuyer la famille des trois manuscrits CFG, dont la leçon nous a paru à plusieurs reprises digne d'être retenue. Quant au *cod. Patmiacus 164,* E, qui parfois rencontre cette même famille, tout en ayant une origine plus complexe, il nous a incité davantage à choisir selon les cas la leçon des mss CFGP, soit, plus souvent, celle des *codd. Parisinus gr. 755,* A, et *Lavra B. 112,* L, étant donné qu'il a suivi avec eux pendant plus longtemps, semble-t-il, le même tronc commun[1]. Enfin, l'autorité du cod. *Parisinus gr. 755,* A, bien connu de Savile (voir *supra,* p. 93-94) et donc des éditeurs postérieurs, et auquel nous avons donné assez souvent la préférence, se trouve corroborée par l'apport du *cod. Lavra B. 112,* qui lui est presque toujours identique.

Ces observations nous amènent à formuler en conclusion les deux remarques que voici :

1. L'édition que nous présentons ne différera pas, le plus souvent, du texte traditionnel. Car celui de Savile, que Fronton du Duc et Montfaucon ont reproduit, a été établi d'après deux manuscrits, assez souvent dissemblables : notre *Parisinus gr. 755,* A, et le *Lavra B 94,* G, et lorsque Savile a dû choisir entre des variantes de ces deux manuscrits, la leçon qu'il a retenue nous a paru, la plupart du temps, très juste. Il faut à

1. Voir stemma, p. 85.

nouveau saluer la mémoire de ce très grand érudit en soulignant sa culture très étendue, son infatigable labeur et la sûreté de son discernement.

2. Cependant, nous pensons que notre édition apporte quelque chose de nouveau, et cela de trois manières. D'abord, certaines leçons traditionnelles paraîtront mieux fondées, grâce à la collation que nous avons faite de manuscrits plus nombreux. Ensuite, nous avons dû éliminer quelques-unes des leçons antérieures, peu nombreuses il est vrai, lorsque la totalité des manuscrits leur était opposée[1]. Enfin, à plusieurs endroits, nous avons adopté une leçon différente de celle des éditions antérieures; nous en indiquerons, en note, la raison, pour tous les passages importants.

Quant à la traduction française que nous publions, nous nous sommes efforcé de la faire en serrant le texte grec d'aussi près que possible, et pour la propriété des termes, et pour le rythme varié des phrases de Chrysostome[2].

Nous avons également jugé opportun d'ajouter un certain nombre de notes. Celles-ci sont consacrées soit à préciser des allusions historiques, soit le plus souvent à mentionner des lieux parallèles dans l'œuvre même de Chrysostome, ou encore à indiquer tel ou tel passage des Épîtres de Paul auquel Chrysostome fait allusion[3].

1. A ce sujet, nous avons cependant gardé quelques conjectures provenant de Savile, ou bien de F. du Duc et de Montfaucon : elles sont très peu nombreuses. Nous les expliquerons chaque fois dans une note.

2. Notre traduction française était achevée depuis un certain temps lorsque parut celle de M. P. Soler dont nous avons parlé *supra*. Étant donné la qualité d'un certain nombre de passages de ce livre, nous lui avons emprunté — assez rarement — telle ou telle expression, et en ce cas nous l'avons indiqué en note. Il était inévitable également que nos deux efforts se rencontrent parfois dans les mêmes mots.

3. A la fin de cette Introduction, il nous paraît opportun d'évoquer BOSSUET, et de mentionner spécialement son *Panégyrique de l'Apôtre saint Paul,* qu'il prononça vers 1659 à l'Hôpital Général (aujourd'hui, la

Que cette édition soit avant tout un hommage de profonde gratitude à S. Paul et à S. Jean Chrysostome, ainsi qu'à tous ceux qui me les ont fait connaître et aimer. Au P. Brillet, ancien maître des novices, puis supérieur général de la Congrégation de l'Oratoire, je dois la source principale de mon admiration pour S. Paul. D'autre part, je me souviens encore des textes du De sacerdotio *que nous commentait, aux environs de 1930, au Scolasticat de l'Oratoire, le P. Désiré Bouley.*

Je veux surtout exprimer ma reconnaissance à Mlle *Anne-Marie Malingrey, qui m'a proposé l'édition de ces panégyriques, m'a guidé dans mon travail et a relu mon manuscrit. De leur côté, le P. Joseph Paramelle et Madame G. Astruc, ainsi que leurs collaborateurs de l'I.R.H.T., m'ont rendu de grands services. Enfin le P. Michel Aubineau a repéré, au cours de ses voyages, quelques manuscrits mal connus contenant ces panégyriques et me les a indiqués; il a revu les pages de l'Introduction consacrées à la tradition manuscrite et m'a suggéré des améliorations.*

Je m'en voudrais de ne pas évoquer la mémoire d'un très grand ami, le P. Jean Ribaillier. Lorsque j'ai commencé l'examen de la tradition manuscrite, il m'a donné, avec l'expérience et la maîtrise qu'il possédait en ce domaine, plusieurs conseils en vue de l'établissement du stemma, dont je devais par la suite vérifier la justesse.

Madame Thérèse Nawrocki avait assuré avec beaucoup de dévouement la dactylographie nécessaire à cette publication : j'apprends avec une grande peine son décès brusque et prématuré.

Salpêtrière). Ce texte ne présente aucune citation, ni aucune allusion précise, extraites de l'un ou l'autre des sept panégyriques chrysostomiens. Mais les trois points que Bossuet y développe : le dédain de S. Paul pour les artifices de la rhétorique, la fécondité apostolique de ses épreuves et sa charité pastorale sont des thèmes bien des fois traités et par S. Paul lui-même et chez Chrysostome. On sait que, si Bossuet cite plus souvent les Pères latins que les Pères grecs, on relève cependant dans ses sermons plusieurs citations de ces derniers, présentées en latin ou en français, notamment de Jean Chrysostome et de Grégoire de Nazianze.

Je n'oublie pas non plus Mlle Marie Zambeaux, le P. L. Doutreleau ni aucun des membres de l'Institut des Sources Chrétiennes, mais je veux aussi mentionner M. Philippe Pradas, ancien élève de l'École normale supérieure, à qui j'ai eu la joie d'enseigner la langue et la littérature grecques, et qui a bien voulu contrôler de son côté les épreuves de ce livre. Qu'il en soit remercié.

Enfin, je tiens à saluer respectueusement et amicalement trois Abbayes qui me sont chères : Sainte-Marie de Paris, Notre-Dame du Bec et Saint-Wandrille, dans lesquelles j'ai toujours trouvé, avec des instruments de travail profitables et une liturgie de haute qualité, l'accueil fraternel et chaleureux que savent réserver à leurs hôtes les Pères bénédictins.

Conspectus siglorum

A	Parisinus gr. 755	Panég. I-VII	XIe s.
B	Vaticanus gr. 1628	Panég. I-VII	XIe s.
C	Marcianus gr. 113	Panég. I-VII	XIe s.
D	Marcianus gr. 567	Panég. I-VII	XIe s.
E	Patmiacus 164	Panég. I-VII	XIe s.
F	Laurentianus Plut. IX cod. 4	Panég. I-VII	XIe s.
L	Athous Lavra B 112	Panég. I-VII	XIe s.
G	Athous Lavra B 94	Panég. I-VII	XIIe s.
P	Athous Stavronikita 22	Panég. I-VII	XIIe s.
M	Athous Panteleimon 58	Panég. I-VII	XIIIe s.
H	Parisinus gr. 728	Panég. I	XIIIe s.

TEXTE ET TRADUCTION

Τοῦ ἐν ἁγίοις πατρὸς ἡμῶν Ἰωάννου ἀρχιεπισκόπου Κωνσταντινουπόλεως τοῦ Χρυσοστόμου ἐγκώμιον εἰς τὸν ἅγιον ἀπόστολον Παῦλον λόγος α′

1. Οὐκ ἄν τις ἁμάρτοι λειμῶνα ἀρετῶν καὶ παράδεισον πνευματικὸν καλέσας τὴν Παύλου ψυχήν, οὕτω πολὺ μὲν ἤνθει τῇ χάριτι, ἀξίαν δὲ τῆς χάριτος ἐπεδείκνυτο τῆς ψυχῆς τὴν φιλοσοφίαν. Ἐπειδὴ γὰρ σκεῦος ἐκλογῆς γέγονε, καὶ καλῶς ἑαυτὸν ἐξεκάθηρε, δαψιλὴς ἡ τοῦ Πνεύματος ἐξεχύθη εἰς αὐτὸν δωρεά. Ὅθεν ἡμῖν καὶ τοὺς θαυμαστοὺς ἔτεκε ποταμούς, οὐ κατὰ τὴν τοῦ παραδείσου

La collation du ms. L n'est pas absolument exhaustive (voir note complémentaire n° 3).

Tit., 1 τοῦ + αὐτοῦ CE ‖ 1-2 ἐν ἁγίοις – Χρυσοστ. *om.* CE ‖ ἀρχιεπ. Κωνστ. *om.* BDM ‖ 2 ἐγκώμιον : λόγος M *om.* DE ‖ 3 ἀπόστολον *om.* E
1, 2 πολὺ : πολλῇ BDM E

1. Le mot φιλοσοφία est employé cinq fois en ces panégyriques, et le verbe φιλοσοφέω-ῶ deux fois (voir *Index*). Si l'on met à part l'un de ces passages où ce substantif fait allusion à certains philosophes de la Grèce antique (*IV*ᵉ *Panég.*, 19, 9), ces termes y comportent une résonance chrétienne. Pour les différents sens de ces vocables, voir A.M. MALINGREY, *«Philosophia». Étude d'un groupe de mots dans la littérature grecque, des Présocratiques au IV*ᵉ *siècle après J.-C.*, Paris 1961.

2. L'expression σκεῦος ἐκλογῆς est extraite des paroles du Seigneur à Ananie, au moment de la conversion de Saul de Tarse : «Cet homme est l'instrument que j'ai choisi pour porter mon nom...» (*Act.* 9, 15). Parmi les

I

S. PAUL EST SUPÉRIEUR A TOUS LES SAINTS

De notre Père qui est parmi les saints, Jean Chrysostome, archevêque de Constantinople, panégyrique du saint apôtre Paul

Premier discours

Richesse indicible de l'âme de Paul

1. On ne se tromperait pas en appelant l'âme de Paul une prairie de vertus et un paradis spirituel, tellement la grâce y fleurissait avec magnificence, et tellement s'y manifestait une philosophie [1] digne de cette grâce. En effet, quand il fut devenu l'instrument choisi [2] et qu'il fut parfaitement purifié [3], le don de l'Esprit [4] se répandit en lui avec abondance. C'est là que pour nous ont pris aussi naissance ces admirables fleuves, non pas comme pour la source du paradis au nombre de

titres de gloire qu'il applique à l'apôtre Paul, Chrysostome cite assez souvent cette expression : cf. *De mutatione nominum, hom.* IV, 3, *PG* 51, 149 D ; *In hoc Apostoli dictum : Utinam sustineretis modicum...* 1, *PG* 51, 301 C ; *De petitione filiorum Zebedaei, contra Anomaeos,* VII, *hom.* 8, § 3, *PG* 48, 772 A ; *De Lazaro, hom.* VI, 9, *PG* 48, 1041 B ; *Contra ludos et theatra,* § 1, *PG* 56, 265 B ; *In Act. Apost., hom.* XX, 1, 2, *PG* 60, 158 D, 159 C ; *Sur la Providence de Dieu, SC* 79, Paris 1961, ch. 2, § 2, p. 61 ; ch. 3, § 7, p. 76.

3. La purification complète dont parle ici Chrysostome semble bien viser la grâce spirituelle du baptême, que Saul reçut trois jours après sa conversion : cf. *Act.* 9, 9.17-18 ; 22, 6-16.

4. Sur l'association indispensable de la grâce de Dieu et de la volonté humaine, du don de l'Esprit et de la purification personnelle, voir *Introd.*, ch. III, « Portrait de Paul ».

πηγὴν τέσσαρας μόνους[a], ἀλλὰ πολλῷ πλείους καθ' ἑκάστην ῥέοντας τὴν ἡμέραν, οὐ τὴν γῆν ἄρδοντας, ἀλλὰ τὰς τῶν ἀνθρώπων ψυχὰς εἰς καρπογονίαν ἀρετῆς διεγείροντας. Τίς οὖν ἀρκέσει λόγος τοῖς τούτου κατορθώμασιν; ἢ ποία δυνήσεται γλῶσσα ἐφικέσθαι τῶν ἐγκωμίων τῶν ἐκείνου; Ὅταν γὰρ ἅπαντα τὰ ἐν ἀνθρώποις καλὰ συλλαβοῦσα ἔχῃ ψυχὴ μία, καὶ πάντα μεθ' ὑπερβολῆς, οὐ μόνον δὲ τὰ τῶν ἀνθρώπων, ἀλλὰ καὶ τὰ τῶν ἀγγέλων, πῶς περιεσόμεθα τοῦ μεγέθους τῶν ἐγκωμίων; Οὐ μὴν διὰ τοῦτο σιγήσομεν, ἀλλὰ καὶ δι' αὐτὸ μὲν οὖν τοῦτο μάλιστα ἐροῦμεν. Καὶ γὰρ καὶ τοῦτο ἐγκωμίου μέγιστον εἶδος, τὸ νικᾶν τῶν κατορθωμάτων τὸ μέγεθος μετὰ πάσης περιουσίας τοῦ λόγου τὴν εὐκολίαν, καὶ ἡ ἧττα μυρίων τροπαίων ἐστὶν ἡμῖν λαμπροτέρα.

2. Πόθεν οὖν εὔκαιρον εἴη ἂν ἅψασθαι τῶν ἐγκωμίων; Πόθεν ἄλλοθεν ἢ ἀπ' αὐτοῦ τούτου πρώτου, <τοῦ> δεῖξαι τὰ ἁπάντων ἔχοντα ἀγαθά; Εἴτε γὰρ προφῆται ἐπεδείξαντό τι γενναῖον, εἴτε πατριάρχαι, εἴτε δίκαιοι, εἴτε ἀπόστολοι, εἴτε μάρτυρες, πάντα ταῦτα ὁμοῦ συλλαβὼν ἔχει μετὰ τοσαύτης ὑπερβολῆς μεθ' ὅσης οὐδεὶς ἐκείνων, ὅπερ ἕκαστος εἶχε καλόν, ἐκέκτητο.

13 τῶν *om.* G ‖ 17 ἀλλὰ καὶ : ἀλλ' αὐτὸ καὶ A ἀλλὰ δι' αὐτὸ καὶ G ἀλλὰ H

2, 1 ἂν *om.* E ‖ 2 τοῦ *coni. Sav. : om. codd.* ‖ 3 πάντων BDM E ‖ 5 ταῦτα *om.* A ‖ 7 καλὸν + ἢ CFGP E

a. Cf. Gen. 2, 10-14.

1. On admirera dès ces onze premières lignes le nombre et la valeur expressive des métaphores appliquées à l'âme de Paul : λειμῶνα, παράδεισον, ἤνθει, ἐξεχύθη, ποταμούς, πηγήν, ῥέοντας, ἄρδοντας, καρπογονίαν.

2. Le mot κατόρθωμα se trouve sept fois dans ces panégyriques et le verbe κατορθόω-ῶ cinq fois (voir *Index*). Ces termes, d'origine stoïcienne,

quatre seulement[a], mais beaucoup plus nombreux et qui coulent tous les jours : ce n'est pas la terre qu'ils arrosent, mais l'âme des hommes qu'ils encouragent à produire des fruits de vertu[1]. Quel discours sera donc à la hauteur des grandes actions de cet homme[2] ? Quelle langue pourra parvenir à prononcer les éloges de ce personnage ? Quand une seule âme, en effet, possède ensemble toutes les vertus humaines, et toutes au plus haut point, et non seulement celles des hommes, mais encore celles des anges, comment réussir en vainqueur des éloges aussi sublimes ? Ce ne sera certainement pas pour nous un motif de garder le silence ; au contraire, c'est bien précisément à cause de cela que nous parlerons. Telle est, en effet, la forme la plus haute de l'éloge que de voir la grandeur des vertus dépasser abondamment l'habileté du discours, et la défaite est alors pour nous plus brillante que mille trophées[3].

2. Par où conviendrait-il de commencer ces éloges ? Par où, sinon justement en montrant d'abord que Paul possède les vertus de tous les hommes ensemble ? En effet, qu'il s'agisse des prophètes et des patriarches, des manifestations de leur noblesse d'âme, ou encore de celles des justes[4], des apôtres ou des martyrs, il les a toutes à la fois rassemblées en lui, et il les possédait toutes à un degré tel qu'aucun de ces hommes ne l'a atteint dans la vertu particulière qui fut la sienne.

prennent dans le vocabulaire chrétien une tonalité religieuse qui en fait l'équivalent d'œuvres saintes.

3. Les lignes 11-21 de cet Exorde correspondent à un usage habituel de l'ἐγκώμιον (voir *Introd.*, ch. II, « Le genre littéraire », p. 25, n. 8), qui supportait aisément l'hyperbole (*ibid.*, p. 33-34).

4. Le mot δίκαιοι s'applique à des hommes qui ont manifesté une grande fidélité et une grande confiance en Dieu, sans avoir pour autant joué un rôle précis dans l'histoire du Salut, comme Abel, Noé, Joseph, Job, ou plus tard, le vieillard Siméon. Ce mot a donc un sens général et équivaut à peu près au terme de « parfait » (voir *infra*, 5, 1 : Νῶε δίκαιος, τέλειος ἐν τῇ γενεᾷ αὐτοῦ, et un commentaire de ces termes : *In Genesim, hom.* XXIII, 5, *PG* 53, 202 D - 204 A).

3. Σκόπει δέ· προσήνεγκεν Ἄβελ θυσίαν[b], καὶ ἐντεῦθεν ἀνακηρύττεται. Ἀλλ' ἐὰν τὴν Παύλου θυσίαν εἰς μέσον ἀγάγῃς, τοσοῦτον δείκνυται βελτίων ἐκείνης, ὅσον τῆς γῆς ὁ οὐρανός. Ποίαν οὖν βούλεσθε εἴπω; Οὐδὲ γὰρ μία μόνον ἐστί. Καὶ γὰρ ἑαυτὸν καθ' ἑκάστην κατέθυεν ἡμέραν, καὶ ταύτῃ πάλιν διπλῆν ἐποίει τὴν προσφοράν· τοῦτο μὲν καθ' ἑκάστην ἡμέραν ἀποθνήσκων[c], τοῦτο δὲ τὴν νέκρωσιν ἐν τῷ σώματι αὐτοῦ περιφέρων[d]. Καὶ γὰρ πρὸς κινδύνους διηνεκῶς παρετάττετο, καὶ ἐσφάττετο τῇ προαιρέσει, καὶ τῆς σαρκὸς τὴν φύσιν οὕτως ἐνέκρωσεν, ὡς τῶν σφαγιαζομένων ἱερείων μηδὲν ἔλαττον διακεῖσθαι, ἀλλὰ καὶ πολλῷ πλέον. Οὐδὲ γὰρ βοῦς καὶ πρόβατα προσέφερεν, ἀλλ' ἑαυτὸν διπλῇ καθ' ἑκάστην ἐσφαγίαζε τὴν ἡμέραν. Διὸ καὶ ἐθάρρησεν εἰπεῖν· Ἐγὼ γὰρ ἤδη σπένδομαι[e], σπονδὴν ἑαυτοῦ τὸ αἷμα καλέσας.

4. Οὐ μὴν ἠρκέσθη ταῖς θυσίαις ταύταις, ἀλλ' ἐπειδὴ καλῶς ἑαυτὸν καθιέρωσε, καὶ τὴν οἰκουμένην πᾶσαν προσήνεγκε, καὶ γῆν καὶ θάλατταν, καὶ Ἑλλάδα καὶ βάρβαρον, καὶ πᾶσαν ἁπαξαπλῶς ὅσην ἥλιος ἐφορᾷ γῆν, ταύτην, καθάπερ ὑπόπτερός τις γενόμενος, ἐπῆλθε πᾶσαν, οὐχ ἁπλῶς ὁδοιπορῶν, ἀλλὰ τὰς ἀκάνθας τῶν ἁμαρτημάτων ἀνασπῶν, καὶ τὸν λόγον τῆς εὐσεβείας κατασπείρων, τὴν πλάνην ἀπελαύνων, τὴν ἀλήθειαν ἐπα-

3, 5 κατέθυεν + τὴν CFGP E H || 7 ἡμέραν *om.* BDM E
4, 2 πᾶσαν *om.* ALH

b. Cf. Gen. 4, 4.
c. Cf. I Cor. 15, 31.
d. Cf. II Cor. 4, 10.
e. II Tim. 4, 6.

1. Cette interpellation aux auditeurs, sous la forme de la seconde personne du singulier, est très fréquente dans ces panégyriques : c'est un

Saint Paul et les personnages de l'Ancien Testament : Abel

3. Réfléchis bien[1]. Abel offrit un sacrifice[b], et c'est à cause de cela que son nom est proclamé[2]. Cependant si tu mets sous les yeux de tous le sacrifice de Paul, celui-ci l'emporte avec évidence sur le premier, autant que le ciel l'emporte sur la terre. Et de quel sacrifice voulez-vous que je parle ? Car il y en a plus d'un. En effet, chaque jour il s'immolait lui-même et, de plus, il pratiquait cette oblation d'une double manière puisque, s'il mourait chaque jour[c], il portait également partout dans son corps cette mortification[d]. Il affrontait sans cesse des dangers et, tout en immolant sa volonté, il mortifiait sa nature charnelle à un tel point qu'il n'était nullement inférieur aux victimes qu'on égorgeait, mais bien au-dessus. Car ce n'était pas des bœufs ni des brebis qu'il offrait, mais c'est lui qu'il immolait, et d'une double manière, chaque jour. C'est pourquoi il eut même l'audace de dire : « Quant à moi, je suis déjà offert en libation[e] », donnant ce nom de libation à son propre sang.

4. Cependant ces sacrifices ne lui suffirent pas ; au contraire, après s'être généreusement consacré lui-même, il offrit également tout l'univers, la terre et la mer, le monde grec et le monde barbare, et en un mot toutes les contrées que domine le soleil, comme s'il avait pour ainsi dire des ailes, toutes il les parcourut ; et il ne se contentait pas de les parcourir, mais il arrachait les péchés avec leurs épines, semait la parole de la vraie piété, expulsant l'erreur et rétablissant la

héritage des procédés de la diatribe (*Introd.*, ch. II, « Le genre littéraire », p. 36).

2. A partir de là, Chrysostome compare l'apôtre Paul avec une série de personnages de l'A.T. Ces comparaisons (συγκρίσεις) n'étaient pas inconnues des orateurs profanes et chrétiens de cette époque qui les plaçaient souvent à la fin de leur discours (*Introd.*, ch. II, p. 24, 29). L'originalité de Chrysostome est ici de leur consacrer le Ier panégyrique qui se présente ainsi comme un portique d'introduction.

νάγων, ἐξ ἀνθρώπων ἀγγέλους ποιῶν, μᾶλλον δὲ ἀπὸ δαιμόνων ἀγγέλους τοὺς ἀνθρώπους. Διὸ καὶ μέλλων ἀπιέναι μετὰ τοὺς πολλοὺς ἱδρῶτας καὶ τὰ πυκνὰ ταῦτα τρόπαια, παραμυθούμενος τοὺς μαθητάς, ἔλεγεν· Εἰ καὶ σπένδομαι ἐπὶ τῇ θυσίᾳ καὶ λειτουργίᾳ τῆς πίστεως ὑμῶν, χαίρω καὶ συγχαίρω πᾶσιν ὑμῖν· διὸ καὶ ὑμεῖς χαίρετε καὶ συγχαίρετέ μοι[f]. Τί τοίνυν γένοιτ' ἂν τῆς θυσίας ταύτης ἴσον, ἣν τὴν μάχαιραν τοῦ Πνεύματος σπασάμενος ἔθυσεν, ἣν ἐν τῷ θυσιαστηρίῳ προσήγαγε τῷ ὑπεράνω τῶν οὐρανῶν; Ἀλλ' ἀνῃρέθη δολοφονηθεὶς ὑπὸ τοῦ Κάϊν ὁ Ἄβελ[g], καὶ ταύτῃ λαμπρότερος γέγονεν. Ἀλλ' ἐγώ σοι μυρίους ἠρίθμησα θανάτους, καὶ τοσούτους ὅσας ἡμέρας κηρύττων ἔζησεν ὁ μακάριος οὗτος. Εἰ δὲ καὶ τὴν μέχρι τῆς πείρας αὐτῆς προελθοῦσαν βούλει μαθεῖν σφαγήν, ἐκεῖνος μὲν ὑπὸ τοῦ ἀδελφοῦ μήτε ἀδικηθέντος μήτε εὐεργετηθέντος κατέπεσεν, οὗτος δὲ ὑπὸ τούτων ἀνῃρεῖτο, οὓς ἐξαρπάσαι τῶν μυρίων ἠπείγετο κακῶν, καὶ δι' οὓς πάντα ἔπασχεν ἅπερ ἔπαθεν.

5. Ἀλλὰ Νῶε δίκαιος, τέλειος ἐν τῇ γενεᾷ αὐτοῦ[h], καὶ μόνος ἐν ἅπασι τοιοῦτος ἦν; Ἀλλὰ καὶ Παῦλος μόνος ἐν ἅπασι τοιοῦτος. Καὶ ἐκεῖνος μὲν ἑαυτὸν μετὰ τῶν παίδων[i] διέσωσε μόνον· οὗτος δέ, πολὺ χαλεπωτέρου τὴν οἰκουμένην κατακλυσμοῦ καταλαβόντος, οὐ σανίδας πηξάμενος καὶ κιβωτὸν ποιήσας, ἀλλ' ἀντὶ σανίδων τὰς

5, 2 μόνος *om.* AH

f. Phil. 2, 17-18.
g. Cf. Gen. 4, 8.
h. Cf. Gen. 6, 9 ; 7, 1.
i. Cf. Gen. 6, 18 ; 7, 7.13 ; 8, 16.18.

1. Dans tout ce passage (§ 3-4), on remarquera la variété des termes destinés à exalter l'oblation de Paul, surtout à travers ses souffrances. Non seulement, en effet, y figurent des mots qui évoquent ces graves épreuves : αἷμα, ἀναιροῦμαι, ἀποθνήσκω, θάνατος, καταπίπτω, νέκρωσις ou νεκρόω-ῶ,

vérité, transformant des hommes en anges, ou plutôt de démons qu'ils étaient, eux les hommes, les transformant en anges. Voilà pourquoi, alors qu'il était sur le point de quitter ce monde après ces nombreuses fatigues et ces trophées accumulés, il réconfortait ses disciples, en disant : « Même si mon sang doit se répandre en libation sur le sacrifice et l'oblation de votre foi, j'en suis heureux et je m'en réjouis avec vous tous : c'est pourquoi, vous aussi, soyez heureux et réjouissez-vous avec moi[f]. » Que trouverait-on assurément d'aussi grand que ce sacrifice que Paul a offert, après avoir tiré le glaive de l'Esprit, et qu'il présenta sur l'autel, celui qui s'élève bien au-dessus des cieux ? Il est vrai qu'Abel fut traîtreusement assassiné par Caïn[g], et c'est là ce qui augmente sa gloire. Mais j'ai dénombré à ton intention mille sortes de morts du bienheureux Paul, autant qu'il passa de jours à prêcher l'Évangile. Si toutefois tu veux également comprendre le meurtre que ces deux hommes subirent réellement, celui-là fut abattu par son frère sans lui avoir fait ni tort ni bien, celui-ci fut mis à mort par ceux qu'il se hâtait d'arracher à des maux innombrables, et c'est à cause d'eux qu'il a enduré toutes ses souffrances[1].

Noé

5. Pourtant Noé fut un juste, parfait au milieu des hommes de son temps[h], et absolument le seul de cette qualité ? Mais Paul fut également le seul au milieu de tous d'une telle sainteté. Le premier se sauva lui-même avec ses enfants seulement[i] ; le second, au moment où un déluge beaucoup plus terrible s'abattait sur le monde, n'assembla pas des planches, et ne fabriqua pas une

πάσχω, mais le vocabulaire proprement sacrificiel y est très riche : θύω, ου θυσία ου καταθύω (7 fois) : ἱερεῖον ου καθιερόω (2 fois), λειτουργία (1 fois), μάχαιρα (1 fois), προσφέρω ου προσφορά (3 fois), σπένδω ου σπονδή (3 fois), σφαγή ου σφάττω ου σφαγιάζω (4 fois). On notera aussi les locutions, adjectifs ou adverbes intensifs (διπλῆν, διπλῇ, 3, 6.13 ; καθ' ἑκάστην ἡμέραν, 3, 5-7.13-14 ; θανάτους τοσούτους ὅσας ἡμέρας κηρύττων, 4, 20-21), que l'ἐγκώμιον recherchait volontiers, (*Introd.*, ch. II, p. 32-34).

ἐπιστολὰς συνθείς, οὐ δύο καὶ τρεῖς καὶ πέντε συγγενεῖς, ἀλλὰ τὴν οἰκουμένην ἅπασαν καταποντίζεσθαι μέλλουσαν ἐκ μέσων ἥρπασε τῶν κυμάτων. Οὐδὲ γὰρ τοιαύτη ἦν ἡ κιβωτός, ὡς ἐν ἑνὶ περιφέρεσθαι τόπῳ, ἀλλὰ τὰ τέρματα τῆς οἰκουμένης κατέλαβε, καὶ ἐξ ἐκείνου πάντας εἰσάγει μέχρι τοῦ νῦν εἰς τὴν λάρνακα ταύτην. Σύμμετρον γὰρ τῷ πλήθει τῶν σωζομένων αὐτὴν κατασκευάσας, δεχόμενος ἀλόγων ἀνοητοτέρους, ταῖς ἄνω δυνάμεσιν ἐφαμίλλους ἐργάζεται, καὶ ταύτῃ νικῶν τὴν κιβωτὸν ἐκείνην. Ἐκείνη μὲν γὰρ κόρακα λαβοῦσα, κόρακα πάλιν ἐξέπεμψε[j], καὶ λύκον ὑποδεξαμένη, τὴν θηριωδίαν οὐ μετέβαλεν· οὗτος δὲ οὐχ οὕτως, ἀλλὰ λαβὼν λύκους, πρόβατα εἰργάσατο, καὶ λαβὼν ἱέρακας καὶ κολοιούς, περιστερὰς τούτους ἀπετέλεσε, καὶ πᾶσαν ἀλογίαν καὶ θηριωδίαν τῆς τῶν ἀνθρώπων φύσεως ἐκβαλών, τὴν τοῦ Πνεύματος ἐπεισήγαγεν ἡμερότητα, καὶ μέχρι νῦν μένει πλέουσα ἡ κιβωτὸς αὕτη, καὶ οὐ διαλύεται. Οὐδὲ γὰρ ἴσχυσεν αὐτῆς τὰς σανίδας χαυνῶσαι τῆς κακίας ὁ χειμών, ἀλλ' ὑπερπλέουσα μᾶλλον τοῦ χειμῶνος τὴν ζάλην κατέλυσε· καὶ μάλα εἰκότως· οὐ γὰρ ἀσφάλτῳ[k] καὶ πίσσῃ, ἀλλὰ Πνεύματι ἁγίῳ κεχρισμέναι αἱ σανίδες αὗταί εἰσιν.

6. Ἀλλὰ τὸν Ἀβραὰμ θαυμάζουσιν ἅπαντες, ὅτι ἀκούσας· Ἔξελθε ἐκ τῆς γῆς σου καὶ ἐκ τῆς συγγενείας σου[l], ἀφῆκε πατρίδα, καὶ οἰκίαν, καὶ φίλους καὶ συγγενεῖς,

26 καὶ[2] *om.* AL

j. Cf. Gen. 8, 6-7.
k. Cf. Gen. 6, 14.
l. Gen. 12, 1.

1. Le mot habituel dont se sert le texte de la Septante pour désigner l'arche de Noé ou encore l'Arche d'Alliance est κιβωτός (*Gen.* 6-8; *Ex.* 25, 10...; cf. *I Pierre* 3, 20; *Hébr.* 9, 4; 11, 7). Dans notre paragraphe, Chrysostome emploie ce mot quatre fois (li. 6, 10, 15, 23). Ici, il fait usage du mot λάρναξ, dont les sens sont plus variés. De fait, la langue grecque, profane ou chrétienne, le présente parfois comme synonyme de κιβωτός. PLUTARQUE, par exemple, applique ce terme à l'arche de Deucalion :

arche ; au lieu d'ajuster des planches, il composa les épîtres et arracha du milieu des flots, non pas deux, trois ou cinq membres de sa famille, mais l'univers entier qui était sur le point d'être englouti. Car son arche n'était pas faite pour aller et venir en un seul endroit ; elle a atteint les extrémités du monde, et depuis ce temps tous sont introduits, de nos jours encore, dans cette arche[1]. Il lui donna effectivement une proportion adaptée à la multitude de ceux qui sont sauvés, et en y recevant des hommes moins raisonnables que les animaux, il les rend capables de rivaliser avec les puissances d'en haut ; ainsi cette arche est-elle supérieure à la première. En effet, celle-ci reçut un corbeau, et c'est un corbeau qui en ressortit[j] ; elle accueillit un loup sans changer sa férocité. Dans le cas de Paul, il n'en est pas ainsi : ayant reçu des loups, il en a fait des moutons ; ayant reçu des faucons et des choucas, il les a changés en colombes ; après avoir chassé toute extravagance et toute férocité de la nature humaine, il y a substitué la douceur de l'Esprit, et de nos jours encore cette arche-là continue à voguer sans être détruite. C'est que la tourmente du vice n'a pu réussir à disjoindre ses planches, mais ayant triomphé de la tourmente, elle a mis fin à l'orage. Et c'est bien normal, car ces planches-là ne sont pas enduites de bitume[k] et de poix, mais imprégnées de l'Esprit Saint[2].

Abraham

6. Abraham, lui aussi, est admiré de tous, parce qu'à cette parole : « Quitte ton pays et ta parenté[l] », il abandonna sa patrie, sa maison, ses amis et ses parents, et que le commandement de Dieu, c'était

Moralia, éd. C. Hubert et H. Drexler (coll. Teubner), vol. VI, 1, Leipzig 1959, *De sollertia animalium,* § 13, p. 35 (968 F). Pour les Pères de l'Église, voir G.W.H. Lampe, *A Patristic greek Lexicon,* Oxford 1968, p. 793.

2. Du récit biblique sur l'arche de Noé (*Gen.* 7-8), Chrysostome a donc retenu les aspects qui se prêtaient à évoquer, en antithèse, l'arche spirituelle représentée par les Épîtres de Paul : leur grande diffusion (5, 3-13), leur puissance de conversion (5,13-22), leur résistance à toutes sortes de tempêtes (5,22-27).

καὶ πάντα ἦν αὐτῷ τὸ ἐπίταγμα τοῦ Θεοῦ. Καὶ γὰρ καὶ ἡμεῖς τοῦτο θαυμάζομεν. Ἀλλὰ τί Παύλου γένοιτ' ἂν ἴσον; Ὃς οὐ πατρίδα καὶ οἰκίαν καὶ συγγενεῖς ἀφῆκεν, ἀλλ' αὐτὸν τὸν κόσμον διὰ τὸν Ἰησοῦν, μᾶλλον δὲ αὐτὸν τὸν οὐρανόν, καὶ τὸν οὐρανὸν τοῦ οὐρανοῦ ὑπερεῖδε, καὶ ἓν μόνον ἐζήτει, τοῦ Ἰησοῦ τὴν ἀγάπην. Καὶ ἄκουε αὐτοῦ τοῦτο δηλοῦντος καὶ λέγοντος· Οὔτε ἐνεστῶτα, οὔτε μέλλοντα, οὔτε ὕψωμα, οὔτε βάθος δυνήσεται ἡμᾶς χωρίσαι ἀπὸ τῆς ἀγάπης τοῦ Θεοῦ[m]. Ἀλλ' ἐκεῖνος εἰς κινδύνους ῥίψας ἑαυτὸν τὸν ἀδελφιδοῦν[n] ἐξήρπασε τῶν βαρβάρων; Ἀλλ' οὗτος οὐ τὸν ἀδελφιδοῦν, οὐδὲ τρεῖς καὶ πέντε πόλεις, ἀλλὰ τὴν οἰκουμένην πᾶσαν, οὐκ ἀπὸ βαρβάρων, ἀλλ' ἀπ' αὐτῆς τῆς τῶν δαιμόνων ἐξήρπασε χειρός, μυρίους καθ' ἑκάστην ὑπομένων κινδύνους, καὶ τοῖς οἰκείοις θανάτοις ἑτέροις πολλὴν ἀσφάλειαν κτώμενος. Ἀλλ' ἐκεῖ τὸ κεφάλαιον τῶν ἀγαθῶν ἐστι καὶ ἡ κορωνὶς τῆς φιλοσοφίας, τὸ τὸν υἱὸν καταθῦσαι[o]; Ἀλλὰ καὶ ἐνταῦθα τὰ πρωτεῖα παρὰ τῷ Παύλῳ ὄντα εὑρήσομεν· οὐ γὰρ υἱόν, ἀλλ' ἑαυτὸν μυριάκις κατέθυσεν, ὅπερ ἔφθην εἰπών.

7. Τί ἂν τις θαυμάσειε τοῦ Ἰσαάκ; Πολλὰ μὲν καὶ ἄλλα, μάλιστα δὲ τὴν ἀνεξικακίαν, ὅτι φρέατα ὀρύττων καὶ τῶν οἰκείων ἐλαυνόμενος ὅρων, οὐκ ἐπεξῄει, ἀλλὰ καὶ καταχωννύμενα ὁρῶν ἠνείχετο, καὶ πρὸς ἕτερον ἀεὶ μεθίστατο τόπον, οὐχ ὁμόσε ἀεὶ τοῖς λυποῦσι χωρῶν, ἀλλ' ἐξιστάμενος καὶ παραχωρῶν πανταχοῦ τῶν οἰκείων κτημάτων, ἕως αὐτῶν τὴν ἄδικον ἐκόρεσεν ἐπιθυμίαν[p].

6, 4 καὶ γὰρ *om.* ALH || 8 τὸν[2] *om.* ALH || 9 ἓν *om.* ALH || 10 τοῦτο + αὐτὸ BDM E || 16 τῆς *om.* BDM E || 21 ὄντα *om.* ALH || 22 κατέθυεν C

m. Cf. Rom. 8, 38-39.
n. Cf. Gen. 14, 12-16.
o. Cf. Gen. 22, 1-18.
p. Cf. Gen. 26, 15-25.

tout pour lui. Et, en effet, nous aussi nous admirons cette attitude. Mais quelle conduite pourrait égaler celle de Paul ? Lui qui n'abandonna pas une patrie, une maison et des parents, mais le monde lui-même à cause de Jésus, et qui dédaigna le ciel même et le plus haut des cieux [1], et ne recherchait qu'une chose : l'amour de Jésus. Écoute-le s'expliquer à ce propos en ces termes : « Ni présent, ni avenir, ni hauteur ni profondeur ne pourront nous séparer de l'amour de Dieu [m]. » Cependant Abraham se précipita bien dans des dangers, pour arracher son neveu [n] aux mains des étrangers ? Paul, ce n'est pas son neveu, ni trois ou cinq villes, c'est l'univers entier qu'il arracha, non aux mains des étrangers, mais au pouvoir même des démons, endurant chaque jour mille dangers, et par les risques mortels qu'il affrontait personnellement procurant à d'autres une grande sécurité. Mais, pour Abraham, le couronnement de ses vertus et le sommet de sa philosophie, ce fut l'acte d'offrir son fils en sacrifice [o] ? Eh bien ! sur ce point également nous trouverons Paul au premier rang : en effet, ce n'est pas son fils, mais lui-même qu'il offrit en sacrifice, et tant de fois, comme je l'ai dit plus haut.

Isaac

7. Et Isaac ? Que peut-on admirer en lui ? Beaucoup de vertus, et notamment sa résignation. Creusant des puits et chassé des terrains qui étaient les siens, il ne cherchait pas à se venger ; au contraire, en apercevant ses puits recouverts, il le supportait avec constance et passait continuellement d'un lieu dans un autre, et loin d'attaquer successivement ceux qui l'affligeaient, il s'éloignait et renonçait partout aux biens qui lui appartenaient jusqu'à ce que leur injuste passion fût rassasiée [p]. Paul, lui, tandis qu'il voyait recouvert de pierres, non pas des puits,

1. « Le ciel du ciel », c'est-à-dire la région la plus élevée du ciel : cf. *II Cor.* 12, 2 (« emporté jusqu'au troisième ciel »).

Ἀλλ' ὁ Παῦλος οὐ φρέατα λίθοις καταχωννύμενα ὁρῶν, ἀλλὰ τὸ ἑαυτοῦ σῶμα, οὐ παρεχώρει καθάπερ ἐκεῖνος μόνον, ἀλλ' εἰσιὼν τοὺς λίθοις βάλλοντας αὐτὸν εἰς τὸν οὐρανὸν ἀνάγειν ἐφιλονείκει· ὅσῳ γὰρ κατεχώννυτο ἡ πηγή, τοσούτῳ μᾶλλον ἐξερρήγνυτο, καὶ πλείους ἐξέχεε ποταμοὺς εἰς ὑπομονήν.

8. Ἀλλὰ τὸν παῖδα τὸν τούτου θαυμάζει τῆς καρτερίας ἡ Γραφή ; Καὶ ποία ἀδαμαντίνη ψυχὴ τὴν Παύλου δύναιτ' ἂν ἐπιδείξασθαι ὑπομονήν ; Οὐδὲ γὰρ δὶς ἑπτὰ ἔτη ἐδούλευσεν[q], ἀλλὰ τὸν πάντα βίον ὑπὲρ τῆς τοῦ Χριστοῦ νύμφης, οὐ συγκαιόμενος μόνον τῷ καύματι τῆς ἡμέρας καὶ τῷ παγετῷ τῆς νυκτός, ἀλλὰ μυρίας νιφάδας πειρασμῶν ὑπομένων, νῦν μὲν μάστιγας[r] λαμβάνων, νῦν δὲ λίθοις τὸ σῶμα βαλλόμενος[s], καὶ νῦν μὲν θηρίοις μαχόμενος[t], νῦν δὲ πελάγει πυκτεύων[u], καὶ λιμῷ διηνεκεῖ ἡμέρας καὶ νυκτός, καὶ κρυμῷ[v], καὶ πανταχοῦ ὑπὲρ τὰ

7, 10 τοὺς λίθοις βάλλοντας ALH : τοῖς λ. τοὺς β. *cett.* || 11 ἀνάγειν ALH : εἰσάγειν *cett.* || 12 πλείους : πλείονας BDM

q. Cf. Gen. 29, 15-30.
r. Cf. Act. 16, 19-40 ; II Cor. 11, 24-25.
s. Cf. Act. 14, 19 ; II Cor. 11, 25.
t. Cf. I Cor. 15, 32.
u. Cf. II Cor. 11, 25.26.
v. Cf. II Cor. 11, 27.

1. Cette lapidation de Paul eut lieu à Lystres, en Lycaonie, lors de son premier voyage missionnaire (*Act.* 14, 19 ; cf. *II Cor.* 11, 25). Le verset des *Actes* ne dit pas formellement que « Paul allait au-devant de ceux qui le lapidaient ». L'intuition de Chrysostome reste vraie cependant : plus que la résignation, il y avait dans le cœur de Paul une offrande d'amour pour ses persécuteurs.

2. La résistance morale de Paul, comparée à celle du diamant, sera commentée dans le *IIe Panég.* (7, 1-12) : voir *infra,* note *in loc.*

3. Cette allusion se rapporte aux années où Jacob dut se mettre au service de Laban, avant d'épouser Rachel (*Gen.* 29, 15-30).

4. Cette expression d'« épouse du Christ » pour désigner l'Église est unique en ces panégyriques. On la retrouve ailleurs dans l'œuvre de

mais son propre corps, ne se contentait pas comme Isaac de céder la place, il allait au-devant de ceux qui le lapidaient et s'efforçait de les élever jusqu'au ciel : c'est que plus cette source était recouverte, plus elle s'élançait impétueusement, et plus nombreux les fleuves qui en sortaient pour lui permettre de résister[1].

Jacob

8. Et le fils d'Isaac ? L'Écriture ne l'admire-t-elle pas pour sa fermeté ? Or quelle âme de diamant[2] pourrait montrer la patience de Paul ? Car il ne fut pas esclave pendant quatorze ans[q 3], mais toute sa vie pour l'épouse du Christ[4], non seulement consumé par la chaleur du jour et la gelée de la nuit, mais endurant les bourrasques d'innombrables épreuves, tantôt flagellé[r], tantôt lapidé[s], tantôt combattant contre les bêtes[t], tantôt luttant avec la mer[u], en proie à une faim continuelle[5], de jour et de nuit, ainsi qu'au froid[v], partout sur les pistes de saut et bondissant pour

Chrysostome. Parfois, comme ici, il l'applique à l'Église dans son ensemble : *In Psalmum XLIX,* 10, *PG* 55, 199 A ; *In Epist. ad Ephes., hom.* XX, 4, *PG* 62, 140 B ; voir aussi le thème des fiançailles de l'Église avec l'Époux : *In Epist. II ad Cor., hom.* XXIII, 1, *PG* 61, 553 D - 554 A ; *In Psalm. XLIV,* 10, *PG* 55, 199 A. Parfois, sur un plan plus individuel, il montre que par le baptême *chaque* âme chrétienne devient l'épouse du Christ : *Ad illuminandos, Cat.* I Montfaucon, § 1, *PG* 49, 223, 4e li. avant la fin ; *Cat.* II, § 2, 234 (li. 21) ; *Catech. Varia graeca sacra,* éd. A. Papadopoulos-Kerameus, Saint-Pétersbourg 1909 ; *Cat.* III, § 1-2, p. 166-169 ; *Huit Catéchèses Baptismales,* éd. A. Wenger, *SC* 50, Paris 1957, *Cat.* I, § 3, p. 110. Parfois les deux perspectives sont unies : *In Psalm. XLIV,* 10, *PG* 55, 199 C, 200 A ; *Cat. Var. gr. sac., op. cit., Cat.* III, § 1-2, p. 167-169 ; *Huit Cat. bapt., op. cit., Cat.* III, 17-19, p. 161-162, et p. 110, note 1.

5. Chrysostome mêle quelques-unes des épreuves auxquelles Paul a fait allusion dans la *IIe Épître aux Corinthiens* (11, 24-27) : flagellation, lapidation, dangers sur la mer, faim et froid, avec une autre qu'il a mentionnée dans la Ire : « Si c'est dans des vues humaines que j'ai livré combat contre les bêtes à Éphèse, que m'en revient-il ? » (15, 32). E. Osty et J. Trinquet (*La Bible,* Paris 1973, p. 2413) font remarquer que ce passage n'est pas à entendre au sens littéral et qu'il s'agit d'une tribulation inconnue.

σκάμματα πηδῶν, καὶ τὰ πρόϐατα ἀπὸ τῆς τοῦ διαβόλου φάρυγγος ἀφαρπάζων.

9. Ἀλλὰ σώφρων[w] ὁ Ἰωσήφ; Ἀλλὰ δέδοικα μὴ γέλως ᾖ τὸν Παῦλον ἐντεῦθεν ἐγκωμιάζειν, ὃς ἐσταύρωσεν ἑαυτὸν τῷ κόσμῳ, καὶ οὐ τὰ λαμπρὰ ἐν τοῖς σώμασι μόνον, ἀλλὰ πάντα τὰ πράγματα οὕτως ἑώρα, ὡς ἡμεῖς τὴν κόνιν καὶ τὴν τέφραν, καὶ ὡς ἂν νεκρὸς πρὸς νεκρὸν ἀκίνητος γένοιτο. Οὕτω μετὰ ἀκριβείας τῆς φύσεως τὰ σκιρτήματα κατευνάζων, οὐδὲν οὐδέποτε πρὸς οὐδὲν ἀνθρώπινον πάθος ἔπαθεν.

10. Ἐκπλήττονται τὸν Ἰὼϐ ἅπαντες ἄνθρωποι; Καὶ μάλα εἰκότως· καὶ γὰρ μέγας ἀθλητής, καὶ πρὸς αὐτὸν

8, 12 φάρυγος CFGP E
9, 5 τὴν τέφραν καὶ τὴν κόνιν ~ C

w. Cf. Gen. 39, 7-20.

1. Chrysostome applique aux épreuves de Paul l'image des pistes d'entraînement sur laquelle s'élançaient les athlètes. Dans les *Lettres à Olympias,* il l'emploie soit pour évoquer la lutte morale que représente la virginité : cf. VIII, 7 c ; X, 11 d, *SC* 13bis (1968), p. 186 et 286, soit pour encourager sa correspondante dans son épreuve : XI, 1 a, p. 306 ; XII, 1 b, p. 320 ; XIII, 1 a, p. 328 ; XVII, 3 a, p. 376. Voir aussi *Lettre d'exil, SC* 103 (1964), § 7, li. 60, p. 98 ; § 11, li. 5, p. 112 ; § 16, li. 20, p. 136.

2. L'adjectif σώφρων, ou le substantif σωφροσύνη, ou le verbe σωφρονεῖν, servent souvent dans la littérature patristique à désigner la vertu de chasteté. On en trouve un autre exemple dans le *Ve Panég.* (14, 5). Chrysostome a fait allusion à plusieurs reprises à la chasteté de Joseph, quand il résistait aux tentatives de séduction de la femme de Putiphar (*Gen.* 39, 7-20) : on se reportera à ce propos notamment à l'une de ses *Homélies sur la Genèse, hom.* LXII, 4, *PG* 54, 537-538, au Traité *Sur la Providence de Dieu,* X, 30-32, *SC* 79 (1961), p. 168-171 ; XXII, 12-15, p. 262-265, et aux *Lettres à Olympias,* X, 11 e, *SC* 13bis, p. 286-287 ; X, 12 a - 13 a, p. 288-295. En dehors de l'application de ces termes à Joseph, voir également *Sur la Virginité,* V, li. 1, *SC* 125 (1966), p. 106 ; IX, li. 6, 33, p. 120, 122 ; XV, li. 29, p. 146 ; XXV, li. 2, p. 174 ; L, li. 9, p. 286 ; *Sur la*

les franchir[1], et arrachant les brebis à la gueule du diable.

Joseph

9. Et Joseph? Ne fut-il pas chaste[w 2]? Mais je crains qu'il ne soit ridicule de faire à ce propos l'éloge de Paul, lui qui se crucifia lui-même pour le monde, et qui regardait non seulement la splendeur des corps, mais tous les biens comme nous la poussière et la cendre, ou alors à la façon d'un cadavre qui serait inerte devant un cadavre[3]. Il apportait tant de soin à apaiser les assauts de la nature qu'aucune passion humaine ne l'affecta absolument jamais.

Job

10. Job ne frappe-t-il pas d'admiration tous les hommes[4]? Et c'est tout à fait juste; en effet, ce fut un grand athlète, et qui peut être com-

vaine gloire et l'éducation des enfants, § 17, li. 265, *SC* 188 (1972), p. 100; § 65, li. 791, p. 162; § 76, li. 918, p. 178; § 79, li. 951, p. 182; § 81, li. 989-990, p. 188; § 83, li. 1016, p. 190.

3. On retrouve ces derniers termes appliqués à S. Paul dans *De Compunctione, Lib. II, Ad Stelechium,* § 2, *PG* 47, 413; *In Act. Apost., hom.* LII, 4, *PG* 60, 364 B. Quant à l'expression : ὡς ἡμεῖς τὴν κόνιν καὶ τὴν τέφραν, on la remarque également ailleurs : cf. *In Matth., hom.* XXX, 5, *PG* 57, 369; *In Joh., hom.* L, 4, *PG* 59, 282; *In Epist. ad Hebr., hom.* IX, 5, *PG* 63, 82; *Sur la Providence de Dieu,* VII, 34, *SC* 79, p. 128; *Sur la vaine gloire,* § 5, li. 101, *SC* 188, p. 80.

4. On sait que Chrysostome a très souvent proposé Job en exemple. Nous remercions Mlle M.L. Guillaumin de nous avoir communiqué à ce propos un grand nombre de lieux parallèles : *De Lazaro,* V, 4-5, *PG* 48, 1022 C - 1024 B; *De Statuis, hom.* I, 8, 10, *PG* 49, 26 B - 27 B, 29 C - 30 D; *hom.* IV, 2, 62 A-D; *Ad pop. Antioch., hom.* I, 6, *PG* 49, 252 D - 253 A, 253 D - 254 A; *hom.* III, 5-7, 270 C - 276 B; *In Gen., hom.* XXIII, 4, *PG* 53, 202 C-D; *In Matth., hom.* XIII, 4, *PG* 57, 213 D - 214 A; *In Epist. I ad Cor., hom.* XXXIV, 7, *PG* 61, 295 B; *In Epist. ad Phil., hom.* III, 4, *PG* 62, 204 C; *In undecim homilias, hom.* IV, *Adversus eos qui non adfuerant,* 1-5, *PG* 63, 478 C - 486 A; *Sur la Providence de Dieu,* XIII, 11-21; XXI, 5, *SC* 79, p. 194-201, p. 254; *Lettre d'Exil,* §3, *SC* 103, p. 70-75; *Lettres à Olympias, SC* 13bis, VIII, 8, p. 186-195; X, 6 b - 8 a,

τὸν Παῦλον παρισοῦσθαι δυνάμενος, διὰ τὴν ὑπομονήν, διὰ τὴν τοῦ βίου καθαρότητα, διὰ τὴν τοῦ Θεοῦ μαρτυρίαν, διὰ τὴν καρτερὰν μάχην ἐκείνην, διὰ τὴν θαυμαστὴν νίκην τὴν μετὰ τὴν μάχην. Ἀλλὰ Παῦλος οὐχὶ μῆνας πολλοὺς ἀγωνιζόμενος οὕτω διῆγεν, ἀλλ' ἔτη πολλά, οὐχὶ τήκων βώλακας γῆς ἀπὸ ἰχῶρος καὶ ἐπὶ κοπρίας καθήμενος[x], ἀλλ' εἰς αὐτὸ τοῦ λέοντος τὸ νοητὸν στόμα συνεχῶς ἐμπίπτων, καὶ μυρίοις παλαίων πειρασμοῖς, πάσης πέτρας στερρότερος ἦν · οὐχὶ παρὰ τριῶν φίλων ἢ τεσσάρων, ἀλλὰ παρὰ πάντων ὀνειδιζόμενος τῶν ἀπιστούντων ψευδαδέλφων, ἐμπτυόμενος, λοιδορούμενος.

11. Ἀλλ' ἡ φιλοξενία τοῦ Ἰὼβ μεγάλη, καὶ ἡ πρὸς τοὺς δεομένους κηδεμονία[y] ; Οὐδὲ ἡμεῖς ἀντεροῦμεν · ἀλλὰ τῆς Παύλου τοσοῦτον καταδεεστέραν εὑρήσομεν ὅσον ψυχῆς σῶμα ἀφέστηκεν. Ἃ γὰρ ἐκεῖνος περὶ τοὺς τὴν σάρκα πεπηρωμένους ἐπεδείκνυτο, ταῦτα οὗτος περὶ τοὺς τὴν ψυχὴν λελωβημένους ἔπραττε, πάντας τοὺς χωλοὺς καὶ ἀναπήρους τὸν λογισμὸν διορθούμενος, καὶ τοὺς γυμνοὺς καὶ ἀσχημονοῦντας περιβάλλων τῇ τῆς φιλοσοφίας στολῇ · καὶ ἐν τοῖς σωματικοῖς δὲ τοσοῦτον αὐτοῦ περιῆν, ὅσῳ πολλῷ μεῖζον τὸ πενίᾳ συζῶντα καὶ

10, 10 μυρίοις : -ρίων F
11, 10 συζῶντι H

x. Cf. Job 2, 8 ; 7, 5.
y. Cf. Job 29, 12-17 ; 31, 16-22.31-32.

p. 262-271 ; XI, 1 a, p. 306-307 ; XVII, 2 b - 3 c, p. 372-381 ; *Sur la vaine gloire,* § 72, *SC* 188, p. 174-175. Voir aussi : H. Sorlin, *Un commentaire grec inédit du Livre de Job attribué à Jean Chrysostome,* Thèse de 3e cycle, Université de Lyon, 1975, exemplaire dactylographié.

1. Dans les lignes 8-9 de ce paragraphe, Chrysostome s'inspire de deux versets de la *Septante,* qu'il cite librement, en les mêlant : καὶ ἔλαβεν ὄστρακον ἵνα τὸν ἰχῶρα ξύῃ καὶ ἐκάθητο ἐπὶ τῆς κοπρίας (*Job* 2, 8)..., τήκω

paré à Paul, à cause de sa patience, à cause de la pureté de sa vie, à cause du témoignage qu'il rendit à Dieu, à cause de cette lutte acharnée et de la merveilleuse victoire qui la suivit. Et Paul ? Ce n'est pas plusieurs mois qu'il lutta ainsi, mais plusieurs années. Il n'amollissait pas les glèbes de la terre avec son pus, et il ne restait pas assis sur du fumier[x] [1], mais en attaquant sans cesse en pleine gueule le lion invisible[2] et en luttant contre d'innombrables épreuves, il était plus ferme que n'importe quel rocher ; il n'essuyait pas les reproches de trois ou quatre amis, mais de tous les faux frères qui refusaient de croire, exposé aux crachats, aux injures.

11. Mais Job pratiqua beaucoup l'hospitalité[3] et il fut rempli de sollicitude pour les indigents[y] ? Nous ne dirons pas non plus le contraire ; cependant nous constaterons que cette sollicitude est inférieure à celle de Paul, autant que le corps diffère de l'âme. En effet, ce que le premier manifestait à l'égard des infirmités physiques, le second l'accomplissait pour les blessures de l'âme, redressant ceux dont la raison était estropiée et infirme et couvrant ceux qui étaient nus et indécents du vêtement de la philosophie. Et même dans le domaine matériel Paul était supérieur à Job, d'autant qu'il y a beaucoup plus de

δὲ βώλακας γῆς ἀπὸ ἰχῶρος ξύων< ξέων> (*Job* 7, 5) : voir *Septuaginta*..., éd. A. Rahlfs, Stuttgart, t. II (1965), p. 275, 283. Nous avons traduit le mot κοπρία de la Septante par le mot *fumier*. En réalité, le vocable hébreu correspond plutôt au mot de cendres : voir *La Bible de Jérusalem*, Paris 1973, p. 654 ; E. Osty et J. Trinquet, *La Bible*, Paris 1973, p. 1112 ; E. Dhorme, *L'Ancien Testament*, IIe vol., Paris (La Pléiade) 1959, p. 1224. Quant au premier membre de cette phrase (οὐχὶ τήκων... ἰχῶρος), il se retrouve aussi dans les *Lettres à Olympias*, X, 6 c, *op. cit.*, p. 266-267.

2. Chrysostome fait allusion, avec cette locution pittoresque, au texte célèbre de l'apôtre Pierre, où le démon est comparé à un lion rugissant qui cherche sa proie (*I Pierre* 5, 8-9).

3. Sur l'hospitalité de Job, voir M.L. Guillaumin, « Recherches sur l'exégèse patristique de Job », dans *Studia patristica*, vol. XII, Akademie-Verlag, Berlin 1975, p. 304-308.

λιμῷ βοηθεῖν τοῖς δεομένοις τοῦ ἐκ περιουσίας τοῦτο ποιεῖν· καὶ τοῦ μὲν ἡ οἰκία παντὶ ἐλθόντι ἀνέῳκτο, τοῦ δὲ ἡ ψυχὴ πάσῃ τῇ οἰκουμένῃ ἥπλωτο, καὶ ὁλοκλήρους δήμους ὑπεδέχετο. Διὸ καὶ ἔλεγεν· Οὐ στενοχωρεῖσθε ἐν ἡμῖν, στενοχωρεῖσθε δὲ ἐν τοῖς σπλάγχνοις ὑμῶν[z]. Καὶ ὁ μέν, προβάτων αὐτῷ καὶ βοῶν ὄντων ἀπείρων, φιλότιμος περὶ τοὺς δεομένους ἦν· οὗτος δέ, οὐδὲν πλέον κεκτημένος τοῦ σώματος, ἀπ᾽ αὐτοῦ τούτου τοῖς δεομένοις ἐπήρκει, καὶ βοᾷ λέγων· Ταῖς χρείαις μου καὶ τοῖς οὖσι μετ᾽ ἐμοῦ ὑπηρέτησαν αἱ χεῖρες αὗται[a], τὴν ἀπὸ τοῦ σώματος ἐργασίαν πρόσοδον τοῖς πεινῶσι καὶ λιμώττουσι κεκτημένος.

12. Ἀλλὰ οἱ σκώληκες[b] καὶ τὰ τραύματα χαλεπὰς καὶ ἀκαρτερήτους παρεῖχον τῷ Ἰὼβ τὰς ὀδύνας; Ὁμολογῶ κἀγώ· ἀλλ᾽ ἐὰν τὰς ἐν τοσούτοις ἔτεσι τοῦ Παύλου μάστιγας, καὶ τὸν λιμὸν τὸν διηνεκῆ, καὶ τὴν γυμνότητα, καὶ τὰς ἁλύσεις, καὶ τὸ δεσμωτήριον, καὶ τοὺς κινδύνους, καὶ τὰς ἐπιβουλάς, τὰς παρὰ τῶν οἰκείων, τὰς παρὰ τῶν ἀλλοτρίων, τὰς παρὰ τῶν τυράννων, τὰς παρὰ τῆς οἰκουμένης ἁπάσης ἀντιθῆς, καὶ μετὰ τούτων τὰ τούτων πικρότερα, λέγω δὴ τὰς ὑπὲρ τῶν πιπτόντων ὀδύνας, τὴν φροντίδα τῶν Ἐκκλησιῶν πασῶν, τὴν πύρωσιν ἣν ὑπὲρ ἑκάστου τῶν σκανδαλιζομένων ὑπέμενεν[c], ὄψει πῶς

15 ὑμῖν BDM || ὑμῶν BDM : ἡμῶν *cett.*
12, 1 οἱ *om.* B || χαλεποὺς ALH || 8 καὶ + τὰ C || 11 ὑπέμεινεν H

z. II Cor. 6, 12.
a. Act. 20, 34.
b. Cf. Job 7, 5 ; 2, 9.
c. Cf. II Cor. 11, 28-29.

1. Chrysostome citera à nouveau ce verset des *Actes* 20, 34, dans le *III*[e] *Panég.* (8, 25-27). Dans le même sens, à la fin de ce *I*[er] *Panég.* (15, 16-18), il citera *I Cor.* 9, 18. Il souligne ainsi que l'apôtre Paul ne voulait être à charge à personne (cf. *I Cor.* 4, 12 ; 9, 6 ; *II Cor.* 11, 7-9 ; 12, 13 ; *I Thess.* 2, 9 ; *II Thess.* 3, 7-9), et il ajoute parfois, comme ici, qu'avec le revenu de son travail il pouvait venir en aide aux affamés.

mérite à aider les indigents, quand on vit soi-même dans la pauvreté et la faim, que lorsqu'on prend cela sur son superflu. De plus, si la maison de Job était ouverte à tout venant, l'âme de Paul s'étendait à toute la terre et accueillait des peuples entiers. C'est pourquoi il disait aussi : « Vous n'êtes pas à l'étroit chez nous ; c'est dans vos cœurs que vous êtes à l'étroit[z]. » Job, avec d'innombrables troupeaux de moutons et de bœufs qui lui appartenaient, était généreux avec les indigents ; Paul ne possédait que son corps et c'est avec lui seul qu'il secourait les indigents, et il s'écrie : « A mes besoins et à ceux de mes compagnons ont pourvu les mains que voici[a 1] » ; le produit de son travail personnel constituait un revenu pour ceux que la faim tourmentait et épuisait.

12. Pourtant les vers[b] et les blessures furent pour Job une cause de pénibles et insupportables douleurs ? Je le reconnais, moi aussi. Cependant si tu mets en parallèle les flagellations de Paul durant tant d'années, la faim continuelle, la nudité, les chaînes et la prison, les dangers et les pièges, ceux que lui tendaient ses compatriotes, les étrangers, les tyrans et la terre entière et, en outre, des épreuves plus cruelles encore, je veux dire ses souffrances morales à la pensée de ceux qui tombaient, le souci de toutes les Églises, la fièvre qu'il endurait quand il songeait à chacun de ceux qui étaient scandalisés[c 2], tu verras

2. C'est la première allusion de ces panégyriques aux souffrances morales de Paul, quand il songeait aux chrétiens qui venaient à défaillir. Les termes évoquent ceux de *II Cor.* 11, 28-29. Chrysostome en parlera à nouveau dans ces Discours : *II*^e *Panég.*, 6, 11-13 ; *IV*^e *Panég.*, 17, 12-14 ; *VI*^e *Panég.*, 1, 27-28 et note. On trouvera un commentaire de ces versets de Paul dans les œuvres suivantes : *Ad Stagirium,* § 11, *PG* 47, 488 A-B ; *In Gen., hom.* XI, 7, *PG* 53, 97 C-D ; *In Epist. II ad Cor., hom.* XXV, 2, *PG* 61, 571 C - 572 B ; *Lettres à Olympias,* X, 8 c - 9 a, *op. cit.*, p. 272-273, et des allusions plus brèves ailleurs encore : *Quod regulares...*, *PG* 47, §2, 517 B ; *Adversus Judaeos,* IV, 7, *PG* 48, 882 C ; *In Epist. ad Rom.*, XXIX, 4, *PG* 60, 658 B ; *In undecim homilias, hom.* VII, *Dicta in templo S. Anastasiae,* § 3, *PG* 63, 497 C.

πέτρας στερροτέρα ἦν ἡ ταῦτα φέρουσα ψυχή, καὶ σίδηρον καὶ ἀδάμαντα ἐνίκα. Ἅπερ οὖν ἐκεῖνος ἔπασχεν ἐν τῷ σώματι, ταῦτα οὗτος ἐν τῇ ψυχῇ, καὶ σκώληκος παντὸς χαλεπώτερον ἡ καθ' ἕκαστον τῶν σκανδαλιζομένων ἀθυμία διέτρωγεν αὐτοῦ τὴν ψυχήν. Ὅθεν καὶ πηγὰς δακρύων ἠφίει διηνεκεῖς, οὐ τὰς ἡμέρας μόνον, ἀλλὰ καὶ τὰς νύκτας[d], καὶ πάσης γυναικὸς ὠδινούσης δριμύτερον διεσπᾶτο καθ' ἕκαστον αὐτῶν. Διὸ καὶ ἔλεγε· Τεκνία μου, οὓς πάλιν ὠδίνω[e].

13. Τίνα ἄν τις μετὰ τὸν Ἰὼϐ ἐκπλαγείη; Τὸν Μωϋσέα πάντως. Ἀλλὰ καὶ τοῦτον ἐκ πολλοῦ τοῦ περιόντος ὑπερηκόντισε· μεγάλα μὲν γὰρ αὐτοῦ καὶ τὰ ἄλλα, τὸ δὲ κεφάλαιον καὶ ἡ κορωνὶς τῆς ἁγίας ψυχῆς ἐκείνης, ὅτι ἐξαλειφθῆναι εἵλετο τῆς τοῦ Θεοῦ βίϐλου[f] ὑπὲρ τῆς σωτηρίας τῶν Ἰουδαίων. Ἀλλ' οὗτος μὲν συναπολέσθαι ἑτέροις ᾑρεῖτο· ὁ δὲ Παῦλος οὐ συναπολέσθαι, ἀλλ' ἑτέρων σωζομένων, αὐτὸς ἐκπεσεῖν τῆς δόξης τῆς ἀπεράντου[g]. Καὶ ὁ μὲν τῷ Φαραώ, ὁ δὲ τῷ διαϐόλῳ καθ' ἡμέραν ἐπύκτευε· καὶ ὁ μὲν ὑπὲρ ἑνὸς ἔθνους, ὁ δὲ ὑπὲρ τῆς οἰκουμένης ἁπάσης ἔκαμνεν, οὐχ ἱδρῶτι, ἀλλὰ καὶ αἵματι ἀντὶ ἱδρῶτος πάντοθεν περιρρεόμενος, οὐχὶ τὴν οἰκουμένην μόνον, ἀλλὰ καὶ τὴν ἀοίκητον διορθούμενος, οὐχὶ τὴν Ἑλλάδα μόνον, ἀλλὰ καὶ τὴν βάρϐαρον.

14 οὗτος : ἐκεῖνος CFGP DM E || 19 διεσπᾶτο + καὶ A B
13, 5 τοῦ Θεοῦ *om.* BDM ALH || 11 καὶ *om.* ALH

d. Cf. Act. 20, 31 ; II Cor. 2, 4.
e. Gal. 4, 19.
f. Cf. Ex. 32, 31-32.
g. Cf. Rom. 9, 3.

1. Cette comparaison de Paul avec Job est composée avec beaucoup de soin. Un premier développement a opposé la résistance de Paul à celle de Job (§ 10); puis c'est le thème de la générosité de Paul (§ 11); enfin,

comment l'âme qui supportait ces épreuves était plus résistante que le roc, et qu'elle l'emportait sur le fer et sur le diamant. En effet, ce que Job souffrait dans son corps, Paul l'éprouvait dans son âme, et son inquiétude pour chacun de ceux qui étaient scandalisés rongeait son âme plus péniblement que n'importe quel ver. C'est pourquoi il versait continuellement des larmes, non seulement durant le jour, mais encore pendant la nuit[d], et avec des douleurs plus aiguës que celles d'une femme qui enfante il était déchiré en pensant à chacun d'eux. Aussi allait-il jusqu'à dire : « Mes petits enfants, vous que j'enfante à nouveau dans la douleur[e 1]. »

Moïse

13. Après Job, qui peut nous frapper d'admiration ? Moïse très certainement. Mais lui aussi, Paul le surpassa considérablement. En effet, entre autres vertus de cette âme sainte, la plus importante et leur couronnement fut de préférer être rayé du Livre de Dieu[f] pour que les Juifs soient sauvés. Pourtant, si Moïse choisissait de périr avec d'autres, Paul, sans envisager en même temps la perte d'autres hommes, mais leur salut, préférait être seul exclu de la gloire éternelle[g 2]. De plus, si le premier combattit contre le Pharaon, le second lutta quotidiennement contre le diable ; l'un prenait de la peine pour défendre un seul peuple, l'autre pour sauver tout l'univers, le corps tout ruisselant, non de sueur, mais de sang au lieu de sueur, remettant dans le droit chemin non seulement le monde habité, mais encore les endroits inhabités, non seulement le monde grec, mais encore le monde barbare.

Chrysostome reprend son premier développement (§ 12) en revenant à une image déjà employée plus haut, avec, en outre, une autre plus expressive encore (cf. 10, 11 ; 12, 11-13).

2. C'est le premier passage de ces panégyriques qui se réfère au fameux verset de *Rom.* 9, 3 : cf. *Ier Panég.*, 14, 18-21 ; *IIe Panég.*, 6, 19-24 ; *VIe Panég.*, 2, 12-15 ; 4, 11-12 ; *VIIe Panég.*, 2, 26-29. En se reportant aux

14. Ἐνῆν καὶ τὸν Ἰησοῦν εἰς μέσον παραγαγεῖν, καὶ τὸν Σαμουὴλ καὶ τοὺς ἄλλους προφήτας· ἀλλ' ἵνα μὴ μακρότερον ποιῶμεν τὸν λόγον, ἐπὶ τοὺς κορυφαίους αὐτῶν βαδίσωμεν· ὅταν γὰρ τούτων φανῇ κρείττων, οὐδεμία περὶ τῶν ἄλλων ἀμφισβήτησις λείπεται. Τίνες οὖν οἱ κορυφαῖοι; Τίνες δὲ ἄλλοι μετὰ τούτους, ἢ ὁ Δαυΐδ, καὶ ὁ Ἠλίας, καὶ ὁ Ἰωάννης; ὧν ὁ μὲν τῆς προτέρας, ὁ δὲ τῆς δευτέρας πρόδρομος τοῦ Κυρίου παρουσίας· διὸ καὶ τῆς προσηγορίας ἀλλήλοις ἐκοινώνησαν. Τί οὖν τὸ ἐξαίρετον τοῦ Δαυΐδ ; Ἡ ταπεινοφροσύνη καὶ ὁ πρὸς Θεὸν ἔρως[h]. Καὶ τίς μὲν μᾶλλον, τίς δὲ οὐχ ἧττον τῆς Παύλου ψυχῆς ἀμφότερα ταῦτα κατώρθωσε; Τί δὲ τὸ θαυμαστὸν Ἠλίου; Ἆρα ὅτι τὸν οὐρανὸν ἔκλεισε, καὶ λιμὸν ἐπήγαγε[i], καὶ πῦρ κατήγαγεν[j]; Οὐκ ἔγωγε οἶμαι· ἀλλ' ὅτι ἐζήλωσεν ὑπὲρ τοῦ Δεσπότου[k], καὶ πυρὸς σφοδρότερος ἦν. Ἀλλ' εἰ τὸν Παύλου ζῆλον ἴδοις, τοσοῦτον ὄψει κρατοῦντα ὅσον ἐκεῖνος τῶν ἄλλων προφητῶν περιῆν. Τί γὰρ ἂν γένοιτο τῶν ῥημάτων ἐκείνων ἴσον, ἅπερ ὑπὲρ τῆς τοῦ Δεσπότου δόξης ζηλῶν ἔλεγεν, ὅτι ηὐχόμην ἀνάθεμα εἶναι ὑπὲρ τῶν ἀδελφῶν

14, 4 φανῇ τούτων ~ A ‖ 6 τούτων BDM ‖ 7 ὁ[1] *om.* C H ‖ 8 τοῦ : τῆς E ‖ 11 τῆς + τοῦ F ‖ 13 θαυμαστὸν + τοῦ BDM LH E

h. Cf. II Sam. 12, 13 ; Ps. 50 (51).
i. Cf. III Rois 17, 1-13 ; 18, 1-6.
j. Cf. III Rois 18, 36-39 ; IV Rois 1, 9-14.
k. Cf. III Rois 19, 10.

Homélies sur l'*Ép. aux Romains* (*hom.* XVI, 1-3, *PG* 60, 547 D - 553 A), on trouvera un commentaire étoffé de ce verset, que cite constamment Chrysostome dans ses œuvres pour illustrer la charité inouïe de Paul.

1. Pour comprendre cette allusion, il faut se reporter au texte de *Malachie* 3, 23 : « Voici que je vais vous envoyer Élie le prophète, avant que n'arrive mon Jour grand et redoutable. » Le retour d'Élie restera un trait important de l'eschatologie du monde juif : *Matth.* 11, 14 ; 16, 14 ; 17, 10 ; *Lc* 9, 8 ; *Jn* 1, 21 (voir aussi *Hénoch* 90, 31). Mais, en ce qui concerne les

David
Élie
Jean-Baptiste

14. On pourrait aussi mettre en avant Josué, Samuel et les autres prophètes. Mais, pour ne pas trop prolonger ce discours, venons-en à ceux qui parmi eux tiennent le premier rang : lorsque Paul apparaît de toute évidence au-dessus d'eux, il n'y a plus aucun sujet de contestation pour les autres. Quels sont donc ces coryphées ? Après les précédents y en a-t-il d'autres en dehors de David, d'Élie et de Jean, ces deux hommes dont l'un fut le précurseur du premier avènement du Seigneur comme l'autre doit l'être du second et qui, pour cette raison, partagent l'un avec l'autre le même nom[1] ? Quel est donc le trait distinctif de David ? Son humilité et son amour[2] pour Dieu[h]. Et qui donc plus que l'âme de Paul, qui donc même autant que lui, a pratiqué ces deux vertus à la fois ? Et qu'y a-t-il d'admirable chez Élie ? Est-ce d'avoir fermé le ciel, amené une famine[i] et fait descendre le feu[j] ? Pour moi, je ne le pense pas. Mais c'est le zèle qu'il montra pour le Seigneur[k], et son ardeur qui dépassait celle du feu. Eh bien ! si tu observes le zèle de Paul, tu verras que l'Apôtre lui est supérieur, autant que ce prophète le fut par rapport aux autres. Que peut-on, en effet, trouver d'équivalent à ces paroles qu'il prononça dans son zèle pour la gloire du Seigneur : « Je souhaiterais d'être anathème pour mes frères, ceux de ma race

textes les plus précis de l'Évangile sur ce sujet (*Matth.* 17, 9-13 ; *Mc* 9, 9-13), Jésus a rectifié cette croyance, en expliquant qu'Élie est déjà revenu en la personne de Jean-Baptiste, et Matthieu a noté que les disciples le comprirent bien. Il semble toutefois que certains Pères de l'Église, considérant le verset de Malachie en lui-même, aient envisagé le retour d'Élie comme devant précéder la Parousie. Notre texte paraît ici l'insinuer. Ambroise le dit très clairement : *De virginibus,* I, 3, 12, *PL* 16, p. 202.

2. Pour désigner la charité de Paul, c'est le mot ἀγάπη que Chrysostome emploie le plus souvent. Ici, il se sert du mot ἔρως, comme en deux autres passages de ces Discours (*IIe Panég.*, 4, 8.12) ; parfois il prendra le terme de φίλτρον (*IIe Panég.*, 4, 10), et celui de πόθος (*VIe Panég.*, 10, 6). Chez les Pères de l'Église, et en particulier chez Chrysostome, on voit combien le vocabulaire est riche sur ce sujet.

μου, τῶν συγγενῶν μου κατὰ σάρκα[l]; Διὰ τοῦτο τῶν οὐρανῶν αὐτῷ προκειμένων, καὶ τῶν στεφάνων καὶ τῶν ἐπάθλων, ἔμελλε καὶ ἐβράδυνε λέγων· Τὸ ἐπιμεῖναι τῇ σαρκὶ ἀναγκαιότερον δι' ὑμᾶς[m]. Διὰ τοῦτο οὐδὲ τὴν κτίσιν αὐτὴν τὴν ὁρωμένην, ἀλλ' οὐδὲ τὴν νοητὴν ἐνόμισεν ἀρκεῖν εἰς παράστασιν τῆς ἀγάπης καὶ τοῦ ζήλου, ἀλλὰ καὶ ἑτέραν οὐκ οὖσαν[n] ἐζήτει, ὥστε ἐνδείξασθαι ὅπερ ἤθελε καὶ ἐπεθύμει. Ἀλλ' ὁ Ἰωάννης ἀκρίδας ἤσθιε καὶ μέλι ἄγριον[o]; Ἀλλ' οὗτος ἐν μέσῃ τῇ οἰκουμένῃ καθάπερ ἐκεῖνος ἐν τῇ ἐρήμῳ διέτριβεν, ἀκρίδας μὲν καὶ μέλι ἄγριον οὐ σιτούμενος, πολὺ δὲ εὐτελεστέραν ταύτης παρατιθέμενος τράπεζαν, καὶ οὐδὲ τῆς ἀναγκαίας εὐπορῶν τροφῆς διὰ τὴν ὑπὲρ τοῦ κηρύγματος σπουδήν. Ἀλλὰ πολλὴν πρὸς τὸν Ἡρώδην οὗτος παρρησίαν ἐπεδείξατο[p]; Ἀλλ' οὗτος οὐχ ἕνα καὶ δύο καὶ τρεῖς, ἀλλὰ μυρίους κατ' ἐκεῖνον ἐπεστόμισε, μᾶλλον δὲ καὶ πολλῷ χαλεπωτέρους ἐκείνου τοῦ τυράννου.

15. Λείπεται πρὸς τοὺς ἀγγέλους αὐτὸν ἐξετάσαι λοιπόν. Διόπερ ἀφέντες τὴν γῆν, πρὸς τὰς τῶν οὐρανῶν ἀναβησώμεθα ἁψῖδας· ἀλλὰ μηδεὶς τόλμαν καταγινωσκέτω

21 μου[2] + τῶν C *om.* BDM ALH ‖ 25 αὐτὴν H : αὐτῶν BDM CFP AL E αὐτῷ G *(ut vid.)* ‖ 28 ἤθελε H : ἠθέλησε *cett.* ‖ 32 ταύτην CFP

l. Rom. 9, 3.
m. Phil. 1, 24.
n. Cf. Rom. 8, 39.
o. Cf. Matth. 3, 4 ; Mc 1, 6.
p. Cf. Matth. 14, 3-4 ; Mc 6, 17-18 ; Lc 3, 19-20.

1. Fréquemment, les Pères de l'Église emploient le pluriel οἱ οὐρανοί, au lieu du singulier, pour signifier la demeure supra-terrestre du Christ, ou de la Sainte Trinité : voir G.W.H. Lampe, *A Patristic greek Lexicon,* p. 979.

2. La leçon ταύτην (devant τὴν ὁρωμένην) des éditions de Savile, Fronton du Duc et Montfaucon n'est attestée dans aucun des mss. que nous

selon la chair[l].» Voilà pourquoi, alors que le ciel[1] était à sa portée avec ses couronnes et ses récompenses, il hésitait et remettait à plus tard, en disant : «Demeurer dans la chair est plus urgent pour votre bien[m].» Aussi ni l'univers visible lui-même[2], ni non plus le monde spirituel ne lui paraissaient-ils suffisants pour prouver sa charité et son zèle, mais il en imaginait un autre qui n'existe pas[n], de façon à montrer quels étaient ses souhaits et ses désirs. Pourtant Jean mangeait des sauterelles et du miel sauvage[o]? Mais Paul vivait au milieu du monde comme Jean dans le désert; au lieu de s'alimenter de sauterelles et de miel sauvage, il avait une table beaucoup plus frugale encore, et il manquait même de la nourriture indispensable par suite de son ardeur pour la prédication de l'Évangile[3]. Mais Jean fit preuve d'une grande liberté de langage en présence d'Hérode[p]? Eh bien! de la même façon Paul ferma la bouche non pas à un, ni deux, ni trois, mais à d'innombrables tyrans de ce genre et encore bien plus malveillants que celui-là.

S. Paul et les anges

15. Il reste désormais à comparer Paul avec les anges[4]. C'est pourquoi, abandonnant la terre, montons jusqu'aux voûtes des cieux, et que personne n'accuse notre propos

avons vus. Nous avons choisi la leçon αὐτὴν qui figure seulement dans le *Paris. gr. 728* (H). Ce ms. ne contient que le premier panégyrique; mais il provient de la même famille que le *Paris. gr. 755* (A), qui nous a paru la meilleure (voir *Introd.*, p. 70, 81-82, 83 n. 1, et *Stemma*, p. 85). Quant à l'objet de cette phrase, il est inspiré par *Rom.* 8, 38-39.

3. Le mot de κήρυγμα, employé ici pour la première fois dans ces Panégyriques, où il figure assez souvent (cf. *Index*), désigne l'annonce du message chrétien : voir G.W.H. LAMPE, *A Patristic greek Lexicon*, p. 751. Le mot de prédication, à lui seul, est trop vague; celui de *kérygme* n'est guère limpide en notre langue; nous l'avons traduit par *prédication de l'Évangile*.

4. Les développements de Chrysostome sur les anges sont nombreux. Il les contemple accomplissant leurs missions divines, veillant sur les âmes,

τοῦ λόγου. Εἰ γὰρ καὶ τὸν Ἰωάννην ἄγγελον[q] ἐκάλεσεν ἡ Γραφὴ καὶ τοὺς ἱερέας[r], τί θαυμαστόν, εἰ τὸν ἁπάντων ἀμείνω ταῖς δυνάμεσι παραβάλλομεν ἐκείναις; Τί οὖν ἐστιν ἐκείνων τὸ μέγα; Ὅτι μετὰ πάσης ἀκριβείας ὑπακούουσι τῷ Θεῷ· ὅπερ καὶ ὁ Δαυῒδ ἐκπληττόμενος ἔλεγε· Δυνατοὶ ἰσχύϊ, ποιοῦντες τὸν λόγον αὐτοῦ[s]. Τούτου γὰρ ἴσον οὐδέν, κἂν μυριάκις ὦσιν ἀσώματοι· τὸ γὰρ μάλιστα ποιοῦν τούτους μακαρίους, τοῦτό ἐστιν, ὅτι πείθονται τοῖς προστάγμασιν, ὅτι οὐδαμοῦ παρακούουσι. Τοῦτο τοίνυν καὶ ὑπὸ τοῦ Παύλου μετὰ ἀκριβείας ἔστιν ἰδεῖν φυλαττόμενον· οὐ γὰρ δὴ τὸν λόγον αὐτοῦ ἐποίησε μόνον, ἀλλὰ καὶ τὰ προστάγματα καὶ ὑπὲρ τὰ προστάγματα, καὶ τοῦτο δηλῶν ἔλεγε· Τίς οὖν μοί ἐστιν ὁ μισθός, ἵνα εὐαγγελιζόμενος ἀδάπανον θήσω τὸ εὐαγγέλιον τοῦ Χριστοῦ[t]; Τί ἕτερον θαυμάζων αὐτοὺς ὁ προφήτης ἔλεγεν; Ὁ ποιῶν τοὺς ἀγγέλους αὐτοῦ πνεύματα, φησί, καὶ τοὺς λειτουργοὺς αὐτοῦ πῦρ φλέγον[u]. Ἀλλὰ καὶ τοῦτο ἐπὶ Παύλου ἔστιν ἰδεῖν· καθάπερ γὰρ πνεῦμα καὶ πῦρ, οὕτω τὴν οἰκουμένην διέδραμεν ἅπασαν, καὶ τὴν γῆν ἐξεκάθηρεν. Ἀλλ' οὔπω τὸν οὐρανὸν ἔλαχε; Τὸ γὰρ θαυμαστὸν τοῦτο, ὅτι ἐν τῇ γῇ τοιοῦτος ἦν, καὶ σῶμα θνητὸν περικείμενος, πρὸς τὰς ἀσωμάτους ἡμιλλᾶτο δυνάμεις.

15, 5 τὸν : τῶν B ‖ 16 προστάγματα ALH + ἔζησε *cett.* ‖ 19 ἔλεγεν : φησίν CFGP ‖ 20 φλέγων AL ‖ 24 τῇ *om.* BDM E

q. Cf. Matth. 11, 10 ; Mc 1, 2 ; Lc 7, 27.
r. Cf. Mal. 2, 7.
s. Ps. 102 (103), 20.
t. I Cor. 9, 18.
u. Ps. 103 (104), 4.

adorant et servant Dieu dans le ciel ou dans la liturgie eucharistique (sur ce dernier aspect, voir *De Sacerdotio,* VI, 4, *SC* 272, Paris 1980, p. 316 s. ; *Hom. sur l'Incompréhensibilité de Dieu, SC* 28 bis, Paris 1970, III, li. 451-460, IV, li. 408-420, p. 224-225, 260-263 ; *Homélies sur Ozias,* I, 1, *SC* 277, p. 44 s. ; *De poenitentia, hom.* IX, *PG* 49, 345 B. Dans nos sept de témérité. Car, si l'Écriture a donné à Jean le nom d'ange[q], ainsi qu'aux prêtres[r], qu'y a-t-il d'étonnant à ce que nous comparions le plus vertueux de tous les hommes à ces puissances célestes? En quoi réside donc leur grandeur? Dans le fait d'obéir à Dieu parfaitement, et c'est précisément ce que David transporté d'admiration disait : « Héros puissants, qui exécutez sa Parole[s]. » Aucune qualité n'est égale à celle-là, fussent-ils mille fois privés d'un corps. Oui, ce qui les rend par-dessus tout bienheureux, c'est qu'ils obéissent aux commandements divins, et que jamais ils ne refusent d'obéir. Certes on peut constater que Paul a lui aussi observé cette obéissance avec un soin minutieux : ce n'est pas, en effet, seulement la parole de Dieu qu'il a mise en pratique, mais encore ses commandements, et même au-delà de ses commandements[1], et il le laissait entendre quand il disait : « Quelle est donc ma récompense? C'est qu'en annonçant l'Évangile, j'offre gratuitement l'Évangile du Christ[t]. » Quelle autre qualité admirable le prophète indiquait-il en parlant des anges? « Celui qui fait de ses anges des vents, dit-il, et de ses serviteurs une flamme de feu[u]. » Eh bien! on peut faire la même constatation à propos de Paul. En effet, comme le vent et le feu, il parcourut tout l'univers et purifia le monde. Mais il n'avait pas encore reçu le ciel en partage? Tel est bien le point admirable qu'il se soit ainsi comporté sur la terre, et que, tout en étant revêtu d'un corps mortel, il ait rivalisé avec les puissances incorporelles.

panégyriques il sera encore question des anges dans le *IIe*, 4, 9-15 ; 8, 5-23 ; 9, 1-6 ; dans le *IIIe*, 1, 3-4 ; dans le *Ve*, 2, 2-8 ; dans le *VIe*, 1, 13-20 ; 2, 6-9 ; dans le *VIIe*, 1, 8-17 ; 3, 3-14. Ici Chrysostome souligne que leur grandeur réside dans la fidélité à leur mission, et non pas dans leur condition incorporelle (15, 10), ce qui implique une reconnaissance de la dignité du corps humain : cf. *VIIe Panég.*, 3, 3-14 et notes. Voir aussi J. DANIÉLOU, *Les Anges et leur mission d'après les Pères*, coll. *Irénikon*, 5, Paris 1953.

1. Nous avons préféré la leçon plus brève des mss. *A L H* à celle de tous les autres, qui présente le verbe ἔζησε après ὑπὲρ τὰ προστάγματα, et qui nous a paru une glose. Sur ce sujet, voir *Introd.*, ch. IV, p. 70, 81.

16. Πόσης οὖν οὐκ ἂν εἴημεν καταγνώσεως ἄξιοι, ὅταν ἑνὸς ἀνθρώπου πάντα συνειληχότος ἑαυτῷ τὰ καλά, ἡμεῖς οὐδὲ τὸ πολλοστὸν μέρος μιμήσασθαι αὐτὸν σπουδάζωμεν ; Ταῦτ' οὖν ἐννοήσαντες, καὶ τῆς κατηγορίας ἑαυτοὺς ἀπαλλάξωμεν, καὶ σπουδάσωμεν πρὸς τὸν ἐκείνου ζῆλον ἐλθεῖν, ἵνα δυνηθῶμεν καὶ τῶν αὐτῶν ἀγαθῶν ἐπιτυχεῖν, χάριτι καὶ φιλανθρωπίᾳ τοῦ Κυρίου ἡμῶν Ἰησοῦ Χριστοῦ, ᾧ ἡ δόξα καὶ τὸ κράτος νῦν καὶ ἀεὶ καὶ εἰς τοὺς αἰῶνας τῶν αἰώνων. Ἀμήν.

16, 2 πάντας A ‖ 3 αὐτοῦ ALH ‖ 3-4 σπουδάζωμεν ALH : -ζόμεν *cett.* ‖ 7 καὶ *om.* A ‖ 8 νῦν καὶ ἀεὶ καὶ *om.* BDM E.

Exhortation finale

16. Quelle condamnation ne risquons-nous donc pas de mériter lorsque, devant un homme qui à lui seul a eu en partage toutes les vertus, nous ne nous efforçons même pas de l'imiter un tant soit peu? Eh bien! réfléchissons à cela, échappons nous-mêmes à cette accusation et appliquons-nous à parvenir jusqu'au zèle de Paul, afin de pouvoir nous aussi obtenir les mêmes biens, par la grâce et l'amour de notre Seigneur Jésus-Christ, à qui appartiennent la gloire et la puissance, maintenant et toujours et pour les siècles des siècles. Amen.

Τοῦ αὐτοῦ
ἐγκώμιον εἰς τὸν ἅγιον ἀπόστολον Παῦλον
λόγος β'

1. Τί ποτέ ἐστιν ἄνθρωπος, καὶ ὅση τῆς φύσεως τῆς ἡμετέρας ἡ εὐγένεια, καὶ ὅσης ἐστὶ δεκτικὸν ἀρετῆς τουτὶ τὸ ζῶον, ἔδειξε μάλιστα πάντων ἀνθρώπων Παῦλος· καὶ νῦν ἕστηκεν, ἐξ οὗ γέγονε, λαμπρᾷ τῇ φωνῇ πρὸς ἅπαντας τοὺς ἐγκαλοῦντας ἡμῶν τῇ κατασκευῇ ἀπολογούμενος ὑπὲρ τοῦ Δεσπότου, καὶ προτρέπων ἐπ' ἀρετῇ, καὶ τὰ ἀναίσχυντα τῶν βλασφήμων ἐμφράττων στόματα, καὶ δεικνὺς ὅτι ἀγγέλων καὶ ἀνθρώπων οὐ πολὺ τὸ μέσον, ἐὰν

Tit., 1 Τοῦ + ἐν ἁγίοις πατρὸς ἡμῶν Ἰωαννοῦ τοῦ Χρυσοστόμου M || αὐτοῦ *om.* M || 2 ἐγκώμιον *om.* D E || ἀπόστολον *om.* BDM.

1, 3 ἀνθρώπων + ὁ A || 8 ἀνθρώπων : οὐράνων A

1. Pour l'apparat critique des titres du IIe au VIIe panégyriques, nous n'avons pas tenu compte d'une correction postérieure qui est apparue dans les titres du ms. A. Le titre primitif, à l'encre rouge, est bien τοῦ αὐτοῦ ἐγκώμιον... Mais une main postérieure a biffé chaque fois τοῦ αὐτοῦ et écrit par-dessus, à l'encre noire, avec une écriture qui ne peut être antérieure au XIIIe s., les titres suivants : pour le IIe panégyrique, τοῦ ἐν ἁγίοις πατρὸς ἡμῶν Ἰωάννου ἀρχιεπισκόπου Κωνσταντινουπόλεως τοῦ Χρυσοστόμου, et pour les panégyriques III-VII, τοῦ ἐν ἁγίοις πατρὸς ἡμῶν Ἰωάννου ἀρχιεπισκόπου.

2. Le thème principal de ce discours est celui de l'amour de Paul pour le Christ; mais il est précédé d'un exorde assez long qui traite de la haute vertu de l'Apôtre (§ 1-3), et ce thème réapparaîtra vers la fin (§ 8-9). La construction de certains de ces panégyriques est parfois sinueuse, sans être cependant dépourvue d'unité (voir *Introd.* ch. II, « Le genre littéraire », p. 26).

II

S. PAUL SUPRÊME EXEMPLE DE VERTU SA CHARITÉ A L'ÉGARD DU CHRIST

Du même, panégyrique du saint apôtre Paul[1] *Deuxième discours*

La vertu éminente de Paul

1. Qu'est-ce donc que l'homme, jusqu'où va la noblesse de notre nature, et de quelle vertu est capable cet être vivant, Paul l'a montré plus que tout autre[2]. Depuis qu'il est apparu, et de nos jours encore, il est là debout, plaidant de sa voix éclatante la cause de son Maître contre tous ceux qui lui adressent des reproches pour nous avoir créés tels que nous sommes[3], exhortant à la vertu, fermant la bouche impudente des blasphémateurs et leur faisant voir qu'entre les hommes et les anges il n'y a pas une grande différence, si nous voulons

3. L'expression ἡμῶν τῇ κατασκευῇ est destinée à suggérer, comme le montrent les lignes qui suivent, que, contrairement aux affirmations manichéennes, le vice n'est pas inhérent à la nature même de l'homme, et qu'on ne saurait donc en rendre Dieu responsable. S'il le veut, l'homme peut, au contraire, avec la grâce divine, parvenir, comme l'apôtre Paul, à une très haute vertu. Ce thème, fréquent chez Chrysostome, se retrouve à plusieurs reprises dans ces panégyriques : en plus de ce *II*ᵉ *Discours* (§ 1-2 ; 3, 7-19 ; 10, 12-17), voir *IV*ᵉ *Panég.*, 21, 1-15 ; *V*ᵉ *Panég.*, § 1-2 ; *VI*ᵉ *Panég.*, 2, 6-12 ; § 5-7 ; *VII*ᵉ *Panég.*, § 3. Voir aussi : *In Gen., hom.* XI, 5, 7, *PG* 53, 95 D - 96 , 98 A ; *hom.* XII, 5, *PG* 53, 104 C-D ; *In Epist. ad Rom., hom.* VIII, 7, *PG* 60, 463 D - 464 A ; *In Epist. I ad Cor., hom.* XIII, 3, *PG* 61, 110 C.

ἐθέλωμεν προσέχειν ἑαυτοῖς. Οὐ γὰρ ἄλλην φύσιν λαχών, οὐδὲ ἑτέρας κοινωνήσας ψυχῆς, οὐδὲ ἄλλον οἰκήσας κόσμον, ἀλλ' ἐν τῇ αὐτῇ γῇ καὶ χώρᾳ καὶ νόμοις καὶ ἔθεσι τραφείς, πάντας ἀνθρώπους ὑπερηκόντισε τοὺς ἐξ οὗ γεγόνασιν ἄνθρωποι γενομένους. Ποῦ τοίνυν οἱ λέγοντες ὅτι δύσκολον ἡ ἀρετή, καὶ εὔκολον ἡ κακία; Οὗτος γὰρ ἀντιφθέγγεται τούτοις, λέγων· Τὸ παραυτίκα ἐλαφρὸν τῆς θλίψεως καθ' ὑπερβολὴν εἰς ὑπερβολὴν αἰώνιον βάρος δόξης κατεργάζεται[a]. Εἰ δὲ αἱ τοιαῦται θλίψεις ἐλαφραί, πολλῷ μᾶλλον αἱ οἴκοθεν ἡδοναί.

2. Καὶ οὐ τοῦτο μόνον ἐστὶν αὐτοῦ τὸ θαυμαστόν, ὅτι περιουσίᾳ τῆς προθυμίας οὐδὲ ᾐσθάνετο τῶν πόνων τῶν ὑπὲρ τῆς ἀρετῆς, ἀλλ' ὅτι οὐδὲ ἐπὶ μισθῷ ταύτην μετῄει. Ἡμεῖς μὲν γὰρ οὐδὲ μισθῶν προκειμένων ἀνεχόμεθα τῶν ὑπὲρ αὐτῆς ἱδρώτων· ἐκεῖνος δὲ καὶ χωρὶς τῶν ἐπάθλων αὐτὴν ἠσπάζετο καὶ ἐφίλει, καὶ τὰ δοκοῦντα αὐτῆς εἶναι κωλύματα μετὰ πάσης ὑπερήλατο τῆς εὐκολίας· καὶ οὔτε σώματος ἀσθένειαν, οὐ πραγμάτων περίστασιν, οὐ φύσεως τυραννίδα, οὐκ ἄλλο οὐδὲν ᾐτιάσατο. Καίτοι καὶ στρατηγῶν καὶ βασιλέων ἁπάντων τῶν ὄντων ἐπὶ γῆς μείζονα φροντίδα ἐγχειρισθείς, ἀλλ' ὅμως καθ' ἑκάστην ἤκμαζε τὴν ἡμέραν. Καὶ τῶν κινδύνων ἐπιτεινομένων αὐτῷ, νεαρὰν ἐκέκτητο τὴν προθυμίαν, καὶ τοῦτο δηλῶν ἔλεγε· Τῶν μὲν ὀπίσω ἐπιλανθανόμενος, τοῖς δὲ ἔμπροσθεν ἐπεκτεινόμενος[b]· καὶ θανάτου προσδοκωμένου, εἰς κοινωνίαν τῆς ἡδονῆς ταύτης ἐκάλει λέγων· Χαίρετε καὶ συγχαίρετέ

2, 14 ὀπίσω : ὄπισθεν CGP ὄπιθεν F

a. II Cor. 4, 17.
b. Phil. 3, 13.

1. « Le même pays » fait peut-être allusion aux séjours de Paul à Antioche (cf. *Act.* 11, 25-26 ; 12, 25 - 13, 3 ; 14, 26-28 ; 15, 35 ; 18, 22-23), dont Chrysostome était fier (cf. *In Act. Apost., hom.* XXV, 1, *PG* 60, 192 BC ; *hom.* XL, 1, *PG* 60, 281 C) et, plus largement, aux voyages de Paul dans les autres régions du bassin méditerranéen.

être attentifs à nous-mêmes. En effet, il n'a pas eu en partage une autre nature, il n'a pas reçu pour sa part une âme différente, il n'a pas habité un autre monde, mais, élevé sur la même terre et dans le même pays, selon les mêmes lois et les mêmes coutumes[1], il a surpassé tous les hommes depuis qu'il existe des hommes. Où sont donc ceux qui disent que la vertu est difficile et le vice facile ? Paul les réfute, en disant : «La légère tribulation d'un moment prépare, bien au-delà de toute mesure, un poids éternel de gloire[a].» Si les tribulations dont il parle sont légères, à bien plus forte raison les jouissances[2] naturelles que nous éprouvons.

Vertu désintéressée

2. Et ce qu'il y a d'admirable, c'est non seulement que par suite de la surabondance de son zèle il ne ressentait pas les fatigues endurées pour parvenir à la vertu, mais encore qu'il ne recherchait pas celle-ci en vue d'une récompense. Pour nous, en effet, même en ayant sous les yeux des récompenses, nous ne supportons pas les efforts pour l'acquérir ; Paul, au contraire, sans songer aux récompenses, s'attachait à la vertu, il l'aimait, et les obstacles qu'en apparence elle rencontrait, d'un bond il les franchissait avec une aisance totale. Il n'alléguait ni la faiblesse physique, ni l'embarras des affaires, ni la tyrannie de la nature, ni rien d'autre. Sans doute était-il chargé de soucis plus importants que tous les généraux et tous les rois du monde, et cependant tous les jours il se tenait sur les sommets. Lorsque pour lui les dangers augmentaient, il avait en lui la ressource d'un zèle nouveau, et il l'expliquait en ces termes : «Oubliant le chemin parcouru, je vais droit de l'avant, tendu de tout mon être[b]» ; s'il s'attendait à la mort, il invitait à partager cette joie, en

2. Le mot ἡδοναί suggère peut-être ici aussi bien les satisfactions d'ordre moral que les plaisirs (cf. G.W.H. LAMPE, *A Patristic greek Lexicon*, p. 601).

μοι[c] · καὶ κινδύνων ἐπικειμένων καὶ ὕβρεων, καὶ ἀτιμίας ἁπάσης, ἐσκίρτα πάλιν, καὶ Κορινθίοις ἐπιστέλλων ἔλεγε · Διὸ καὶ εὐδοκῶ ἐν ἀσθενείαις, ἐν ὕβρεσιν, ἐν διωγμοῖς[d] ·

3. Καὶ ὅπλα δὲ αὐτὰ δικαιοσύνης[e] ἐκάλεσε, δεικνὺς ὅτι καὶ ἐντεῦθεν τὰ μέγιστα ἐκαρποῦτο, καὶ τοῖς ἐχθροῖς πάντοθεν ἀχείρωτος ἦν · καὶ πανταχοῦ μαστιζόμενος, ὑβριζόμενος, λοιδορούμενος, ὥσπερ ἐν θριάμβοις ἐμπομπεύων, καὶ τὰ τρόπαια συνεχῆ πανταχοῦ γῆς ἱστάς, οὕτως ἐκαλλωπίζετο, καὶ χάριν ὡμολόγει τῷ Θεῷ λέγων · Χάρις δὲ τῷ Θεῷ τῷ πάντοτε θριαμβεύοντι ἡμᾶς[f]. Καὶ τὴν ἀσχημοσύνην καὶ τὴν ὕβριν τὴν διὰ τὸ κήρυγμα μᾶλλον, ἢ ἡμεῖς τὴν τιμὴν ἐδίωκε, καὶ τὸν θάνατον, ἢ ἡμεῖς τὴν ζωήν, καὶ τὴν πενίαν, ἢ τὸν πλοῦτον ἡμεῖς, καὶ τοὺς πόνους μᾶλλον, ἢ τὰς ἀνέσεις ἕτεροι, καὶ οὐχ ἁπλῶς μᾶλλον, ἀλλὰ πολλῷ μᾶλλον, καὶ τὸ λυπεῖσθαι πλέον, ἢ τὸ χαίρειν ἕτεροι, τὸ ὑπερεύχεσθαι τῶν ἐχθρῶν μᾶλλον, ἢ τὸ κατεύχεσθαι ἕτεροι. Καὶ ἀντέστρεψε τῶν πραγμάτων τὴν τάξιν, μᾶλλον δὲ ἡμεῖς ἀντεστρέψαμεν, ἐκεῖνος δέ, ὥσπερ ὁ Θεὸς ἐνομοθέτησεν, οὕτως αὐτὴν ἐφύλαττε. Ταῦτα μὲν γὰρ κατὰ φύσιν ἅπαντα, ἐκεῖνα δὲ τοὐναντίον.

19 διὸ καὶ *om.* BDM AL E

3, 1 δὲ *om.* BDM AL E || 4 ἐμπομπεύων : καὶ πομπεύων A || 5 συνεχῆ *om.* A || 7 πάντοτε *om.* AL || 10 ἡμεῖς τὸν πλ. ~ M || 15 ἀντεστρέψαμεν : ἀνεστρέψαμεν A

c. *Ibid.*, 2, 18.
d. II Cor. 12, 10.
e. Cf. II Cor. 6, 7.
f. II Cor. 2, 14.

1. Il y a une légère progression entre les deux verbes ἐπιτεινομένων (2, 12) et ἐπικειμένων (2, 17) : le premier fait allusion à l'augmentation des dangers qui menaçaient Paul, le second à leur urgence.

2. Le contexte indique que Chrysostome, en citant cette métaphore paulinienne, songeait à un verset de *II Cor.* 6, 7 : διὰ τῶν ὅπλων τῆς δικαιοσύνης τῶν δεξιῶν καὶ ἀριστερῶν. Jean appliquait, en effet, ces termes aux tribulations de la vie chrétienne qui, loin d'abattre ceux qu'elles affectent, les

disant : « Soyez heureux, et réjouissez-vous avec moi[c] » ; et quand les dangers le serraient de près[1], ou encore des outrages et toutes sortes de mépris, il exultait de nouveau, en écrivant aux Corinthiens : «Oui, je me complais dans les faiblesses, dans les outrages, dans les persécutions[d]. »

Vertu déconcertante

3. Ces épreuves, il les a même appelées les « armes de justice[e2] », en montrant que c'est avec elles qu'il récoltait les fruits les plus importants, et qu'il était sur tous les fronts invincible pour ses ennemis. Partout flagellé, insulté, injurié, comme s'il s'avançait solennellement dans un cortège triomphal et dressait sur la terre de continuels trophées, il se glorifiait et remerciait Dieu, en disant : « Grâces soient rendues à Dieu qui partout nous associe à son triomphe[f3]. » Il recherchait la honte et l'outrage à cause de la prédication de l'Évangile plus que nous les honneurs, la mort plus que nous la vie, la pauvreté plus que nous la richesse, les peines plus que d'autres le repos, et pas seulement plus, mais beaucoup plus, et encore l'affliction plus que d'autres la joie, la prière pour ses ennemis plus que d'autres les imprécations. Il renversa l'ordre des choses, ou plutôt c'est nous qui l'avons renversé, tandis que lui, la loi que Dieu a établie, il la gardait telle quelle. Ce sont, en effet, toutes ces attitudes qui sont conformes à la nature, à l'opposé

protègent et les rendent plus forts (cf. *In Epist. II ad Cor., hom.* XII, 3, *PG* 61, 484 C-D). Selon E.B. ALLO *(Saint Paul, Seconde Épître aux Corinthiens,* Paris 1937, p. 176-177), Paul voulait signifier plutôt en ce passage que les apôtres sont également bien armés pour l'attaque et pour la défense. — L'expression « armes de justice » se trouve aussi dans *Rom.* 6, 13.

3. On remarquera la beauté littéraire et religieuse de cette brève période oratoire (3, 3-7) : la succession des trois participes présents avec, pour chacun, le même nombre de syllabes (μαστιζόμενος, ὑβριζόμενος, λοιδορούμενος), — les mots imagés qui expriment une atmosphère sacrée et victorieuse (θρίαμβος, ἐμπομπεύω, τρόπαιον), — enfin, la montée de cette phrase vers l'action de grâces dont la formule est empruntée à *II Cor.* 2, 14 : Χάρις δὲ τῷ Θεῷ τῷ πάντοτε θριαμβεύοντι ἡμᾶς.

Τίς τούτων ἀπόδειξις; Παῦλος, ἄνθρωπος ὤν, καὶ τούτοις ἐπιτρέχων μᾶλλον ἢ ἐκείνοις.

4. Ἓν τούτῳ φοβερὸν ἦν μόνον καὶ φευκτόν, τὸ προσκροῦσαι Θεῷ, ἕτερον δὲ οὐδέν· ὥσπερ οὖν οὐδὲ ποθεινὸν ἄλλο τι, ὡς τὸ ἀρέσαι Θεῷ· καὶ οὐ λέγω τῶν παρόντων οὐδέν, ἀλλ' οὐδὲ τῶν μελλόντων. Μὴ γάρ μοι πόλεις εἴπῃς καὶ ἔθνη καὶ βασιλεῖς καὶ στρατόπεδα καὶ ὅπλα καὶ χρήματα καὶ σατραπείας καὶ δυναστείας· οὐδὲ γὰρ ἀράχνην ταῦτα εἶναι ἐνόμισεν· ἀλλ' αὐτὰ τὰ ἐν τοῖς οὐρανοῖς τίθει, καὶ τότε αὐτοῦ ὄψει τὸν σφοδρὸν ἔρωτα τὸν πρὸς τὸν Χριστόν. Οὗτος γὰρ πρὸς ἐκεῖνο τὸ φίλτρον, οὐκ ἀγγέλων ἀξίαν ἐθαύμασεν, οὐκ ἀρχαγγέλων, οὐκ ἄλλο τοιοῦτον οὐδέν. Τὸ γὰρ ἁπάντων μεῖζον εἶχεν ἐν ἑαυτῷ, τὸν τοῦ Χριστοῦ ἔρωτα· μετὰ τούτου πάντων ἑαυτὸν μακαριώτερον εἶναι ἐνόμισε. Καὶ τούτου χωρίς, οὐδὲ τῶν κυριοτήτων καὶ τῶν ἀρχῶν καὶ τῶν ἐξουσιῶν γενέσθαι ηὔχετο, ἀλλὰ μετὰ τῆς ἀγάπης ταύτης ἐν ἐσχάτοις εἶναι ἐβούλετο μᾶλλον καὶ τῶν κολαζομένων[g], ἢ ταύτης χωρίς, τῶν ἄκρων καὶ τῶν τιμωμένων.

5. Κόλασις γὰρ ἐκείνῳ μία, τὸ τῆς ἀγάπης ταύτης ἀποτυχεῖν. Τοῦτο αὐτῷ γέεννα, τοῦτο τιμωρία, τοῦτο μυρία

4, 1 τοῦτο E ‖ τῷ A ‖ 7 εἶναι ταῦτα ~ BDM E ‖ 9 τὸν[2] *om.* B ‖ 12 ἔρωτα + καὶ AL ‖ 14 καὶ[1] : οὐδὲ A E

5, 1-2 ἀποτυχεῖν : ἀποσχεῖν F

g. Cf. II Cor. 6, 9.

1. Dans cette section (3, 7-17), on notera une série d'antithèses, accompagnées parfois de chiasmes (3, 10-14). — Le jugement de conclusion (3, 17) appelle quelques réserves. Sur ce problème des rapports de la nature, ou bien de la Loi juive, avec le règne de la Grâce du Christ et de la Croix, Chrysostome s'est expliqué ailleurs de façon plus heureuse : *IVe Panég.*, 1, 10-12 ; 9, 4-9 ; 11, 17 - 12, 5 ; 13, 1 - 15, 21 ; *In Epist. ad Rom., hom.* VII, 2-4, *PG* 60, 443 A - 447 C ; *In Epist. I ad Cor., hom.* IV, 1-3, V, 1-2, VI, 1, VII, 3-4, *PG* 61, 30 C - 32 B, 33 AD, 39 B - 40 B, 40 C - 42 A,

des nôtres[1]. Comment prouver cette affirmation? Paul, tout homme qu'il était, allait jusqu'à courir au-devant de ces épreuves plutôt que de ces satisfactions[2].

Son amour du Christ : bien suprême

4. Pour lui, une seule chose était à redouter et à fuir : offenser Dieu, et rien d'autre; de même, en conséquence, rien ne lui paraissait désirable, sinon de plaire à Dieu, et quand je dis rien, je ne parle pas seulement des biens de ce monde, mais aussi des biens à venir. Ne me parle pas de villes, de peuples, de rois, de troupes armées, de richesses, de dignités de satrape ou de gouverneur, car ces trésors à ses yeux ne valaient même pas une toile d'araignée. Mets, au contraire, à la place les biens célestes eux-mêmes, et tu verras son ardent amour pour le Christ. Cet homme, en effet, au regard d'un tel amour n'a admiré ni la dignité des anges, ni celle des archanges, ni rien de pareil. C'est qu'il possédait en lui le trésor le plus riche de tous, l'amour pour le Christ : avec cet amour, il se jugea le plus heureux de tous les hommes. Sans cet amour, il ne souhaitait prendre rang ni parmi les Dominations, ni parmi les Principautés et les Puissances; avec cet amour, au contraire, il préférait se trouver parmi les derniers des hommes et ceux qu'on châtie[g], plutôt que, privé de cet amour, parmi les plus élevés et ceux auxquels on décerne des honneurs.

5. Pour lui, en effet, il n'existait qu'un châtiment, la perte de cet amour. Voilà pour lui l'enfer, voilà le supplice, voilà d'in-

47 C - 49 B, 57 CD, 58 D - 59 B; *In Epist. II ad Cor., hom.* XXVI, 3, *PG* 61, 578 D - 579 C; *Ad Gal. Comment., in cap.* II, 7-8, *PG* 61, 645 B - 646 C; *in cap.* VI, 3-4, 678 D - 679 C.

2. La phrase grecque est expressive et dense. Pour sa traduction, il nous a semblé indispensable d'expliciter le sens des deux pronoms (τούτοις, ἐκείνοις).

κακά, ὥσπερ καὶ ἀπόλαυσις, τὸ ταύτης ἐπιτυχεῖν· τοῦτο ζωή, τοῦτο κόσμος, τοῦτο ἄγγελος, τοῦτο παρόντα, τοῦτο μέλλοντα, τοῦτο βασιλεία, τοῦτο ἐπαγγελία, τοῦτο τὰ μυρία ἀγαθά. Ἕτερον δὲ οὐδὲν τῶν μὴ φερόντων ἐνταῦθα, οὔτε λυπηρόν, οὔτε ἡδὺ εἶναι ἐνόμιζεν· ἀλλ' οὕτω κατεφρόνει τῶν δρωμένων πάντων, ὡς τῆς κατασηπομένης βοτάνης. Τύραννοι δὲ αὐτῷ, καὶ δῆμοι θυμοῦ πνέοντες, κώνωπες εἶναι ἐδόκουν· θάνατος δὲ αὐτῷ καὶ τιμωρίαι καὶ μυρίαι κολάσεις, παίδων ἀθύρματα· πλὴν εἴ ποτε διὰ τὸν Χριστὸν ὑπέμενε. Τότε γὰρ καὶ ταῦτα ἠσπάζετο, καὶ εἰς τὴν ἅλυσιν οὕτως ἐκαλλωπίζετο[h], ὡς οὐδὲ τὸ διάδημα Νέρων ἐπὶ τῆς κεφαλῆς ἔχων· καὶ τὸ δεσμωτήριον δὲ ᾤκει, ὡς αὐτὸν τὸν οὐρανόν, καὶ τραύματα καὶ μάστιγας ἐδέχετο ἥδιον τούτων τῶν τὰ βραβεῖα ἁρπαζόντων· καὶ τοὺς πόνους ἐφίλει τῶν ἐπάθλων οὐχ ἧττον, ἔπαθλον τοὺς πόνους εἶναι νομίζων· διὰ τοῦτο καὶ χάριν[i] αὐτοὺς ἐκάλει.

6. Σκόπει δέ. Ἔπαθλον ἦν, τὸ ἀναλῦσαι καὶ σὺν Χριστῷ εἶναι, τὸ δὲ ἐπιμεῖναι τῇ σαρκί[j], ὁ ἀγὼν οὗτος· ἀλλ' ὅμως τοῦτο μᾶλλον αἱρεῖται ἐκείνου, καὶ ἀναγκαιότερον αὐτῷ εἶναί φησι· τὸ ἀνάθεμα ἀπὸ Χριστοῦ γενέσθαι, ἀγὼν ἦν καὶ πόνος, μᾶλλον δὲ καὶ ὑπὲρ ἀγῶνα καὶ

5 τὰ *om.* B || 7 οὔτε... οὔτε : οὐδὲ... οὐδὲ BDM AL E || 10 θάνατος δὲ αὐτῷ : ἔτι τε θάνατος CFGP || 11 πλὴν *om.* CFGP || 15 δὲ A : *om. cett.*
6, 2 δὲ *om.* CP || ὑπομεῖναι BDM || ὁ ἀγὼν οὗτος : ἀγὼν καὶ σκάμμα CP || 4 αὐτῷ εἶναί φησι τὸ : αὐτὸ τὸ εἶναί φ. E || 5 καὶ[2] *om.* A

h. Cf. Act. 20, 23-24 ; Phil. 1, 12-14.
i. Cf. Phil. 1, 29.
j. Cf. Phil. 1, 23-24.

1. Sur l'amour incommensurable de Paul pour le Christ, on trouvera l'un des plus beaux textes de Chrysostome dans *In Epist. ad Rom., hom.* XVI, 1, *PG* 60, 547 D - 550 A.

nombrables malheurs, tout comme son plaisir intense, c'était d'obtenir cet amour : voilà la vie, voilà l'univers entier, voilà le sort des anges, voilà le présent, voilà l'avenir, voilà le royaume, voilà la promesse, voilà une infinité de biens [1]. Quant aux réalités qui n'aboutissent pas là, aucune ne lui semblait ni fâcheuse ni agréable, mais il méprisait les biens visibles comme l'herbe qui doit pourrir. Pour lui, les tyrans et les peuples exhalant leur colère étaient comme des moucherons ; pour lui, la mort, les supplices et tous les châtiments possibles, des jeux d'enfants, à moins qu'il ne les endurât à cause du Christ. Car alors, ces épreuves, il les aimait, et ses chaînes étaient pour lui une parure [h] plus belle que le diadème sur la tête de Néron [2] ; il vivait dans sa prison exactement comme au ciel, il recevait blessures et coups de fouet avec plus de plaisir que ceux qui ravissent le prix du combat, il aimait les fatigues autant que les récompenses, avec cette idée que les fatigues étaient une récompense, et c'est pourquoi il les appelait même une grâce [i].

Dans les épreuves

6. Réfléchis bien. C'était une récompense que de mourir et d'être avec le Christ, tandis que demeurer dans la chair [j], c'était la lutte, et cependant il préfère la seconde éventualité à la première, et il affirme qu'elle est pour lui plus urgente ; être anathème, séparé du Christ, c'était l'anxiété et la peine, tandis

2. Le nom de Néron qui sera à nouveau cité dans le *IVe panégyrique*, 15, 5, figure 17 fois dans l'œuvre de Chrysostome. Les 3 passages principaux portent justement sur le thème du parallèle entre Paul et cet empereur : *Adversus oppugnatores vitae monasticae*, I, 3-4, *PG* 47, 323 C - 324 B ; *In eos qui male utuntur hoc Apostoli dicto : Sive... Christus annuntiatur*, § 4, *PG* 51, 313 D - 314 C ; *In Epist. II ad Tim., hom.* IV, 3-4, *PG* 62, 621 D - 624 C. On trouvera les références à toutes les allusions de Chrysostome à Néron, avec d'intéressantes réflexions sur l'explication de son jugement, en se reportant à l'article suivant : J. ROUGÉ, « Néron à la fin du IVe et au début du Ve siècle », *Latomus* t. 37 (1978), fasc. 1, p. 79-87.

πόνον · τὸ εἶναι μετ' αὐτοῦ, ἔπαθλον. Ἀλλὰ τοῦτο μᾶλλον αἱρεῖται ἐκείνου διὰ τὸν Χριστόν[k]. Ἀλλ' ἴσως εἴποι τις ἂν ὅτι πάντα ταῦτα διὰ τὸν Χριστὸν ἡδέα αὐτῷ ἦν. Τοῦτο γὰρ καὶ ἐγώ φημι, ὅτι ἅπερ ἀθυμίας ἡμῖν αἴτια, ταῦτα ἐκείνῳ μεγάλην ἔτικτεν ἡδονήν. Καὶ τί λέγω κινδύνους καὶ τὰς ἄλλας ταλαιπωρίας; Καὶ γὰρ ἐν ἀθυμίᾳ διηνεκεῖ ἦν · διὸ καὶ ἔλεγε · Τίς ἀσθενεῖ, καὶ οὐκ ἀσθενῶ; τίς σκανδαλίζεται, καὶ οὐκ ἐγὼ πυροῦμαι[l]; Πλὴν εἰ καὶ τὴν ἀθυμίαν ἡδονὴν ἔχειν εἴποι τις ἄν. Πολλοὶ γὰρ καὶ τῶν τέκνα ἀποβαλόντων, συγχωρούμενοι μὲν θρηνεῖν, παραμυθίαν λαμβάνουσι · κωλυόμενοι δέ, ἀλγοῦσι · καθάπερ οὖν καὶ ὁ Παῦλος, νυκτὸς καὶ ἡμέρας δακρύων[m], παραμυθίαν ἐλάμβανεν · οὐδεὶς γὰρ οὕτω τὰ οἰκεῖα ἐπένθησε κακά, ὡς τὰ ἀλλότρια ἐκεῖνος. Πῶς γὰρ οἴει διακεῖσθαι αὐτὸν Ἰουδαίων οὐ σωζομένων, ἵνα σωθῶσιν, εὐχόμενον ἐκπεσεῖν τῆς ἄνωθεν δόξης[n]; Ὅθεν δῆλον ὅτι τὸ μὴ σώζεσθαι αὐτοὺς πολλῷ χαλεπώτερον ἦν. Εἰ γὰρ μὴ χαλεπώτερον, οὐκ ἂν ηὔξατο ἐκεῖνο · ὡς γὰρ κουφότερον εἵλετο, καὶ μᾶλλον ἔχον παραμυθίαν · καὶ οὐχ ἁπλῶς ἐβούλετο, ἀλλὰ καὶ ἐβόα λέγων · Ὅτι λύπη μοί ἐστι, καὶ ὀδύνη τῇ καρδίᾳ μου[o].

8 ταῦτα πάντα ~ A ‖ 9 γὰρ *om.* BDM E ‖ 11 τὰς ἄλλας *om.* CFGP ‖ καὶ γὰρ *om.* CFGP ‖ 12 διὸ *om.* CFGP ‖ 21 ἄνωθεν : ἄνω A ‖ 24 ἔχων A ‖ 25 καὶ *om.* BDM AL E

k. Cf. Rom. 9, 3.
l. II Cor. 11, 29.
m. Cf. Act. 20, 31.
n. Cf. Rom. 9, 3.
o. Rom. 9, 2.

1. A propos de ce souhait exprimé par Paul d'être anathème pour le salut des Juifs, voir *supra, Ier Panég.*, § 13, p. 133 et n. 2.

2. Le mot ἀθυμία se trouve employé trois fois de suite en ce paragraphe (li. 9, 11, 14). Nous l'avons traduit la première fois par le sens qu'il a le plus souvent chez Chrysostome, celui de *découragement :* voir *Lettres à*

qu'être avec le Christ, c'était la récompense, et néanmoins il préfère la première solution à la seconde, à cause du Christ[k] [1]. Mais, dira-t-on peut-être, tout cela à cause du Christ lui était agréable. Eh bien ! moi aussi je déclare que ce qui est pour nous motif de découragement lui causait un grand plaisir. Mais pourquoi parler de dangers et des autres malheurs ? Paul était, en effet, dans une inquiétude[2] continuelle qui lui inspirait ces paroles : « Qui est faible sans que je sois faible ? Qui est scandalisé sans qu'un feu ne me brûle[l] ? » Ou alors on dira peut-être qu'on éprouve du plaisir même dans l'inquiétude. De fait, un grand nombre de gens qui ont perdu leurs enfants, s'ils peuvent à leur gré se lamenter, trouvent une consolation ; si, au contraire, on les en empêche, ils souffrent. Ainsi réellement Paul, tout en pleurant de jour et de nuit[m] [3], y trouvait une consolation ; car personne n'a déploré ses propres malheurs comme cet homme l'a fait pour ceux des autres. Que ne devait-il pas éprouver, à ton avis, en songeant à la perte des Juifs, lui qui pour leur salut souhaitait d'être privé de la gloire céleste[n] ? Par conséquent, de toute évidence, la perspective de leur perte était de beaucoup la plus pénible. S'il n'en était pas ainsi, il n'aurait pas exprimé ce souhait ; une telle préférence était pour ainsi dire moins lourde et le consolait davantage ; et ce désir n'était pas une simple manière de parler, mais il allait jusqu'à proclamer : « J'éprouve de la tristesse et de la douleur en mon cœur[o]. »

Olympias, SC 13 bis, Introduction, p. 47-49. Mais aux lignes suivantes, le sens d'*inquiétude* nous a semblé plus juste, étant donné le contexte.

3. La précision indiquée par les deux mots νυκτὸς et ἡμέρας montre que Chrysostome songeait ici aux adieux de Paul à l'Église d'Éphèse (*Act.* 20, 31). Chrysostome parlera à nouveau des larmes de Paul dans le *IIIe Panég.* (3, 12 ; 5, 18-21). Les plus belles pages qu'il ait consacrées à ces larmes se trouvent dans la XIIe Homélie sur la *IIe Épître aux Corinthiens,* § 2-4, *PG* 62, 383 C - 385 C. Voir aussi *In Act. Apost., hom.* XLIV, 1, 3, 4, *PG* 60, 308 D - 309 A, 311 A-B, D ; *In Epist. II ad Cor., hom.* IV, 2, *PG* 61, 420 CD.

7. Τὸν οὖν καθ' ἑκάστην, ὡς εἰπεῖν, <ὑπὲρ> τῶν τὴν οἰκουμένην οἰκούντων ἀλγοῦντα, καὶ ὑπὲρ ἁπάντων κοινῇ, καὶ ἐθνῶν, καὶ πόλεων, καὶ ὑπὲρ ἑνὸς ἑκάστου, τίνι ἄν τις δυνηθείη παραβαλεῖν; ποίῳ σιδήρῳ; ποίῳ ἀδάμαντι; Τί ἄν τις ἐκείνην καλέσειε τὴν ψυχήν; χρυσῆν, ἢ ἀδαμαντίνην; καὶ γὰρ ἀδάμαντος ἦν παντὸς στερροτέρα, καὶ χρυσοῦ καὶ λίθων τιμίων τιμιωτέρα· κἀκείνης μὲν οὖν τῆς ὕλης τὴν εὐτονίαν παρελάσει, ταύτης δὲ τὴν πολυτέλειαν. Τίνι ἂν οὖν τις αὐτὴν παραβάλοι; Τῶν μὲν οὐσῶν οὐδεμιᾷ. Εἰ δὲ χρυσὸς ἀδάμας γένοιτο, καὶ ἀδάμας χρυσός, τότε ὁπωσοῦν αὐτῶν τεύξεται τῆς εἰκόνος. Ἀλλὰ τί μοι δεῖ παραβάλλειν ἀδάμαντι καὶ χρυσῷ; Τὸν κόσμον ἀντίθες ἅπαντα, καὶ τότε ὄψει καθέλκουσαν τοῦ Παύλου τὴν ψυχήν. Εἰ γὰρ περὶ τῶν ἐν μηλωταῖς καὶ σπηλαίοις[p] καὶ ἐν μικρῷ μέρει τῆς οἰκουμένης διαπρεψάντων τοῦτό φησιν ἐκεῖνος, πολλῷ μᾶλλον περὶ αὐτοῦ ἂν εἴποιμεν ἡμεῖς, ὡς ὅτι πάντων ἀντάξιος ἦν. Εἰ τοίνυν ὁ κόσμος αὐτοῦ οὐκ ἄξιος, τίς ἄξιος; τάχα ὁ οὐρανός; Ἀλλὰ καὶ τοῦτο σμικρόν. Εἰ γὰρ αὐτὸς <οὐρανοῦ> μετὰ τῶν ἐν τοῖς

7, 1 ὑπὲρ *coni. Sav. : om. codd.* ‖ τῶν *om.* BDM AL ‖ 7 οὖν *om.* BDM AL E ‖ 12 δεῖ παραβάλλειν *om.* BDM AL ‖ 16 ἐκεῖνος *om.* BDM AL ‖ 18 τίς ἄξιος *om.* AL ‖ 18-19 τοῦτο σμικρόν : οὗτος μικρόν CFPG ‖ 19 οὐρανοῦ *coni. Sav. : om. codd.*

p. Cf. Hébr. 11, 37-38.

1. Savile a conjecturé, avec raison semble-t-il, la préposition ὑπὲρ devant τῶν... οἰκούντων à la 1re ligne de ce paragraphe. Après F. du Duc et Montfaucon, nous avons, nous aussi, reproduit cette conjecture. Un beau texte de Chrysostome, sur *II Cor.* 11, 29, explique que Paul aimait *tous* les membres de l'Église, qu'il s'affligeait pour eux tous et s'identifiait avec *chaque* infirme, quel qu'il fût : *In Epist. II ad Cor., hom.* XXV, 2, *PG* 61, 572 A.

2. On peut relever dans ce paragraphe (li. 1-11) les qualités oratoires de Jean, non dénuées parfois de recherche et d'exagération. De tels artifices étaient évidemment destinés à frapper davantage son auditoire.

L'âme de Paul

7. Celui donc qui chaque jour, pour ainsi dire, souffrait pour les habitants de l'univers, pour tous sans distinction, peuples et cités, et pour chacun en particulier[1], à quoi pourrait-on le comparer ? A quel fer ? A quel diamant ? De quels mots qualifier une telle âme ? Une âme d'or, ou bien de diamant ? C'est que, si elle était plus solide que n'importe quel diamant, elle était en même temps plus précieuse que l'or et que les pierres précieuses ; pour la première de ces substances, elle en surpassera la force ; pour la seconde, le prix somptueux. A quoi donc la comparer ? A rien de ce qui existe. Si l'or pouvait être diamant, et le diamant de l'or, d'une certaine manière on trouverait à ce moment-là en eux la juste comparaison[2]. Mais à quoi bon mettre en parallèle le diamant et l'or ? Place dans une balance d'un côté le monde entier, et de l'autre l'âme de Paul, et tu verras que c'est celle-ci qui fait le poids. Si, en effet, il s'est exprimé en ces termes[3], en parlant de ceux qui se sont fait remarquer vêtus de peaux de brebis et vivant dans des cavernes[p], et cela dans une petite partie de l'univers, nous pourrions le dire bien davantage à son sujet, puisque sa valeur égalait celle de tous les hommes. Si donc le monde n'est pas digne de lui, qui en est digne ? Peut-être le ciel ? Mais cela même est insuffisant. Car si Paul a préféré au ciel[4] et à tous les biens du ciel l'amour

3. Les expressions un peu enveloppées des li. 14-18 sont empruntées à l'*Ép. aux Hébreux,* que Chrysostome, comme la plupart de ses contemporains, attribuait à saint Paul (li. 15-16). Elles proviennent du chapitre 11, qui se termine par l'évocation de tortures ou d'épreuves subies par plusieurs témoins de Dieu dans l'A.T. : quelques-uns menaient une vie errante, vêtus de peaux de brebis dans les montagnes et les cavernes, « eux dont le monde n'était pas digne », ὧν οὐκ ἦν ἄξιος ὁ κόσμος, *Hébr.* 11, 37-38.

4. Le mot οὐρανοῦ (li. 19) n'existe dans aucun ms. Savile, suivi par Fronton du Duc et Montfaucon, a pensé qu'il s'agissait d'une omission. Nous l'avons nous aussi reproduit. En effet, la construction ne nous paraît guère possible autrement, en raison du sens précis du verbe προτιμάω-ῶ (préférer) qui appelle un complément au génitif, et à cause du contexte, immédiat (li. 17-19) et général (4, 7 - 5, 6), qui précède : l'amour pour le

οὐρανοῖς προετίμησε τοῦ Δεσπότου τὴν ἀγάπην, πολλῷ μᾶλλον ὁ Δεσπότης ὁ τοσοῦτον αὐτοῦ ἀγαθώτερος, ὅσον πονηρίας ἀγαθότης, μυρίων αὐτὸν οὐρανῶν προτιμήσει. Οὐ γὰρ ὁμοίως ἡμᾶς φιλεῖ, καθάπερ ἡμεῖς αὐτόν, ἀλλὰ τοσούτῳ πλέον, ὅσον οὐδὲ λόγῳ παραστῆσαι ἔνι.

8. Σκόπει γοῦν ἡλίκων αὐτὸν καὶ πρὸ τῆς μελλούσης ἠξίωσεν ἀναστάσεως. Εἰς παράδεισον ἥρπασεν, εἰς τρίτον ἀνήγαγεν οὐρανόν, ἀπορρήτων ἐποίησε κοινωνὸν τοιούτων, ἃ μηδενὶ τῶν τὴν ἀνθρωπίνην λαχόντων φύσιν θέμις εἰπεῖν[q]. Καὶ μάλα εἰκότως · καὶ γὰρ ἐν γῇ βαδίζων, ὡς μετὰ ἀγγέλων περιπολῶν, οὕτως ἔπραττεν ἅπαντα · καὶ σώματι θνητῷ συνδεδεμένος, τὴν ἐκείνων καθαρότητα ἐπεδείκνυτο, καὶ ἀνάγκαις τοσαύταις ὑποκείμενος, ἐφιλονείκει τῶν ἄνω δυνάμεων μηδὲν ἔλαττον φανῆναι. Καὶ γὰρ ὡς πτηνὸς τὴν οἰκουμένην διέδραμε, καὶ ὡς ἀσώματος πόνων ὑπερεώρα καὶ κινδύνων, καὶ ὡς τὸν οὐρανὸν ἤδη λαχών, κατεφρόνει τῶν ἐπὶ γῆς, καὶ ὡς μετ' αὐτῶν ἀναστρεφόμενος τῶν ἀσωμάτων δυνάμεων, οὕτω διηνεκῶς ἐγρηγορὼς ἦν. Καίτοι γε ἄγγελοι πολλάκις ἐνεχειρίσθησαν ἔθνη διάφορα · ἀλλ' οὐδὲ εἷς αὐτῶν τὸ ἔθνος, ὃ ἐνεπιστεύθη, οὕτως ᾠκονόμησεν, ὡς Παῦλος τὴν οἰκουμένην ἅπασαν. Καὶ μή μοι λέγε ὅτι Παῦλος οὐκ ἦν ὁ ταῦτα οἰκονομῶν · καὶ γὰρ καὶ αὐτὸς ὁμολογῶ. Εἰ γὰρ καὶ μὴ

21 αὐτοῦ *om.* BDM || 24 τοσοῦτον A E
8, 3 ἀνήγαγεν *om.* BDM E || 7 θνητῷ : παθητῷ A || 13-14 ἐγρηγορὼς *Sav.* : -ρος *codd.* || 18 καὶ[2] *om.* AL

q. Cf. II Cor. 12, 2-4.

Christ est préférable, aux yeux de Paul, au ciel et à tous ses trésors. On trouvera d'ailleurs à nouveau cette même pensée dans *In Epist. ad Rom., hom.* XV, 5, *PG* 60, 546 A - 547 A.

1. Dans le *V*[e] *Panég.* (§ 10-13), Chrysostome commentera plus longuement les faveurs surnaturelles accordées à Paul, selon le texte de *II Cor.* 12, 1-4. On trouvera un autre commentaire de ces versets de l'Apôtre : *In*

de son Maître, combien plus ce Maître, dont la bonté l'emporte sur celle de Paul autant que la bonté sur la méchanceté, le préférera-t-il à la multitude des cieux. Dieu ne nous aime pas, en effet, comme nous l'aimons, mais à un degré tellement supérieur que la parole est impuissante à l'expliquer.

Les grâces mystiques qu'il reçut. Sa supériorité sur les anges

8. Examine, par exemple, de quelles grâces il le jugea digne, même avant la résurrection à venir. Il le ravit jusqu'au paradis, l'éleva jusqu'au troisième ciel, le fit participer à des mystères si ineffables qu'il n'est permis à aucun de ceux qui partagent la nature humaine d'en parler[q 1]. Et c'est tout à fait juste. En effet, tout en foulant cette terre, il se conduisait sans cesse comme s'il la parcourait en compagnie des anges ; tout en étant lié à un corps mortel, il montrait une pureté égale à la leur, et tout en étant soumis à de si grandes misères, il avait à cœur de n'être nullement inférieur à ces puissances d'en haut. Et effectivement, comme s'il avait des ailes il courut à travers toute la terre ; comme un être incorporel il méprisait les peines et les dangers ; comme s'il avait déjà le ciel en partage, il dédaignait les biens d'ici-bas ; et comme s'il vivait au milieu même de ces puissances immatérielles, il était continuellement en état de veille. Certes des anges ont souvent reçu la charge de différents peuples ; mais pas un d'entre eux n'a dirigé le peuple qui lui avait été confié comme Paul l'a fait pour le monde entier. Et ne me dis pas que ce n'était pas Paul qui le dirigeait réellement, car j'en conviens moi aussi. Bien qu'il n'ait pas personnel-

Epist. II ad Cor., hom. XXVI, 1, 2, *PG* 61, 575 CD, 576, - et des allusions plus brèves dans d'autres œuvres, par exemple : *De incompr., hom.* VIII, *De petitione filiorum Zebedaei,* § 3, *PG* 48, 772 A ; *De Lazaro, hom.* VI, 9, *PG* 48, 1041 B ; *De mut. nominum,* I, 6, *PG* 51, 122 A ; *In Psalm. CXL, 4, PG* 55, 224 B ; *In Epist. ad Rom., hom.* XXXII, 4, 680 C.

αὐτὸς ἦν ὁ ταῦτα ἀνύων, ἀλλ' οὐδὲ οὕτως ἐκτὸς ἦν τῶν ἐπὶ τούτοις ἐπαίνων, ἐπειδὴ ἑαυτὸν οὕτω κατεσκεύασεν ἄξιον τῆς τοσαύτης χάριτος. Ὁ Μιχαὴλ τὸ τῶν Ἰουδαίων ἔθνος ἐνεχειρίσθη[r]· Παῦλος δὲ γῆν καὶ θάλατταν, καὶ τὴν οἰκουμένην, καὶ τὴν ἀοίκητον.

9. Καὶ ταῦτα οὐκ ἀγγέλους ὑβρίζων λέγω, μὴ γένοιτο, ἀλλὰ δεικνὺς ὅτι δυνατὸν ἄνθρωπον ὄντα μετ' ἐκείνων εἶναι, καὶ ἐγγὺς αὐτῶν ἑστάναι. Καὶ τίνος ἕνεκεν οὐκ ἄγγελοι ταῦτα ἐνεχειρίσθησαν; Ἵνα μηδεμίαν ἀπολογίαν ἔχῃς ῥᾳθυμῶν, μηδὲ εἰς τὴν διαφορὰν τῆς φύσεως καταφεύγῃς καθεύδων· ἄλλως δὲ καὶ τὸ θαῦμα μεῖζον ἐγίνετο. Πῶς γὰρ οὐ θαυμαστὸν καὶ παράδοξον, ἀπὸ γλώττης πηλίνης ἐκπηδῶντα λόγον, θάνατον φυγαδεύειν[s], ἁμαρτήματα λύειν, πεπηρωμένην διορθοῦν φύσιν[t], καὶ τὴν γῆν ἐργάζεσθαι οὐρανόν; Διὰ τοῦτο ἐκπλήττομαι τοῦ Θεοῦ τὴν δύναμιν, διὰ ταῦτα θαυμάζω τοῦ Παύλου τὴν προθυμίαν, ὅτι τοσαύτην ὑπεδέξατο χάριν, ὅτι τοιοῦτον παρεσκεύασεν ἑαυτόν.

10. Καὶ ὑμᾶς παρακαλῶ μὴ θαυμάζειν μόνον, ἀλλὰ καὶ μιμεῖσθαι τὸ ἀρχέτυπον τοῦτο τῆς ἀρετῆς· οὕτω γὰρ

22 δὲ G : *om. cett.*
9, 2 ὄντα AL : *om. cett.* ‖ 9 τὴν *om.* B

r. Cf. Dan. 10, 13.21 ; 12, 1.
s. Cf. Act. 20, 9-12.
t. Cf. Act. 14, 8-10.

1. En comparant à nouveau Paul aux anges, Chrysostome exalte spécialement l'étendue universelle de sa mission. Chrysostome a noté ailleurs comment cette mission universelle n'empêchait nullement l'Apôtre de se préoccuper de tout homme en particulier, notamment des pauvres et des pécheurs : *In eos qui male utuntur hoc Apostoli dicto : Sive... Christus annuntiatur,* § 4, *PG* 51, 314 CD.

2. Dans cette phrase, Chrysostome note, en alternance, d'une part certains miracles de Paul : la résurrection d'un adolescent à Troas et la guérison d'un paralytique à Lystres et, d'autre part, les merveilles d'ordre spirituel obtenues par sa prédication.

lement mené cette œuvre à terme, cependant même dans ces conditions il ne fut pas sans mériter les louanges qui leur sont décernées, puisqu'il s'est rendu digne de cette si grande grâce. Michel a reçu la charge du peuple juif[r]; Paul, celle de la terre, de la mer, de l'univers habité et inhabité[1].

Les merveilles qu'il accomplit

9. Et ce n'est pas pour faire injure aux anges que je parle ainsi, à Dieu ne plaise! mais pour montrer qu'on peut, quand on est un homme, vivre en leur compagnie et leur ressembler. Pour quelle raison les anges n'ont-ils pas reçu cette mission? Afin que tu n'aies aucune excuse à être nonchalant et que tu ne te réfugies pas dans la différence de nature en restant endormi. Du reste, le miracle n'en fut que plus grand. Comment ne serait-il donc pas merveilleux et extraordinaire qu'une parole tombant d'une langue d'argile mette en fuite la mort[s], brise les liens du péché, redresse un homme estropié[t] et transforme la terre en ciel[2]? Voici pourquoi j'admire la puissance de Dieu et pourquoi je suis émerveillé du zèle de Paul, c'est parce qu'il a reçu une si grande grâce, tout en apportant personnellement une âme si bien préparée[3].

Exhortation finale

10. Et je vous exhorte à ne pas vous contenter d'admirer, mais aussi à imiter ce modèle authentique[4] de la vertu, car de cette façon

3. A la fin de ce panégyrique, Chrysostome évoque les deux forces qui sont à la source de toutes ces merveilles accomplies par l'apôtre Paul : la grâce de Dieu et sa volonté personnelle ardente. Il semble même que le dernier paragraphe de ce discours insiste surtout sur le second élément (li. 15-17). Sur ce sujet, voir *Introd.*, ch. III, «Portrait de Paul».

4. En termes de paléographie, le mot ἀρχέτυπον désigne le modèle le plus ancien, qui n'avait pas encore subi d'altérations, d'où notre traduction. On retrouve ce mot appliqué à l'Apôtre dans la XIe Homélie *sur la Genèse,* 5, *PG* 53, 95 D. Mais il arrive aussi à Chrysostome d'employer ce terme en

δυνησόμεθα τῶν αὐτῶν στεφάνων κοινωνῆσαι ἐκείνῳ. Εἰ δὲ θαυμάζεις ἀκούων ὅτι, τὰ αὐτὰ κατορθώσας, τῶν αὐτῶν ἐπιτεύξῃ, ἄκουσον αὐτοῦ ταῦτα λέγοντος· Τὸν ἀγῶνα τὸν καλὸν ἠγώνισμαι, τὸν δρόμον τετέλεκα, τὴν πίστιν τετήρηκα· λοιπὸν ἀπόκειταί μοι ὁ τῆς δικαιοσύνης στέφανος, ὃν ἀποδώσει μοι Κύριος ὁ δίκαιος κριτὴς ἐν ἐκείνῃ τῇ ἡμέρᾳ· οὐ μόνον δὲ ἐμοί, ἀλλὰ καὶ πᾶσι τοῖς ἠγαπηκόσι τὴν ἐπιφάνειαν αὐτοῦ[u]. Ὁρᾷς πῶς πάντας εἰς τὴν αὐτὴν κοινωνίαν καλεῖ;

Ἐπεὶ οὖν ἅπασι πρόκειται τὰ αὐτά, πάντες σπουδάσωμεν ἄξιοι γενέσθαι τῶν ἐπηγγελμένων ἀγαθῶν· καὶ μὴ μόνον τὸ μέγεθος καὶ τὸν ὄγκον τῶν κατορθωμάτων ἴδωμεν, ἀλλὰ καὶ τὸν τόνον τῆς προθυμίας, δι' ἧς τοσαύτην ἐπεσπάσατο χάριν, καὶ τὸ τῆς φύσεως συγγενές· τῶν γὰρ αὐτῶν ἡμῖν ἐκοινώνησεν ἁπάντων. Καὶ οὕτω καὶ τὰ σφόδρα δυσκατόρθωτα, ῥᾴδια ἡμῖν φανεῖται καὶ κοῦφα, καὶ τὸν βραχὺν τοῦτον καμόντες χρόνον, τὸν ἀγήρω καὶ ἀθάνατον ἐκεῖνον στέφανον φοροῦντες διατελέσομεν, χάριτι καὶ φιλανθρωπίᾳ τοῦ Κυρίου ἡμῶν Ἰησοῦ Χριστοῦ, ᾧ ἡ δόξα καὶ τὸ κράτος νῦν καὶ ἀεὶ καὶ εἰς τοὺς αἰῶνας τῶν αἰώνων. Ἀμήν.

10, 4 θαυμάζει M ‖ 14 κατορθωμάτων AL : -μένων *cett.* ‖ 20 ἐκεῖνον καὶ ἀθάνατον ~ BDM E ‖ 22 νῦν καὶ ἀεὶ καὶ *om.* BDM E.

u. II Tim. 4, 7-8.

nous pourrons avoir part aux mêmes couronnes que lui. Si tu t'étonnes de m'entendre dire qu'en vivant aussi parfaitement tu obtiendras les mêmes récompenses, écoute Paul s'exprimer ainsi : « J'ai combattu jusqu'au bout le noble combat, j'ai achevé ma course, j'ai gardé la foi. Et maintenant voici qu'est préparée pour moi la couronne de justice, que le Seigneur me donnera en ce jour-là, lui, le juste juge, et non seulement à moi, mais à tous ceux qui auront attendu avec amour son apparition[u]. » Vois-tu comment il appelle tous les hommes à partager le même sort ?

Puisque donc les mêmes récompenses sont à la portée de tous, appliquons-nous tous à devenir dignes des biens qui nous sont promis. Et ne regardons pas uniquement l'importance et l'ampleur des vertus, mais encore la vigueur du zèle qui a conduit Paul à une si grande grâce, comme aussi le fait qu'il avait la même nature que nous[1], car il a partagé complètement notre condition. Ainsi les vertus très difficiles à acquérir nous paraîtront faciles et aisées, et après le rapide labeur de cette vie, nous porterons continuellement cette couronne impérissable et immortelle, par la grâce et l'amour de notre Seigneur Jésus-Christ, à qui appartiennent la gloire et la puissance, maintenant et toujours et pour les siècles des siècles. Amen.

l'appliquant au Christ lui-même : *In Epist. I ad Cor., hom.* VIII, 2, *PG* 61, 70 D - 71 A.

1. Cette remarque, qui rappelle de façon très concise le développement initial (voir *supra* 1, 1-13, et notes), forme une sorte d'*inclusio*.

Τοῦ αὐτοῦ
ἐγκώμιον εἰς τὸν ἅγιον ἀπόστολον Παῦλον
λόγος γʹ

1. Ὁ μακάριος Παῦλος τῆς ἀνθρωπίνης προθυμίας ἐνδεικνύμενος τὴν ἰσχύν, καὶ ὅτι πρὸς αὐτὸν δυνάμεθα πτῆναι τὸν οὐρανόν, ἀφεὶς ἀγγέλους καὶ ἀρχαγγέλους καὶ τὰς ἄλλας δυνάμεις, ποτὲ μὲν δι' ἑαυτοῦ μόνου μιμητὰς γενέσθαι κελεύει τοῦ Χριστοῦ λέγων · Μιμηταί μου γίνεσθε, καθὼς κἀγὼ Χριστοῦ[a] · ποτὲ δὲ καὶ χωρὶς ἑαυτοῦ πρὸς αὐτὸν αὐτοὺς ἀναβιβάζει τὸν Θεὸν λέγων · Γίνεσθε οὖν μιμηταὶ τοῦ Θεοῦ, ὡς τέκνα ἀγαπητά[b]. Εἶτα δεικνὺς ὡς οὐδὲν οὕτω ποιεῖ τὴν μίμησιν ταύτην, ὡς τὸ κοινωφελῶς ζῆν καὶ πρὸς τὸ τῷ παντὶ χρήσιμον ὁρᾶν, ἐπήγαγε · Περιπατεῖτε ἐν ἀγάπῃ[c]. Διὰ τοῦτο εἰπών · Μιμηταί μου γίνεσθε, περὶ ἀγάπης εὐθέως διαλέγεται, δεικνὺς ὅτι αὕτη μάλιστα ἡ ἀρετὴ ἐγγὺς εἶναι ποιεῖ Θεοῦ · ὡς αἱ

Tit., 1 Τοῦ + ἐν ἁγίοις πατρὸς ἡμῶν Ἰωάννου τοῦ Χρυσοστόμου M ‖ αὐτοῦ *om.* M ‖ 2 ἐγκώμιον *om.* D E ‖ ἀπόστολον *om.* BDM

1, 1-2 ἐνδ. τῆς ἀνθ. προθ. ~ BDM AL E ‖ 2 ὅτι + ἀνέρρωται ἡμῖν αὕτη FP ἂν ἔρρωται ἡμ. αὕ. CG ‖ δυνάμεθα : δύναται BDM AL E ‖ 6 ἑαυτοῦ : αὐτοῦ BDM AL E ‖ 8 δεικνὺς : πάλιν δηλῶν CFGP ‖ 10 τῷ *om.* BDM AL ‖ 11 διὰ τοῦτο : καλῶς δὲ CFGP ‖ 12-13 δεικνὺς ὅτι *om.* BDM AL E ‖ 13 αὕτη + γὰρ BDM AL E

a. I Cor. 11, 1.
b. Éphés. 5, 1.
c. Éphés. 5, 2.

1. Ce troisième panégyrique, consacré à la charité de Paul envers les hommes, présente une composition très nette, en deux parties : la charité de

III

LA CHARITÉ DE PAUL ENVERS LES HOMMES

Du même, panégyrique du saint apôtre Paul Troisième discours

Prééminence de la charité

1. Le bienheureux Paul nous montre la force que peut avoir le zèle d'un homme et notre possibilité de prendre notre envol vers le ciel même et, sans faire appel aux anges, aux archanges ni aux autres puissances célestes, tantôt il part de son propre exemple pour nous inviter à devenir les imitateurs du Christ, avec ces paroles : « Soyez mes imitateurs, comme je le suis moi-même du Christ [a] », tantôt, sans parler de lui personnellement, il nous fait monter directement vers Dieu, en disant : « Cherchez à imiter Dieu comme des enfants bien-aimés [b]. » Puis, en expliquant que rien ne produit cette imitation autant qu'une vie qui recherche l'intérêt de tous, il ajoute : « Suivez la voie de la charité [c] [1]. » Aussi, après avoir dit : « Soyez mes imitateurs », il traite aussitôt de la charité, et il montre que cette vertu est celle qui rapproche le plus de Dieu [2].

Paul, 1) dans l'ordre spirituel (§ 2-6), 2) dans l'ordre matériel (§7-8).

2. Dans l'exorde de ce discours, Chrysostome note la prééminence de la charité sur les autres vertus. Cette remarque est dans la ligne des grands textes de l'A.T. sur l'amour envers Dieu et envers le prochain : cf. *Deut.* 6, 4-5 ; *Lév.* 19, 18 ; *Os.* 2, 21-22 ; 4, 2 ; 6, 6 ; 11, 1-9 ; *Is.* 1, 11-17 ; 58, 6-11 ; *Jér.* 31, 31-34 ; *Éz.* 11, 14-20 ; *Cant.* 8, 6-7. Jésus a rendu ce précepte plus

γε ἄλλαι ταύτης καταδεέστεραι, καὶ περὶ ἀνθρώπους πᾶσαι στρέφονται· οἷον ἡ πρὸς ἐπιθυμίαν μάχη, ὁ περὶ τὴν γαστέρα πόλεμος, ἡ πρὸς τὴν φιλαργυρίαν παράταξις, ἡ πρὸς τὸν θυμὸν πάλη· τὸ δὲ φιλεῖν, τοῦτο κοινὸν ἡμῶν καὶ τοῦ Θεοῦ. Διὰ τοῦτο καὶ ὁ Χριστὸς ἔλεγεν· Εὔχεσθε ὑπὲρ τῶν ἐπηρεαζόντων ὑμᾶς, ὅπως γένησθε ὅμοιοι τοῦ Πατρὸς ὑμῶν τοῦ ἐν τοῖς οὐρανοῖς[d].

2. Τοῦτο τοίνυν καὶ ὁ Παῦλος εἰδὼς κεφάλαιον ὂν τῶν ἀγαθῶν, μετὰ πολλῆς ἐπεδείξατο τῆς ἀκριβείας. Οὐδεὶς γοῦν οὕτως ἐχθροὺς ἐφίλησεν, οὐδεὶς οὕτω τοὺς ἐπιβουλεύσαντας εὐηργέτησεν, οὐδεὶς τοσαῦτα ὑπὲρ τῶν λελυπηκότων ἔπαθεν· οὐδὲ γὰρ εἰς ἅπερ ἔπασχεν ἔβλεπεν, ἀλλὰ τὸ κοινὸν τῆς φύσεως ἐνενόει, καὶ ὅσῳ μᾶλλον ἐξεθηριοῦντο, τοσούτῳ μᾶλλον αὐτῶν ἠλέει τὴν μανίαν. Καὶ ὡς ἂν τις διατεθείη πατὴρ περὶ παῖδα φρενίτιδι κατεχόμενον — ὅσῳ γὰρ ἂν ὑβρίζηται καὶ λακτίζῃ χαλεπῶς ὁ κάμνων, τοσούτῳ μᾶλλον αὐτὸν ἐλεεῖ καὶ δακρύει —, οὕτω κἀκεῖνος τῇ τῶν δαιμόνων ὑπερβολῇ τῶν ταῦτα ἐπαγόντων αὐτῷ τὴν νόσον στοχαζόμενος, πρὸς πλείονα κηδεμονίαν διανίστατο.

14 καὶ *om.* CFGP ‖ 17 κοινῶν A
2, 2 ἐπεδείξατο + αὐτὸ CFGP ‖ 3-4 ἐπιβουλεύοντας AL B ‖ 10 αὐτὸν *om.* F ‖ 11 ὑπερβολῇ : ὑποβολῇ CFGP E ‖ 12 τὴν νόσον : τῇ νόσῳ M τὰ λυπηρὰ CFGP E

d. Matth. 5, 44-45.

exigeant encore, en y incluant même l'amour pour nos ennemis : cf. *Matth.* 5, 43-48 ; *Lc* 6, 27-35 ; 10, 25-37 ; et c'est sur l'une de ces citations (*Matth.* 5, 44-45) que Chrysostome termine précisément son exorde (li. 18-20).

1. On remarquera la variété du vocabulaire destiné à exprimer la lutte contre les différents vices. Si les deux premiers mots (li. 15-16) sont assez généraux, les deux suivants (li. 16-17) sont, en revanche, plus précis : le premier évoque l'image d'une bataille rangée, le second, celui de la lutte des

Les autres, en effet, lui sont inférieures et aucune ne dépasse le plan humain : par exemple, le combat contre la convoitise charnelle, la guerre menée à la gourmandise, la résistance acharnée à l'amour de l'argent, la lutte contre la colère[1] ; le fait d'aimer, au contraire, cela nous est commun avec Dieu. C'est pourquoi le Christ disait : « Priez pour ceux qui vous calomnient, afin de devenir semblables à votre Père qui est dans les cieux[d]. »

Charité envers ses persécuteurs

2. Sachant donc que c'est là le principal des biens, Paul mit tous ses soins à en donner la preuve. Certainement personne n'a autant aimé ses ennemis, personne n'a fait autant de bien à ceux qui lui avaient tendu des pièges, personne n'a autant souffert pour ceux qui l'avaient affligé : de fait, loin de considérer ses souffrances, il ne songeait qu'aux liens naturels qui les unissaient, et plus ils étaient féroces envers lui, plus il avait pitié de leur démence. Imitant les sentiments d'un père à l'égard d'un fils qui serait envahi par la folie, — en effet, plus celui-ci se démène de façon effrénée et piaffe avec méchanceté, plus il en a pitié et plus il verse de larmes —, de même également Paul, devinant d'après leurs excès[2] démoniaques la maladie de ceux qui lui infligeaient de tels coups, se relevait pour en prendre soin davantage.

athlètes dans les palestres. La symétrie des membres de phrase est rendue plus expressive par le jeu combiné de l'asyndète, des enclaves et des allitérations.

2. Les manuscrits sont ici divergents : les uns, *A L B D M,* présentent le mot ὑπερβολῇ dont le sens est clair ; les autres, *C F G P E,* portent ὑποβολῇ qui suggère l'idée de mauvais coups préparés par en-dessous, c'est-à-dire d'embuscades. Malgré le caractère pittoresque de cette dernière leçon, assez bien attestée, nous avons préféré, à cause du crédit que nous accordons au groupe *A L* (voir *Introd.,* ch. IV, p. 81-83), la leçon ὑπερβολῇ qui avait aussi paru la meilleure à Savile.

3. Ἄκουσον γοῦν αὐτοῦ πῶς ἡμέρως, πῶς συμπαθητικῶς ὑπὲρ αὐτῶν ἡμῖν διαλέγεται, τῶν πεντάκις αὐτὸν μαστιγωσάντων[e], τῶν καταλευσάντων[f], τῶν δησάντων, τῶν τοῦ αἵματος αὐτοῦ διψώντων, καὶ διασπάσασθαι καθ' ἑκάστην ἐπιθυμούντων αὐτὸν τὴν ἡμέραν. Μαρτυρῶ γὰρ αὐτοῖς, φησίν, ὅτι ζῆλον Θεοῦ ἔχουσιν, ἀλλ' οὐ κατ' ἐπίγνωσιν[g]. Καὶ πάλιν τοὺς ἐπεμβαίνοντας αὐτοῖς ἀναχαιτίζων ἔλεγε· Μὴ ὑψηλοφρόνει, ἀλλὰ φοβοῦ· εἰ γὰρ ὁ Θεὸς τῶν κατὰ φύσιν κλάδων οὐκ ἐφείσατο, μήπως οὐδὲ σοῦ φείσηται[h]. Ἐπειδὴ γὰρ ἀπόφασιν εἶδε δεσποτικὴν ἐξελθοῦσαν κατ' αὐτῶν, οὗ κύριος ἦν, τοῦτο ἐποίει· συνεχῶς ἐδάκρυεν ὑπὲρ αὐτῶν, ἤλγει, τοὺς ἐνάλλεσθαι βουλομένους αὐτοῖς ἐκώλυε, καὶ ἐκ τῶν ἐγχωρούντων ἐφιλονείκει σκιὰν γοῦν συγγνώμης αὐτοῖς εὑρεῖν. Καὶ ἐπειδὴ λόγῳ πείθειν οὐκ εἶχε διὰ τὸ ἀνένδοτον αὐτῶν καὶ σκληρόν, ἐπὶ συνεχεῖς εὐχὰς ἐτρέπετο λέγων· Ἀδελφοί, ἡ μὲν εὐδοκία μου καὶ ἡ δέησίς μου ἡ πρὸς τὸν Θεόν, ὑπὲρ αὐτῶν ἐστιν εἰς σωτηρίαν[i]. Ὑποτείνει δὲ αὐτοῖς καὶ χρηστὰς ἐλπίδας λέγων· Ἀμεταμέλητα τὰ χαρίσματα καὶ ἡ κλῆσις τοῦ Θεοῦ[j], ὥστε μὴ ἀπογνῶναι τέλεον καὶ ἀπολέσθαι· ἅπερ ἅπαντα κηδομένου καὶ σφόδρα ὑπὲρ αὐτῶν διακαιομένου ἦν, ὡς ὅταν λέγῃ ὅτι· Ἥξει ἐκ Σιὼν ὁ ῥυόμενος, καὶ ἀποστρέψει ἀσεβείας ἀπὸ Ἰακώβ[k]. Καὶ γὰρ σφόδρα διεκόπτετο καὶ ἐδάκνετο ἀπολλυμένους ὁρῶν. Διὸ πολλὰς ἐπενόει παραμυθίας τῆς

3, 3 τῶν δησάντων *om.* AL ‖ 7 τοὺς : τοῖς A ‖ 8 ἀναχαιτίζων : ἀναστέλλων CFGP ‖ 11 αὐτοῦ C ‖ οὗ : οὐ C ‖ τοῦτο *om.* BDM AL ‖ 13 βουλομένοις αὐτοὺς A ‖ 17 ἡ³ *om.* A ‖ 19 καὶ αὐτοῖς ~ A ‖ 22 αὐτοῦ C ‖ 23 ἀσεβεῖς A ‖ 24 καὶ γὰρ : ὅτι δὲ CFGP ‖ 25 διὸ : ὅρα πῶς CFGP

e. Cf. II Cor. 11, 24.
f. Cf. Act. 14, 19 ; II Cor. 11, 25.
g. Rom. 10, 2.

Envers les Juifs 3. Écoute, par exemple, avec quelle douceur, avec quelle compassion il nous parle d'eux, de ceux qui à cinq reprises le flagellèrent[e], de ceux qui le lapidèrent[f], de ceux qui l'enchaînèrent, de ceux qui avaient soif de son sang et désiraient chaque jour le mettre en pièces. « Je leur rends témoignage, dit-il, qu'ils ont du zèle pour Dieu, mais c'est un zèle mal éclairé[g 1]. » Et inversement, ceux qui cherchaient à se dresser contre eux, il les retenait, en disant : « Ne t'enorgueillis pas, crains plutôt, car si Dieu n'a pas épargné les branches naturelles, peut-être ne t'épargnera-t-il pas non plus[h]. » Connaissant la sentence du Maître portée contre eux, il faisait ce qui était en son pouvoir : sans cesse il versait des larmes à leur sujet, il souffrait, il s'opposait à ceux qui voulaient fondre sur eux, et autant que possible du moins il s'efforçait de leur trouver une ombre d'excuse. Et comme il ne pouvait les persuader par la parole à cause de leur cœur inflexible et dur, il avait recours sans cesse à la prière, ainsi qu'il le dit : « Frères, mon désir fervent et ma prière à Dieu pour eux, c'est qu'ils soient sauvés[i]. » Il leur suggère même de salutaires espérances, en disant : « Les dons et l'appel de Dieu sont sans repentance[j] » ; il voulait ainsi empêcher leur désespoir final et leur perte. Or toutes ces paroles supposaient un cœur plein de sollicitude et d'affection très ardente pour eux. Il en est de même quand il dit : « Il viendra de Sion, le Libérateur ; il écartera de Jacob les impiétés[k]. » En effet, il ressentait une blessure et une morsure profondes, en les voyant périr. Aussi imaginait-il pour lui-même de nombreuses façons d'atténuer cette souf-

h. Rom. 11, 20-21.
i. Rom. 10, 1.
j. Rom. 11, 29.
k. Is. 59, 20.

1. On lira avec beaucoup d'attention ce passage (§ 3-4), où Chrysostome développe la charité de Paul envers les Juifs, en s'inspirant principalement des chapitres 9-11 de l'*Ép. aux Romains*. Voir *infra*, Appendice n° 2.

ἀλγηδόνος ταύτης ἑαυτῷ, ποτὲ μὲν λέγων· Ἥξει ὁ ῥυόμενος, καὶ ἀποστρέψει ἀσεβείας ἀπὸ Ἰακώβ[l], ποτὲ δέ· Οὕτω καὶ οὗτοι ἠπείθησαν τῷ ὑμετέρῳ ἐλέει ἵνα καὶ αὐτοὶ ἐλεηθῶσι[m].

4. Ποιεῖ δὲ τοῦτο καὶ Ἱερεμίας, βιαζόμενος καὶ φιλονεικῶν ἀπολογίαν τινὰ ὑπὲρ τῶν ἡμαρτηκότων εὑρεῖν, νῦν μὲν λέγων· Εἰ αἱ ἁμαρτίαι ἡμῶν ἀντέστησαν ἡμῖν, ποίησον ἕνεκεν σοῦ, νῦν δὲ πάλιν· Οὐχὶ τοῦ ἀνθρώπου ἡ ὁδὸς αὐτοῦ[n], οὐδὲ ἄνθρωπος πορεύσεται καὶ κατορθώσει τὴν πορείαν αὐτοῦ[o]· καὶ ἀλλαχοῦ πάλιν· Μνήσθητι ὅτι χοῦς ἐσμέν[p]. Καὶ γὰρ ἔθος τοῖς ὑπὲρ τῶν ἡμαρτηκότων δεομένοις, κἂν μηδὲν ἔχωσιν εὔλογον εἰπεῖν, σκιὰν γοῦν τινα ἀπολογίας ἐπινοεῖν, οὐ διηκριβωμένας μέν, οὐδὲ εἰς δόγματα ἑλκυσθῆναι δυναμένας, παραμυθουμένας δὲ ὅμως τοὺς ὑπὲρ τῶν ἀπολλυμένων ὀδυνωμένους. Μὴ τοίνυν μηδὲ ἡμεῖς τὰς τοιαύτας ἀκριβῶς ἐξετάσωμεν ἀπολογίας, ἀλλ' ἐννοοῦντες ὅτι ψυχῆς εἰσιν ὀδυνωμένης, ζητούσης εἰπεῖν τι ὑπὲρ τῶν ἡμαρτηκότων, οὕτως ἐκδεχώμεθα τὰ εἰρημένα.

27 δὲ + λέγων BDM AL E || 28 ὑμετέρῳ *coni. Front. Duc* : ἡμετέρῳ *codd., Sav.*
4, 10 ὅμως *om.* BDM AL E || 12 ἐξετάζωμεν CFGP || 13 ἐστιν F

l. *Ibid.*
m. Rom. 11, 31.
n. Jér. 14, 7.
o. Jér. 10, 23.
p. Cf. Ps. 102 (103), 14.

1. Voir Appendice 1, *infra,* p. 328.
2. La conjonction καὶ (4, 5) semble couper la citation de Jérémie en deux membres indépendants. Chrysostome cite cette phrase d'après la *Septante,* où figure cette conjonction comme dans le texte hébreu. Pour le sens, le second membre ne fait qu'un avec le premier. Chrysostome a consacré toute

france, en disant tantôt : «Il viendra, le Libérateur ; il écartera de Jacob les impiétés[l]», et tantôt : «Quant à eux, pareillement, ils ont désobéi, afin que par suite de la miséricorde exercée envers vous ils obtiennent à leur tour miséricorde[m 1].»

4. C'est ce que fait également Jérémie, avec un ton pressant, et en s'efforçant de défendre en quelque sorte les pécheurs, en disant parfois : «Si nos péchés se sont dressés contre nous, agis pour l'honneur de ton nom[n]», et parfois encore : «La voie de l'homme n'est pas en son pouvoir, et durant sa marche il ne dirigera pas bien ses pas[o 2]», et ailleurs encore : «Souviens-toi que nous sommes poussière[p 3].» C'est en effet, l'usage que ceux qui supplient pour des coupables, même s'ils n'ont rien de plausible à dire, imaginent au moins de vaines excuses, non que celles-ci soient à prendre en toute rigueur, ni qu'elles puissent emporter la sentence, mais c'est là un réconfort pour ceux que leur perte fait souffrir. Ne prenons donc pas non plus dans leur teneur exacte de telles excuses ; pensons, au contraire, qu'elles sont le fait d'une âme affligée et qui cherche à plaider pour les coupables, et comprenons ainsi ces paroles.

une homélie à l'explication de ce texte de Jérémie (*PG* 56, 153-162), et il y a nettement souligné que la liberté de l'homme reste entière (cf. *infra*, *Ve Panég.*, p. 244, n. 2).

3. Si l'on suit le développement du texte de Chrysostome depuis le début de ce paragraphe, on a l'impression que la dernière citation (μνήσθητι ὅτι χοῦς ἐσμέν, li. 6-7) serait aussi de Jérémie. En réalité, Chrysostome fait allusion ici au fragment d'un verset de psaume (102, 14), sans indiquer un changement de sujet, d'où une sorte de contamination. D'autre part, il cite ce fragment d'après une variante de la *Septante :* voir *Septuaginta,* éd. A. Rahlfs, Stuttgart, t. II, 1965, p. 111. D'après le texte reçu, comme d'après l'hébreu, on doit traduire : «Il se souvient que nous sommes poussière.»

5. Ἆρ' οὖν πρὸς Ἰουδαίους μόνον τοιοῦτος, πρὸς δὲ τοὺς ἔξωθεν οὐχί ; Πάντων ἡμερώτερος ἦν καὶ πρὸς τοὺς οἰκείους, καὶ πρὸς τοὺς ἀλλοτρίους. Οὐκοῦν ἄκουσον τί Τιμοθέῳ φησί · Δοῦλον δὲ Κυρίου οὐ δεῖ μάχεσθαι, ἀλλ' ἤπιον εἶναι πρὸς πάντας, διδακτικόν, ἀνεξίκακον, ἐν πρᾳότητι παιδεύοντα τοὺς ἀντιδιατιθεμένους, μή ποτε δῷ αὐτοῖς ὁ Θεὸς μετάνοιαν εἰς ἐπίγνωσιν ἀληθείας, καὶ ἀνανήψωσιν ἐκ τῆς τοῦ διαβόλου παγίδος, ἐζωγρημένοι ὑπ' αὐτοῦ εἰς τὸ ἐκείνου θέλημα[q]. Θέλεις ἰδεῖν αὐτὸν καὶ πρὸς τοὺς ἡμαρτηκότας πῶς διαλέγεται ; Ἄκουσον τί Κορινθίοις ἐπιστέλλων φησί · Φοβοῦμαι δὲ μήπως ἐλθών, οὐχ οἵους θέλω, εὕρω ὑμᾶς[r] · καὶ μετ' ὀλίγα · Μὴ πάλιν ἐλθόντα με ταπεινώσῃ ὁ Θεός μου πρὸς ὑμᾶς, καὶ πενθήσω πολλοὺς τῶν προημαρτηκότων, καὶ μὴ μετανοησάντων ἐπὶ τῇ ἀσελγείᾳ καὶ ἀκαθαρσίᾳ ᾗ ἔπραξαν[s]. Καὶ Γαλάταις δὲ γράφων ἔλεγε · Τεκνία μου, οὓς πάλιν ὠδίνω, ἄχρις οὗ μορφωθῇ Χριστὸς ἐν ὑμῖν[t]. Καὶ ὑπὲρ τοῦ πεπορνευκότος ἄκουσον αὐτοῦ, πῶς οὐχ ἧττον ἐκείνου καὶ ὀδυνᾶται καὶ παρακαλεῖ λέγων · Κυρώσατε εἰς αὐτὸν ἀγάπην[u]. Καὶ ἡνίκα δὲ αὐτὸν ἐξέκοπτε, μετὰ πολλῶν δακρύων τοῦτο ἐποίει. Ἐκ γὰρ πολλῆς θλίψεως, φησί, καὶ συνοχῆς καρδίας ἔγραψα ὑμῖν, οὐχ ἵνα λυπηθῆτε, ἀλλὰ ἵνα γνῶτε τὴν ἀγάπην, ἣν ἔχω

5, 2 οὐχί : οὐ τοιοῦτος, ἄπαγε · ἀλλὰ CFGP ‖ 4 φησί : λέγει CFGP ‖ 10 ἄκουσον τί *om.* CFGP ‖ 11 Κορινθίοις ἐπιστέλλων φησί : φησι Κορ. BDM AL E ‖ δὲ *om.* CFGP ‖ 11-12 ἐλθών – πάλιν *om.* BDM AL E ‖ 13 μου *om.* AL ‖ 16 γράφων *om.* BDM AL E ‖ 17 ὑμῖν + σκόπει πῶς CFGP ‖ 18 ἄκουσον αὐτοῦ πῶς *om.* CFGP ‖ 21 ἐποίει + διὸ καὶ ἔλεγεν CFGP ‖ 22 φησὶ *om.* CFGP ‖ 23 ἣν : ἵν' AL FP

q. II Tim. 2, 24-26.
r. II Cor. 12, 20.
s. II Cor. 12, 21.
t. Gal. 4, 19.
u. Cf. II Cor. 2, 8.

Envers les païens

5. Mais alors Paul se comporta-t-il ainsi seulement envers les Juifs, sans le faire également envers les païens[1] ? Il avait une douceur incomparable à l'égard de ses compatriotes comme à l'égard des étrangers. Écoute donc ce qu'il dit à Timothée : « Le serviteur du Seigneur ne doit pas être querelleur, mais affable envers tous, capable d'instruire, patient dans l'épreuve ; c'est avec douceur qu'il doit reprendre les opposants, en songeant que Dieu peut-être leur donnera un jour le repentir, pour connaître la vérité et revenir à la raison, hors du filet du diable qui les tient captifs, asservis à sa volonté[q]. » Veux-tu entendre aussi le langage qu'il tient à l'adresse des pécheurs ? Écoute ce qu'il écrit aux Corinthiens : « Je crains qu'à mon arrivée je ne vous trouve pas tels que je voudrais[r] », et presque aussitôt après : « Je crains qu'à ma prochaine visite mon Dieu ne m'humilie à votre sujet, et que je n'aie à pleurer sur plusieurs de ceux qui ont péché précédemment, et qui n'ont pas fait pénitence pour leurs actes de débauche et d'impureté[s][2]. » Quand il écrivait aux Galates, il disait : « Mes petits enfants, vous que j'enfante à nouveau dans la douleur, jusqu'à ce que le Christ soit formé en vous[t]. » Quand il s'agit du fornicateur, écoute comment il souffre autant que lui, et quelle exhortation il adresse : « Faites prévaloir envers lui la charité[u]. » Et quand il prononça son exclusion, c'est avec beaucoup de larmes qu'il le fit : « Oui, c'est dans une grande affliction, dit-il, et avec un cœur angoissé que je vous ai écrit, non pas pour vous faire de la peine, mais pour que vous sachiez l'extrême affection que je

1. L'expression οἱ ἔξωθεν est courante dans la littérature patristique pour désigner les païens.

2. Chrysostome cite ce verset avec une certaine liberté, en supprimant le second des trois datifs de la fin (ἀκαθαρσίᾳ, πορνείᾳ, ἀσελγείᾳ) et en inversant l'ordre des deux autres. E. Osty et J. Trinquet (*La Bible*, Paris 1973) notent qu'« il s'agit de membres de la communauté de Corinthe qui avaient commis de graves fautes depuis leur conversion ».

περισσοτέρως εἰς ὑμᾶς[v] · καὶ πάλιν · Ἐγενόμην τοῖς Ἰουδαίοις ὡς Ἰουδαῖος, τοῖς ὑπὸ νόμον ὡς ὑπὸ νόμον, τοῖς ἀσθενέσιν ὡς ἀσθενής, τοῖς πᾶσι γέγονα τὰ πάντα, ἵνα πάντως τινὰς σώσω[w] · καὶ ἀλλαχοῦ πάλιν · Ἵνα παραστήσω πάντα ἄνθρωπον τέλειον ἐν Χριστῷ[x] Ἰησοῦ.

6. Εἶδες ψυχὴν ὑπερβαίνουσαν πᾶσαν τὴν γῆν ; Πάντα ἄνθρωπον προσεδόκησε παραστῆσαι, καὶ τό γε αὑτοῦ μέρος, πάντας παρέστησε. Καὶ γὰρ ὥσπερ τὴν οἰκουμένην ἅπασαν γεννήσας αὐτός, οὕτως ἐθορυβεῖτο, οὕτως ἔτρεχεν, οὕτω πάντας ἐσπούδαζεν εἰσαγαγεῖν εἰς τὴν βασιλείαν, θεραπεύων, παρακαλῶν, ὑπισχνούμενος, εὐχόμενος, ἱκετεύων, τοὺς δαίμονας φοβῶν, τοὺς διαφθείροντας ἐλαύνων, διὰ παρουσίας, διὰ γραμμάτων, διὰ ῥημάτων, διὰ πραγμάτων, διὰ μαθητῶν, δι' ἑαυτοῦ, τοὺς πίπτοντας ἀνορθῶν, τοὺς ἑστῶτας στηρίζων, διεγείρων τοὺς χαμαὶ κειμένους, θεραπεύων τοὺς συντετριμμένους, ἀλείφων τοὺς ῥᾳθυμοῦντας, φοβερὸν ἐμβοῶν ἐπὶ τοῖς ἐχθροῖς, δριμὺ βλέπων ἐπὶ τοῖς πολεμίοις · καθάπερ τις στρατηγὸς ἄριστος, αὐτὸς σκευοφόρος, αὐτὸς ὑπασπιστής, αὐτὸς προασπιστής, αὐτὸς παραστάτης, αὐτὸς πάντα γινόμενος τῷ στρατοπέδῳ.

24 ἐγενόμην *om.* BDM AL E || 26 ἀσθενοῦσιν A || 27 πάλιν ἀλλαχοῦ ~ BDM

6, 1 τὴν γῆν : φιλοσοφίαν CFGP || 3 γὰρ *om.* BDM AL E || 12 φοβερῶν A || ἐκβοῶν BDM E || 13 στρατηγὸς + ἢ BDM AL || 14 ἄριστος + ἰατρὸς BDM AL || 14-15 προασπιστὴς : ὑπερασπ. AL

v. II Cor. 2, 4.
w. I Cor. 9, 20.22.
x. Col. 1, 28.

1. Chrysostome commente (5, 18-24) deux versets de *II Cor.* 2, 8 et 4 ; il les applique faussement au scandale du fornicateur de Corinthe qui vivait avec sa belle-mère, et à son exclusion par Paul de la communauté (cf. *I Cor.* 5, 1-5). Dans tout ce passage de la *IIe Ép. aux Corinthiens,* il s'agit en réalité d'un adversaire de Paul qui avait troublé la communauté de Corinthe. Sur cet incident et ses suites, notamment la lettre de Paul « écrite dans les larmes » et perdue, on trouvera les explications nécessaires dans E. OSTY et

vous porte[v] [1].» Et encore : «Je me suis fait Juif avec les Juifs, sujet de la Loi avec les sujets de la Loi, faible avec les faibles ; je me suis fait tout à tous, pour en sauver à tout prix quelques-uns[w].» Et ailleurs encore : «Je voudrais présenter tout homme parfait dans le Christ Jésus[x].»

Zèle apostolique

6. As-tu vu une âme triompher de toute la terre ? Il a pensé pouvoir présenter tout homme, et pour ce qui le concernait il les a tous présentés. En effet, comme s'il était le père de l'univers entier, il s'agitait tellement, il courait tellement, il avait tellement hâte d'introduire tous les hommes dans le Royaume, prodiguant des soins, exhortant, formulant des promesses, priant et suppliant, faisant peur aux démons, pourchassant les corrupteurs, par sa présence ou par ses lettres, par ses discours ou par ses actes, par ses disciples ou par lui-même, redressant ceux qui tombaient, affermissant ceux qui tenaient bon, encourageant ceux qui gisaient à terre, soignant ceux qui étaient accablés, préparant à la lutte les nonchalants, effrayant de ses cris ses adversaires, lançant des regards perçants sur ses ennemis ; il ressemblait à un général excellent[2] qui se ferait lui-même servant de l'hoplite, lui-même écuyer, lui-même combattant au premier rang, lui-même assistant d'un cavalier[3], lui-même assumant toutes les fonctions dans l'intérêt de son armée.

J. TRINQUET, *op. cit.*, p. 2415 et 2418, et dans la *Bible de Jérusalem* (Paris 1973), p. 1618.

2. Nous avons cru devoir éliminer la leçon des mss. *A L B D M* : τις στρατηγὸς ἢ ἄριστος ἰατρός, comme n'étant pas bien adaptée au contexte. Dans une homélie sur la *IIe Ép. aux Corinthiens* (*hom.* XXI, 3, *PG* 61, 544 D - 545 A), on trouve, à quelques lignes de différence, ces deux termes de comparaison. Un scribe postérieur s'en serait-il souvenu pour aboutir ici à une sorte de *lectio conflans*, d'autant plus que leur rapprochement était assez fréquent dans la rhétorique de cette époque, ou bien aurait-il tout simplement réuni ces deux termes à cause de la fréquence de ces comparaisons (sur ce sujet, voir *Introd.*, ch. II, p. 34, et *infra*, p. 243, n. 4).

3. On notera la précision technique des termes de cette comparaison. Le dernier s'emploie assez souvent dans un contexte d'ordre militaire, où il

7. Καὶ οὐκ ἐν τοῖς πνευματικοῖς μόνον, ἀλλὰ καὶ ἐν τοῖς σαρκικοῖς πολλὴν τὴν πρόνοιαν ἐπεδείκνυτο, πολλὴν τὴν σπουδήν. Ἄκουσον γοῦν αὐτοῦ, πῶς ὑπὲρ μιᾶς γυναικὸς πρὸς ὁλόκληρον ἐπιστέλλει δῆμον λέγων· Συνίστημι δὲ ὑμῖν Φοίβην, τὴν ἀδελφὴν ἡμῶν, διάκονον οὖσαν τῆς Ἐκκλησίας τῆς ἐν Κεγχρεαῖς, ἵνα προσδέξησθε αὐτὴν ἐν Κυρίῳ ἀξίως τῶν ἁγίων, καὶ παραστῆτε αὐτῇ, ἐν ᾧ ἂν ὑμῶν πράγματι χρῄζῃ[y]· καὶ πάλιν· Οἴδατε τὴν οἰκίαν Στεφανᾶ· ἵνα καὶ ὑμεῖς ὑποτάσσησθε τοῖς τοιούτοις[z]· καὶ πάλιν· Ἐπιγινώσκετε τοὺς τοιούτους[a]. Καὶ γὰρ καὶ τοῦτο ἴδιον τῆς φιλοστοργίας τῶν ἁγίων, τὸ καὶ ἐν τούτοις βοηθεῖν. Οὕτω καὶ ὁ Ἐλισσαῖος τὴν ὑποδεξαμένην αὐτὸν γυναῖκα, οὐκ ἐν τοῖς πνευματικοῖς μόνον ὠφέλει, ἀλλὰ καὶ ἐν τοῖς σαρκικοῖς ἐσπούδαζεν ἀμείβεσθαι· διὸ καὶ ἔλεγεν· Εἴ σοί τίς ἐστι λόγος πρὸς τὸν βασιλέα, ἢ πρὸς τὸν ἄρχοντα[b];

8. Καὶ τί θαυμάζεις, εἰ τὴν ἀπὸ τῶν γραμμάτων παρεῖχε σύστασιν ὁ Παῦλος, ὅπου γε καὶ καλῶν τινας πρὸς ἑαυτόν, οὐδὲ τοῦτο ἀνάξιον εἶναι ἐνόμισε, τὸ καὶ περὶ ἐφοδίων αὐτῶν φροντίσαι, καὶ καταθέσθαι αὐτὸ ἐν

7, 1 καὶ[1] *om.* CFGP ‖ πνευματικοῖς + δὲ CFGP ‖ 5 δὲ *om.* BDM AL E ‖ ἡμῶν *om.* BDM AL E ‖ 8 πρᾶγμα CP ‖ 15 καὶ : μετὰ σπουδῆς BDM AL E ‖ σοί τίς ἐστι : ἔστι σοι CFGP

8, 1 τῶν *om.* AL ‖ 3 καὶ *om.* CFGP ‖ 4 αὐτῶν *coni. Sav.* : αὐτοῦ BDM AL E λέγω CFGP

y. Rom. 16, 1-2.
z. Cf. I Cor. 16, 15.16.
a. I Cor. 16, 18.
b. IV Rois 4, 13.

désigne parfois un fantassin chargé d'assister (παραστάτης) un cavalier : voir XÉNOPHON, *Cyropédie,* IV, 5, 47. Ailleurs, Chrysostome compare également l'apôtre Paul à un homme qui sur un navire exercerait à la fois toutes les fonctions : ... πάντα αὐτὸς ὤν, καὶ ναύτης, καὶ κυβερνήτης, καὶ πρωρεύς, καὶ ἱστίον, καὶ πλοῖον (*In Epist. II ad Cor., hom.* XXV, 3, *PG* 61, 573 D).

Charité de Paul dans l'ordre matériel

7. Et ce n'est pas seulement dans le domaine spirituel, mais encore dans les réalités d'ordre matériel qu'il manifestait une grande sollicitude et un grand zèle. Écoute-le, par exemple, écrivant à tout un peuple et intervenant pour une seule femme : «Je vous recommande Phébée, notre sœur, diaconesse de l'Église de Cenchrées : offrez-lui dans le Seigneur un accueil digne des saints, et assistez-la en toute affaire où elle aurait besoin de vous[y 1].» Et encore : «Vous connaissez Stéphanas et les siens ; à votre tour, rangez-vous sous de tels hommes[z]» ; et encore : «Sachez apprécier de tels hommes[a 2].» C'est, en effet, chez les saints la marque d'une vive affection que de procurer également des secours de ce genre. Ainsi Élisée à l'égard de la femme qui l'avait accueilli : non seulement il lui vint en aide sur le plan spirituel, mais il s'empressa aussi de lui rendre des services matériels en échange des siens, d'où cette question : «Y a-t-il un mot à dire pour toi au roi, ou au chef de l'armée[b 3] ?»

8. Et pourquoi t'étonnes-tu de voir Paul faire ces recommandations dans ses lettres, puisque aussi bien quand il appelait des gens près de lui, il jugea qu'il valait la peine de se préoccuper même de leur viatique et de consigner cette obser-

1. La petite cité de Cenchrées, mentionnée aussi dans *Act.* 18, 18, était l'un des deux ports de Corinthe, sur le golfe Saronique. Phébée se rendait à Rome, en y apportant sans doute l'Épître de Paul (cf. *La Bible de Jérusalem*, p. 1619 et 1644).

2. Chrysostome simplifie et abrège quatre versets du dernier chapitre de *I Cor.* 16, 15-18, à propos notamment de Stéphanas et de sa famille. Au début de cette Épître, Paul a noté qu'il n'a baptisé lui-même à Corinthe qu'un petit nombre de personnes, dont justement la famille de Stéphanas (*I Cor.* 1, 16). Chez Chrysostome, on trouve encore un éloge de Stéphanas dans *In Epist. I ad Cor., hom.* XLIV, 2, *PG* 61, 375 C - 376 C, et un très bel éloge de la diaconesse Phébée dans *In Epist. ad Rom., hom.* XXX, 2, *PG* 60, 663 C - 664 A.

3. Allusion à l'hospitalité accordée à Élisée par une femme riche de Sunam et au service que lui proposa le prophète : voir *IV Rois*, 4, 8-17.

ἐπιστολῇ ; Καὶ γὰρ ἐπιστέλλων Τίτῳ φησί· Ζηνᾶν τὸν νομικὸν καὶ Ἀπολλὼ σπουδαίως πρόπεμψον, ἵνα μηδὲν αὐτοῖς λείπῃ[c]. Εἰ δὲ παρατιθέμενος οὕτω σπουδαίως ἐξέπεμπε, πολλῷ μᾶλλον, εἴ που κινδυνεύοντας εἶδε, πάντα ἂν ἔπραξεν. Ὅρα γοῦν καὶ πρὸς τὸν Φιλήμονα ἐπιστέλλων, διὰ Ὀνήσιμον πόσην ποιεῖται σπουδήν, καὶ πῶς συνετῶς, πῶς κηδεμονικῶς ἐπιστέλλει. Ὁ δὲ ὑπὲρ ἑνὸς οἰκέτου, καὶ ταῦτα φυγάδος γεγενημένου, καὶ ὑφελομένου πολλὰ τῶν δεσποτικῶν, ὁλόκληρον μὴ παραιτησάμενος συνθεῖναι ἐπιστολήν, ἐννόησον ἡλίκος περὶ τοὺς ἄλλους ἦν. Καὶ γὰρ ἓν μόνον αἰσχύνης ἄξιον ἐνόμιζεν εἶναι, τό, δέον γενέσθαι τι πρὸς σωτηρίαν, παριδεῖν. Διὰ τοῦτο πάντα ἐκίνει, καὶ οὐδὲν ὤκνει δαπανᾶν ὑπὲρ τῶν σωζομένων, οὐ ῥήματα, οὐ χρήματα, οὐ σῶμα · ὁ γὰρ μυριάκις ἑαυτὸν θανάτοις ἐκδούς, πολλῷ μᾶλλον οὐδὲ χρημάτων ἐφείσατο, εἴ γε παρῆν. Καὶ τί λέγω, εἴ γε παρῆν ; Καὶ γὰρ μὴ παρόντων δυνατὸν δεῖξαι, ὅτι οὐκ ἐφείσατο. Καὶ μὴ νομίσῃς αἴνιγμα εἶναι τὸ ῥῆμα, ἀλλ' αὐτοῦ πάλιν ἄκουσον γράφοντος Κορινθίοις · Ἥδιστα δαπανήσω, καὶ ἐκδαπανηθήσομαι ὑπὲρ τῶν ψυχῶν ὑμῶν[d]. Καὶ Ἐφεσίοις δὲ δημηγορῶν ἔλεγεν · Αὐτοὶ οἴδατε ὅτι

7 αὐτοὺς A || λίπῃ E || δέ *om.* BDM AL || 10 ἐπιστέλλων – σπουδήν : πόσην ποιεῖται σπ. ἐπιστ. διὰ Ὀν. ~ AL BM E || 14 ἡλίκως F || 21 γε *om.* CP || 23 γράφοντος Κορινθίοις : λέγοντος ὅτι BDM AL E || 24 ἡμῶν A || 25 Ἐφεσίοις : Φιλιππησίοις BDM AL E || δὲ *om.* A || αὐτοὶ οἴδατε *om.* BDM AL E

c. Tite 3, 13.
d. II Cor. 12, 15.

1. Paul a parlé à plusieurs reprises d'Apollos, surtout dans *I Cor.* (1, 12 ; 3, 4-6.22 ; 16, 12). De son côté, Luc nous apprend sa connaissance des Écritures, et son zèle (*Act.* 18, 24-25). Quant à Zénas, en dehors de ce verset de l'*Ép. à Tite,* nous n'avons aucune indication sur lui.

2. On trouvera un développement sur l'intelligence très fine que l'Apôtre manifeste dans cette lettre à Philémon : *In Epist. ad Philem., hom.* II, 3 (Ὅρα πόση ἡ σύνεσις...), *PG* 62, 710 B - 711 C.

vation dans une épître. En effet, écrivant à Tite, il dit : « Prends toutes dispositions pour le voyage du juriste Zénas et d'Apollos [1], afin qu'ils ne manquent de rien [c]. » S'il adressait avec tant de soin cette recommandation pour leur voyage, à plus forte raison, si par hasard il les avait vus en danger, aurait-il fait n'importe quoi. Regarde, par exemple, quand il écrit à Philémon, quelle grande bienveillance il manifeste en faveur d'Onésime, et avec quelle intelligence [2] et quelle sollicitude il s'exprime. Celui qui pour un seul serviteur, et qui plus est, un serviteur fugitif, et qui avait commis un vol important chez son maître, n'a pas refusé d'écrire toute une lettre [3], songe à la grandeur d'âme qu'il témoignait à tous les autres. C'est qu'il n'y avait à ses yeux qu'un sujet de honte, à savoir de négliger d'accomplir, quand il le faut, un acte salutaire. C'est pourquoi il remuait ciel et terre, et n'hésitait nullement à dépenser pour ceux qui bénéficiaient du salut ni ses paroles, ni ses biens, ni sa personne. En effet, celui qui s'est livré d'innombrables fois à la mort, à plus forte raison ne ménagea-t-il pas ses biens, dans la mesure toutefois où il en avait. Et pourquoi dire « dans la mesure où il en avait », puisque même sans en avoir, il est possible de montrer qu'il ne les a pas ménagés ? Et ne crois pas que ce langage soit une énigme [4] ; au contraire, écoute-le encore, quand il écrit aux Corinthiens : « Très volontiers je dépenserai et me dépenserai moi-même tout entier pour vos âmes [d]. » Et quand il s'adressait aux Éphésiens, il disait :

3. Peut-être l'expression apparaît-elle exagérée à propos de cette lettre de Paul à Philémon, qui ne comprend que vingt-cinq versets. On pourra se reporter aux trois homélies que Chrysostome a consacrées à ce court billet de l'Apôtre : *In Epist. ad Philem., PG* 62, 701 C - 720 A.

4. Cette juxtaposition de deux locutions inconciliables, appelée *oxymoron,* fait l'effet d'une énigme : les li. 23-27 en fournissent l'explication. Th.E. Ameringer (*The influence of the Second Sophistic on the Panegyrical Sermons of St. John Chrysostom,* Washington D.C. 1921, ch. III, p. 35-39) souligne le goût de Chrysostome pour cette figure de rhétorique et en donne plusieurs exemples empruntés à ses écrits.

ταῖς χρείαις μου καὶ τοῖς οὖσι μετ' ἐμοῦ ὑπηρέτησαν αἱ χεῖρες αὗται[e].

9. Καὶ ὢν μέγας, ἐν τῷ κεφαλαίῳ τῶν ἀγαθῶν, τῇ ἀγάπῃ, φλογὸς πάσης σφοδρότερος ἦν· καὶ καθάπερ σίδηρος εἰς πῦρ ἐμπεσών, ὅλος γίνεται πῦρ, οὕτω καὶ αὐτὸς τῷ πυρὶ τῆς ἀγάπης ἀναφθείς, ὅλος γέγονεν ἀγάπη· καὶ ὥσπερ κοινὸς πατὴρ τῆς οἰκουμένης ἁπάσης ὤν, οὕτω τοὺς γεγεννηκότας αὐτοὺς ἐμιμεῖτο· μᾶλλον δὲ καὶ πάντας ὑπερηκόντισε πατέρας, καὶ σωματικῶν καὶ πνευματικῶν ἕνεκεν φροντίδων, καὶ χρήματα, καὶ ῥήματα, καὶ σῶμα, καὶ ψυχήν, καὶ πάντα ἐπιδιδοὺς ὑπὲρ τῶν ἠγαπημένων. Διὰ τοῦτο καὶ πλήρωμα αὐτὴν ἐκάλει νόμου[f], καὶ σύνδεσμον τελειότητος[g], καὶ μητέρα τῶν ἀγαθῶν πάντων, καὶ ἀρχὴν καὶ τέλος ἀρετῆς· διὸ καὶ ἔλεγε· Τὸ δὲ τέλος τῆς ἐπαγγελίας ἀγάπη ἐκ καθαρᾶς καρδίας, καὶ συνειδήσεως ἀγαθῆς[h]· καὶ πάλιν· Τὸ γάρ, οὐ μοιχεύσεις, οὐ φονεύσεις, καὶ εἴ τις ἑτέρα ἐντολή, ἐν τῷ λόγῳ τούτῳ ἀνακεφαλαιοῦται, ἐν τῷ· Ἀγαπήσεις τὸν πλησίον σου ὡς σεαυτόν[i].

10. Ἐπεὶ οὖν ἀρχὴ καὶ τέλος καὶ πάντα τὰ ἀγαθὰ ἡ ἀγάπη, καὶ ταύτῃ τὸν Παῦλον ζηλώσωμεν· καὶ γὰρ οὗτος ἐντεῦθεν τοιοῦτος ἐγένετο. Μὴ γάρ μοι τοὺς νεκροὺς εἴπῃς οὓς ἀνέστησε[j], μηδὲ τοὺς λεπροὺς οὓς ἐκάθηρεν[k]·

9, 11 μητέρα : πατέρα CP ‖ 14 τὸ γάρ *om.* BDM AL ‖ 15 ἐν τούτῳ τῷ λ. ∼ C ‖ 17 ἑαυτόν A
10, 4 ἐκάθηρεν *coni. Sav.* : καθῆρεν *codd.*

e. Act. 20, 34.
f. Cf. Rom. 13, 8.10.
g. Cf. Col. 3, 14.
h. I Tim. 1, 5.
i. Rom. 13, 9.
j. Cf. Act. 20, 9-12.
k. Cf. Act. 19, 11-12.

« Vous savez vous-mêmes qu'à mes besoins et à ceux de mes compagnons ont pourvu les mains que voici[e]. »

La charité plénitude de la Loi

9. Étant donné sa grandeur, il était, en ce qui concerne la plus haute des vertus, la charité[1], plus ardent que n'importe quelle flamme. Comme le fer qui tombe dans le feu se change totalement en feu, de même pour lui, une fois embrasé du feu de la charité, il est devenu toute charité. Comme s'il était le père commun de tous les hommes sans exception, il imitait ceux-là mêmes qui ont donné la vie, ou plutôt il surpassa tous les pères pour les soucis d'ordre matériel et d'ordre spirituel, en livrant biens, paroles, corps et âme, c'est-à-dire tout pour ceux qu'il aimait tendrement. Voilà pourquoi il appelait la charité la « plénitude de la Loi[f] », et le « lien de la perfection[g] », la mère de tous les biens, le principe et le but de la vertu. Voilà pourquoi il disait encore : « Le but des commandements, c'est la charité qui procède d'un cœur pur et d'une bonne conscience[h]. » Et encore : « Tu ne commettras pas d'adultère, tu ne tueras pas, et tous les autres préceptes se résument en cette formule : Tu aimeras ton prochain comme toi-même[i]. »

Exhortation finale

10. Puisque donc le principe, le but et tous les biens, c'est la charité, cherchons à imiter Paul en cette vertu, car c'est elle qui l'a fait devenir ce qu'il fut. Ne me parle pas des morts qu'il a ressuscités[j], ni des lépreux qu'il a purifiés[k2] : Dieu ne te demandera

1. Ici commence la péroraison de ce discours : on y remarquera jusqu'à onze fois les mots de la famille d'ἀγάπη.

2. Pour les miracles accomplis par Paul, et notamment la résurrection d'un mort, voir *IIe Panég.*, 9, 8-9 et note ; *VIIe Panég.*, 2, 7-14 et note. Dans la *VIIIe Hom. sur l'Ép. aux Romains*, § 7 (*PG* 60, 463 C), on retrouve en termes à peu près identiques l'affirmation de la prééminence de la charité dans la vie chrétienne, même sur les miracles.

οὐδὲν τούτων ὁ Θεὸς ἐπιζητήσει παρὰ σοῦ. Κτῆσαι τὴν ἀγάπην τὴν Παύλου, καὶ τὸν στέφανον ἕξεις ἀπηρτισμένον. Τίς ταῦτά φησιν; Αὐτὸς ὁ τῆς ἀγάπης τροφεύς, οὗτος ὁ καὶ σημείων καὶ θαυμάτων καὶ μυρίων αὐτὴν ἑτέρων προθείς[l]. Ἐπειδὴ γὰρ σφόδρα αὐτὴν κατωρθώκει, διὰ τοῦτο καὶ μετὰ ἀκριβείας αὐτῆς οἶδε τὴν ἰσχύν. Ἐντεῦθεν καὶ αὐτὸς τοιοῦτος ἐγένετο, καὶ οὐδὲν οὕτως αὐτὸν ἐποίησεν ἄξιον, ὡς ἡ τῆς ἀγάπης δύναμις· διὸ καὶ ἔλεγε· Ζηλοῦτε τὰ χαρίσματα τὰ κρείττονα· καὶ ἔτι καθ' ὑπερβολὴν ὁδὸν ὑμῖν δείκνυμι[m], τὴν ἀγάπην λέγων, τὴν καλλίστην ὁδὸν καὶ ῥᾳδίαν. Ταύτην τοίνυν καὶ ἡμεῖς βαδίζωμεν διηνεκῶς, ἵνα καὶ Παῦλον ἴδωμεν, μᾶλλον δὲ τὸν Παύλου Δεσπότην, καὶ τῶν ἀκηράτων ἐπιτύχωμεν στεφάνων, χάριτι καὶ φιλανθρωπίᾳ τοῦ Κυρίου ἡμῶν Ἰησοῦ Χριστοῦ, ᾧ ἡ δόξα καὶ τὸ κράτος νῦν καὶ ἀεὶ καὶ εἰς τοὺς αἰῶνας τῶν αἰώνων. Ἀμήν.

12 αὐτὸν οὕτως ~ A ‖ 15 τὴν *om.* CFGP ‖ 19 καὶ τὸ κράτος νῦν καὶ ἀεὶ καὶ *om.* BDM E.

l. Cf. I Cor. 13, 1-3.
m. I Cor. 12, 31.

1. Le substantif ὁ τροφεύς qui signifierait, de soi, exactement l'*éleveur*, est difficile à rendre ici sans recourir à une périphrase. Nous reproduisons celle de P. Soler.

rien de semblable. Acquiers la charité de Paul, et tu auras une couronne parfaite. Qui l'affirme? Celui-là même qui a fait croître en lui la charité[1], celui qui l'a préférée et aux prodiges et aux miracles et à mille autres dons[l]. Pour l'avoir, en effet, merveilleusement pratiquée, il en connaît alors par expérience exactement la puissance. C'est elle qui l'a fait devenir ce qu'il fut, et rien ne le rendit aussi méritant que la force de la charité. C'est pourquoi il disait également : « Aspirez aux dons supérieurs, et je vais encore vous montrer une voie qui les dépasse toutes[m] », désignant la charité, la voie la plus belle, et aisée en même temps. Suivons-la donc nous aussi sans nous arrêter, afin de voir Paul, et plus encore le Maître de Paul[2], et d'obtenir des couronnes qui soient intactes, par la grâce et l'amour de notre Seigneur Jésus-Christ, à qui appartiennent la gloire et la puissance, maintenant et toujours et pour les siècles des siècles. Amen.

2. Dans les dernières lignes de l'exhortation finale figure une expression propre à ce IIIe Discours : ἵνα καὶ Παῦλον ἴδωμεν, li. 16. L'espérance du ciel comble Chrysostome de joie, parce qu'il y contemplera non seulement le Christ, mais encore Paul. Chrysostome exprimera plus longuement le même souhait dans *In Epist. ad Rom., hom.* XXXII, 2 (*PG* 60, 678 B), avec ce beau texte : « C'est là que nous verrons en même temps que Pierre, Paul, le coryphée et le chef de file du chœur des saints, et que nous jouirons de la véritable charité. »

Τοῦ αὐτοῦ
ἐγκώμιον εἰς τὸν ἅγιον ἀπόστολον Παῦλον
λόγος δ′

1. Ὁ μακάριος Παῦλος, ὁ τήμερον ἡμᾶς συναγαγὼν καὶ τὴν οἰκουμένην φωτίσας, οὗτος ἐν τῷ καιρῷ τῆς κλήσεως ἐτυφλώθη ποτέ · ἀλλ' ἡ πήρωσις ἐκείνου φωτισμὸς γέγονε τῆς οἰκουμένης. Ἐπειδὴ γὰρ ἔβλεπε κακῶς, ἐπήρωσεν αὐτὸν καλῶς ὁ Θεός, ὥστε ἀναβλέψαι χρησίμως, ὁμοῦ μὲν τῆς ἑαυτοῦ δυνάμεως ἀπόδειξιν αὐτῷ παρεχόμενος, ὁμοῦ δὲ ἐν τῷ πάθει τὰ μέλλοντα προδιατυπῶν, καὶ τοῦ κηρύγματος τὸν τρόπον διδάσκων, καὶ ὅτι ταῦτα πάντα οἴκοθεν ἀποβαλόντα, καὶ μύσαντα καὶ τοὺς ὀφθαλμούς, αὐτῷ πανταχοῦ ἕπεσθαι χρή. Διὸ καὶ αὐτὸς ἐβόα τοῦτο αὐτὸ δηλῶν · Εἴ τις δοκεῖ σοφὸς εἶναι ἐν ὑμῖν, γενέσθω μωρός, ἵνα γένηται σοφός[a] · ὡς οὐκ ἐνὸν ἀναβλέψαι καλῶς, μὴ πρότερον πηρωθέντα καλῶς, καὶ τοὺς οἰκείους καὶ ταράτ-

Tit., 1 Τοῦ + ἐν ἁγίοις πατρὸς ἡμῶν Ἰωάννου τοῦ Χρυσοστόμου M ‖ αὐτοῦ *om.* M ‖ 2 ἐγκώμιον *om.* D E ‖ ἀπόστολον *om.* BDM

1, 6 αὐτοῦ BDM E ‖ αὐτῷ *om.* C ‖ 9 καὶ[2] A : *om. cett.* ‖ 10 πανταχοῦ *om.* AL

a. I Cor. 3, 18.

1. Ce panégyrique présente une indication d'ordre temporel (1, 1-2). Nous la retrouverons dans le Ve (1, 22-23), et, un peu moins nettement, dans le VIe (1, 1) et le VIIe (1, 6). Ces termes suggèrent-ils que ces panégyriques ont été prononcés lors d'une fête liturgique de saint Paul à Antioche, et qu'ils se sont échelonnés sur plusieurs années ? Voir *Introd.*, ch. II, « Circonstances historiques », p. 14-19.

2. D'emblée, Chrysostome commence le premier développement de ce panégyrique : la vocation de Paul sur le chemin de Damas (§ 1-4). Il sera

IV

LA VOCATION DE PAUL
LA DIFFUSION MERVEILLEUSE DE L'ÉVANGILE

Du même, panégyrique du saint apâtre Paul Quatrième discours

La vocation de Paul

1. Le bienheureux Paul, qui nous a aujourd'hui[1] rassemblés, et qui a illuminé le monde, cet homme au moment de sa vocation jadis perdit la vue ; mais le fait pour lui de ne plus voir est devenu la lumière de l'univers[2]. C'est, en effet, parce qu'il voyait mal que Dieu le rendit heureusement aveugle, de façon qu'il retrouve la vue avec profit, en lui fournissant une preuve de sa puissance, tout en lui représentant à l'avance son avenir par le moyen de la souffrance, et en lui enseignant le mode de la prédication évangélique, c'est-à-dire que c'est après avoir fait totalement le vide dans son cœur et même fermé les yeux qu'il faut le suivre partout[3]. C'est pourquoi, pour expliquer précisément cette exigence, Paul proclamait lui-même : «Si quelqu'un parmi vous se croit sage, qu'il se fasse fou pour devenir sage[a].» Car il n'était pas possible qu'il retrouve la vue d'une façon avanta-

suivi de quelques exemples, empruntés à la Bible d'abord, puis à des événements contemporains, qui illustrent le refus ou la docilité vis-à-vis de l'appel de Dieu (§ 5-6).

3. Cette seconde phrase (li. 4-10) fait pressentir les futures souffrances de l'apôtre : Paul, aveugle, comprend à travers ce signe symbolique quel sera le tissu habituel de son ministère et de sa vie.

τοντας αὐτὸν ἐκϐαλόντα λογισμούς, καὶ τῇ πίστει τὸ πᾶν ἐπιτρέψαντα.

2. Ἀλλὰ μηδεὶς ταῦτα ἀκούων ἠναγκασμένην νομιζέτω εἶναι ταύτην τὴν κλῆσιν· καὶ γὰρ ἐδύνατο πάλιν ἐπανελθεῖν, ὅθεν ἐξέϐη. Πολλοὶ γοῦν ἕτερα μείζονα θαύματα ἰδόντες, ὑπέστρεψαν πάλιν, καὶ ἐν τῇ Καινῇ, καὶ ἐν τῇ Παλαιᾷ· οἷον ὁ Ἰούδας, ὁ Ναϐουχοδονόσορ, ὁ Ἐλύμας ὁ μάγος, ὁ Σίμων, ὁ Ἀνανίας καὶ ἡ Σάπφειρα, ὅλος τῶν Ἰουδαίων ὁ δῆμος· ἀλλ' οὐχ ὁ Παῦλος. Ἀλλὰ διαϐλέψας πρὸς τὸ ἀκήρατον φῶς τὸν δρόμον ἐπέτεινε, καὶ πρὸς τὸν οὐρανὸν ἵπτατο. Εἰ δὲ ἐξετάζεις τίνος ἕνεκεν ἐπηρώθη, ἄκουε αὐτοῦ λέγοντος· Ἠκούσατε γὰρ τὴν ἐμὴν ἀναστροφήν ποτε ἐν τῷ Ἰουδαϊσμῷ, ὅτι καθ' ὑπερϐολὴν ἐδίωκον τὴν Ἐκκλησίαν καὶ ἐπόρθουν αὐτήν, καὶ προέκοπτον ἐν τῷ Ἰουδαϊσμῷ ὑπὲρ πολλοὺς συνηλικιώτας ἐν τῷ γένει μου, περισσοτέρως ζηλωτὴς ὑπάρχων τῶν πατρικῶν μου παραδόσεων[b]. Ἐπεὶ οὖν οὕτω σφοδρὸς ἦν καὶ ἀπρόσιτος, σφοδροτέρου ἐδεῖτο χαλινοῦ, ἵνα μὴ τῇ ῥύμῃ τῆς προθυμίας ἀγόμενος, καὶ παρακούσῃ τῶν λεγομένων. Διὰ δὴ τοῦτο καταστέλλων αὐτοῦ τὴν μανίαν ἐκείνην, πρῶτον κατευνάζει τὰ κύματα τῆς ῥαγδαίας ὀργῆς ἐκείνης διὰ τῆς πηρώσεως, καὶ τότε αὐτῷ διαλέγεται, δεικνὺς τῆς σοφίας

2, 5 ὁ[1] *om.* A || 6 καὶ *om.* BDM AL E || 11 ὑπερϐολὴν + ποτε *exp. D* || 12 ἐκκλησίαν + τοῦ Θεοῦ C || 19 κατευνάζει : κατασκευάζει A

b. Gal. 1, 13-14.

1. Chrysostome note avec soin que l'appel du Christ n'était pas contraignant et que Paul demeurait libre de sa réponse : cf. *De mut. nominum, hom.* III, 5-6, *PG* 51, 141 A - 143 B ; *In Act. Apost., hom.* XIX, 3, *PG* 60, 153 A, 154 A ; *hom.* XLII, 3, *PG* 60, 330 A. Voir aussi *Introd.,* ch. III, p. 48 et *Ve Panég.,* p. 244, n. 2.

2. Parmi ces personnages, Chrysostome cite d'abord Judas, comme le plus tragiquement célèbre ; Nabuchodonosor, type du conquérant orgueilleux et cruel (*IV Rois* 24, 10-16 ; 25, 1-21), rappelait la longue captivité des Juifs ; Élymas, le magicien, s'était opposé, à Chypre, au

geuse, si auparavant il n'avait eu avantage à en être privé, s'il n'avait pas abandonné les raisonnements personnels qui le troublaient pour s'en remettre totalement à la foi.

Sa réponse

2. Cependant que personne, en m'entendant ainsi parler, ne pense qu'il y ait eu contrainte dans cette vocation, car il pouvait retourner à son point de départ[1]. Plusieurs virent sans aucun doute d'autres prodiges plus étonnants et revinrent sur leurs pas, dans l'Ancien Testament comme dans le Nouveau. Ainsi Judas, Nabuchodonosor, Élymas le magicien, Simon, Ananie et Saphire, le peuple juif dans son ensemble[2]. Il n'en fut pas ainsi pour Paul. Au contraire, quand il eut fixé son regard vers la pure lumière, il poursuivit sa course et s'envola vers le ciel. Si tu demandes pourquoi il devint aveugle, écoute ses propres paroles : « Vous avez entendu parler de ma conduite jadis dans le judaïsme, de la persécution effrénée que je menais contre l'Église et des ravages que je lui causais, de mes progrès dans le judaïsme où je surpassais bien des compatriotes de mon âge, en partisan acharné des traditions de mes pères[b]. » C'est précisément à cause de ce caractère violent et inabordable[3] qu'il avait besoin d'un frein plus fort, de peur que, tout en se laissant emporter par l'impétuosité de son zèle, il refusât en même temps d'obéir aux paroles qui lui étaient dites. C'est pourquoi Dieu réprime chez lui cette ardeur insensée et commence par apaiser les vagues de cette passion furieuse en le rendant aveugle, et c'est à ce moment qu'il lui parle, en lui montrant la

ministère de Paul et de Barnabé (*Act.* 13, 6-12) ; Simon, magicien lui aussi, avait cherché à conférer l'Esprit-Saint à prix d'argent (*Act.* 8, 9-24) ; Ananie et Saphire, pour s'enrichir eux-mêmes, « avaient menti à Pierre et à l'Esprit-Saint » (*Act.* 5, 1-11).

3. Le mot ἀπρόσιτος (2, 15-16), *inabordable,* marque le caractère entier et passionné de Saul de Tarse, difficile à persuader. On retrouve ce même mot à la li. 21 de ce paragraphe, mais appliqué cette fois à la sagesse *inaccessible* de Dieu : cf. *Rom.* 11, 33-34 ; *I Cor.* 2, 6-16.

αὐτοῦ τὸ ἀπρόσιτον, καὶ τὸ τῆς γνώσεως ὑπερέχον, καὶ ἵνα μάθῃ τίνα πολεμεῖ, ὃν οὐ μόνον κολάζοντα, ἀλλ' οὐδὲ εὐεργετοῦντα δύναται ἐνεγκεῖν. Οὐ γὰρ σκότος αὐτὸν ἐπήρωσεν, ἀλλ' ὑπερβολὴ φωτὸς αὐτὸν ἐσκότισε.

3. Καὶ τί δήποτε μὴ ἐξ ἀρχῆς τοῦτο ἐγένετο, φησί; Μὴ ζήτει τοῦτο, μηδὲ περιεργάζου, ἀλλὰ παραχώρει τῷ ἀκαταλήπτῳ τῆς τοῦ Θεοῦ προνοίας τοῦ καιροῦ τὴν ἐπιτηδειότητα. Καὶ γὰρ καὶ αὐτὸς τοῦτο ποιεῖ λέγων· Ὅτε δὲ εὐδόκησεν ὁ ἀφορίσας με ἐκ κοιλίας μητρός μου, καὶ καλέσας διὰ τῆς χάριτος αὐτοῦ ἀποκαλύψαι τὸν Υἱὸν αὐτοῦ ἐν ἐμοί[c]. Οὐκοῦν καὶ σὺ μηδὲν περιεργάζου πλέον, ὅταν Παῦλος τοῦτο λέγῃ. Τότε γάρ, τότε συνέφερε τῶν σκανδάλων ἀρθέντων ἐκ μέσου. Λοιπὸν ἀπὸ τούτου μάθωμεν, ὅτι οὐδεὶς οὐδαμῶς οὐδὲ τῶν πρὸ αὐτοῦ, οὐδὲ αὐτὸς οἴκοθεν αὐτὸν εὗρεν, ἀλλ' ὁ Χριστὸς ἑαυτὸν ἐφανέρωσε. Διὸ καὶ ἔλεγεν· Οὐχ ὑμεῖς με ἐξελέξασθε, ἀλλ'

21 τῆς γν. τὸ ὑπερ. ~ CFGP
3, 6 υἱὸν *om.* A ‖ 8 λέγει FP M ‖ 10 αὐτοῦ + ἀλλ' BM E ἀλλ' οὐ D

c. Gal. 1, 15.

1. Il nous a paru opportun de traduire ici les mots τῆς γνώσεως par *la véritable science,* c'est-à-dire la connaissance authentique de Dieu. Sur les sens du mot γνῶσις chez saint Paul, voir *infra,* p. 204, n. 2.

2. Sur cet emploi du verbe φησί, placé en incise tout seul, sans sujet déterminé, qu'on trouve ici pour la première fois en ces panégyriques, voir *Introd.,* ch. II, p. 35, et n. 5.

3. Le verbe περιεργάζομαι est fréquent chez Chrysostome. Il signifie souvent se livrer à une curiosité vaine, et vise, en général, les gens qui voudraient pénétrer les desseins ou l'essence de Dieu : voir par exemple, *De Sacerdotio,* IV, 5, *SC* 272, p. 260 s. ; *In Epist. ad Rom., hom.* XVI, 8, *PG* 60, 559 D, et surtout les *Hom. sur l'Incompr. de Dieu, SC* 28 bis, Paris 1970, *hom.* I, li. 322 (p. 128) ; *hom.* II, li. 59, 77, 143, 166 (p. 146, 148, 154, 166) ; *hom.* III, li. 144, 256 (p. 198, 208) ; *hom.* IV, li. 17, 42, 99 (p. 228, 230, 236) ; *hom.* V, li. 282, 386 (p. 294, 304). Le même mot se retrouve à la ligne 17 et désigne alors les manœuvres vexatoires de Saul de Tarse contre les chrétiens.

nature inaccessible de sa sagesse et la supériorité de la véritable science[1], et en voulant aussi lui apprendre quel est celui qu'il combat, et comment non seulement quand Dieu châtie, mais même quand il fait du bien, l'homme ne peut le supporter. Car ce ne sont pas des ténèbres qui l'ont rendu aveugle, mais une surabondance de lumière qui l'a plongé dans les ténèbres.

L'appel de Dieu

3. Et pourquoi donc, dira-t-on[2], cela n'a-t-il pas eu lieu dès le début? Ne pose pas cette question et ne sois pas inutilement curieux[3], mais laisse à l'incompréhensible Providence de Dieu le soin de choisir le moment opportun[4]. Et d'ailleurs c'est ce que fait Paul lui-même, lorsqu'il dit : «Quand celui qui, dès le sein maternel, m'a mis à part et appelé par sa grâce daigna révéler en moi son Fils[c]...» Donc, de ta part, pas de question superflue non plus, du moment que Paul s'exprime ainsi. C'est à cet instant-là, oui, à cet instant-là, que l'événement était profitable, une fois enlevées de son chemin les pierres d'achoppement[5]. Apprenons désormais à partir de cet exemple que personne en aucune manière, ni parmi ceux qui l'ont précédé, ni lui-même, n'a trouvé le Christ par ses seules forces, mais que c'est le Christ qui s'est personnellement manifesté[6]. C'est pourquoi celui-ci disait aussi : «Ce n'est pas vous qui m'avez choisi,

4. Chrysostome a imaginé ailleurs deux motifs au retard divin dans la vocation de Paul : d'une part, saisi par le Christ comme en pleine action, il ressentirait davantage sa misère (*In Act. Apost., hom.* XIX, § 4, *PG* 60, 155 C-D) ; d'autre part, le témoignage sur le Christ ressuscité provenant de cet ancien persécuteur serait revêtu d'une force particulière (*ibid.* § 3, *PG* 60, 153 C-D).

5. Allusion au cheminement de la conversion de l'Apôtre, qui demeure mystérieux.

6. Ce développement sur le caractère gratuit de l'appel de Dieu est encadré par deux citations scripturaires : la première, de saint Paul, qui se réfère au moment bouleversant de sa conversion ; la seconde, plus générale, du Christ lui-même. Sur cette nécessité de la grâce de Dieu et son influence dans le cœur de Paul, voir *Introd.*, ch. III, p. 49-50.

ἐγὼ ἐξελεξάμην ὑμᾶς[d]. Ἐπεὶ τίνος ἕνεκεν ὁρῶν τῷ ὀνόματι αὐτοῦ ἀνισταμένους νεκρούς, οὐκ ἐπίστευσεν; Ὁρῶν γὰρ χωλὸν βαδίζοντα[e], καὶ δαίμονας δραπετεύοντας[f], καὶ παραλυτικοὺς σφιγγομένους[g], οὐδὲν ἐκαρποῦτο· οὐδὲ γὰρ ἠγνόει ταῦτα ὁ οὕτω περιεργαζόμενος τοὺς ἀποστόλους. Καὶ Στεφάνου δὲ λιθαζομένου, παρὼν καὶ ἰδὼν τὸ πρόσωπον αὐτοῦ ὡς πρόσωπον ἀγγέλου[h], οὐδὲν ἐντεῦθεν ἐκέρδανε. Πῶς οὖν οὐδὲν ἐντεῦθεν ἐκέρδανεν; Ὅτι οὐδέπω ἦν κεκλημένος.

4. Σὺ δὲ ἀκούων ταῦτα, μὴ ἀναγκαστὴν τὴν κλῆσιν εἶναι νόμιζε· οὐδὲ γὰρ ἀναγκάζει ὁ Θεός, ἀλλ' ἀφίησι κυρίους εἶναι προαιρέσεων καὶ μετὰ τὴν κλῆσιν. Καὶ γὰρ Ἰουδαίοις ἀπεκάλυψεν ἑαυτὸν καὶ ὅτε ἐχρῆν, ἀλλ' οὐκ ἠθέλησαν δέξασθαι διὰ τὴν δόξαν τὴν παρὰ τῶν ἀνθρώπων. Εἰ δὲ λέγοι τις τῶν ἀπίστων, πόθεν δῆλον ὅτι Παῦλον ἐκάλεσεν ἐξ οὐρανοῦ, καὶ ἐπείσθη; διὰ τί γὰρ μὴ καὶ ἐμὲ ἐκάλεσεν; ἐκεῖνο πρὸς αὐτὸν ἐροῦμεν· πιστεύεις τοῦτο, εἰπέ μοι ὅλως, ὦ ἄνθρωπε; Οὐκοῦν εἰ πιστεύεις, ἀρκεῖ σοι εἰς σημεῖον. Εἰ μὲν γὰρ ἀπιστεῖς ὅτι ἐκάλεσεν ἐξ οὐρανοῦ, πῶς λέγεις, διὰ τί μὴ καὶ ἐμὲ ἐκάλεσεν; εἰ δὲ

15 γὰρ *om.* BDM AL E ‖ 19-20 οὐδὲν – ἐκέρδανε *om.* D[tx.] *rest.* D[mg.] ‖ 20 πῶς : πόθεν BDM E ‖ πῶς – ἐκέρδανεν *om.* C

4, 1 ἀναγκαστικὴν C ‖ 2 εἶναι *om.* A ‖ 7 ἐπίσθη DM ‖ γὰρ *om.* BDM AL E ‖ 9 ὅλως *om.* AL

d. Jn 15, 16.
e. Cf. Act. 3, 1-11.
f. Cf. Act. 5, 16 ; 8, 7.
g. Cf. Act. 8, 7.
h. Cf. Act. 6, 15.

1. Dans ce commentaire sur la vocation de Paul il n'y a pas d'allusion au dialogue qui eut lieu entre lui et le Seigneur Jésus (*Act.* 9, 4-5 ; 22, 7-10 ; 26, 14-18). Chrysostome a commenté ce dialogue ailleurs : voir *De mutat. nominum, hom.* III, 4, *PG* 51, 139 D - 141 A ; *In Act. Apost., hom.* XIX, *PG* 60, 153 A-B ; *hom.* XLVII, 2, *PG* 60, 328 B-C, 329 A-B. De même, la transformation du nom de Saul en celui de Paul est expliqué dans le *De*

mais c'est moi qui vous ai choisis[d 1].» Pourquoi, en effet, en voyant des morts ressusciter par la vertu de son nom, n'a-t-il pas eu la foi ? En voyant un boiteux marcher[e], des démons s'enfuir[f] et des paralytiques affermis sur leurs pieds[g 2], il n'en a retiré aucun fruit. Et pourtant il n'ignorait pas ces faits, celui qui menait tant d'enquêtes minutieuses sur les apôtres. Et encore, quand Étienne fut lapidé, il était là[3] et il voyait son visage semblable à celui d'un ange[h], et cependant il n'en retira aucun profit[4]. Pourquoi donc n'en retira-t-il aucun profit ? C'est qu'il n'avait pas encore été appelé.

Les dispositions du cœur

4. Mais, pour toi, en entendant ces paroles, ne vois aucune contrainte dans cette vocation, car Dieu ne contraint personne ; il nous laisse, au contraire, maîtres de nos décisions, même après son appel. En effet, il se révéla aux Juifs, et au moment voulu, mais ils refusèrent de l'accueillir, parce qu'ils recherchaient la gloire qui vient des hommes. Si un incroyant disait encore : « Comment admettre avec évidence que Paul fut appelé du ciel et se laissa persuader ? Pourquoi ne m'a-t-il pas appelé moi aussi ? », voilà ce que nous lui dirons : « Crois-tu à cet événement ? dis-le-moi franchement, mon ami. Eh bien ! si tu y crois, c'est un signe qui te suffit. Si, en effet, tu ne crois pas qu'il fut appelé du ciel, comment dis-tu : Pourquoi ne m'a-t-il

mutat. nominum, hom. II, 2-3, *PG* 60, 126 D - 127 A ; *hom.* III, 137 B - 138 B.

2. Pour la guérison du boiteux par l'apôtre Pierre, voir *Act.* 3, 1-16. La délivrance de possédés dès le début de l'Église est mentionnée également : *Act.* 5, 16 ; 8, 7. La guérison de paralytiques est attestée en *Act.* 5, 15 ; elle est implicitement contenue dans la mention de signes et de prodiges accomplis par Étienne, *Act.* 6,8 ; elle sera à nouveau indiquée à propos du ministère du diacre Philippe en Samarie, *Act.* 8, 6-8.

3. Cette présence et cette hostilité de Paul lors du martyre d'Étienne sont attestées en *Act.* 7, 58 ; 8, 1.3 ; 22, 20.

4. Cependant il semble que la sérénité merveilleuse d'Étienne au moment de sa mort, rappelée aux li. 18-19 de ce paragraphe (cf. *Act.* 6, 15), et surtout

πιστεύεις ὅτι ἐκάλεσεν, ἀρκεῖ σοι τοῦτο εἰς σημεῖον. Πίστευε τοίνυν· καὶ γὰρ καὶ σὲ καλεῖ ἐξ οὐρανοῦ, ἐὰν ψυχὴν εὐγνώμονα ἔχῃς· ὡς ἐὰν ἀγνώμων ᾖς καὶ διεστραμμένος, οὐδὲ τὸ ἐνεχθῆναί σοι φωνὴν ἄνωθεν ἀρκέσει εἰς σωτηρίαν.

5. Ποσάκις γοῦν ἤκουσαν οἱ Ἰουδαῖοι φωνῆς ἐξ οὐρανοῦ φερομένης, καὶ οὐκ ἐπίστευσαν; πόσα εἶδον σημεῖα, καὶ ἐν τῇ Καινῇ, καὶ ἐν τῇ Παλαιᾷ, καὶ οὐκ ἐγένοντο βελτίους; Ἀλλ' ἐν μὲν τῇ Παλαιᾷ, οὗτοι μετὰ μυρία θαύματα ἐμοσχοποίησαν· ἡ δὲ Ἱεριχουντία πόρνη μηδὲν τούτων θεασαμένη πίστιν ἐπεδείξατο θαυμαστὴν περὶ τοὺς κατασκόπους[i]. Καὶ ἐν τῇ γῇ δὲ τῆς ἐπαγγελίας οὗτοι μέν, τῶν σημείων γινομένων, ἔμενον λίθων ἀναισθητότεροι· οἱ δὲ Νινευῗται τὸν Ἰωνᾶν θεασάμενοι μόνον, ἐπίστευσαν καὶ μετενόησαν, καὶ τὴν θεήλατον ὀργὴν ἀπεκρούσαντο[j]. Ἐν δὲ τῇ Καινῇ, ἐπ' αὐτῆς τοῦ Χριστοῦ τῆς παρουσίας, ὁ μὲν λῃστὴς σταυρούμενον ἰδών, προσεκύνησεν[k]· οὗτοι δὲ νεκροὺς ἐγείροντα θεασάμενοι, καὶ ἔδησαν καὶ ἐσταύρωσαν.

6. Τί δὲ· ἐφ' ἡμῶν; Οὐχὶ πῦρ ἐκ τοῦ ναοῦ, ἐκ τῶν θεμελίων τῶν ἐν Ἱεροσολύμοις ἐκπηδῆσαν ἐφήλατο τοῖς οἰκο-

13 καὶ[2] *om.* M
5, 3-4 καὶ οὐκ – παλαιᾷ *om.* A || 11-12 τῆς τοῦ Χ. παρ. ~ BDM C E
6, 1 δὲ : δαὶ BDM

i. Cf. Jos. 2, 1-24 ; 6, 17 ; Jac. 2, 25 ; Hébr. 11, 31.
j. Cf. Jonas 3, 1-10 ; Matth. 12, 41 ; Lc 11, 29-30.32.
k. Cf. Lc 23, 42.

les trois affirmations capitales qu'il prononça avant de mourir (*Act.* 7, 55-60) n'ont pu manquer de faire réfléchir Saul de Tarse. A ce propos, Chrysostome a d'ailleurs noté la valeur surnaturelle d'intercession du martyre d'Étienne (*De mutat. nominum, hom.* III, 4, *PG* 51, 139 AB). Sur ce sujet, voir G. Brillet, *Un Chef d'Église, Saint Paul,* Paris 1956, ch. 3-4, p. 33-34, 36.

pas appelé ? Mais si tu crois qu'il fut appelé, c'est là un signe qui te suffit. Crois donc, car du ciel Dieu t'appelle toi aussi, pourvu que tu aies l'âme bien disposée ; inversement, si tu t'obstines follement et te détournes du droit chemin, même une voix venue d'en-haut ne suffira pas pour te sauver[1]. »

Les Juifs

5. Que de fois, par exemple, les Juifs ont entendu une voix qui venait du ciel sans y croire ! Combien de miracles ont-ils vus, dans la Nouvelle Alliance comme dans l'Ancienne, sans devenir meilleurs ! Au contraire, dans l'Ancienne Alliance ces hommes après mille prodiges se fabriquèrent un veau d'or, tandis que la courtisane de Jéricho, sans avoir vu rien de semblable, manifesta une foi admirable envers leurs espions[i]. Même une fois sur la Terre Promise, malgré les miracles qui s'y accomplissaient, ils demeuraient plus insensibles que des pierres ; quant aux Ninivites, il leur suffit de voir Jonas pour croire et se convertir, et ils arrêtèrent la colère d'en-haut[j2]. Dans la Nouvelle Alliance, au moment même où le Christ était parmi eux, le larron en le voyant sur la croix l'adora[k], tandis que les Juifs qui l'avaient vu ressusciter des morts le lièrent et le crucifièrent.

Événements contemporains

6. Et de nos jours[3] ? Est-ce que le feu, s'échappant des fondations du temple de Jérusalem, ne s'élança pas

1. Dans ce paragraphe, Chrysostome livre déjà le fruit de son expérience pastorale sur la psychologie de la conversion.

2. Pour l'allusion au veau d'or, voir *Ex.* 32 ; *Ps.* 106, 19-22 ; *Néh.* 9, 18 ; pour Rahab, la courtisane de Jéricho, qui cacha chez elle les espions juifs en difficulté, voir *Jos.* 2, 1-22 ; pour l'incrédulité des Juifs après leur entrée dans la Terre Promise, voir *Jug.* 2, 11-23 et *Ps.* 77, 11.22.32 ; 105, 24. Pour la conversion des Ninivites, voir *Jonas* 1, 1-2 ; 3, 1-10.

3. Dans le développement qui suit, Chrysostome va ajouter sept exemples contemporains. Les six premiers font allusion à des épreuves permises par

δομοῦσι, καὶ οὕτως αὐτοὺς ἀπέστησε τῆς παρανόμου τότε ἐπιχειρήσεως; ἀλλ' ὅμως οὐ μετεβάλοντο, οὐδὲ ἀπέθεντο τὴν πώρωσιν. Πόσα δὲ ἕτερα γέγονε μετ' ἐκεῖνο θαύματα τότε, καὶ οὐδὲν ἐντεῦθεν ἐκέρδαναν; οἷον ὁ κεραυνὸς ὁ κατὰ τῆς ὀροφῆς τοῦ ναοῦ τοῦ Ἀπόλλωνος κατενεχθείς· ὁ τοῦ δαίμονος αὐτοῦ τούτου χρησμός, ὃς τὸν τότε βασιλεύοντα ἠνάγκαζε μετακινεῖν τὸν πλησίον κείμενον μάρτυρα, λέγων· μὴ δύνασθαι φθέγγεσθαι, ἕως ἂν τὴν λάρνακα τὴν ἐκείνου βλέπῃ πλησίον· καὶ γὰρ ἐκ γειτόνων ἦν κειμένη. Μετὰ τοῦτον πάλιν, ὁ θεῖος ὁ τούτου εἰς τὰ ἱερὰ σκεύη ἐνυβρίσας, σκωληκόβρωτος γεγονὼς ἐξέψυξε· καὶ ὁ ταμίας δὲ τῶν βασιλικῶν χρημάτων δι' ἑτέραν παρανομίαν εἰς τὴν Ἐκκλησίαν ὑπ' αὐτοῦ γενομένην, μέσον λακίσας ἀπώλετο. Πάλιν αἱ πηγαὶ αἱ παρ' ἡμῖν, αἱ νικῶσαι

4 μετεβάλλοντο A || 6 καὶ – ἐκέρδαναν *om.* D$^{tx.}$ *rest.* D$^{mg.}$ || ἐνταῦθα C || 11 γὰρ + καὶ BDM E || 12 τοῦτον : τοῦτο C || 16 αἱ πηγαὶ *om.* A || ἡμῖν AL : ἡμῶν *cett.*

Dieu à la suite d'actes impies, sans que leurs auteurs se soient convertis pour autant; le dernier évoque, au contraire, une attitude de fidélité religieuse, suivie d'une bénédiction providentielle.

1. En 363, l'empereur Julien invita les Juifs à reconstruire le temple de Jérusalem (cf. l'EMPEREUR JULIEN, *Lettres, C U F,* Paris 1960 : *Ep.* n° 134, p. 197). Un tremblement de terre se produisit alors, qui dévasta les villes de la Palestine (voir J. BIDEZ, *La vie de l'empereur Julien, C U F,* Paris 1965, IIIe partie, ch. 15, p. 306). Sur ce séisme, voir aussi : CHRYSOSTOME, *Contra Judaeos et Gentiles, PG* 48, 835 B; *In Matth., hom.* IV, 1, *PG* 57, 41 A; *In sanct. Babylam,* 22, *PG* 50, 568 AB. Selon Chrysostome et certains historiens, on aurait même vu des jets de flamme brûler les ouvriers : cf. AMMIEN MARCELLIN, *Histoire,* XXIII, 1, 2-3 *(Romische Geschichte,* éd. von Wolfgang Seyfarth, Berlin, t. III, 1970, p. 66; éd. J. Fontaine, *C U F,* t. IV, Ire partie, Paris 1977, p. 78-79); PHILOSTORGE, *Kirchengeschichte,* éd. J. Bidez, Leipzig 1913, *Lib. VII,* 9, p. 95-96, 99.

2. Avec raison P. Soler (p. 58) a exprimé ainsi le sujet sous-entendu du verbe ἐκέρδαναν, puisqu'il ne s'agit pas du même lieu que pour l'exemple qui précède. Nous avons donc adopté ce mot de «témoins».

3. Les six exemples en question se rapportent au règne de Julien l'Apostat, à Antioche (362-363). Mais, selon l'usage suivi dans le genre

sur ceux qui le bâtissaient et ne les détourna pas ainsi de leur entreprise criminelle[1] ? Et cependant ils ne se convertirent pas et ne renoncèrent pas à leur endurcissement. Combien d'autres prodiges sont alors survenus après celui-là, sans que les (témoins)[2] en aient retiré aucun profit ! Par exemple, la foudre qui tomba sur le toit du temple d'Apollon, lorsque l'oracle de ce démon précisément contraignit l'empereur de ce temps[3] à déplacer un martyr déposé non loin de là, en disant qu'il ne pouvait faire entendre sa voix tant qu'il verrait son cercueil à proximité, et effectivement celui-ci se trouvait dans le voisinage[4]. Puis, après cet incendie, l'oncle de l'empereur, lorsqu'il eut profané les vases sacrés, expira rongé des vers, tandis que l'intendant du trésor impérial, pour avoir lui aussi outragé l'Église, périt en éclatant par le milieu[5]. Encore, les sources de

littéraire des panégyriques par les auteurs chrétiens, le prince persécuteur n'est pas directement nommé. Il en est ainsi, par exemple, chez Grégoire de Nazianze : *Éloge de Césaire,* XI-XIV, coll. Hemmer-Lejay, t. VI, « Discours funèbres », Paris 1908, p. 24-29 ; *Éloge de Basile,* XXX, 1-2 ; XXXI, 1-2 ; XLIV-XLVII, *ibid.*, p. 122-123, p. 124-127 et 150-155. (A ce propos voir H. Delehaye, *Les Passions des Martyrs et les genres littéraires,* Bruxelles 1966, ch. 2, p. 150-152).

4. Le 22 octobre 362, en pleine nuit, un incendie subit se produisit au temple d'Apollon, à Daphné : cf. l'Empereur Julien, *Misopogon,* 361 c, (*Œuvres complètes, C U F,* t. II, 2e partie, Paris 1964, p. 187) ; *Ep.* 98, (*op. cit.*, t. I, 2e partie, Paris 1960, p. 181 ; Libanios, *Orat.* LX, 3-4, éd. R. Foerster, vol. IV, Leipzig 1908, p. 312-314 ; Ammien Marcellin, XXII, 13, *op. cit.*, p. 44, 46. Le déplacement des reliques de saint Babylas, exigé par l'oracle d'Apollon, avait eu lieu quelques jours auparavant : cf. Chrysostome, *In sanct. Babylam,* 16, *PG* 50, 557 B, 558 B ; Socrate, *H.E.*, III, 18, *PG* 67, 425 C. Selon Chrysostome, cet incendie serait dû à la foudre regardée comme un châtiment providentiel (voir aussi *In sanct. Babylam,* § 17, *PG* 50, 559 B - 560 A). J. Bidez a noté que cet orage ne semble pas assez sûrement attesté (*La Vie de l'Empereur Julien,* p. 288).

5. Il s'agit du Comte Julien et de Félix, l'intendant du trésor : cf. Ammien Marcellin, XXIII, 1, 4-5, *op. cit.*, p. 68 (= *C U F,* t. IV, p. 79). Le Comte Julien, usant de ses pouvoirs de Comte d'Orient, avait ordonné la fermeture de la grande église d'Antioche (*Rom. Gesch.*, XXII, 22, 2, *op. cit.*, p. 46) et la confiscation des vases sacrés ; il présida lui-même à cette opération, assisté notamment de Félix et de Salluste, préfet de la garde prétorienne

τῷ ῥεύματι τοὺς ποταμούς, ἀθρόον ἔφυγον καὶ ἀπεπήδησαν, μηδέποτε τοῦτο παθοῦσαι πρότερον, ἀλλ' ὅτε θυσίαις καὶ σπονδαῖς τὸ χωρίον ἐμόλυνεν ὁ βασιλεύς. Τί ἄν τις εἴποι τὸν λιμὸν τὸν πανταχοῦ τῆς οἰκουμένης μετὰ τοῦ βασιλέως ταῖς πόλεσι συνεμπεσόντα, αὐτοῦ τοῦ βασιλέως τὸν θάνατον, τὸν ἐν τῇ Περσῶν χώρᾳ, τὴν πρὸ τοῦ θανάτου ἀπάτην, τὸ στρατόπεδον τὸ ἐν μέσοις ἀποληφθὲν τοῖς βαρβάροις, καθάπερ ἐν σαγήνῃ τινὶ καὶ δικτύοις, τὴν ἄνοδον ἐκεῖθεν τὴν θαυμαστὴν καὶ παράδοξον; Ἐπειδὴ γὰρ ὁ μὲν ἀσεβὴς βασιλεὺς ἔπεσεν ἐλεεινῶς, ἕτερος δὲ εὐσεβὴς διεδέξατο, πάντα εὐθέως ἐλύετο τὰ δεινά · καὶ οἱ ἐν μέσοις εἰλημμένοι δικτύοις καὶ οὐδεμίαν οὐδαμόθεν διέξοδον ἔχοντες στρατιῶται, τοῦ Θεοῦ λοιπὸν νεύσαντος, τῶν βαρβάρων ἀπαλλαγέντες μετὰ ἀσφαλείας ἐπανήεσαν

22 τὸν θάνατον *om.* E ‖ τὸν^2 : τῶν G *om.* BDM ‖ 23 ἀπολεῖφθεν AL C ‖ 24 τινὶ *om.* C ‖ 28 μέσοις + ἢ E

(Philostorge, VII, 10, éd. J. Bidez, *op. cit.*, p. 97 ; Sozomène, *H.E.* V, 8, 1-2, *GCS* 50, p. 203 ; *PG* 67, 1236 A-B). Félix mourut d'une hémorragie (Ammien, XXIII, 1, 4-5, *op. cit.*, p. 68 = *C U F*, t. IV, p. 79 ; Chrysostome y fait ici allusion avec une locution pittoresque, li. 15-16). Le Comte Julien mourut aussi à cette époque d'un ulcère incurable (Chrysostome, *In sanct. Babylam,* § 22, *PG* 50, 567 C ; *In Matth., hom.* IV, 1, *PG* 57, 41 A ; Philostorge, VII, 10-12, *op. cit.*, p. 97-98 ; Sozomène, *H.E.*, V, 8, 2-3, *GCS* 50, p. 203-204 = *PG* 67, 1236 B-C).

1. Antioche était célèbre par l'abondance de ses sources, provenant de Daphné (cf. note compl. n° 1). La plus célèbre était la Source Castalie, près du temple d'Apollon (cf. Ammien, XXII, 12, 8, *op. cit.*, p. 44). On connaît aussi le nom de la Source Saramanna et de la Source Pallas. Chrysostome parle ici d'un tarissement général et inouï de ces sources (cf. *In sanct. Babylam,* § 22, *PG* 50, 567 C). Ce phénomène, survenu vers la fin de l'année 361, est attesté explicitement par Ammien, XXII, 13, 4, *op. cit.*, p. 46 ; il fut occasionné par une grande sécheresse, mentionnée par Julien (*Misopogon,* 350 a-c, 368 c - 370 d, *op. cit.*, p. 173, p. 195-198) et par Libanios (*Orat.* I, 126, éd. R. Foerster, vol. I, fasc. 1, Leipzig 1903, p. 143 ; *Orat.* XVIII, 195, vol. II, Leipzig 1904, p. 321-322).

notre pays, dont le cours l'emporte sur les fleuves, disparurent toutes à la fois loin de chez nous : or cela ne s'était jamais produit auparavant [1], mais seulement lorsque l'empereur eut souillé cette contrée par des sacrifices et des libations [2]. A quoi bon mentionner la famine qui, sur tous les points de la terre sous le règne de cet empereur, frappa au même moment les cités [3], la mort même de l'empereur chez les Perses, son égarement d'esprit avant sa mort [4], l'armée interceptée au milieu des barbares comme dans une seine ou des filets, et puis son retour extraordinaire et merveilleux ? En effet, lorsque cet empereur impie eut succombé et qu'un autre nettement religieux lui eut succédé, aussitôt tous ces événements terribles prirent fin, et les soldats qui se trouvaient pris au milieu des filets sans avoir aucune espèce d'issue, désormais, avec la permission de Dieu, furent délivrés des barbares et revinrent en parfaite sécu-

2. Ces sacrifices sont attestés par JULIEN lui-même (*Misopogon,* 346 b-d, 361 d - 362 a, *op. cit.,* p. 168, 187-188), par LIBANIOS (*Orat.* I, 121-122, *op. cit.,* p. 141-142 ; *Orat.* XV, 79, vol. II, p. 151-152 ; *Orat.* XVIII, 127, vol. II, p. 290 ; *Epistulae,* n° 651, éd. cit., vol. X, Leipzig 1921, p. 666) et par AMMIEN, (XXII, 14, 4-6, *op. cit.,* p. 48 ; cf. XXII, 12, 6-7, p. 44).

3. Antioche connaissait alors une situation économique difficile (voir G. DOWNEY, *A History of Antioch in Syria, from Seleucus to the Arab conquest,* Princeton 1961, ch. 12, §10, p. 365-366, n. 221-224, et ch. 13, p. 383). La sécheresse, en ruinant la récolte de blé pour l'année 362, l'aggrava encore. Chrysostome signale également cette famine dans le Discours sur Babylas, § 22, *PG* 50, 567 C. Elle est aussi mentionnée par JULIEN (*Misopogon,* 368 c-d, 369 a, *op. cit.,* p. 195-196), par LIBANIOS (*Orat.* I, 126, vol. I, p. 143 ; *Orat.* XVIII, 195, vol. II, p. 321-322) et par AMMIEN (XXII, 14, 1-2, *op. cit.,* p. 46).

4. Julien mourut le 26 juin 363, peu avant minuit, à la suite d'une blessure grave reçue dans la journée (voir AMMIEN, XXV, 3, 6 ; 5, 1, *op. cit.,* p. 160, 172-173 = *C U F,* t. IV, p. 175, 188). L'expression τὴν πρὸ τοῦ θανάτου ἀπάτην s'applique sans doute à une vision de mauvais augure que l'empereur aurait eue (cf. AMMIEN, XXV, 2, 3, p. 158 = *C U F,* t. IV, p. 172-173), ou encore à un oracle du dieu Hélios l'assurant qu'il monterait vers l'Olympe dans un char de feu (cf. EUNAPE, *Fragmentum 26, Historici graeci minores,* éd. L. Dindorf, vol. , Leipzig 1870, p. 229-230). Son esprit se serait donc laissé égarer dans une sorte de délire.

ἁπάσης. Ταῦτα τίνα οὐχ ἱκανὰ ἐφελκύσασθαι πρὸς τὴν εὐσέβειαν;

7. Τὰ δὲ παρόντα οὐ πολλῷ τούτων θαυμαστότερα; οὐ σταυρὸς κηρύττεται, καὶ ἡ οἰκουμένη προστρέχει; οὐ θάνατος καταγγέλλεται ἐπονείδιστος, καὶ πάντες ἐπιπηδῶσι; μὴ γὰρ οὐκ ἐσταυρώθησαν μυρίοι; μὴ γὰρ μετ' αὐτοῦ τοῦ Χριστοῦ οὐχὶ δύο λῃσταὶ ἀνεσκολοπίσθησαν; μὴ γὰρ οὐκ ἐγένοντο πολλοὶ σοφοί; μὴ γὰρ οὐκ ἐγένοντο πολλοὶ δυνατοί; τίνος ὄνομά ποτε οὕτως ἐκράτησε; καὶ τί λέγω σοφοὺς καὶ δυνατούς; μὴ γὰρ οὐκ ἐγένοντο βασιλεῖς ἐπίδοξοι; τίς οὕτω περιεγένετο τῆς οἰκουμένης ἐν βραχεῖ χρόνῳ; Μὴ γάρ μοι λέγε τὰς αἱρέσεις τὰς ποικίλας καὶ παντοδαπάς· πάντες γὰρ τὸν αὐτὸν Χριστὸν κηρύττουσιν, εἰ καὶ μὴ ὑγιῶς πάντες, ἐκεῖνον τὸν ἐν Παλαιστίνῃ πάντες προσκυνοῦσι σταυρωθέντα, τὸν ἐπὶ Ποντίου Πιλάτου. Ταῦτα οὖν οὐ δοκεῖ τῆς δυνάμεως αὐτοῦ σαφεστέραν ἔχειν ἀπόδειξιν τῆς φωνῆς ἐκείνης τῆς ἐξ οὐρανοῦ κατενεχθείσης; Διὰ τί γὰρ μηδεὶς οὕτω περιεγένετο βασιλεὺς ὡς οὗτος ἐκράτησε, καὶ ταῦτα μυρίων ὄντων τῶν

7, 1 οὐ[2] : οὗ AL BDM ὁ F ‖ 2 οὐ : οὗ AL BDM ὁ *(sic)* F ‖ 6-7 μὴ[2] – δυνατοί *om.* A ‖ 10 βραχεῖ + τῷ BDM AL E ‖ 12 πάντες + ἀλλ' BDM AL E ‖ 13 προσκυνοῦσι *om.* BDM AL E ‖ σταυρωθέντα AL : τὸν σταυρ. *cett.* ‖ 14 οὖν *om.* CFGP ‖ 17 οὗτος : οὕτως A

1. C'est maintenant le septième exemple, opposé aux six qui précèdent. Aussitôt après la mort de Julien, ses officiers élurent comme empereur Jovien (cf. AMMIEN, XXV, 5, 4-6, *op. cit.*, p. 174 = *C U F*, t. IV, p. 189-190) qui était chrétien (cf. ZONARAS, *Annales*, XIII, 14, *PG* 134, 1157 B). Après quelques jours de lutte, il conclut un traité de paix avec Sapor II (AMMIEN, XXV, 7, 9-14, *op. cit.*, p. 182 = *C U F*, t. IV, p. 197-198) et reprit avec ses troupes la route vers Antioche, ce qui, à vrai dire, ne se fit pas sans de sérieuses difficultés (AMMIEN, XXV, 8-9, *op. cit.*, p. 182-192 = *C U F*, t. IV, p. 199-207).

2. Les sept exemples évoqués par Chrysostome montrent qu'il cherchait à frapper l'imagination de son auditoire, et son argumentation parfois un peu simplifiée dénote un souci apologétique évident.

rité[1]. Quel est l'homme que de tels faits ne suffiraient pas à ramener à la piété[2] ?

Diffusion étonnante de l'Évangile : Un Christ crucifié

7. Mais le présent n'est-il pas plus merveilleux encore[3] ? La Croix n'est-elle pas proclamée, et l'univers accourt ? Une mort honteuse n'est-elle pas annoncée, et tous se précipitent ? Des milliers d'hommes n'ont-ils donc pas été crucifiés ? A côté du Christ lui-même, deux larrons[4] n'ont-ils donc pas été transpercés ? N'y eut-il donc pas beaucoup de sages ? N'y eut-il donc pas beaucoup de puissants ? Lequel a vu son nom triompher à ce point ? Et pourquoi nommer les sages et les puissants ? N'y eut-il donc pas des souverains illustres ? Lequel a dominé à ce point l'univers en peu de temps ? Ne me cite pas les hérétiques de toute sorte et de tout acabit ; en effet, tous annoncent le même Christ, même si tous ne le font pas d'une manière pure, tous adorent celui qui, en Palestine, a été crucifié sous Ponce-Pilate. Ces événements ne semblent-ils pas démontrer plus manifestement sa puissance que cette voix venue du ciel ? Pourquoi effectivement la domination de tous les rois est-elle inférieure au triomphe du Christ, et cela malgré des milliers d'obstacles ?

3. Ici commence la seconde partie de ce panégyrique (§ 7-14). Tout en y retrouvant parfois l'apôtre Paul, Chrysostome y traite un thème plus général : la puissance inouïe de la Croix. Pour la construction parfois sinueuse de ces panégyriques, voir *Introd.*, ch. II, p. 26.

4. Pour évoquer les deux hommes qui furent crucifiés à côté du Christ, le N.T. emploie, soit le mot de κακοῦργοι (*Lc* 23, 32.33.39), soit, comme dans notre texte, celui de λῃσταί (*Matth.* 27, 38.44 ; *Mc* 15, 27). Ce dernier mot signifie, de soi, *brigands,* et c'est ainsi que l'ont rendu la plupart des traductions modernes du N.T. Pour notre part, ainsi que nous l'avons déjà fait plus haut (5, 12) et que nous le ferons à nouveau (9, 13 ; 14, 12 ; 14, 21), nous avons préféré garder le terme de *larrons,* à cause d'une longue tradition homilétique qui s'est exprimée ainsi, notamment à propos de la parole du Christ crucifié au « bon larron » (*Lc* 23, 43).

κωλυμάτων ; καὶ γὰρ βασιλεῖς ἐπολέμησαν, καὶ τύραννοι παρετάξαντο, καὶ δῆμοι πάντες κατεξανέστησαν, καὶ τὰ ἡμέτερα ὅμως οὐκ ἠλαττοῦτο, ἀλλὰ καὶ μᾶλλον λαμπρότερα ἐγίνετο. Πόθεν οὖν, εἴπατέ μοι, ἡ τοσαύτη ἰσχύς ;

8. Μάγος ἦν, φησί. Μόνος οὖν οὗτος μάγος τοιοῦτος ἐγένετο. Πάντως ἠκούσατε, ὅτι καὶ παρὰ Πέρσαις καὶ Ἰνδοῖς πολλοὶ γεγόνασι μάγοι, καί εἰσιν ἔτι καὶ νῦν · ἀλλ' οὐδὲ ὄνομα αὐτῶν ἐστιν οὐδαμοῦ. Ἀλλ' ὁ ἐκ Τυάνων, φησίν, ἀπατεὼν ἐκεῖνος καὶ γόης, καὶ αὐτὸς ἔλαμψε. Ποῦ καὶ πότε ; Ἐν μικρῷ μέρει τῆς οἰκουμένης, καὶ πρὸς βραχὺν χρόνον, καὶ ἐσβέσθη ταχέως καὶ ἀπώλετο, οὐκ Ἐκκλησίαν καταλιπών, οὐ λαόν, οὐκ ἄλλο τι τοιοῦτον οὐδέν. Καὶ τί λέγω μάγους καὶ γόητας τοὺς σβεσθέντας ; πόθεν τὰ τῶν θεῶν ἐπαύθη πάντα, καὶ ὁ Δωδωναῖος, καὶ ὁ

18 κωλυόντων BDM E CFGP || 20 ὅμως *om.* BDM AL E || 20-21 ἀλλὰ – ἐγίνετο *om.* $D^{tx.}$ *rest.* $D^{mg.}$ || 20 καὶ *om.* F || 21 εἴπατε : εἶπε BDM E
8, 3 καὶ ἔτι ∼ A || 4 ἐστιν : ἦν BDM *om.* AL E || 8 τι *om.* BDM AL E

1. Cette remarque de Chrysostome, après trois siècles d'évangélisation et de persécutions, prolonge celle de saint Paul lui-même, quand il voyait dans ses supplices et ses emprisonnements la source d'une plus grande fécondité spirituelle : voir *infra, IVe Panég.*, 15, 9-14 ; 17, 1-19 ; *VIIe Panég.*, § 10-11.

2. A partir de là, et jusqu'à la fin du § 9, quatre mots à peu près synonymes vont être mis sur les lèvres d'un adversaire éventuel du Christ : μάγος (8, 1.3.9 ; 9, 19-20), ἀπατεών (8, 5), γόης (8, 5.9), πλάνος (9, 18-19) : ils évoquent tous l'idée de quelqu'un qui cherche à séduire les foules par des artifices. Pour le premier de ces termes, nous avons un peu hésité entre le mot de *mage,* à cause de la précision géographique qui figure en 8, 2-3, et celui de *magicien,* que paraît imposer la juxtaposition exprimée en 8, 9 : Καὶ τί λέγω μάγους καὶ γόητας... Il semble bien d'ailleurs que la distinction spécifique entre les mots de magicien et de mage était loin d'être claire et constante (voir Ch. DAREMBERG et E. SAGLIO, *Dictionnaire des antiquités gréco-romaines,* t. III, 2e partie, p. 1499). Quant au grief véhiculé par ces mots, surtout ceux de μάγος et de γόης, Celse, dans son pamphlet contre les chrétiens, composé en 178, l'avait déjà appliqué au Christ (voir le texte grec

Des souverains ont fait la guerre, des tyrans ont livré bataille, des peuples entiers se sont soulevés, et cependant notre religion n'en fut pas amoindrie ; au contraire, elle n'en devint que plus illustre[1]. D'où vient donc, dites-moi, une si grande puissance ?

Disparition des magiciens et des cultes païens

8. Le Christ était un magicien[2], dira-t-on. Eh bien ! Il fut le seul magicien à se comporter ainsi. Vous avez sans aucun doute entendu dire qu'en Perse et en Inde il y eut beaucoup de magiciens, et qu'il y en a encore beaucoup maintenant ; mais leur nom même n'est connu nulle part. Cependant, dira-t-on, il y eut l'imposteur de Tyanes[3], et ce fut bien un charlatan, qui connut lui aussi un succès brillant. Où et quand ? Dans une petite partie du monde, et pour peu de temps ; son éclat s'est vite dissipé, et il est mort sans laisser après lui ni une Église, ni des fidèles, ni rien de tel. Et pourquoi parler des magiciens et des charlatans disparus ? Comment se fait-il que le culte des dieux a cessé

dans *Kleine Texte für Vorlesungen und Übungen 151* (O. Glöckner), Bonn 1924 : *Celsi* Ἀληθὴς Λόγος, p. 1, 2, 4, 6, 7, 11, 48, 66, et la traduction française de L. ROUGIER : *Discours vrai contre les chrétiens,* Utrecht 1965, p. 38-40, 42, 49, 56, 118-119, 152). Origène y a fait écho pour le réfuter (voir *Contre Celse,* I, 68, 71, *SC* 132, Paris 1967, p. 266-269, 272, 273 ; III, 1, *SC* 136, 1968, p. 16-17). On peut donc penser que ce grief et ces termes constituaient encore, vers la fin du IVe s., comme une monnaie courante de la part d'adversaires de la foi chrétienne : d'où ces allusions de Chrysostome dans un développement assez sinueux et non dépourvu de redondances oratoires.

3. Apollonius de Tyanes, en Cappadoce, était un adepte de la philosophie pythagoricienne qui, vers le milieu du Ier siècle, obtint en Orient et jusqu'à Rome un certain succès populaire. Dans son *Alexandre,* Lucien le présentait déjà comme un charlatan, qui exploitait la crédulité publique (ch. 5 et 6). Au IIIe siècle, PHILOSTRATE composa une *Vie d'Apollonius,* où il faisait une large part au merveilleux. Chrysostome a fait encore allusion à ce personnage dans *Adv. Judaeos,* V, 3, *PG* 48, 886 c.

Κλάριος, καὶ πάντα τά πονηρὰ ταῦτα ἐργαστήρια σιγᾷ καὶ ἐπεστόμισται;

9. Πόθεν οὖν οὐ τοῦτον μόνον τὸν σταυρωθέντα, ἀλλὰ καὶ τὰ ὀστᾶ τῶν ὑπὲρ αὐτοῦ σφαγέντων πεφρίκασι δαίμονες; τίνος δὲ ἕνεκεν καὶ σταυρὸν ἀκούοντες ἀποπηδῶσι; Καὶ μὴν καταγελᾶν ἔδει· μὴ γὰρ λαμπρὸν καὶ ἐπίσημον ὁ σταυρός; Τοὐναντίον μὲν οὖν, αἰσχρὸν καὶ ἐπονείδιστον. Θάνατος γάρ ἐστι καταδίκου· θάνατός ἐστιν ὁ κακῶν ἔσχατος, καὶ παρὰ Ἰουδαίοις ἐπάρατος, καὶ παρὰ Ἕλλησι βδελυκτός. Πόθεν οὖν αὐτὸν ἐδεδοίκεισαν δαίμονες; ἆρ' οὐκ ἀπὸ τῆς τοῦ σταυρωθέντος δυνάμεως; Εἰ γὰρ αὐτὸ καθ' ἑαυτὸ τὸ πρᾶγμα ἐδεδοίκεισαν, μάλιστα μὲν οὖν καὶ τοῦτο ἀνάξιον θεῶν· πλὴν πολλοὶ καὶ πρὸ αὐτοῦ καὶ μετ' αὐτὸν ἐσταυρώθησαν, καὶ μετ' αὐτοῦ δὲ δύο. Τί οὖν, εἰ εἴποι τις, ἐν ὀνόματι τοῦ λῃστοῦ τοῦ σταυρωθέντος, ἢ τοῦ δεῖνος, ἢ τοῦ δεῖνος, φεύξεται ὁ δαίμων; Οὐδαμῶς, ἀλλὰ καὶ γελάσεται. Ἐὰν δὲ τὸν Ἰησοῦν προσθῇς τὸν Ναζωραῖον, καθάπερ ἀπὸ πυρός τινος φεύγουσι. Τί οὖν ἂν εἴποις; πόθεν ἐκράτησεν; ὅτι

11 ἐργαστήρια ταῦτα ~ BDM E

9, 1 οὖν *om.* B, *ut vid.* ‖ οὐ *om.* DM ‖ 3 δὲ *om.* M ‖ 7 κακοῦ BM ‖ 11 οὖν AL : *om. cett.* ‖ 12 καὶ[2] *om.* BDM E

1. Dodone, en Épire, possédait un temple de Zeus près d'une forêt de chênes dont le bruissement était interprété comme un oracle. Claros, en Ionie, était l'un des sanctuaires célèbres d'Apollon.

2. Sur le culte des martyrs au IVe siècle de l'Église, voir H.I. Marrou, *Nouvelle Histoire de l'Église,* t. I, Paris 1963, p. 355-359.

3. Ces deux adjectifs sont extrêmement forts. Le second n'est employé qu'une fois dans le Nouveau Testament (*Tite* 1, 16). Le premier, plus méprisant encore, se trouve dans *Jn* 7, 49, et évoque celui de *Gal.* 3, 14, avec allusion à *Deut.* 21, 23.

complètement, celui de Dodone, celui de Claros, et que toutes ces officines démoniaques se taisent et sont muselées [1]?

Les démons redoutent la Croix

9. D'où vient donc qu'en présence non seulement du Crucifié, mais encore de ceux qui ont été égorgés pour lui, les démons frissonnent [2]? Pourquoi, dès qu'ils entendent parler d'une croix, s'éloignent-ils rapidement? En vérité, ils devraient s'en moquer. En effet, la croix est-elle une chose brillante et remarquable? Bien au contraire, infamante et honteuse. C'est le supplice d'un condamné; c'est pour les méchants le dernier des malheurs, objet de malédiction chez les Juifs, et d'abomination chez les Grecs [3]. D'où vient donc que les démons la redoutent [4]? N'est-ce pas à cause de la puissance du Crucifié? Car si c'est pour lui-même qu'ils craignent cet objet, c'est là un sentiment indigne des dieux [5]. D'ailleurs beaucoup d'hommes, avant le Christ et après lui, ont été crucifiés, et deux à ses côtés. Eh bien! si l'on disait : «Au nom du larron crucifié, ou encore de tel ou tel autre crucifié», le démon s'enfuira-t-il? Nullement, mais il se mettra à rire. Si, au contraire, en plus de la croix, tu nommes Jésus de Nazareth, les démons s'enfuient comme devant le feu. Que peux-tu répondre? Comment a-t-il triomphé? Parce qu'il fut un séducteur (de foules) [6]? Mais ses

4. Le verbe grec employé ici, ainsi que deux lignes plus loin (li. 10), est à l'imparfait : ἐδεδοίκεισαν. Toutefois, le contexte qui suit, avec les deux verbes : φεύξεται (li. 14) et φεύγουσι (li. 17), prouve que cette fuite du démon en présence de la Croix, qui a commencé trois siècles auparavant dès les premières générations apostoliques, se continue encore maintenant. Voilà pourquoi nous avons cru pouvoir traduire ici cet imparfait par un présent.

5. Pour désigner les dieux, Chrysostome emploie indifféremment δαίμονες (voir *supra*, 6, 8) ou θεοί. Il a d'ailleurs rappelé fermement le verset 5 du *Psaume* 95 : πάντες γὰρ οἱ θεοὶ τῶν ἐθνῶν δαιμόνια (cf. *In ... principium Actorum*, I, § 4, *PG* 51, 73 B).

6. Ce grief était déjà venu sur les lèvres des Pharisiens contemporains du Christ, soit dans l'emploi du verbe πλανάω-ῶ (voir *Jn* 7, 12.46-47), soit,

πλάνος ἦν; Ἀλλ' οὐ τοιαῦτα αὐτοῦ τὰ παραγγέλματα· ἄλλως δέ, καὶ πλάνοι πολλοὶ γεγόνασιν. Ἀλλ' ὅτι μάγος; Ἀλλ' οὐ τοῦτο μαρτυρεῖ τὰ δόγματα· καὶ μάγων πολλὴ πολλάκις ἐγένετο φορά. Ἀλλ' ὅτι σοφός; Αλλὰ σοφοὶ πολλοὶ πολλάκις ἐγένοντο. Τίς οὖν οὕτως ἐκράτησεν; Οὐδεὶς οὐδέποτε, οὐδὲ κατὰ μικρὸν ἐγγύς.

10. Ὅθεν δῆλον ὅτι οὐκ ἐπειδὴ μάγος ἦν, οὐδὲ ὅτι πλάνος ἦν, ἀλλ' ἐπειδὴ τούτων διορθωτής, καὶ θεία δύναμίς τις καὶ ἄμαχος, διὰ τοῦτο καὶ αὐτὸς πάντων περιεγένετο, καὶ τῷ σκηνοποιῷ τούτῳ τοσαύτην ἐνέπνευσε δύναμιν, ὅσην αὐτὰ τὰ πράγματα μαρτυρεῖ. Ἄνθρωπος γὰρ ἐπ' ἀγορᾶς ἑστηκώς, περὶ δέρματα τὴν τέχνην ἔχων, τοσοῦτον ἴσχυσεν, ὡς καὶ Ῥωμαίους, καὶ Πέρσας, καὶ Ἰνδούς, καὶ Σκύθας, καὶ Αἰθίοπας, καὶ Σαυρομάτας, καὶ Πάρθους, καὶ Μήδους, καὶ Σαρακηνούς, καὶ ἅπαν ἁπλῶς τὸ τῶν ἀνθρώπων γένος πρὸς τὴν ἀλήθειαν ἐπαναγαγεῖν ἐν ἔτεσιν οὐδὲ ὅλοις τριάκοντα. Πόθεν οὖν, εἰπέ μοι, ὁ ἀγοραῖος, καὶ ἐπὶ ἐργαστηρίου ἑστηκώς, καὶ σμίλην μεταχειρίζων, καὶ αὐτὸς τοιαῦτα ἐφιλοσόφει, καὶ τοὺς ἄλλους ἔπεισε, καὶ ἔθνη, καὶ πόλεις, καὶ χώρας, οὐ λόγων ἰσχὺν

18 τοιαῦτα : ταῦτα φησὶν BDM AL E ‖ 19 πολλοὶ πλάνοι ~ BDM E ‖ πολλοὶ *om.* AL ‖ 21 φορά : διαφορά L *om.* A
10, 11 ὅλος E

comme ici, dans celui de l'adjectif substantivé πλάνος (voir *Matth.* 27, 63). Le complément de nom que nous avons ajouté rappelle la référence à l'Évangile de Jean.

1. On remarque ici (li. 13-23) le style familier de la diatribe.

2. Le mot σκηνοποιός placé dans une phrase qui conclut le mouvement précédent, amorce en même temps le second, c'est-à-dire la fécondité apostolique de Paul et de ses disciples (§ 10-14).

3. Cette expression évoque l'influence rapide et étendue des Épîtres de Paul. Pour la diffusion du christianisme en Inde et en Perse, que représentent ici à la fois les Perses, les Parthes et les Mèdes, ainsi que chez les Scythes et

préceptes n'expriment rien de tel, et d'ailleurs des séducteurs (de foules), il y en a toujours beaucoup. Parce qu'il fut un magicien ? Pourtant sa doctrine ne donne pas ce témoignage, et il s'est trouvé souvent une surabondance de magiciens. Parce qu'il fut un sage ? Mais il y a eu souvent beaucoup de sages. Qui donc a remporté un tel triomphe ? Absolument personne, pas même un tant soit peu[1].

L'apôtre Paul : ses limites, ses succès apostoliques

10. Donc, de toute évidence, ce n'est pas parce qu'il fut un magicien, ni un séducteur (de foules), mais au contraire parce qu'il cherchait à redresser ces hommes-là et qu'il y avait en lui une force divine et invincible, oui, c'est pour cela qu'il l'emporta personnellement sur tous et qu'il inspira à ce fabricant de tentes[2] une puissance dont la grandeur coïncide avec le témoignage des faits. Un homme, en effet, qui demeurait sur l'agora et qui exerçait le métier de tanneur, est devenu puissant au point d'amener à la vérité les Romains, les Perses, les Indiens, les Scythes, les Éthiopiens, les Sarmates, les Parthes, les Mèdes, les Sarrasins, en un mot tout le genre humain, en moins de trente ans en tout[3]. D'où vient donc, dis-moi, que cet habitué de l'agora, qui se tenait dans sa boutique et qui maniait le tranchet, ait pratiqué lui-même une telle philosophie, et qu'il en ait persuadé les autres, peuples des villes ou des campagnes, non pas en étalant une éloquence puissante,

les Sarmates, voir *Histoire du développement culturel et scientifique de l'humanité* (UNESCO), t. II, *L'Antiquité,* Paris 1967, p. 578, 586, 754. Pour l'Inde, voir aussi *Histoire générale des civilisations,* t. II, *Rome et son empire,* par A. Aymard et J. Auboyer, Paris, *P U F* (1956), p. 623. Pour l'Éthiopie, voir H. Deschamps, *Histoire générale de l'Afrique Noire,* Paris, *P U F* (1970), t. I, p. 151-153. Pour les Perses et les Sarrasins, voir également H.I. Marrou, *op. cit.,* p. 322 et 326.

ἐπιδεικνύμενος, ἀλλὰ καὶ τοὐναντίον ἅπαν, τὴν ἐσχάτην ἀμαθίαν ἀμαθὴς ὤν; Ἄκουσον γοῦν αὐτοῦ λέγοντος, καὶ οὐκ αἰσχυνομένου · Εἰ καὶ ἰδιώτης τῷ λόγῳ, ἀλλ' οὐ τῇ γνώσει[l]. Οὐ χρήματα κεκτημένος. Καὶ γὰρ καὶ τοῦτο αὐτός φησι · Μέχρι τῆς ἄρτι ὥρας καὶ πεινῶμεν, καὶ διψῶμεν, καὶ κολαφιζόμεθα[m]. Καὶ τί λέγω χρήματα, ὅπου γε οὐδὲ τῆς ἀναγκαίας πολλάκις εὐπόρει τροφῆς, οὐδὲ ἱμάτιον περιβαλέσθαι εἶχεν; Ὅτι δὲ οὐδὲ ἐξ ἐπιτηδεύματος λαμπρὸς ἦν, καὶ τοῦτο ὁ μαθητὴς αὐτοῦ δείκνυσι λέγων ὅτι · Ἔμεινε πρὸς Ἀκύλαν καὶ Πρίσκιλλαν διὰ τὸ ὁμότεχνον · ἦσαν γὰρ σκηνοποιοὶ τὴν τέχνην[n]. Οὐκ ἀπὸ προγόνων ἐπίσημος · πῶς γάρ, τοιοῦτον ἐπιτήδευμα ἔχων; Οὐκ ἀπὸ πατρίδος, οὐκ ἀπὸ ἔθνους. Ἀλλ' ὅμως ἐλθὼν εἰς

17-18 ἀλλ' – γνώσει *om.* $D^{tx.}$ *rest.* $D^{mg.}$ || 21 τῆς *om.* AL || 24 ἔμενε A

l. II Cor. 11, 6.
m. I Cor. 4, 11.
n. Act. 18, 3.

1. Il y a là une exagération qu'on ne saurait prendre au pied de la lettre. En réalité, Paul possédait une culture à la fois rabbinique et hellénique : voir *La Bible de Jérusalem* (1973), p. 1616-1617. Augusta Merzagora a d'ailleurs montré (« Giovanni Crisostomo commentatore di S. Paolo. Osservazioni su l'exegesi filosofico », *Studi dedicati alla memoria di Paolo Ubaldi. Vita e Pensiero,* Milan 1937, p. 220-221) que Chrysostome a lui-même noté en plusieurs passages les points de contact que S. Paul s'est efforcé de trouver entre la culture rabbinique et la culture hellénique : cf. *De non anathematizandis vivis vel defunctis,* § 4, *PG* 48, 950 AB ; *In inscriptionem altaris et in principium Actorum,* I, § 4, *PG* 51, 73-74 A ; *In Acta Apost., hom.* XXXI, 1, *PG* 60, 227 C-D ; *hom.* XLVII, 1, *PG* 60, 325 D - 328 A.

2. Sur cette opposition de l'éloquence et de la science en la personne de Paul, voir *De Sacerdotio,* IV, 6-7, *SC* 272, p. 262 s. ; *In Epist. I ad Cor., hom.* III, 3, *PG* 61, 26 C - 27 A ; *hom.* VI, 1, *PG* 61, 48 C - 49 A ; *In Epist. II ad Cor., hom.* XXIII, 3, *PG* 61, 556 D - 557 A. En fait, les discours de Paul rapportés dans les *Actes* (13, 16-41 ; 17, 22-31 ; 20, 18-35 ; 22, 1-21 ; 26, 2-29) et plusieurs passages des Épîtres elles-mêmes (*Rom.* 8, 1-39 ; 11, 25-36 ; *I Cor.* 1, 17 - 2, 16 ; 13, 1-13 ; 15, 12-28 ; *II Cor.* 4, 7-18 ; 11, 21 - 12, 10 ; *Éphés.* 3, 8-21 ; *Col.* 1, 10-20) prouvent qu'il était capable de

mais tout le contraire, c'est-à-dire en étant absolument dépourvu de culture[1] ? Écoute-le, par exemple, dire sans en avoir honte : « Si je ne suis qu'un profane en fait d'éloquence, pour la science, c'est autre chose[l 2]. » Il n'avait pas de fortune. Et c'est également lui qui l'affirme : « A cette heure encore nous souffrons la faim et la soif et nous sommes souffletés[m]. » Et pourquoi parler de fortune, quand il manquait souvent même de la nourriture indispensable ou d'un vêtement à se mettre ? Quant à l'obscurité de son métier, son disciple l'indique aussi, lorsqu'il dit : « Il demeura auprès d'Aquilas et de Priscille, car ils avaient le même métier, c'est-à-dire fabricants de tentes[n 3]. » Ce ne sont pas ses ancêtres qui firent sa distinction : comment le supposer, avec une telle occupation[4] ? Ce n'est pas non plus sa patrie, ni sa nation[5]. Et cependant, dès qu'il parut en public et

parvenir à une véritable éloquence (à ce propos, voir aussi E. Osty et J. Trinquet, *La Bible,* 1973, p. 2371-2372). Quant au mot de *science,* il suggère la connaissance spirituelle du mystère du Christ. Sur les sens du mot γνῶσις dans les Épîtres de S. Paul, voir J. Dupont, *Gnôsis, La connaissance religieuse dans les Épîtres de saint Paul,* Louvain 1929.

3. L'industrie de la toile tissée de poils de chèvres étant prospère à Tarse, on a supposé que les parents de Paul avaient peut-être un atelier de tissage, et c'est là que le jeune Saul aurait appris son métier.

4. Le raisonnement de Chrysostome est ici trop simple. La profession de fabricant de tentes exercée par Paul ne prouve nullement qu'il aurait appartenu à une famille obscure, puisque la piété juive faisait une obligation de connaître un métier manuel (voir J.R. Armogathe, *Paul ou l'impossible unité,* Paris 1980, p. 125-126).

5. Cependant Paul s'est glorifié d'appartenir à la nation juive (*Rom.* 9, 3-5 ; *II Cor.* 11, 21-22), d'être né à Tarse (*Act.* 21, 39) et de porter le titre de citoyen romain (*Act.* 16, 37 ; 22, 25-28). Tarse, métropole de la Cilicie et souveraine d'un assez grand territoire, était notamment réputée pour la qualité de sa formation universitaire et l'influence qu'y exercèrent plusieurs stoïciens : voir Strabon, XIV, 5, 12-14, éd. et trad. H.L. Jones, vol. VI (coll. Loeb), Londres 1970, ainsi qu'une traduction française presque intégrale de ce passage dans J.R. Armogathe, *op. cit.,* p. 33-34. Or le jeune Saul dut résider dans sa ville natale au moins pendant les seize premières années de sa vie.

μέσον, καὶ φανεὶς μόνον, πάντα ἐτάραξε τὰ τῶν ἐναντίων, πάντα συνέχεε, καὶ καθάπερ πῦρ εἰς καλάμην ἐμπεσὸν καὶ χόρτον, οὕτω κατέκαυσε τὰ τῶν δαιμόνων, καὶ εἰς ἅπερ ἐβούλετο, πάντα μετέστησε.

11. Καὶ οὐ τοῦτο μόνον ἐστὶ τὸ θαυμαστόν, ὅτι αὐτὸς τοιοῦτος ὢν τοσαῦτα ἴσχυσεν, ἀλλ' ὅτι καὶ οἱ πλείους τῶν μαθητευομένων, πένητες, ἰδιῶται, ἀπαίδευτοι, λιμῷ συζῶντες, ἄσημοι καὶ ἐξ ἀσήμων. Καὶ ταῦτα καὶ αὐτὸς κηρύττει, καὶ οὐκ αἰσχύνεται λέγων αὐτῶν τὴν πενίαν, μᾶλλον δὲ οὐδὲ προσαιτῶν ὑπὲρ αὐτῶν. Πορεύομαι γάρ, φησίν, εἰς Ἱερουσαλὴμ διακονῶν τοῖς ἁγίοις[o], καὶ πάλιν· Κατὰ μίαν σαββάτων ἕκαστος ὑμῶν τιθέτω παρ' ἑαυτῷ θησαυρίζων, ἵνα μή, ὅταν ἔλθω, τότε λογίαι γίνωνται[p]. Ὅτι δὲ καὶ τὸ πλεῖον αὐτῶν ἐξ ἰδιωτῶν συνειστήκει, Κορινθίοις ἐπιστέλλων, φησί· Βλέπετε τὴν κλῆσιν ὑμῶν, ὅτι οὐ πολλοὶ σοφοὶ κατὰ σάρκα[q]· καὶ ὅτι ἐξ ἀσήμων· Οὐ πολλοί, φησίν, εὐγενεῖς[r]· καὶ οὐ μόνον οὐκ εὐγενεῖς, ἀλλὰ καὶ σφόδρα εὐτελεῖς. Καὶ γὰρ τὰ ἀσθενῆ, φησί, τοῦ κόσμου ἐξελέξατο ὁ Θεός, καὶ τὰ μὴ ὄντα, ἵνα τὰ ὄντα καταργήσῃ[s]. Ἀλλ' ἰδιώτης μὲν καὶ ἀπαίδευτος, πιθανὸς δὲ

28 τὰ *om.* AL ‖ 29 ἐμπεσὼν CFP A

11, 3 ἀπαίδευτοι *om.* C ‖ 4 καὶ[3] *om.* BDM E ‖ 7 πάλιν *om.* BDM AL E ‖ 13 φησίν *om.* BDM AL E ‖ καὶ : ὅτι CFGP ‖ καὶ – εὐγενεῖς *om.* M ‖ 14 γὰρ *om.* A ‖ φησί *om.* BDM AL E

o. Rom. 15, 25.
p. I Cor. 16, 2.
q. I Cor. 1, 26.
r. *Ibid.*
s. Cf. I Cor. 1, 27-28.

1. L'expression οἱ πλείους τῶν μαθητευομένων paraît viser la plupart des disciples du Christ, en général. En effet, dans les lignes qui suivent (li. 6-9), Chrysostome cite deux passages de Paul qui se rapportent aux chrétiens pauvres de Jérusalem (*Rom.* 15, 25 ; *I Cor.* 16, 2). Dans les lignes 10-16, il s'agit des disciples de Paul (*I Cor.* 1, 26-28).

que seulement il se montra, il jeta totalement la confusion chez ses adversaires, il bouleversa tout, et comme le feu qui tombe sur des roseaux ou sur la paille, il réduisit ainsi en cendres le domaine des démons et transforma tout selon sa volonté.

Rang modeste des disciples

11. Et ce qu'il y a d'admirable, ce n'est pas seulement qu'avec si peu de moyens il ait possédé personnellement une si grande puissance, c'est encore que la plupart des disciples[1] aient été pauvres, de condition modeste, sans instruction, souffrant de la faim, obscurs dans leur vie comme dans leur origine. Et cela, il le proclame encore lui-même, et il ne rougit pas de parler de leur pauvreté, ni même de mendier pour eux : « Je me rends, dit-il, à Jérusalem, pour le service des saints[o] », et encore : « Que chaque jour de la semaine, chacun de vous mette de côté chez lui des dons en réserve, de façon qu'on n'attende pas mon arrivée pour les recueillir[p]. » Et encore, que la plupart d'entre eux se composaient de gens sans culture, il l'affirme, en écrivant aux Corinthiens : « Considérez votre appel : il n'y a pas beaucoup de sages selon la chair[q] », et pour ce qui concerne leur origine obscure : « Beaucoup, dit-il, sont sans origine noble[r] », et non seulement sans origine noble, mais tout à fait communs : et en effet, « Dieu a choisi, poursuit-il, ce qu'il y a de faible dans le monde et ce qui n'est pas pour réduire à néant ce qui est[s] ». Mais alors, tout en étant de condition modeste et sans instruction[2], possédait-il d'une

2. Le mot ἀπαίδευτος pouvait s'appliquer à un homme qui dans sa jeunesse n'avait pas été soumis à la discipline de la παιδεία. L'emploi qu'en fait ici Chrysostome montre combien, pour l'éducation morale et chrétienne de la jeunesse, il redoutait l'ambiance qui régnait dans la plupart des écoles de rhétorique de son temps : cf. *Adv. opp. vitae monast.* III, 11, *PG* 47, 366 D - 368 B. Quant au premier mot, ἰδιώτης, il évoque ici ainsi qu'à la li. 3 le genre de vie modeste de l'apôtre Paul. Il ne faudrait pas en conclure

ὁπωσοῦν εἰπεῖν; Οὐδὲ τοῦτο. Καὶ τοῦτο αὐτὸς πάλιν δείκνυσι λέγων· Κἀγὼ ἦλθον πρὸς ὑμᾶς, οὐ καθ' ὑπεροχὴν λόγου ἢ σοφίας, καταγγέλλων ὑμῖν τὸ μαρτύριον. Οὐ γὰρ ἔκρινά τι εἰδέναι ἐν ὑμῖν, εἰ μὴ Ἰησοῦν Χριστόν, καὶ τοῦτον ἐσταυρωμένον· καὶ ὁ λόγος μου καὶ τὸ κήρυγμά μου οὐκ ἐν πειθοῖς σοφίας λόγοις[t].

12. Ἀλλὰ τὸ κηρυττόμενον ἱκανὸν ἐπισπάσασθαι; Ἀλλ' ἄκουσον καὶ περὶ αὐτοῦ τί φησιν· Ἐπεὶ καὶ Ἰουδαῖοι σημεῖα αἰτοῦσι, καὶ Ἕλληνες σοφίαν ζητοῦσιν, ἡμεῖς δὲ κηρύττομεν Χριστὸν ἐσταυρωμένον, Ἰουδαίοις μὲν σκάνδαλον, Ἕλλησι δὲ μωρίαν[u]. Ἀλλ' ἀδείας ἀπέλαυσεν; Ἀλλ' οὐδὲ ἀνέπνει ποτὲ τῶν κινδύνων. Καὶ γὰρ ἐν ἀσθενείᾳ, φησί, καὶ ἐν φόβῳ καὶ ἐν τρόμῳ πολλῷ ἐγενόμην πρὸς ὑμᾶς[v]· οὐκ αὐτὸς δὲ μόνον, ἀλλὰ καὶ οἱ μαθηταὶ τὰ αὐτὰ ἔπασχον. Μέμνησθε γάρ, φησί, τὰς πρότερον ἡμέρας, ἐν αἷς φωτισθέντες, πολλὴν ἄθλησιν ὑπεμείνατε παθη-

18 δείκνυσι : φησὶ BDM AL E || 19 καταγγέλων A || 20 ἔκρινά τι *scr. Sav.* : ἔκρινα τί *codd.* || 22 λόγοις *om.* CFGP
12, 5 ἀπήλαυσεν A

t. I Cor. 2, 1.2.4.
u. I Cor. 1, 22-23.
v. I Cor. 2, 3.

que les parents du jeune Saul de Tarse aient été des gens d'humble condition. Au contraire, le titre de citoyen romain dont jouissait déjà son père (*Act.* 22,28) atteste une famille aisée et bien installée dans la ville (J.R. ARMOGATHE, *op. cit.*, p. 26-28, p. 36).

1. On connaît le beau passage de Bossuet sur le même sujet : «... Il ira, cet ignorant dans l'art de bien dire, avec cette locution rude, avec cette phrase qui sent l'étranger, il ira en cette Grèce polie, la mère des philosophes et des orateurs... Rome même entendra sa voix... Paul a des moyens pour persuader que la Grèce ne possède pas et que Rome n'a pas appris... » (*Panégyrique de saint Paul,* Ire partie).

2. Il s'agit de l'infériorité de Paul dans le domaine de la sagesse profane, si estimée des Grecs et brillamment illustrée par leurs philosophes et leurs rhéteurs (cf. *In Epist. I ad Cor., hom.* VII, § 7, *PG* 61, 63 C-D).

façon ou d'une autre le talent persuasif de la parole? Pas davantage[1]. Et il l'explique encore lui-même, quand il dit : «Je ne suis pas venu chez vous avec le prestige de la parole ou de la sagesse[2], lorsque je vous annonçais le témoignage[3]. Non, je n'ai rien voulu savoir parmi vous, sinon Jésus-Christ, et Jésus-Christ crucifié... et ma parole et ma prédication n'avaient rien des discours persuasifs de la sagesse[t].»

De surcroît, ils sont persécutés

12. Mais peut-être la teneur du message était-elle capable d'attirer? Eh bien! écoute ce qu'il dit aussi à ce propos : «Tandis que les Juifs demandent des signes et que les Grecs sont en quête de sagesse, nous prêchons, nous, un Christ crucifié, scandale pour les Juifs et folie pour les Grecs[u4].» Avait-il alors, en compensation, l'avantage de la sécurité? Au contraire, jamais les dangers ne le laissaient respirer : «Je me suis présenté à vous, dit-il, faible, craintif et tout tremblant[v5].» Et non seulement lui, mais encore ses disciples subissaient les mêmes épreuves. «Rappelez-vous donc, écrit-il, ces premiers jours où, après avoir été illuminés[6], vous avez

3. Dans le contexte il est question sur les lèvres de Paul du «témoignage de Dieu» (cf. *I Cor.* 2, 1), c'est-à-dire du témoignage que Dieu a donné dans la personne de Jésus-Christ. Plus tard, Paul emploiera le même mot en l'appliquant au témoignage que rendit le Christ dans sa Passion (*I Tim.* 6, 13). Peut-être Chrysostome songeait-il ici à ces deux sens à la fois.

4. Pour le commentaire de ces versets par Chrysostome, voir notamment *In Epist. I ad Cor., hom.* VI, §1-2, *PG* 61, 47 D - 50 B..

5. Chrysostome emploie ici, dans un contexte se rapportant à la vie de saint Paul en général, une expression qui s'applique, en réalité, à des circonstances précises : l'arrivée de Paul à Corinthe, seul, après son échec d'Athènes (*Act.* 17, 32-34 ; 18, 1.5).

6. Le participe φωτισθέντες, emprunté à *Hébr.* 10, 32, est, dans les premiers siècles chrétiens, l'équivalent de βαπτισθέντες. Le substantif φώτισμα est, en effet, l'un des noms qui servait à désigner le baptême, comme l'indique en un très beau développement la première des 4 Catéchèses éditées à Saint-Pétersbourg en 1909 par A. Papadopoulos-

μάτων· τοῦτο μέν, ὀνειδισμοῖς καὶ θλίψεσι θεατριζόμενοι, τοῦτο δὲ κοινωνοὶ τῶν οὕτω πασχόντων γενηθέντες. Καὶ γὰρ τὴν ἁρπαγὴν τῶν ὑπαρχόντων ὑμῶν μετὰ χαρᾶς προσεδέξασθε[w]. Καὶ πάλιν Θεσσαλονικεῦσι γράφων λέγει· Ὑμεῖς γὰρ τὰ αὐτὰ ἐπάθετε ὑπὸ τῶν ἰδίων συμφυλετῶν, καθὼς καὶ αὐτοὶ ὑπὸ τῶν Ἰουδαίων, τῶν καὶ τὸν Κύριον ἀποκτεινάντων, καὶ τοὺς ἰδίους προφήτας, καὶ ἡμᾶς ἐκδιωξάντων, καὶ Θεῷ μὴ ἀρεσκόντων, καὶ πᾶσιν ἀνθρώποις ἐναντίων[x]. Καὶ Κορινθίοις δὲ πάλιν ἐπιστέλλων ἔλεγεν ὅτι· Περισσεύει τὰ παθήματα τοῦ Χριστοῦ εἰς ὑμᾶς, καὶ ὥσπερ κοινωνοί ἐστε τῶν παθημάτων, οὕτω καὶ τῆς παρακλήσεως[y], καὶ Γαλάταις· Τοσαῦτα ἐπάθετε εἰκῇ, φησίν, εἴ γε καὶ εἰκῇ[z].

13. Ὅταν οὖν καὶ ὁ κηρύττων ἰδιώτης ᾖ καὶ πένης καὶ ἄσημος, καὶ τὸ κηρυττόμενον οὐκ ἐπαγωγόν, ἀλλὰ καὶ σκάνδαλον ἔχον, καὶ οἱ ἀκούοντες αὐτὸ πένητες καὶ ἀσθενεῖς καὶ οὐδένες, καὶ κίνδυνοι ἐπάλληλοι καὶ συνεχεῖς καὶ τοῖς διδασκάλοις καὶ τοῖς μαθηταῖς , καὶ ὁ καταγγελλόμενος ἐσταυρωμένος, τί τὸ ποιῆσαν κρατήσειν; Οὐκ εὔδηλον ὅτι θεία τις καὶ ἀπόρρητος δύναμις; Παντί που δῆλον. Καὶ τοῦτο καὶ ἀπὸ τῶν ἐναντίων ἔστι κατιδεῖν. Ὅταν γὰρ ἴδῃς τὰ ἐναντία τούτων συνδραμόντα, καὶ πλοῦτον, καὶ εὐγένειαν, καὶ πατρίδος μέγεθος, καὶ ῥητο-

14 γράφων *om.* BDM AL E || λέγει: φησίν BDM AL E || 21 τῶν *om.* BDM E

13, 3 αὐτοῦ B || 5-6 καταγγελόμενος A

w. Hébr. 10, 32-34.
x. I Thess. 2, 14-15.
y. II Cor. 1, 5.7.
z. Gal. 3, 4.

Kerameus dans son ouvrage intitulé *Varia graeca sacra :* voir *Cat. I,* § 2 (= *Cat. I, Ad illuminandos, PG* 49, 225 C-D, d'après l'éd. Montfaucon).

1. Le pronom αὐτοί de la li. 16 renvoie, en effet, étant donné le contexte de la citation où il se trouve (*I Thess.* 2, 14-15), aux Juifs de Jérusalem ou de

soutenu un grand assaut de souffrances, tantôt exposés publiquement aux opprobres et aux tribulations, tantôt vous rendant solidaires de ceux qui enduraient ces épreuves. En effet, vous avez accepté avec joie la spoliation de vos biens[w].» Et quand il écrit aux Thessaloniciens, il dit encore : «Vous avez, en réalité, souffert de la part de vos compatriotes les mêmes traitements que les Églises de Judée[1] ont subis de la part des Juifs, de ces gens qui ont mis à mort le Seigneur comme les prophètes de leur nation, qui nous ont persécutés, qui ne plaisent pas à Dieu et sont ennemis de tous les hommes[x].» Et quand il écrivait à nouveau aux Corinthiens, il disait : «Les souffrances du Christ surabondent pour vous, et de même que vous êtes associés aux souffrances, vous le serez aussi à la consolation[y]», et aux Galates : «Est-ce en vain que vous avez tant souffert? Mais non, ce n'est pas en vain[z2].»

L'action de la puissance divine

13. Donc, du moment que le prédicateur était un homme sans culture, pauvre, obscur, que le message n'était pas séduisant, mais provoquait le scandale, que ceux qui l'écoutaient étaient pauvres, sans crédit, sans aucune considération, que c'étaient des dangers ininterrompus et continuels pour les maîtres comme pour les disciples, et que celui qu'on annonçait était un crucifié, quelle était la cause de ce triomphe? N'est-il pas parfaitement évident qu'il y avait là une puissance divine et ineffable ? C'est évident pour tout homme, je suppose. On peut encore s'en rendre compte quand on songe aux forces adverses. En effet, lorsque tu vois se rassembler les valeurs contraires aux réalités précédentes : la richesse, la noblesse d'origine, l'étendue de

Palestine convertis à la foi chrétienne, au début de la prédication évangélique. D'où notre traduction.

2. Ce verset est traduit diversement selon les exégètes : voir E. Osty et J. Trinquet, *op. cit.*, p. 2435, et *La Bible de Jérusalem*, Paris 1973, p. 1681.

ρείας δεινότητα, καὶ ἄδειαν καὶ θεραπείαν πολλήν, καὶ εὐθέως σβεσθέντα τὰ καινοτομηθέντα, τούτους δὲ ἀπὸ τῶν ἐναντίων περιγενομένους, τί τὸ αἴτιον, εἰπέ μοι; Ταὐτὸν γὰρ συνέβη, οἷον ἂν εἰ μετὰ στρατοπέδων καὶ ὅπλων καὶ παρατάξεως τοῦ βασιλεύοντος μὴ δυνηθέντος κρατῆσαι τῶν βαρβάρων, πτωχός τις γυμνὸς καὶ μόνος, καὶ μηδὲ ἀκόντιον μεταχειρίζων, μηδὲ ἱμάτιον ἔχων, εἰσελθὼν διαπράξοιτο ἃ μετὰ ὅπλων καὶ παρασκευῆς οὐκ ἴσχυσαν ἕτεροι.

14. Μὴ τοίνυν ἀγνωμόνει, ἀλλὰ καθ' ἑκάστην φέρε τὴν ψῆφον, καὶ προσκύνει τοῦ σταυρωθέντος τὴν δύναμιν. Οὐδὲ γάρ, ἂν ἴδῃς τινὰ πόλεις κατασκευάζοντα, καὶ τάφρους περιελαύνοντα, καὶ μηχανήματα προσάγοντα τείχεσι, καὶ ὅπλα χαλκεύοντα, καὶ στρατιώτας καταλέγοντα, καὶ χρήματα ἔχοντα ἄπειρα, καὶ μὴ δυνάμενον πόλιν μίαν ἑλεῖν, ἄλλον δὲ γυμνῷ σώματι προσβαλόντα, καὶ χερσὶ μόναις χρώμενον, οὐχὶ μίαν καὶ δευτέραν καὶ εἴκοσι πόλεις, ἀλλὰ μυρίας κατὰ τὴν οἰκουμένην ἐπιτρέχοντα, καὶ αὐτάνδρους λαμβάνοντα, ἀνθρωπίνης ἂν εἴποις εἶναι τοῦτο δυνάμεως. Οὕτω δῆλον ὅτι καὶ νῦν. Διὰ γὰρ τοῦτο συνεχώρησεν ὁ Θεὸς καὶ λῃστὰς σταυρωθῆναι[a], καὶ πρὸ αὐτοῦ τινας ἀπατεῶνας φανῆναι, ἵνα καὶ ἀπὸ συγκρίσεως τοῖς σφόδρα ἀναισθητοῦσι δειχθῇ τῆς ἀληθείας ἡ ὑπεροχή, καὶ σὺ μάθῃς ὅτι οὐκ ἐκείνων εἷς οὗτος, ἀλλὰ πολὺ καὶ ἄπειρον τούτου καὶ ἐκείνων τὸ μέσον. Οὐδὲν γὰρ αὐτοῦ

14, 3 ἴδοις BDM E || 10 τούτου FG

a. Cf. Matth. 27, 38; Mc 15, 27; Lc 23, 33.

1. Le mot πατρίδος paraît bien s'appliquer ici à l'Empire romain tout entier, qui depuis la *Pax Romana* constituait la grande patrie de tous ceux qui en étaient les sujets.

2. Le mot ψῆφος, emprunté au vocabulaire de la vie politique, est appliqué ici à celui de la foi chrétienne. Sur la puissance du Christ crucifié, voir aussi *In Epist. ad Rom., hom.* II, 6, *PG* 60, 408 BC.

l'empire[1], le talent oratoire, la sécurité, les cultes religieux largement pratiqués et les nouveautés aussitôt supprimées, et que cependant ces hommes qui viennent du camp opposé emportent la victoire, quelle est la raison, dis-le-moi ? Tout s'est passé exactement comme si un roi, disposant d'armées bien équipées et livrant une bataille rangée, n'avait pas pu triompher des barbares, et qu'un homme pauvre, sans armes et tout seul, sans avoir en main le moindre javelot ni vêtement sur le corps, accomplissait dès son arrivée ce que d'autres n'avaient pu faire avec des armes et tout un appareil militaire.

Adore, toi aussi, le Crucifié

14. Ne sois donc pas de mauvaise foi, mais en apportant chaque jour ton suffrage[2], adore la puissance du Crucifié. En effet, si tu vois quelqu'un investir[3] des villes, tracer des fossés tout autour, placer des machines de guerre près des remparts, forger des armes, enrôler des soldats et disposer d'une fortune immense, tout en étant incapable de se rendre maître d'une seule ville et, d'autre part, un homme s'élancer sans rien sur le corps, ne se servir que de ses mains, attaquer non pas une ville, ni deux, ni vingt, mais des milliers de par le monde, puis s'en emparer avec tous leurs habitants, tu ne saurais dire non plus que c'est là l'effet d'une puissance humaine. Il en est de même visiblement aujourd'hui. C'est pourquoi Dieu a permis que des larrons fussent également crucifiés[a] et qu'avant le Christ soient apparus quelques imposteurs, afin que la comparaison fît voir même aux plus bornés la supériorité de la vérité, et que tu comprennes que le Christ n'était pas l'un d'entre eux, et qu'il y avait, au contraire, entre lui et eux une distance importante et

3. Le verbe κατασκευάζω signifie au sens propre mettre en état ; comme tout le contexte de la phrase est d'ordre militaire, on aboutit au sens de mettre des villes en état de siège, ou tout simplement d'investir.

τὴν δόξαν συσκιάσαι ἴσχυσεν, οὐ τὸ τῶν αὐτῶν κοινωνῆσαι παθῶν, οὐ τὸ τοῖς αὐτοῖς χρόνοις συνδραμεῖν. Εἰ μὲν γὰρ τὸν σταυρὸν οἱ δαίμονες δεδοίκασι, καὶ οὐ τοῦ σταυρωθέντος τὴν ἰσχύν, ἐμφράττει τῶν ταῦτα λεγόντων τὸ στόμα τῶν λῃστῶν ἡ ξυνωρίς. Εἰ δὲ καὶ ἡ δυσκολία τῶν καιρῶν τὸ πᾶν ἤνυσεν, ἀπολογοῦνται οἱ περὶ Θευδᾶν καὶ Ἰούδαν, περὶ τῶν αὐτῶν ἡμῖν ἐπιχειρήσαντες μετὰ καὶ ἑτέρων πολλῶν τῶν σημείων, καὶ διαφθαρέντες. Ὅπερ γὰρ ἔφην, διὰ τοῦτο ταῦτα εἴασεν ὁ Θεός, ἵνα ἐκ περιουσίας τὰ αὐτοῦ δείξῃ. Διὰ τοῦτο καὶ ψευδοπροφήτας ἐπὶ τῶν προφητῶν φανῆναι συνεχώρησε, καὶ ψευδαποστόλους ἐπὶ τῶν ἀποστόλων, ἵνα μάθῃς ὅτι οὐδὲν τῶν αὐτοῦ συσκιάσαι δύναται.

15. Εἴπω σοι καὶ ἑτέρωθεν δύναμιν κηρύγματος θαυμαστὴν καὶ παράδοξον, καὶ δείξω σοι καὶ διὰ τῶν πολεμούντων αἰρόμενον αὐτὸν καὶ αὐξανόμενον; Τῷ Παύλῳ τούτῳ ποτέ τινες πολεμοῦντες, ἐκήρυττον τουτὶ τὸ δόγμα ἐν Ῥώμῃ. Βουλόμενοι γὰρ τὸν Νέρωνα παροξῦναι πολεμοῦντα τῷ Παύλῳ, ἀναδέχονται καὶ αὐτοὶ κηρύττειν,

19 οἱ *om.* A ‖ 22 ἤνυσον E ‖ 27-28 ἐπὶ τῶν ἀπ. ψευδ. ~ E
15, 1 σοι *om.* CFGP ‖ 2 καὶ^3 *om.* A C

1. La comparaison de la croix des deux larrons avec celle du Christ a déjà été rencontrée plus haut (9, 13-15); voir aussi *Adv. Jud.* V, 3, *PG* 48, 887 CD. On lira surtout avec intérêt l'homélie de Chrysostome *De cruce et latrone*, I, *PG* 49, 399 C - 408 A.

2. Les *Actes des Apôtres* font allusion à ces deux personnages : 5, 36-37. On se reportera pour plus de renseignements à JOSÈPHE, *Ant. Jud.*, XVIII, 4-10, 23-25 ; XX, 97-99, 102, éd. B. Niese, vol. IV, Berlin 1955, p. 140-141, 144, 292, 293 ; *De Bello Jud.*, II, 118, éd. B. Niese, vol. VI (1955), p. 176. A ce sujet, on a noté que les dates indiquées par Josèphe sont peu sûres, et que les faits rapportés par Gamaliel en *Act.* 5, 36-37, doivent remonter à l'époque de la naissance de Jésus. Chrysostome a exprimé ailleurs cette même réflexion : cf. *Adv. Jud.*, V, 3, *PG* 48, 887 A-D ; *In Johan.*,

même infinie. C'est que rien n'a pu dissimuler sa gloire, ni le partage des mêmes souffrances, ni la coïncidence des temps. Si, en effet, c'est la croix que craignent les démons et non la puissance du Crucifié, la vue simultanée des deux larrons ferme la bouche à ceux qui parlent ainsi [1]. Si, d'autre part, c'est la difficulté des circonstances qui est la cause de tout, les disciples de Theudas et de Judas plaident en notre faveur, eux qui ont fait des tentatives semblables aux nôtres, accompagnées de beaucoup d'autres prodiges, et pourtant ils se sont effondrés [2]. En effet, comme je le disais, Dieu a toléré cela afin de mettre abondamment en évidence son œuvre propre. Voilà pourquoi il a permis également que des faux prophètes paraissent au temps des prophètes, et des faux apôtres au temps des apôtres, afin que tu comprennes qu'il ne peut laisser dans l'ombre aucune de ses œuvres.

Aucun obstacle n'a pu vaincre l'Évangile. A Rome

15. Faut-il que je te dise autrement encore [3] la puissance merveilleuse et extraordinaire de la prédication évangélique, et que je te montre Paul [4] s'élevant et gagnant en influence grâce à ceux-là mêmes qui lui faisaient la guerre ? Il arriva que, parmi ceux qui combattaient cet illustre Paul, certains prêchaient dans Rome la même doctrine. Dans l'intention d'irriter Néron qui faisait la guerre à Paul, voici qu'ils se chargent eux aussi

hom. LIX, 2, *PG* 59, 324 A ; *In Act. Apost., hom.* XIV, 1, *PG* 60, 112 D - 113 A.

3. Ici commence la IIIe partie de ce discours.

4. Certains éditeurs ont fait rapporter le pronom αὐτόν de la li. 3 au mot κῆρυγμα (li. 1). Il s'agit pourtant de l'accusatif masculin singulier, que nous avons pour notre part appliqué à Paul, dont le nom est rappelé dans la ligne qui suit, accompagné de l'adjectif démonstratif οὗτος d'une tonalité emphatique en cet endroit.

ἵνα μᾶλλον ἐξαφθέντος τοῦ λόγου, καὶ πλειόνων γενομένων μαθητῶν, θερμότερος ὁ θυμὸς τοῦ τυράννου γένηται, καὶ ἀγριωθῇ τὸ θηρίον. Καὶ τοῦτο αὐτὸς ὁ Παῦλος Φιλιππησίοις ἐπιστέλλων ἔλεγε· Γινώσκειν ὑμᾶς βούλομαι, ἀδελφοί, ὅτι τὰ κατ' ἐμὲ μᾶλλον εἰς προκοπὴν τοῦ εὐαγγελίου ἐλήλυθεν, ὥστε τοὺς πλείονας τῶν ἀδελφῶν πεποιθότας τοῖς δεσμοῖς μου περισσοτέρως τολμᾶν ἀφόβως τὸν λόγον λαλεῖν[b]. Τινὲς μὲν καὶ διὰ φθόνον καὶ ἔριν, τινὲς δὲ καὶ δι' εὐδοκίαν τὸν Χριστὸν κηρύσσουσιν· οἱ μὲν ἐξ ἐριθείας, οὐχ ἁγνῶς, οἰόμενοι θλῖψιν ἐπιφέρειν τοῖς δεσμοῖς μου· οἱ δὲ ἐξ ἀγάπης, εἰδότες ὅτι εἰς ἀπολογίαν τοῦ εὐαγγελίου κεῖμαι. Τί γάρ; πλὴν παντὶ τρόπῳ, εἴτε προφάσει, εἴτε ἀληθείᾳ, Χριστὸς καταγγέλλεται[c]. Εἶδες πῶς πολλοὶ ἐξ ἐριθείας ἐκήρυττον; Ἀλλ' ὅμως καὶ διὰ τῶν ἐναντίων ἐκράτει.

16. Μετὰ δὲ τούτων, καὶ ἕτερα ἦν τὰ ἀντικρούοντα. Καὶ γὰρ καὶ νόμοι παλαιοὶ οὐ μόνον οὐκ ἐβοήθουν, ἀλλὰ καὶ ἠναντιοῦντο καὶ ἐπολέμουν, καὶ ἡ πονηρία καὶ ἡ ἄγνοια τῶν διαβαλλόντων· βασιλέα γάρ, φασίν, ἔχουσι τὸν Χριστόν. Οὐ γὰρ δὴ ᾔδεισαν τὴν ἄνω βασιλείαν αὐτοῦ, τὴν φρικτὴν ἐκείνην καὶ ἀπέραντον, ἀλλ' ὡς τυραν-

7 ἐξαφθέντος : πλατυνθέντος CFGP || 7-8 γενομένων : γιν. A γεν. + τῶν C || 9 αὐτὸς *om.* BDM AL E || 18 τί γάρ *om.* CFGP
16, 4 γάρ φασιν *coni. Sav.* : γάρ φησιν *codd.*

b. Phil. 1, 12.14.
c. Phil. 1, 15-18.

1. A la leçon πλατυνθέντος des mss C F G P, nous avons préféré celle des mss A L B D M E soit ἐξαφθέντος mieux attestée, et préparant l'épithète de la ligne suivante, θερμότερος. Pour la fureur de Néron contre Paul, voir *In Epist. ad Phil., hom.* II, 2, 3, *PG* 62, 192 C, 193 C-D ; pour les parallèles entre l'Apôtre et cet empereur, voir *supra,* p. 151, n. 2.

2. Ce texte aux *Philippiens* (1, 12.14) fait allusion à une captivité de Paul. S'agit-il de sa première captivité à Rome (61-63), comme Chrysostome le sous-entend ici, ou de celle de Césarée (59-60), ou même d'une captivité à

de prêcher, afin qu'au fur et à mesure que se répandait davantage le feu de la Parole[1] et que les disciples augmentaient, la colère du tyran soit plus ardente et que le monstre devienne furieux. Paul, dans son Épître aux Philippiens, le disait en personne : « Je désire que vous le sachiez, frères : ma situation a plutôt tourné au progrès de l'Évangile, si bien que la plupart des frères, enhardis du fait même de mes chaînes, redoublent d'une belle audace à proclamer sans crainte la Parole[b 2]. Certains, il est vrai, le font par envie, en esprit de rivalité ; mais pour les autres, c'est vraiment avec une intention droite qu'ils annoncent le Christ. Les premiers agissent par esprit d'intrigue, leurs intentions ne sont pas pures, et ils s'imaginent aggraver le poids de mes chaînes ; les seconds, au contraire, c'est par charité, sachant bien que je suis voué à défendre ainsi l'Évangile. Mais qu'importe ? Après tout, d'une manière comme de l'autre, hypocrite ou sincère, le Christ est annoncé[c 3]. » Vois-tu comment beaucoup prêchaient par esprit d'intrigue ? Et cependant même ses ennemis contribuaient à sa victoire.

Hostilité de l'ordre établi

16. En même temps il y avait encore d'autres obstacles. En effet, les anciennes lois non seulement n'étaient d'aucun secours, mais elles déclenchaient même l'opposition et la guerre, et il y avait également la méchanceté et l'ignorance des calomniateurs. « Ils reconnaissent le Christ pour roi », disaient-ils, et ce n'étaient certainement pas à son royaume céleste qu'ils pensaient, ce royaume redoutable et infini ; mais

Éphèse (53-56), non mentionnée dans les *Actes des Apôtres ?* On ne peut le dire avec assurance. Pour l'indication de plusieurs autres pages de Chrysostome où il commente ces mêmes versets, voir *infra*, p. 314, n. 2.

3. Chrysostome continue la citation précédente, avec les versets 15-18. On notera aux li. 16-18, que l'ordre des versets 16-17, tel qu'il a été retenu dans les éditions critiques du N.T., se trouve inversé, comme dans quelques mss, et notamment dans le texte de la *Koinè*.

νίδα αὐτῶν ἐπεισαγόντων τῇ οἰκουμένῃ, οὕτω διέβαλον. Καὶ κοινῇ πάντες, καὶ ἰδίᾳ ἕκαστος αὐτοῖς ἐπύκτευε· κοινῇ μέν, ὡς τῆς πολιτείας ἀναιρουμένης, καὶ τῶν νόμων ἀνατρεπομένων· ἰδίᾳ δέ, ὡς ἑκάστης οἰκίας διασπωμένης καὶ καταλυομένης. Καὶ γὰρ πατὴρ ἐπολέμει παιδὶ τότε, καὶ υἱὸς ἠρνεῖτο πατέρα, καὶ γυναῖκες ἄνδρας, καὶ ἄνδρες γυναῖκας, καὶ θυγατέρες μητέρας[d], καὶ συγγενεῖς συγγενεῖς, καὶ φίλοι φίλους, καὶ ποικίλος τις ἦν ὁ πόλεμος οὗτος καὶ παντοδαπός, εἰς τὰς οἰκίας ἕρπων, συγγενεῖς διασπῶν, βουλευτήρια ταράττων, δικαστήρια θορυβῶν, ὡς τῶν πατρίων ἐθῶν καταλυομένων, καὶ ἑορτῶν καὶ θεραπείας δαιμόνων ἀνατρεπομένης, ἃ τοῖς πάλαι νομοθέταις πρὸ τῶν ἄλλων ἁπάντων περισπούδαστα ἦν. Καὶ μετὰ τούτων καὶ ἡ τῆς τυραννίδος ὑποψία πάντοθεν αὐτοὺς ἐλαύνεσθαι ἐποίει. Καὶ οὐκ ἂν ἔχοι τις εἰπεῖν, ὅτι παρὰ μὲν Ἕλλησι ταῦτα, παρὰ δὲ τοῖς Ἰουδαίοις ἡσύχαζεν, ἀλλὰ καὶ ἐκεῖνοι πολλῷ χαλεπώτερον ἐπετίθεντο· καὶ γὰρ καὶ αὐτοὶ πολιτείας ἀναίρεσιν ᾐτιῶντο. Οὐ παύεται γάρ, φησί, λαλῶν

8 ἐπύκτευε AL : -τευον *cett.* || 10 ὡς : ὡσοὶ *(sic)* A || 18 ἀνατρεπομένης : καταλυομένης BDM AL E || παλαιοῖς F || 19 περισπούδαστος M

d. Cf. Matth. 10, 35 ; Lc 12, 52-53.

1. Cette accusation portée contre les chrétiens de vouloir instituer une royauté d'ordre temporel fait penser au cri des grands-prêtres à Pilate : « Nous n'avons d'autre roi que César » (*Jn* 19, 15). Ce même grief fut également formulé contre Paul et Silas par les Juifs de Thessalonique (*Act.* 17, 7).

2. Le Christ est un signe de contradiction : voir *Matth.* 10, 34-36 ; *Lc* 2, 34 ; 12, 51-53.

3. On remarquera dans ce passage les artifices de style, destinés à souligner les oppositions provoquées par la foi chrétienne dans les familles et dans la société.

4. A la leçon καταλυομένης des éditions de Savile, Fronton du Duc et Montfaucon, nous avons préféré le mot ἀνατρεπομένης qui figure dans les

en disant que ces prédicateurs cherchaient à établir un nouveau pouvoir absolu sur toute la terre, ils les calomniaient[1]. Tous sur un plan public, et chacun sur un plan privé, ils les combattaient : sur le plan public, en alléguant qu'ils menaient l'État à sa perte et bouleversaient les lois ; sur le plan privé, en prétendant que chaque famille était déchirée et détruite. Et, de fait, le père faisait alors la guerre à son fils, et le fils reniait son père, les femmes leurs maris, les maris leurs femmes[d], les filles leurs mères, les parents leurs parents, les amis leurs amis[2], et cette guerre était variée et multiple, s'insinuant dans les familles, séparant violemment les parents, troublant les sénats, perturbant les tribunaux[3] : c'en était fait, disait-on, des coutumes ancestrales, les fêtes et le culte des dieux étaient bouleversés[4], alors que les législateurs d'autrefois y avaient consacré tous leurs soins plus qu'à tout le reste. De plus, soupçonnés de tyrannie[5], ils étaient chassés de partout. Et l'on ne pourrait pas dire que cela se passait chez les Grecs et que les Juifs de leur côté se tenaient tranquilles ; au contraire, ceux-ci attaquaient beaucoup plus durement encore, car ils allaient, pour leur part, jusqu'à rendre Paul responsable de la destruction de leurs droits de citoyen : « Il ne cesse pas en effet,

mss. C F G P et qui évite une répétition. A Antioche se déroulaient notamment, encore vers la fin du IVe siècle, des fêtes orgiaques, tous les trois ans, en l'honneur de Bacchus et d'Aphrodite. Nous en possédons deux attestations explicites : l'une, de l'empereur JULIEN (*Misopogon,* 362 d. Œuvres Complètes, *C U F,* t. II, 2e partie, Paris 1964, p. 188), l'autre, de J. MALALAS (*Chronographia,* Lib. XII, éd. Dindorf, Bonn 1831, p. 284-285); voir aussi LIBANIOS, *Or. XLI, Ad Timocratem,* § 16, *Or. L, Pro agricolis de angariis,* § 11, éd. R. Foerster, vol. III, Leipzig 1906, p. 302-303, 475-476. Chrysostome a protesté contre l'immoralité de telles fêtes (*In Matth., hom.* VII, *PG* 57, 79 D - 81 A), et de même, THÉODORET (*H.E.* V, 20, *PG* 82, 1242 D). Sur ce sujet, voir aussi PREISENDANZ, art. « Maïumas », dans P. W., t. XIV, Stuttgart 1928, p. 610-612.

5. Chrysostome revient ici sur le grief déjà exprimé quelques lignes plus haut (li. 6-7).

ῥήματα βλάσφημα κατὰ τοῦ τόπου τοῦ ἁγίου τούτου καὶ τοῦ νόμου[e].

17. Ἀλλ' ὅμως πάντοθεν τῆς πυρᾶς ἀναπτομένης, ἀπὸ τῶν οἰκιῶν, ἀπὸ τῶν πόλεων, ἀπὸ τῶν ἀγρῶν, ἀπὸ τῆς ἐρημίας, ἀπὸ τῶν Ἑλλήνων, ἀπὸ τῶν Ἰουδαίων, ἀπὸ τῶν ἀρχόντων, ἀπὸ τῶν ἀρχομένων, ἀπὸ τῶν συγγενῶν, ἀπὸ τῆς γῆς, ἀπὸ τῆς θαλάττης, ἀπὸ τῶν βασιλευόντων, καὶ πάντων ἀλλήλους ἐξαγριούντων, καὶ θηρίου παντὸς χαλεπώτερον ἐπιτιθεμένων, ὁ μακάριος οὗτος εἰς τοσαύτας καμίνους ἐμπηδῶν, καὶ ἐν μέσῳ λύκων ἱστάμενος, καὶ πάντοθεν βαλλόμενος, οὐ μόνον οὐ κατεχώσθη, ἀλλὰ καὶ πάντας αὐτοὺς εἰς τὴν ἀλήθειαν μετήγαγεν. Εἴπω καὶ ἄλλους πρὸς τούτοις πολέμους χαλεπωτάτους· ὁ τῶν ψευδαποστόλων, τὸ μάλιστα πάντων αὐτὸν λυποῦν, ὁ τῶν οἰκείων τῶν ἀσθενούντων· πολλοὶ γὰρ πιστεύοντες διεφθείροντο· ἀλλὰ καὶ πρὸς ταῦτα ἤρκεσε. Πόθεν καὶ ἐκ ποίας ἰσχύος; Τὰ ὅπλα ἡμῶν, φησίν, οὐ σαρκικά, ἀλλὰ δυνατὰ τῷ Θεῷ πρὸς καθαίρεσιν ὀχυρωμάτων, λογισμοὺς καθαιροῦντες καὶ πᾶν ὕψωμα ἐπαιρόμενον κατὰ τῆς γνώσεως τοῦ Θεοῦ[f]. Διὰ τοῦτο πάντα μετεβάλλετο, καὶ μετερρυθμίζετο ἀθρόον.

18. Καὶ ὥσπερ πυρᾶς ἀναφθείσης, αἱ ἄκανθαι, κατὰ μικρὸν δαπανώμεναι, εἴκουσι καὶ παραχωροῦσι τῇ φλογί,

17, 1 ἀναπτωμένης B ‖ 4 ἀπὸ τῶν ἀρχομένων *om.* A ‖ 8 μέσῳ + τοσούτων BDM E ‖ 13 γὰρ *om.* E ‖ 19 μετερυθ. A B P μετερϊθ. M

e. Act. 6, 13.
f. II Cor. 10, 4-5.

1. Chrysostome applique à Paul une calomnie prononcée par les Juifs, à Jérusalem, mais à l'adresse d'Étienne (*Act.* 6, 9.12.13). Il est vrai que, lors de l'arrestation de Paul à Jérusalem, les Juifs d'Asie ont formulé contre lui le même reproche, en termes à peu près identiques (*Act.* 21, 27-28).

2. Paul a parlé lui-même explicitement de ces faux apôtres en *II Cor.* 11, 13 (cf. 11, 5; 12, 11). Voir encore *IV*[e] *Panég.*, 14, 27-28; 15, 3-9.14-17; 18, 8; *V*[e] *Panég.*, 10, 4-8.14-17. Pour les chutes des fidèles, voir

disaient-ils, de tenir des propos blasphématoires contre ce saint Lieu et contre la Loi[e 1].»

Autres épreuves

17. Et cependant, alors que le brasier s'enflammait de partout, venant des familles, des cités, des campagnes et des lieux solitaires, des Grecs et des Juifs, des chefs et de leurs sujets, des membres d'une même famille, de la terre et de la mer, des empereurs, alors que tous s'excitaient mutuellement à la cruauté et attaquaient plus durement que n'importe quel monstre, le bienheureux Paul, s'élançant dans de telles fournaises, debout au milieu des loups, et recevant des coups de tous les côtés, non seulement ne fut pas écrasé, mais encore les amena tous à la vérité. Dois-je citer encore d'autres combats très pénibles : celui que menaient les faux apôtres et, ce qui était sa plus grande affliction, celui que déclenchaient les faiblesses des fidèles, car beaucoup de croyants se laissaient corrompre[2]? Mais même devant ces épreuves, il tint bon. Comment, et en vertu de quelle force? «Nos armes, dit-il, ne sont pas charnelles, mais elles ont pour la cause de Dieu le pouvoir de renverser des forteresses; nous renversons les sophismes et toute puissance altière qui se dresse contre la connaissance de Dieu[f 3].» C'est pourquoi tous les cœurs se trouvaient changés et battaient ensemble à un autre rythme.

Péroraison :
1. L'Évangile, feu irrésistible

18. De même que, dans un brasier qui s'est enflammé[4], les épines se consument en peu de temps, puis disparaissent et cèdent la place à la flamme

Ier Panég., 12, 10-11.14-16 et p. 131, n. 2; *IIe Panég.*, 6, 11-13; 7, 1-4; *VIe Panég.*, 1, 27-28.

3. Ce texte *II Cor.* 10, 4-5, avec ses deux mots de même racine (cf. li. 16-17), souligne fermement l'idée générale de toute la IIIe partie (§ 15-17).

4. Ce *IVe Panég.*, plus long que les autres, comporte avant l'exhortation finale, une sorte de péroraison (§ 18-20) : voir *Introd.*, ch. II, p. 26.

καὶ καθαρὰς ποιοῦσι τὰς ἀρούρας· οὕτω δὴ καὶ τῆς Παύλου γλώττης φθεγγομένης, καὶ πάντα πυρὸς σφοδρότερον ἐπιούσης, εἶκεν ἅπαντα καὶ παρεχώρει, καὶ δαιμόνων θεραπεῖαι, καὶ ἑορταί, καὶ πανηγύρεις, καὶ πάτρια ἔθη, καὶ νόμων διαφθοραί, καὶ δήμων θυμοί, καὶ τυράννων ἀπειλαί, καὶ οἰκείων ἐπιβουλαί, καὶ ψευδαποστόλων κακουργίαι· μᾶλλον δέ, καθάπερ τῆς ἀκτῖνος ἀνισχούσης, καὶ σκότος ἐλαύνεται, καὶ θηρία καταδύεται καὶ φωλεύει λοιπόν, καὶ λῃσταὶ δραπετεύουσι, καὶ ἀνδροφόνοι περὶ τὰ σπήλαια καταφεύγουσι, καὶ πειραταὶ ἀφίστανται, καὶ τυμβωρύχοι ἀναχωροῦσι, καὶ μοιχοὶ καὶ κλέπται καὶ τοιχωρύχοι, ἅτε ἀπὸ τῆς ἀκτῖνος ἐλέγχεσθαι μέλλοντες, ἀπελθόντες που μακρὰν ἑαυτοὺς ἀφανίζουσι, καὶ πάντα διαφανῆ καὶ λαμπρὰ γίνεται, καὶ γῆ, καὶ θάλαττα, τῆς ἀκτῖνος ἄνωθεν πάντα καταυγαζούσης, τὰ πελάγη, τὰ ὄρη, τὰς χώρας, τὰς πόλεις· οὕτω δὴ καὶ τότε τοῦ κηρύγματος φανέντος, καὶ τοῦ Παύλου πανταχοῦ τοῦτο διασπείροντος, ἠλαύνετο μὲν ἡ πλάνη, ἐπανῄει δὲ ἡ ἀλήθεια, κνῖσαι δὲ καὶ καπνός, καὶ κύμβαλα καὶ τύμπανα, καὶ μέθαι καὶ κῶμοι, καὶ πορνεῖαι, καὶ μοιχεῖαι, καὶ τὰ ἄλλα, ἃ μηδὲ εἰπεῖν καλόν, τὰ ἐν τοῖς ἱεροῖς τῶν εἰδώλων τελούμενα ἔληγε καὶ ἐδαπανᾶτο, καθάπερ κηρὸς ὑπὸ πυρὸς τηκόμενα, καθάπερ ἄχυρα ὑπὸ φλογὸς δαπανώμενα· ἡ δὲ λαμπρὰ τῆς ἀληθείας φλὸξ ἀνῄει φαιδρὰ καὶ ὑψηλὴ πρὸς αὐτὸν τὸν οὐρανόν, ὑπ' αὐτῶν τῶν κωλυόντων αἰρομένη, καὶ διὰ τῶν ἐμποδιζόντων αὐξανομένη· καὶ οὐδὲ κίνδυνος ἐπεῖχεν αὐτῆς τὴν

18, 14 που : ποῦ AL FP || 17 πάντα *om.* M || 21 καὶ πορνεῖαι *om.* BDM E

1. On pourrait peut-être comprendre les deux mots (καὶ ἑορταὶ καὶ πανηγύρεις) comme une sorte d'hendiadys, et traduire par «les fêtes solennelles». Nous croyons cependant préférable de les distinguer : d'une part, les fêtes ordinaires (ἑορταί), de l'autre, les assemblées religieuses qui amenaient un plus grand concours de peuple (πανηγύρεις).

qui purifie les champs, de même également, lorsque les paroles de Paul se faisaient entendre et attaquaient tout avec plus de violence que le feu, tout disparaissait et faisait place nette : le culte des dieux, les fêtes et les assemblées solennelles en leur honneur[1], les colères des peuples, les menaces des tyrans, les complots des gens de sa race[2] et les méchancetés des faux apôtres. Mieux encore : de même qu'au lever du soleil les ténèbres se dissipent, que les bêtes sauvages se cachent et désormais se blottissent, que les brigands s'enfuient et que les meurtriers se réfugient dans leurs cavernes, que les pirates se dérobent, que les pilleurs de tombeaux reculent, que les adultères, les voleurs et les perceurs de murailles, sentant qu'ils vont être pris sur le fait par la lumière du soleil, s'en vont au loin et disparaissent, — car tout brille et resplendit, la terre et la mer, sous l'effet du soleil qui d'en haut illumine toutes choses, les mers, les montagnes, les campagnes et les villes —, de même également, sitôt que la prédication de Paul apparut au grand jour et qu'il la répandait partout, l'erreur était chassée et la vérité de retour, les graisses et la fumée des sacrifices, les cymbales et les tambourins, les festins où l'on s'enivre, les actes de prostitution et d'adultère, et tous les autres désordres qu'il n'est même pas permis de nommer et qui se pratiquaient dans les temples d'idoles prenaient fin et disparaissaient, fondant comme la cire en contact avec le feu, se consumant comme la paille en présence de la flamme ; en revanche, la flamme brillante de la vérité montait radieuse et s'élevait jusqu'au ciel même, d'autant plus haute qu'on s'y opposait, et d'autant plus puissante qu'elle rencontrait des obstacles, sans que rien n'arrêtât sa propagation et son élan irrésistible, ni les

2. Nous avons traduit plus haut (17, 12-13) le génitif pluriel τῶν οἰκείων par *les fidèles*, à cause du verbe qui le suivait (τῶν ἀσθενούντων), et qui semble un rappel implicite de *II Cor.* 11, 29. Mais ici, étant donné le substantif qui l'accompagne (ἐπιβουλαί), ce même génitif nous a paru s'appliquer plutôt aux *gens de la même race* que Paul, c'est-à-dire aux Juifs.

φορὰν καὶ τὴν ῥύμην τὴν ἀκάθεκτον, οὐ συνηθείας τυραννὶς παλαιοτάτης, οὐ πατρίων ἐθῶν καὶ νόμων ἰσχύς, οὐ τὸ τῆς διδασκαλίας τῶν νόμων δυσπαράδεκτον, οὐκ ἄλλο τῶν εἰρημένων οὐδέν.

19. Καὶ ἵνα μάθῃς ἡλίκον τοῦτό ἐστιν, ἀπείλησον τοῖς Ἕλλησιν, οὐ λέγω κινδύνους καὶ θανάτους καὶ λιμόν, ἀλλ' ὀλίγην ζημίαν χρημάτων, καὶ ὄψει μεταβαλλομένους εὐθέως. Ἀλλ' οὐ τὰ ἡμέτερα τοιαῦτα, ἀλλὰ πάντων κατακοπτομένων καὶ σφαζομένων, καὶ πανταχοῦ πολεμουμένων, καὶ ποικίλοις τρόποις πολέμων, ἀνθηρότερα ταῦτα ἐγίνετο. Καὶ τί λέγω τοὺς παρόντας Ἕλληνας νῦν, τοὺς εὐτελεῖς καὶ εὐκαταφρονήτους; Τοὺς τότε θαυμαστοὺς παραγάγωμεν εἰς μέσον, τοὺς ἐπὶ φιλοσοφίᾳ βεβοημένους, τὸν Πλάτωνα, τὸν Διαγόραν, τὸν Κλαζομένιον, καὶ ἑτέρους πολλοὺς τοιούτους, καὶ ὄψει τότε τοῦ κηρύγματος τὴν ἰσχύν. Μετὰ γὰρ τὸ κώνειον τοῦ Σωκράτους, οἱ μὲν εἰς Μέγαρα ἀπῆλθον, δεδοικότες μὴ τὰ αὐτὰ πάθωσιν·

19, 2 καὶ[2] A : οὐδὲ *cett.* || 6 καὶ *om.* CFGP || καὶ – πολέμων *om.* M || 7 Ἕλληνας + τοὺς BDM AL E || 8 τοὺς[2] + παρὰ τοὺς BDM E + παρὰ τοῖς AL || 12 τοῦ *om.* BDM E

1. Dans ce passage le terme de νόμοι est employé deux fois : à la li. 30, il vise les lois ou usages païens; à la ligne suivante, il fait allusion, au contraire, aux préceptes de l'Évangile. On trouve, dans *In Epist. I ad Cor., hom.* VII, § 7, *PG* 61, 64 C - 65 A, un développement assez étoffé sur la difficulté de ces préceptes, qui supposent de nombreux renoncements et l'acceptation de la croix, et qui sont pourtant ardemment acceptés par les disciples du Christ.

2. La période oratoire qui s'est développée à travers tout ce § 18 revêt une amplitude remarquable. C'est peut-être la plus belle de ces sept panégyriques.

3. Le mot Ἕλληνες, qui dans la littérature chrétienne désigne souvent les païens, doit être traduit ici par *les Grecs,* à cause du contexte.

4. Nouvelle hyperbole, dont l'ἐγκώμιον s'accommodait volontiers (voir *Introd.*, ch. II, «Le genre littéraire», p. 33-34).

dangers, ni la tyrannie d'usages très anciens, ni la force des coutumes et des lois ancestrales, ni l'exigence déconcertante des préceptes enseignés [1], ni rien d'autre de ce que nous avons mentionné [2].

2. Paul et les philosophes païens

19. Et pour que tu comprennes quelle merveille cela représente, menace les Grecs [3], je ne dis pas de dangers, de peines de mort et de la faim, mais d'une légère perte d'argent, et tu les verras aussitôt changer de conviction. Il n'en est pas ainsi de notre religion ; bien que tous [4] fussent mutilés, ou égorgés, ou encore en butte à des guerres partout répandues et dont les aspects étaient variés, elle n'en devenait que plus florissante. Et pourquoi parler des Grecs de maintenant, de ces hommes vils et méprisables [5] ? Faisons comparaître ceux qui furent autrefois extraordinaires, ceux que la philosophie [6] a rendus célèbres, Platon, Diagoras [7], le philosophe de Clazomènes [8], et beaucoup d'autres de cette valeur, et tu verras alors la puissance de la prédication évangélique. Quand Socrate eut absorbé la ciguë, certains de ses disciples partirent pour Mégare, craignant de

5. Cf. R.P. COLEMAN-NORTON, « St. Chrysostom and the greek philosophers », in *Classical Philology*, vol. XXV, oct. 1930, nº 4, p. 305-317.

6. Le mot φιλοσοφία prend, pour la première et unique fois en ces panégyriques, un sens purement profane (voir *Ier Panég.*, 1, 4 et note).

7. L'édition de Savile indique à cet endroit dans la marge, avec le signe d'une variante, le mot Πυθαγόραν (cf. *Opera... J. Chrysostomi, op. cit.*, t. VIII, p. 48) ; mais ce mot n'existe dans aucun ms. Diagoras était un philosophe et un poète lyrique du vᵉ siècle avant J.-C. ; il fut expulsé d'Athènes pour avoir tourné en ridicule les mystères d'Éleusis. On s'étonnera moins de la mention de Diagoras entre celles de Platon et d'Anaxagore, si l'on songe à la ressemblance de son destin avec celui de ce dernier philosophe (voir note suivante), et au fait que Diagoras était un personnage bien connu (cf. ARISTOPHANE, *Nuées*, 830 ; *Paix*, 320 ; *Oiseaux*, 1072).

8. Il s'agit d'Anaxagore qui ouvrit une école à Athènes vers 475. Il prit parti également contre les superstitions de son temps et mourut lui aussi exilé, en 428.

οἱ δὲ καὶ τῆς πατρίδος καὶ τῆς ἐλευθερίας ἐξέπεσον, καὶ πλέον μιᾶς γυναικός, οὐδενὸς ἑτέρου περιεγένοντο· ὁ δὲ Κιτιεὺς ἐν τοῖς γράμμασιν ἀφεὶς τὴν πολιτείαν, οὕτω κατέλυσε. Καίτοι οὐδὲν ἦν τότε τὸ ἐμποδίζον, οὐ κίνδυνος, οὐκ ἰδιωτεία, ἀλλὰ καὶ δεινοὶ λέγειν ἦσαν, καὶ χρημάτων εὐπόρουν, καὶ τῆς παρὰ πᾶσι βοωμένης πατρίδος ἐτύγχανον ὄντες· ἀλλ' οὐδὲν ἴσχυσαν. Τοιοῦτον γὰρ ἡ πλάνη, καὶ μηδενὸς ἐνοχλοῦντος, καταρρεῖ· τοιοῦτον ἡ ἀλήθεια, καὶ πολλῶν πολεμούντων, διεγείρεται.

20. Καὶ ταῦτα αὐτὴ ἡ τῶν πραγμάτων ἀλήθεια βοᾷ καὶ οὐδὲν δεῖ λόγων, οὐδὲ ῥημάτων, τῆς οἰκουμένης πάντοθεν φωνὴν ἀφιείσης, τῶν πόλεων, τῶν ἀγρῶν, τῆς γῆς, τῆς θαλάττης, τῆς οἰκουμένης, τῆς ἀοικήτου, τῶν ἐν ταῖς ἀκρωρείαις. Οὐδὲ γὰρ τὴν ἔρημον ἀφῆκεν ἄμοιρον τῆς εὐεργεσίας αὐτοῦ, ἀλλὰ καὶ αὐτὴν μάλιστα ἐνέπλησεν, ὧν ἐκ τοῦ οὐρανοῦ φέρων ἦλθεν ἡμῖν ἀγαθῶν, διὰ τῆς Παύλου γλώττης, διὰ τῆς χάριτος τῆς ἐντεθείσης αὐτῷ. Ἐπειδὴ γὰρ ἀξίαν τῆς δωρεᾶς προθυμίαν παρέσχετο, καὶ δαψιλὴς ἡ χάρις ἐξέλαμψε, καὶ τὰ πλείονα τῶν εἰρημένων διὰ τῆς τούτου κατωρθώθη γλώττης.

16 Κητιεὺς AL || οὕτω + τὸν βίον CFP || 20 ἴσχυον BDM AL E || 21 ὀχλοῦντος AL

1. Sur les allusions à Socrate dans l'œuvre de Chrysostome, voir A.M. Malingrey : « Le personnage de Socrate chez quelques auteurs chrétiens du IVe siècle », dans *Forma Futuri, Studi in onore del Cardinale Michele Pellegrino,* Turin 1975, p. 159-178. Quant à la femme dont il est question ici, peut-être s'agit-il de Diotime, que Platon a mise en scène dans le *Banquet,* 201 d - 212 c, *C U F,* Paris 1966, p. 51-72.

2. Le philosophe de Citium est Zénon (*ca* 335 - *ca* 264), le fondateur du stoïcisme. Dans la version latine de ces sept Panégyriques, Anien croyait comprendre que l'expression ὁ δὲ Κιτιεύς désignait Platon. Dans l'incunable paru à Paris en 1499 (cf. *supra,* p. 86-87), on trouve la traduction suivante, au f. 231^v : *Plato autem...,* et de même, dans l'édition de 1509 (cf. *supra,*

subir le même sort ; les autres, une fois bannis et privés de la liberté, n'en imposèrent à personne, à l'exception d'une femme[1]. Quant au philosophe de Citium, il n'a laissé de république que dans ses écrits et c'est ainsi qu'il termina sa vie[2]. Pourtant ils n'avaient alors devant eux aucun obstacle ni aucun danger, leur vie n'était pas obscure ; au contraire, c'étaient des hommes éloquents, ils avaient beaucoup d'argent, ils appartenaient à une patrie universellement célèbre, et cependant ils n'eurent aucune influence. Car telle est la nature de l'erreur que, même si rien ne la gêne, elle s'évanouit, et telle est la nature de la vérité que, même si beaucoup la combattent, elle en reçoit de la vigueur.

20. C'est d'ailleurs ce que proclame la vérité des faits, et il n'est nullement besoin de discours ni de paroles, puisque de tous côtés l'univers élève la voix, les campagnes comme les villes, la mer comme la terre, les pays inhabités aussi bien que ceux qui le sont, ou encore les sommets des montagnes. En effet, Dieu n'a pas non plus laissé les régions désertes sans qu'elles aient part à ses bienfaits ; au contraire, elles surtout[3], il les a comblées des biens qu'il nous a apportés en venant du ciel, par l'intermédiaire de la langue de Paul, et en vertu de la grâce déposée en lui. Car puisque cet homme montra un zèle qui correspondait au don reçu, la grâce en lui brilla magnifique, et la plupart des biens que nous avons énumérés furent obtenus avec bonheur grâce à sa parole.

p. 87-88), au f. 197ᵛ. Montfaucon a reproduit la même erreur (*op. cit.*, p. 499). Ce sont sans doute les mots ἐν τοῖς γράμμασιν ἀφεὶς τὴν πολιτείαν qui ont suggéré à Anien et à Montfaucon cette interprétation. En réalité, le Περὶ πολιτείας de Zénon est parfaitement attesté dès l'antiquité, notamment par DIOGÈNE LAËRCE, *Lib.* VII, 77 ; PLUTARQUE, *Quaest. conviv.*, III, 6, 1 ; CLÉMENT D'ALEXANDRIE, *Strom.* V, 76, 1, et ORIGÈNE, *C. Celsum,* I, 5.

3. Allusion à la vie monastique qui florissait à cette époque au nord d'Antioche, en Égypte, en Asie Mineure et en Palestine : cf. H.I. MARROU, *Nouvelle Histoire de l'Église,* t. I, p. 310-320.

21. Ἐπεὶ οὖν οὕτω τὸ γένος ἡμῶν ἐτίμησεν ὁ Θεός, ὡς ἕνα ἄνθρωπον καταξιῶσαι τοσούτων γενέσθαι κατορθωμάτων αἴτιον, ζηλώσωμεν, μιμησώμεθα, σπουδάσωμεν γενέσθαι κατ' ἐκεῖνον καὶ ἡμεῖς, καὶ μὴ ἀδύνατον τοῦτο εἶναι νομίζωμεν. Ὃ γὰρ πολλάκις εἶπον, τοῦτο λέγων οὐ παύσομαι, ὅτι καὶ σῶμα ἐν αὐτῷ τὸ αὐτὸ ἦν ἡμῖν, καὶ τροφαὶ αἱ αὐταί, καὶ ψυχὴ ἡ αὐτή· ἀλλ' ἡ προαίρεσις μεγάλη, καὶ ἡ προθυμία λαμπρά· καὶ τοῦτο ἐκεῖνον τοιοῦτον ἐποίησε. Μηδεὶς τοίνυν ἀπογινωσκέτω, μηδεὶς ἀπαγορευέτω. Ἐὰν γὰρ παραστήσῃς σου τὴν διάνοιαν, οὐδὲν τὸ κωλῦον τὴν αὐτὴν δέξασθαι χάριν. Οὐ γάρ ἐστι προσωπολήπτης ὁ Θεός[g]· καὶ ἐκεῖνον αὐτὸς ἔπλασε, καὶ σὲ αὐτὸς παρήγαγε· καὶ ὥσπερ ἐκείνου Δεσπότης, οὕτω καὶ σός· ὥσπερ ἐκεῖνον ἀνεκήρυξεν, οὕτω καὶ σὲ βούλεται στέψαι. Ὑπόσχωμεν τοίνυν ἑαυτοὺς καὶ καθάρωμεν, ἵνα καὶ ἡμεῖς δαψιλῆ δεξάμενοι τὴν χάριν, τῶν αὐτῶν ἐπιτύχωμεν ἀγαθῶν, χάριτι καὶ φιλανθρωπίᾳ τοῦ Κυρίου ἡμῶν Ἰησοῦ Χριστοῦ, ᾧ ἡ δόξα καὶ τὸ κράτος εἰς τοὺς αἰῶνας τῶν αἰώνων. Ἀμήν.

21, 2 τοσούτῳ FG ‖ 6 ἦν + καὶ AL M ‖ 15 πρόσχωμεν C.

g. Act. 10, 34; cf. Rom. 2, 11.

1. Dans ces panégyriques, Chrysostome affirme à plusieurs reprises que Paul, tout en partageant la même nature que nous, se distinguait par la force de sa volonté et de son zèle (ἡ προαίρεσις, ἡ προθυμία). Dans un texte plus tardif (*In Epist. ad Rom., hom.* VIII, 7, *PG* 60, 463), il parlera de *trois* réalités qui ont fait la grandeur de l'apôtre : ἡ προθυμία, ἡ πίστις, ἡ ἀγάπη : cet élargissement de vocabulaire, avec des résonances plus nettement

Exhortation finale

21. Puisque Dieu a donc honoré l'humanité au point de vouloir qu'un seul homme fût l'auteur de tant de merveilles, cherchons à égaler Paul, imitons-le, efforçons-nous de devenir comme lui nous aussi, et ne pensons pas que cela soit impossible. Car, je l'ai souvent dit et je ne cesserai de le dire, il avait un corps comme le nôtre, la même façon de se nourrir, et une âme comme la nôtre, mais c'est sa volonté qui fut remarquable et son zèle éclatant, et c'est à cela qu'il dut sa grandeur [1]. Ainsi, que personne ne se décourage, que personne n'abandonne la partie. En effet, si tu disposes bien ton esprit, rien ne t'empêchera de recevoir la même grâce. « Car Dieu ne fait pas acception de personnes [g] [2] » : c'est lui qui l'a formé, et c'est lui aussi qui t'a amené à la vie [3] ; s'il fut son Maître, il est également le tien ; et s'il a publiquement fait son éloge, il veut de même te couronner. Offrons-nous donc nous-mêmes et purifions-nous, afin qu'après avoir reçu à notre tour la grâce en abondance, nous obtenions les mêmes biens, par la grâce et l'amour de notre Seigneur Jésus-Christ, à qui appartiennent la gloire et la puissance pour les siècles des siècles. Amen.

chrétiennes, correspond sans doute à l'enrichissement de son expérience pastorale.

2. Cette formule se trouve fréquemment dans la Bible : cf. *Deut.* 10, 17 ; *Act.* 10, 34 ; *Rom.* 2, 11 ; *Éphés.* 6, 9 ; *Col.* 3, 25 ; *Jac.* 2, 1. Chrysostome la citera à nouveau dans le *VIIe Panég.* (3, 19).

3. Le verbe παράγειν signifie étymologiquement *amener devant*. On peut songer, par exemple, à un acteur qui entre en scène *devant* le public, mais aussi à tout homme qui, tiré du néant, apparaît à la lumière *parmi* d'autres hommes. Dans notre contexte, nous l'avons traduit par « amené à la vie ».

Τοῦ αὐτοῦ
ἐγκώμιον εἰς τὸν ἅγιον ἀπόστολον Παῦλον
λόγος ε′

1. Ποῦ νῦν εἰσιν οἱ τὸν θάνατον αἰτιώμενοι, καὶ τὸ παθητὸν τοῦτο σῶμα καὶ φθαρτὸν ἐμπόδιον εἶναι λέγοντες αὐτοῖς πρὸς ἀρετήν; Ἀκουσάτωσαν τῶν Παύλου κατορθωμάτων, καὶ παυέσθωσαν τῆς πονηρᾶς ταύτης διαβολῆς. Τί γὰρ τὸ γένος ἡμῶν ἔβλαψεν ὁ θάνατος; τί δὲ ἡ φθορὰ πρὸς ἀρετὴν ἐνεπόδισεν; Ἐννόησον Παῦλον, καὶ ὄψει ὅτι καὶ ὤνησεν ἡμᾶς τὰ μέγιστα τὸ γενέσθαι θνητούς. Εἰ γὰρ μὴ θνητὸς ἦν οὗτος, οὐκ ἂν ἐδυνήθη εἰπεῖν, μᾶλλον δὲ οὐκ ἂν ἐπιδείξασθαι ἐδυνήθη ὃ διὰ τῶν ἔργων εἶπεν, ὅτι· Καθ' ἡμέραν ἀποθνήσκω, νὴ τὴν ὑμετέραν καύχησιν, ἣν ἔχω ἐν Χριστῷ Ἰησοῦ[a]. Πανταχοῦ γὰρ ἡμῖν ψυχῆς καὶ προθυμίας δεῖ, καὶ τὸ κωλῦον οὐδὲν ἐν τοῖς πρώτοις τετάχθαι. Οὐχὶ θνητὸς ἦν οὗτος; οὐχὶ ἰδιώτης; οὐχὶ πένης καὶ ἐκ τῆς καθ' ἑκάστην ἡμέραν ἐργασίας ποιούμενος τὴν

Tit., 1 Τοῦ + ἐν ἁγίοις πατρὸς ἡμῶν Ἰωάννου τοῦ Χρυσοστόμου M || αὐτοῦ *om.* M || 2 ἐγκώμιον *om.* D E || ἀπόστολον *om.* BDM

1, 2 τοῦτο *om.* BDM E || 3-4 τὰ... κατορθώματα FP || 13 οὐχι[2] : οὐκ C

a. I Cor. 15, 31.

V

LES COMPORTEMENTS VARIÉS DE L'APÔTRE PAUL

Du même, panégyrique du saint apôtre Paul Cinquième discours

Un corps mortel

1. Où sont maintenant ceux qui s'en prennent à la mort, en disant que notre corps vulnérable et soumis à la corruption est pour eux un obstacle à la vertu ? Qu'ils écoutent les vertus héroïques [1] de Paul et renoncent à cette calomnie inspirée par le démon. En réalité, en quoi la mort nuit-elle à notre nature ? En quoi la corruption physique est-elle un obstacle à la vertu ? Pense à Paul, et tu verras que notre condition mortelle nous a même valu les plus grands avantages. En effet, si cet homme n'avait pas été mortel, il n'aurait pas pu expliciter ce qu'il avait dit par le moyen de ses actes, à savoir : « Chaque jour je meurs, aussi vrai que vous êtes ma fierté dans le Christ Jésus [a]. » De fait, il nous faut partout du cœur et du courage, et rien ne nous empêche de prendre place au premier rang. Cet homme n'était-il pas mortel ? N'était-il pas sans culture ? N'était-il pas pauvre et ne travaillait-il pas tous les jours pour se nourrir ? N'avait-il

1. Ce Ve Panégyrique est consacré à l'οἰκονομία de Paul, c'est-à-dire à son souci de bien régler et d'adapter ses actes et ses paroles selon la variété des circonstances. Mais nous trouvons auparavant un exorde assez long (voir *Introd.*, p. 25-26).

τροφήν ; οὐχὶ σῶμα εἶχε πάσαις ἀνάγκαις ὑποκείμενον φυσικαῖς ; Τί οὖν αὐτὸν ἐκώλυσε γενέσθαι τοιοῦτον οἷος γέγονεν ; Οὐδέν. Μηδεὶς τοίνυν ἀθυμείτω πένης, μηδεὶς δυσχεραινέτω ἰδιώτης, μηδεὶς ἀλγείτω τῶν εὐτελῶν, ἀλλ' ἐκεῖνοι μόνοι ὅσοι ψυχὴν μεμαλακισμένην καὶ διάνοιαν ἔχουσιν ἐκνενευρισμένην. Τοῦτο γὰρ γίνεται κώλυμα μόνον πρὸς ἀρετήν, κακία ψυχῆς καὶ μαλακία γνώμης · ταύτης δὲ ἄνευ τῶν ἄλλων οὐδέν. Καὶ τοῦτο δῆλον ἀπὸ τοῦ μακαρίου τούτου τοῦ νῦν συναγαγόντος ἡμᾶς. Ὥσπερ γὰρ τοῦτον οὐδὲν ταῦτα παρέβλαψεν, οὕτω τοὺς ἔξωθεν οὐδὲν τὰ ἐναντία ὠφέλησεν, οὐ λόγων δεινότης, οὐ χρημάτων πλῆθος, οὐ περιφάνεια γένους, οὐ δόξης μέγεθος, οὐ τὸ ἐν δυναστείᾳ εἶναι.

2. Τί λέγω τοὺς ἀνθρώπους ; μᾶλλον δὲ μέχρι πότε ἐπὶ τῆς γῆς κατέχω τὸν λόγον, ἐξὸν εἰπεῖν τὰς ἀνωτέρω δυνάμεις, τὰς ἀρχάς, καὶ τὰς ἐξουσίας, καὶ τοὺς κοσμοκράτορας τοῦ σκότους τοῦ αἰῶνος τούτου[b] ; τί γὰρ ὤνησε τούτους τὸ φύσιν τοιαύτην λαχεῖν ; οὐχὶ ἔρχονται πᾶσαι αἱ δυνάμεις κρινόμεναι διὰ Παύλου, καὶ τῶν κατ' ἐκεῖνον ; Οὐκ οἴδατε γάρ, φησίν, ὅτι ἀγγέλους κρινοῦμεν, μήτι γε βιωτικά[c] ; Μὴ τοίνυν δι' ἕτερον μηδὲν ἀλγῶμεν, ἀλλὰ διὰ κακίαν μόνον, μηδὲ δι' ἄλλο χαίρωμεν καὶ εὐφραινώμεθα, ἀλλὰ δι' ἀρετὴν μόνον. Ἐὰν ταύτην ζηλώσωμεν, οὐδὲν τὸ κωλῦον γενέσθαι κατὰ Παῦλον.

16 ἐκώλυσε αὐτὸν ~ BDM E
2, 2 ἀνωτέρας AL ‖ 7 μήτοι M

b. Cf. Éphés. 6, 12.
c. I Cor. 6, 3.

1. Paul avait la même nature que nous. De cette réflexion chère à Chrysostome, nous avons indiqué toute une série d'exemples, *supra,* p. 143, n. 3.

pas un corps soumis à toutes les nécessités de la nature[1]? Qu'est-ce qui l'empêcha d'atteindre une telle grandeur? Rien. Que personne donc ne se décourage parce qu'il est pauvre, que personne ne soit fâché d'être sans culture, que personne ne soit peiné de faire partie des simples gens, mais ceux-là seulement qui ont une âme molle et un cœur sans énergie. Oui, il n'y a qu'un obstacle à la vertu : une âme vicieuse et un caractère mou ; d'autre part, sans la vertu, le reste n'est rien. Le bienheureux Paul qui nous a rassemblés aujourd'hui[2] nous le montre clairement. De même, en effet, que sa condition ne lui a fait aucun tort, de même les païens n'ont retiré aucun avantage d'une situation opposée, ni du talent oratoire, ni d'une fortune importante, ni d'une famille illustre, ni d'une large renommée, ni de l'exercice du pouvoir[3].

2. Pourquoi parler des hommes? Plus exactement, jusques à quand maintiendrai-je mon discours au niveau de la terre, quand il est possible de parler des Puissances d'en haut, des Dominations, et aussi de ceux qui règnent sur ce monde de ténèbres[b]? A quoi leur a servi d'avoir en partage une si noble nature? Est-ce que toutes les puissances célestes n'ont pas à comparaître devant Paul et devant ceux qui lui ressemblent? « Ne savez-vous pas, en effet, dit-il, que nous jugerons les anges, à plus forte raison les affaires de cette vie[c]? » Ne nous mettons donc en peine de rien, si ce n'est quand il s'agit du vice, et ne trouvons notre joie et nos délices que dans la vertu. Si c'est elle que nous recherchons passionnément, rien ne nous empêchera d'être comme Paul.

2. Cette expression semble indiquer que ce panégyrique a été prononcé lors d'une circonstance déterminée, peut-être d'une fête liturgique de S. Paul. Sur ce sujet, voir *Introd.*, p. 14-18, et *IVe Panég.*, 1, 1 et note.

3. Sur la vanité des valeurs profanes de l'éloquence, de la richesse, de la noblesse d'origine, de la gloire et de la puissance politique, se reporter également au *IVe Panég.*, 11, 14-22 ; 13, 9-13 ; 14, 3-11 ; 19, 17-20.

3. Ἐκεῖνος γὰρ οὐχὶ ἀπὸ τῆς χάριτος μόνον τοιοῦτος ἐγένετο, ἀλλὰ καὶ ἀπὸ τῆς οἰκείας προθυμίας· καὶ διὰ τοῦτο ἀπὸ τῆς χάριτος, ἐπειδὴ καὶ ἀπὸ τῆς προθυμίας. Μεθ' ὑπερβολῆς γὰρ ἑκάτερα, καὶ τὰ τοῦ Θεοῦ ἔπνευσεν αὐτῷ, καὶ τὰ τῆς οἰκείας προαιρέσεως ὑπῆρξε. Βούλει μαθεῖν τὰ τοῦ Θεοῦ; Τὰ ἱμάτια αὐτοῦ ἐδεδοίκεισαν δαίμονες[d]. Ἀλλ' οὐ θαυμάζω τοῦτο, ὥσπερ οὐδ' ὅτι τὴν σκιὰν Πέτρου τὰ νοσήματα ἔφυγεν[e]· ἀλλὰ θαυμάζω ὅτι τὸ θαυμαστὸν τοῦτο πρὸ τῆς χάριτος, καὶ ἀπὸ βαλβῖδος αὐτῆς καὶ προοιμίων αὐτῶν ἐφάνη ποιῶν· οὐδὲ τὴν δύναμιν ταύτην ἔχων, οὐδὲ χειροτονίαν δεξάμενος, οὕτω τῷ πρὸς Χριστὸν ἐξήφθη ζήλῳ, ὡς πάντα τῶν Ἰουδαίων τὸν δῆμον διεγεῖραι καθ' ἑαυτοῦ; ὃς καὶ ἰδὼν αὐτὸν ἐν τοσούτοις ὄντα κινδύνοις, ὡς καὶ τὴν πόλιν πολιορκεῖσθαι, διὰ θυρίδος ἐχαλάσθη διὰ τοῦ τείχους[f], καὶ χαλασθείς, οὐδὲ οὕτως εἰς ὄκνον ἐνέπεσεν, οὐδὲ εἰς δειλίαν καὶ φόβον, ἀλλὰ πλείονα προθυμίαν ἐντεῦθεν ἐδέ-

3, 4 ἔπνευσεν A : -σαν *cett.* || 12 πάντων C || 13 ἐγεῖραι C || 14 κινδύνοις ὄντα ~ A || 17 ἐντεῦθεν + μᾶλλον CFGP

d. Cf. Act. 19, 12.
e. Cf. Act. 5, 15.
f. Cf. Act. 9, 19-25; II Cor. 11, 32-33.

1. A propos de la coexistence en l'âme de Paul de la grâce de Dieu et de sa forte volonté, l'accent principal semble mis ici sur cette dernière : καὶ διὰ τοῦτο ἀπὸ τῆς χάριτος, ἐπειδὴ καὶ ἀπὸ τῆς προθυμίας (voir *Introd.*, p. 47 s.). On notera la propriété des termes (ἔπνευσεν, ὑπῆρξε) : le souffle de Dieu tombait sur un caractère fondamentalement généreux.

2. Cette allusion à des guérisons miraculeuses, accomplies par Paul à Éphèse, et notamment à l'expulsion d'esprits mauvais (*Act.* 19, 11-12), sera reprise et commentée au *VII*[e] *Panég.* (voir *infra*, VII, 2, 7-14 et note).

Courage de Paul et grâce de Dieu

3. Cet homme n'a pas atteint une telle hauteur seulement sous l'effet de la grâce, mais aussi par sa volonté personnelle, et l'influence de la grâce a joué, parce que jouait en même temps celle de la volonté. Car il a possédé au plus haut degré ces deux trésors : les dons qui viennent de l'Esprit de Dieu, et les forces qui proviennent de la volonté personnelle[1]. Veux-tu savoir la part de Dieu ? Les démons craignaient ses vêtements[d 2] Mais ce n'est pas là ce que j'admire, pas plus que de voir l'ombre de Pierre mettre en fuite les maladies[e]. Ce que j'admire, c'est qu'avant d'avoir reçu les faveurs divines[3], dès le commencement et tout au début, il ait manifestement accompli la merveille que voici : sans posséder encore cette puissance extraordinaire, avant même d'avoir reçu l'imposition des mains[4], il fut enflammé d'un si grand zèle pour le Christ qu'il dressa contre lui tout le peuple juif. Quand il se vit au milieu de si grands dangers, au point que la ville était assiégée, il se laissa descendre par une fenêtre le long du rempart[f], et pourtant même une fois descendu[5], loin d'être envahi par la timidité, la lâcheté ou l'effroi, il n'en devint que plus zélé. S'il se

3. Chrysostome veut dire qu'avant d'avoir reçu les faveurs divines extraordinaires : mission apostolique envers les païens, don des miracles, entretiens mystiques avec le Seigneur (cf. *IIe Panég.*, 8, 1-5 ; *Ve Panég.*, 10, 1-8 ; 13, 18-19 ; *VIIe Panég.*, 4, 15-19), Paul fut, sitôt après son baptême, animé d'un grand zèle. Voir locution du même genre : *VIIe Panég.*, 6, 15-17.

4. Lorsque le Nouveau Testament fait allusion à l'*imposition des mains* de la part des apôtres, avant d'envoyer des disciples en mission, notamment Paul et Barnabé (*Act.* 13, 3), il emploie l'expression ἐπιθέντες τὰς χεῖρας αὐτοῖς (voir aussi *Act.* 6, 6, et *I Tim.* 4, 14 ; 5, 22). Mais les Pères de l'Église du ɪvᵉ siècle, et en particulier Chrysostome, se serviront couramment du mot χειροτονία ou du verbe χειροτονέω pour désigner cette imposition des mains, c'est-à-dire ce que nous appelons maintenant l'ordination sacerdotale ou épiscopale. On le constate notamment dans le *De Sacerdotio* (*SC* 272 : voir l'index).

5. Toutes les éditions antérieures présentent, après les mots τοῦ τείχους (li. 15) : καὶ διαφυγών. Mais ce participe ne se trouve dans aucun ms. Tous ont, à la place, le mot χαλασθείς.

χετο, παραχωρῶν μὲν τοῖς κινδύνοις δι' οἰκονομίαν, οὐ παραχωρῶν δὲ τῆς διδασκαλίας οὐδενί, ἀλλὰ τὸν σταυρὸν πάλιν ἁρπάσας ἠκολούθει· καίτοι γε παρὰ πόδας ἔχων ἔτι τὸ παράδειγμα τὸ κατὰ τὸν Στέφανον, καὶ ὁρῶν κατ' αὐτοῦ μάλιστα πάντων φόνου πνέοντας Ἰουδαίους, καὶ αὐτῶν ἐπιθυμοῦντας αὐτοῦ τῶν σαρκῶν ἀπογεύσασθαι. Οὔτε οὖν ἀφειδῶς ἐνέπιπτε τοῖς κινδύνοις, οὐδὲ διαφεύγων μαλακώτερος ἐγίνετο πάλιν. Σφόδρα τῆς παρούσης ἤρα ζωῆς διὰ τὸ κέρδος τὸ ἐξ αὐτῆς, καὶ σφόδρα αὐτῆς ὑπερεώρα διὰ τὴν φιλοσοφίαν τὴν ἀπὸ τῆς ὑπεροψίας γινομένην αὐτῷ, ἢ διὰ τὸ ἐπείγεσθαι πρὸς τὸν Ἰησοῦν ἀπελθεῖν[g].

4. Ὅπερ γὰρ ἀεὶ λέγω περὶ αὐτοῦ, καὶ οὐδέποτε παύσομαι λέγων, οὐδεὶς οὕτως εἰς ἐναντία πράγματα ἐμπεσών, ἑκάτερα πρὸς ἀκρίβειαν ἤσκησεν· οὐδεὶς γοῦν οὕτω τῆς παρούσης ἐπεθύμησε ζωῆς, οὐδὲ τῶν σφόδρα φιλοψυχούντων· οὐδεὶς οὕτως αὐτῆς ὑπερεῖδεν, οὐδὲ τῶν μεθ'ὑπερβολῆς θανατώντων. Οὕτω πάσης ἐπιθυμίας καθαρὸς ἦν ἐκεῖνος, καὶ οὐδενὶ προσέπασχε τῶν παρόντων, ἀλλὰ πανταχοῦ τῇ βουλῇ τοῦ Θεοῦ τὴν ἐπιθυ-

18 μὲν – οὐ *om.* E || 24 οὖν : νῦν C || 25 ἐγένετο A || 27 διὰ + τε BDM || ἀπὸ : ὑπὲρ BDM AL || 28 ἢ διὰ τὸ : καὶ CFGP || ἐπείγεσθαι : σφόδρα *praem.* CFGP || 29 ἐλθεῖν M

4, 3 ἑκάτερα + τὰ AL || 7 ἦν καθαρὸς ~ C

g. Cf. Phil. 1, 23.

1. Le thème de l'οἰκονομία de Paul apparaît maintenant (3, 18-29 et § 4) ; il se prolongera par un développement sur l'οἰκονομία de Dieu (§ 5 ; § 8, 1-12), sans que soit abandonné pour autant l'Apôtre dont Chrysostome fait l'éloge (§ 6 ; § 7, 11-14).

2. Les mots τῆς διδασκαλίας sont un génitif de cause, et ce substantif s'applique à l'enseignement de l'Évangile, comme en d'autres endroits de ces discours (cf. *IVe Panég.*, 18, 31 ; *VIIe Panég.*, 4, 16-19).

3. On retrouve la résonance principalement chrétienne du mot φιλοσοφία (voir *Ier Panég.*, 1, 3-4 et note).

dérobait aux dangers pour mieux régler son ministère[1], en revanche, il ne se dérobait jamais quand il devait enseigner l'Évangile[2]; au contraire, il saisissait à nouveau la Croix et marchait à sa suite. Cependant il avait l'exemple d'Étienne encore tout récent, et il voyait contre lui principalement les Juifs, qui respiraient le meurtre et désiraient goûter à sa propre chair. A la vérité, il ne se jetait pas dans les dangers inconsidérément; mais, d'autre part, s'il prenait la fuite, sa vigueur ne diminuait pas. Il était fortement épris de la vie présente pour le profit qu'on peut en retirer, et fortement aussi il la méprisait, en raison de la philosophie[3] que ce mépris lui inspirait, ou plutôt à cause de son empressement à s'en aller vers Jésus[g4].

Divers comportements de Paul

4. Car, je le dis toujours à son sujet, et jamais je ne cesserai de le dire, personne, en présence de situations opposées, ne s'est entraîné avec autant de soin sur les deux plans à la fois. Personne, en tout cas, ne s'est attaché à ce point à la vie présente, pas même ceux qui l'aiment avec passion, et personne ne l'a méprisée à un tel degré, pas même ceux qui se mortifient au plus haut point. Cet homme était ainsi pur de tout désir, et il n'avait de goût pour aucune des réalités de ce monde, mais en toute circonstance ses désirs se confondaient avec la volonté de Dieu[5]. Tantôt il

4. On notera la répétition expressive du mot σφόδρα (li. 25-26). L'expression διὰ τὸ κέρδος τὸ ἐξ αὐτῆς n'est pas à entendre seulement de la couronne céleste à laquelle Paul aspirait (cf. *Ier Panég.*, 16, 5-7; *IIe Panég.*, 10, 1-20; *IVe Panég.*, 21, 14-17; *VIe Panég.*, 14, 5-8; *VIIe Panég.*, 13, 3), mais aussi des âmes qu'il désirait gagner au Christ (*VIIe Panég.*, 8, 8-13; 9, 1-11).

5. Le mot ἐπιθυμία est employé deux fois de suite : à la li. 6, avec une tonalité plutôt péjorative, aux li. 8-9, dans le sens général de désirs. L'exaltation du détachement total de l'apôtre Paul (cf. *Ier Panég.*, § 9) ne signifie pas que celui-ci ait méprisé les joies légitimes de la vie (voir *IIe Panég.*, 1, 17-18 et note).

μίαν ἐκίρνα τὴν ἑαυτοῦ· καὶ νῦν μὲν αὐτὴν καὶ τῆς μετὰ Χριστοῦ συνουσίας καὶ ὁμιλίας ἀναγκαιοτέραν εἶναί φησι[h], νῦν δὲ οὕτω βαρεῖαν καὶ ἐπαχθῆ, ὡς καὶ στενάζειν καὶ ἐπείγεσθαι πρὸς τὴν ἀνάλυσιν[i]· Ἐκείνων γὰρ ἐπιθυμεῖ μόνον, τῶν κατὰ Θεὸν κέρδος αὐτῷ φερόντων, εἰ καὶ ἐναντία ταῦτα εἶναι συνέβαινε τοῖς προτέροις. Καὶ γὰρ ποικίλος τις ἦν καὶ παντοδαπός, οὐχ ὑποκρινόμενος, μὴ γένοιτο, ἀλλὰ πάντα γινόμενος ἅπερ ἡ τοῦ κηρύγματος καὶ τῆς σωτηρίας τῶν ἀνθρώπων ἀπῄτει χρεία, κἂν τούτῳ τὸν Δεσπότην τὸν ἑαυτοῦ μιμούμενος.

5. Καὶ γὰρ ὁ Θεὸς καὶ ἄνθρωπος ἐφαίνετο, ὅτε ἔδει φανῆναι τοῦτο· καὶ ἐν πυρὶ πάλαι ὅτε ὁ καιρὸς τοῦτο ἀπῄτει· καὶ νῦν μὲν ἐν ὁπλίτου σχήματι καὶ στρατιώτου, νῦν δὲ ἐν εἰκόνι πρεσβύτου, νῦν δὲ ἐν αὔρᾳ, νῦν δὲ ὡς ὁδοιπόρος, νῦν δὲ αὐτοάνθρωπος, καὶ οὐδὲ ἀποθανεῖν οὕτω παρῃτήσατο. Τὸ δέ, ἔδει τοῦτο, ὅταν εἴπω, μηδεὶς ἀνάγκην εἶναι νομιζέτω τοῦ λόγου, ἀλλὰ τῆς αὐτοῦ φιλανθρωπίας μόνον. Καὶ ποτὲ μὲν ἐν θρόνῳ[j], ποτὲ δὲ ἐπὶ τῶν

9 καὶ² *om.* AL || 14 εἶναι *om.* BDM E || 17 χρεία ἀπῄτει ~ AL E || κἂν : κἄν CFGP A

5, 5 νῦν δὲ αὐτοάνθρωπος *om.* CFGP E || καὶ : ἐντεῦθεν CFGP E || 6 οὕτω *om.* CFGP || 7 τοῦ λόγου : τὸν λόγον BDM L τῶν λόγων A

h. Cf. Phil. 1, 24.

i. Cf. II Cor. 5, 4 ; Phil. 1, 23.

j. Cf. Is. 6, 1 ; Éz. 1, 26.

1. Le pronom αὐτὴν de la li. 9 se rapporte, comme la forme αὐτῆς de la li. 5, à l'antécédent exprimé à la li. 4 : τῆς παρούσης ζωῆς. Quant aux versets de Paul successivement visés aux li. 9-12, ils renvoient d'abord, pour l'urgence de son apostolat, à *Phil.* 1, 24, puis, pour son impression d'accablement et son désir de la mort, à *II Cor.* 5, 2. 4, et à *II Tim.* 4, 6.

2. Sur ce sens de ποικίλος, voir *De Sacerdotio,* VI, 4, li. 75, *SC* 272, p. 320, n. 1.

3. Chrysostome évoque ici (5, 1-6) une série de théophanies bibliques : au

déclare qu'il est plus urgent de vivre ici-bas que de se trouver avec le Christ et de s'entretenir avec lui [h], et tantôt il voit dans ce séjour un fardeau lourd et pénible au point d'en gémir et de se hâter vers la mort [i1]. C'est qu'il n'avait qu'une sorte de désirs, ceux qui l'enrichissaient au regard de Dieu, même si, le cas échéant, ces désirs s'opposaient aux précédents. De fait, Paul était un être divers [2] et multiple, et ce n'était pas là de la dissimulation, à Dieu ne plaise, mais il s'adaptait sans cesse aux exigences que réclamaient la prédication de l'Évangile et le salut des hommes, et là encore il imitait son propre Maître.

Diverses manifestations de Dieu

5. En effet, Dieu apparut aussi à la manière d'un homme, lorsque cette manifestation était nécessaire : non seulement au milieu du feu jadis quand la circonstance le réclamait, mais encore tantôt sous l'aspect d'un soldat en armes, tantôt sous l'image d'un vieillard, tantôt à travers la brise, tantôt à la façon d'un voyageur, enfin dans la réalité de la nature humaine qui l'a même conduit à accepter la mort [3]. Et quand je dis : « lorsque c'était nécessaire », que personne ne voie là une nécessité au sens littéral, mais inspirée seulement par son amour pour l'humanité [4]. Tantôt encore il

milieu du feu, pour Moïse : *Ex.* 3, 1-6 ; 19, 18 ; 24, 17 (voir aussi *Éz.* 1, 4.13.26-28), sous l'aspect d'un soldat en armes (*Jos.* 5, 13), ou encore celui d'un vieillard (*Dan.* 7, 9-14), sous la forme d'une brise légère, pour le prophète Élie (*III Rois* 19, 9-13), ou bien sous les traits d'un voyageur (*Gen.* 18, 1-15). Il ne semble pas, en effet, que le mot ὁδοιπόρος puisse s'appliquer en ce contexte à l'apparition du Christ aux disciples d'Emmaüs (*Lc* 24, 13-35), puisque l'évocation des mystères de l'Incarnation et de la Passion ne vient qu'après, comme la clef de voûte de toutes ces théophanies.

4. Chrysostome fait ressortir le caractère libre et volontaire de la mort du Christ, et le vocabulaire évoque l'acceptation suprême du Jardin des Oliviers (*Matth.* 26, 39 ; *Mc* 14, 42 ; *Lc* 22, 42) et l'immense amour dont elle témoigne. On trouvera une étude exégétique et théologique remarquable du mystère de l'agonie du Christ dans A. FEUILLET, *L'Agonie de Gethsémani*, Paris 1977.

Χερουβὶμ κάθηται[k]. Πάντα δὲ ταῦτα πρὸς τὰς ὑποκειμένας οἰκονομίας ἔπραττε. Διὸ καὶ διὰ τοῦ προφήτου ἔλεγεν· Ἐγὼ ὁράσεις ἐπλήθυνα, καὶ ἐν χερσὶ προφητῶν ὡμοιώθην[l].

6. Οὕτω καὶ Παῦλος τὸν ἑαυτοῦ μιμούμενος Δεσπότην οὐκ ἂν κατεγνώσθη, νῦν μὲν ὡς Ἰουδαῖος γινόμενος, νῦν δὲ ὡς ἄνομος[m]· καὶ νῦν μὲν νόμον ἐφύλαττε, νῦν δὲ ὑπερεώρα νόμου· καὶ ποτὲ μὲν ἀντείχετο τῆς παρούσης ζωῆς, ποτὲ δὲ κατεφρόνει αὐτῆς· καὶ νῦν μὲν ᾔτει χρήματα, νῦν δὲ καὶ διδόμενα διεκρούετο· καὶ ἔθυε καὶ ἐξυρᾶτο, καὶ πάλιν ἀνεθεμάτιζε τοὺς ποιοῦντας· καὶ νῦν μὲν περιέτεμε, νῦν δὲ περιτομὴν ἐξέβαλε. Καὶ τὰ μὲν γινόμενα ἐναντία ἦν, ἡ δὲ γνώμη καὶ ἡ διάνοια ἀφ' ἧς ταῦτα ἐγίνετο σφόδρα ἀκόλουθος καὶ ἑαυτῇ συνημμένη. Ἓν γὰρ

6, 2 οὐκ ἂν κατεγνώσθη *om.* CFGP ‖ ὡς *om.* BDM AL E ‖ γινόμενος : γενόμ. BDM E ἐγίνετο CFGP ‖ 10 ἀκολούθως BDM AL

k. Cf. I Sam. 4, 4 ; II Sam. 6, 2 ; IV Rois 19, 15 ; I Chr. 13, 6 ; Ps. 79 (80), 2 ; 98 (99), 1.
l. Os. 12, 11.
m. Cf. I Cor. 9, 20-21.

1. Sur l'*économie* du plan rédempteur de Dieu, on pourra se reporter notamment à BASILE DE CÉSARÉE, *Traité du Saint-Esprit, SC* 17 bis (1968), Introd., ch. 3, p. 79-110, et surtout à l'ouvrage de J. MOINGT, *Théologie trinitaire de Tertullien* (Paris 1966), t. I, p. 44-46, où sont indiquées beaucoup de références aux Pères de l'Église.

2. L'expression ἐν χέρσιν de la Septante, qui dérive elle-même d'un hébraïsme, est évidemment à entendre au sens figuré. Th. HALTON (*In Praise of Saint Paul by St. John Chrysostom,* Boston 1963, p. 79) l'a rendue en conséquence : *by the ministry of the prophets.* Nous avons préféré, pour notre part, conserver l'image du texte.

3. Cet indicatif aoriste, précédé de ἄν, surprendrait à bon droit, s'il était senti comme irréel. L'auteur exprime ici une *possibilité dans le passé* (voir J. HUMBERT, *Syntaxe grecque,* Paris 1960, p. 110-111), possibilité qui a été *réelle :* Paul a effectivement été accusé. Cette réalité de l'accusation passée

siège sur un trône[j], et tantôt au-dessus des Chérubins[k]. Toutes ces manifestations, il les réglait[1] selon les circonstances. C'est pourquoi il fit dire également au prophète : « J'ai multiplié les visions, j'ai été représenté par la main des prophètes[12]. »

Unité essentielle

6. Ainsi Paul non plus, qui imitait son propre Maître, ne pouvait-il faire l'objet d'un blâme[3], lorsqu'il se comportait tantôt comme un Juif, tantôt comme un affranchi de la Loi[m], et de fait tantôt il observait la Loi, et tantôt il la dédaignait ; tantôt il s'attachait à la vie présente, et tantôt il la méprisait ; tantôt il demandait de l'argent, et tantôt il refusait même ce qu'on lui donnait ; tantôt il offrait un sacrifice et se faisait raser la tête, et inversement il lançait l'anathème contre ceux qui agissaient ainsi ; tantôt encore il pratiquait la circoncision et tantôt il la rejetait[4]. Sans doute ces attitudes étaient-elles contradictoires, mais le jugement et l'intention qui les inspiraient se tenaient étroitement et ne faisaient qu'un. Car il n'avait qu'un dessein :

explique l'emploi de l'indicatif, de préférence à l'optatif, plus courant. Chrysostome récuse (οὐκ) la possibilité en elle-même (ἄν) de l'accusation, puisqu'il résulte du paragraphe précédent qu'elle atteindrait,en fait, également Dieu, imité par l'Apôtre.

4. Les li. 1-8 de ce § évoquent brièvement plusieurs attitudes très diverses de Paul. « Tantôt il s'attachait à la vie présente et tantôt il la méprisait » (cf. *supra,* 3, 25-29 ; 4, 3-6) ; « tantôt il demandait de l'argent » (cf. *Act.* 24, 17 ; *Rom.* 15, 26-28 ; *I Cor.* 16, 1-2 ; *II Cor.* 8-9 ; *Gal.* 2, 10) « et tantôt il le refusait » (*Act.* 20, 33-35 ; *I Cor.* 9, 18) ; tantôt il observait des pratiques de la Loi juive, telles que le naziréat (*Act.* 18, 18) ou les favorisait par sa présence (*Act.* 21, 23-24.26-27 ; 24, 18) et tantôt il les condamnait (cf. *Gal.* 4, 3.9.10 ; *Col.* 2, 16). Surtout il rejeta la circoncision pour les chrétiens d'origine païenne (*Act.* 15, 1-2 ; *Rom.* 2, 25-29 ; 4, 9-12 ; *Gal.* 2, 1-10 ; 5, 1-12 ; 6, 12-16 ; *Éphés.* 2, 11-13 ; *Col.* 2, 11), et pourtant il l'a tolérée et même pratiquée pour son disciple Timothée (*Act.* 16, 1-3). Chrysostome a commenté le motif de ce dernier comportement : *In Act. Apost., hom.* XXXIV, 3, *PG* 60, 247 C-D ; *In undecim homilias, hom.* VIII, *habita postquam presbyter Gothus...,* § 5, *PG* 63, 507 C - 508 A.

ἐζήτει, τῶν ταῦτα ἀκουόντων καὶ ὁρώντων τὴν σωτηρίαν. Διὰ δὴ τοῦτο νῦν μὲν ἐπαίρει νόμον, νῦν δὲ αὐτὸν καθαιρεῖ. Οὐ γὰρ δὴ μόνον ἐν οἷς ἔπραττεν, ἀλλὰ καὶ ἐν οἷς ἔλεγε, ποικίλος ἦν καὶ παντοδαπός, οὐχὶ μεταβαλλόμενος τὴν γνώμην, οὐδὲ ἕτερος ἐξ ἑτέρου γινόμενος, ἀλλὰ μένων ὅπερ ἦν, καὶ τῶν εἰρημένων ἕκαστον πρὸς τὴν παροῦσαν μεταχειρίζων χρείαν. Μὴ τοίνυν διὰ ταῦτα αὐτὸν κακίσῃς, ἀλλὰ δι' αὐτὰ μὲν οὖν ταῦτα μάλιστα ἀνακήρυξον καὶ στεφάνωσον.

7. Ἐπεὶ καὶ τὸν ἰατρόν, ὅταν ἴδῃς νῦν μὲν καίοντα, νῦν δὲ τρέφοντα, καὶ νῦν μὲν σιδήρῳ χρώμενον, νῦν δὲ φαρμάκῳ, καὶ ποτὲ μὲν ἀπάγοντα σιτίων καὶ ποτῶν, ποτὲ δὲ ἐπιτρέποντα τούτων ἄδην ἐμφορεῖσθαι τὸν κάμνοντα, καὶ ποτὲ μὲν περιβάλλοντα πάντοθεν, ποτὲ δὲ αὐτὸν ἐκεῖνον τὸν διαθερμανθέντα κελεύοντα φιάλην ὁλόκληρον ἐκπιεῖν ὑδάτων ψυχρῶν, οὐ καταγνώσῃ τῆς μεταβολῆς, οὐδὲ τῆς συνεχοῦς μεταστάσεως· ἀλλὰ τότε μάλιστα ἐπαινέσεις τὴν τέχνην, τὰ δοκοῦντα ἡμῖν ἐναντία εἶναι καὶ βλαβερὰ μετὰ τοῦ θαρρεῖν προσάγουσαν ὁρῶν, καὶ τὸ ἀσφαλὲς ἐγγυωμένην. Τοῦτο γὰρ ἀνὴρ τεχνικός. Εἰ δὲ ἰατρὸν ἀποδεχόμεθα τὰ ἐναντία ταῦτα ποιοῦντα, πολλῷ

13 δὴ : δεῖ A ‖ 17-18 αὐτὸν διὰ ταῦτα ~ A ‖ 18 δι' αὐτὰ AL : διὰ ταῦτα *cett.*

7, 4 ἄδην : ἄρδην CFP(G, *ut vid.*) AL

1. On sait que si, aux yeux de Paul, la foi au Christ et le baptême chrétien peuvent seuls opérer la justification (*Rom.* 3, 9-30 ; 4, 1-25 ; 5, 1-21 ; *Gal.* 3, 1-18.25-29 ; 4, 1-11 ; cf. 4, 21-31 ; *Éphés.* 4, 4-6 ; *Col.* 2, 12-14 ; 3, 11), la Loi mosaïque a cependant joué un rôle *pédagogique* important (*Rom.* 7, 7-13 ; 9, 3-4 ; *Gal.* 3, 19-24) et même la circoncision (*Rom.* 3, 1-4).

2. Les li. 12-15 de ce § annoncent déjà, comme un peu plus loin les li. 17-23 du § 8, la troisième section de ce discours, qui aura pour objet la diversité du *langage* de Paul (§ 9-16).

3. Les mss sont divergents. Les uns (AL CFGP) présentent le mot ἄρδην, qu'ont reproduit les éditions de Savile, F. du Duc et Montfaucon. La leçon

sauver ceux qui l'entendaient et qui le voyaient. Voilà pourquoi tantôt il exalte la Loi et tantôt il l'abroge[1]. Et certes, ce n'était pas seulement dans ses actions, mais encore dans ses paroles[2] qu'il était divers et multiple, sans changer d'opinion pour autant et sans prendre un autre caractère ; au contraire, il demeurait ce qu'il était, et pour chaque cas dont nous avons parlé il s'adaptait selon les besoins du moment. Ne l'accuse donc pas pour cette conduite, mais que ce soit plutôt justement un motif pour proclamer ses louanges au plus haut point et pour lui décerner une couronne.

7. C'est, en effet, pareil pour le médecin. Lorsque tu le vois tantôt cautériser une plaie et tantôt l'entretenir, tantôt utiliser le fer d'un instrument et tantôt un onguent, tantôt interdire au malade aliments et boissons et tantôt lui permettre de s'en rassasier abondamment[3], tantôt encore l'envelopper entièrement de couvertures et tantôt, lorsqu'il s'est bien réchauffé, lui ordonner de vider lui-même complètement une coupe d'eau froide, tu ne l'accuseras pas d'inconstance ou de versatilité continuelle ; c'est alors surtout, au contraire, que tu feras l'éloge de cet art, en le voyant employer résolument des moyens en apparence contradictoires et même nuisibles, et garantir en même temps la santé. Voilà bien un habile praticien[4]. Si donc nous approuvons un médecin quand il a recours à des traitements qui s'opposent, à bien plus forte raison faut-il

ἄδην des mss BDM E nous a semblé meilleure en cet endroit. Cette observation a son importance ; car, si l'on ne peut accorder un grand crédit aux mss BDM, quand ils offrent une leçon qui leur est propre, en revanche la présence à côté d'eux du ms E peut offrir parfois une meilleure garantie (voir *Introd.*, ch. IV, p. 74, et stemma, p. 85).

4. Sur cette comparaison, voir Th. E. AMERINGER, *op. cit.*, ch. VII, p. 78. Les comparaisons empruntées à la médecine sont une des habitudes de la diatribe et de la rhétorique chrétienne : voir A. OLTRAMARE, *Les Origines de la diatribe romaine*, Genève 1926, p. 61, 84, 92, 102, 122, 188, 287, et L. MÉRIDIER, *L'influence de la Seconde Sophistique sur l'œuvre de Grégoire de Nysse*, Rennes 1906, ch. VIII, p. 117, 121-122.

μᾶλλον τὴν Παύλου ψυχήν, οὕτω τοῖς κάμνουσι προσφερομένην, ἀνακηρύττειν δεῖ. Καὶ γὰρ τῶν τὰ σώματα ἀρρωστούντων οὐκ ἔλαττον οἱ τὰς ψυχὰς νοσοῦντες δέονται μηχανῆς καὶ μεταχειρίσεως· κἂν ἐξ εὐθείας αὐτοῖς προσίῃς, πάντα οἰχήσεται τὰ τῆς σωτηρίας αὐτῶν.

8. Καὶ τί θαυμαστόν, εἰ ἄνθρωποι ταῦτα ποιοῦσιν, ὅπου ὁ Θεός, ὁ πάντα δυνάμενος, τούτῳ κέχρηται τῆς ἰατρείας τῷ νόμῳ, καὶ οὐ πάντοτε ἡμῖν ἐξ εὐθείας ὁμιλεῖ; Ἐπειδὴ γὰρ ἑκόντας εἶναι βούλεται καλούς, ἀλλ' οὐκ ἀνάγκῃ καὶ βίᾳ, ἐδέησεν αὐτῷ καὶ μεθόδου, οὐ διὰ τὸ αὐτοῦ ἀδύνατον, ἄπαγε, ἀλλὰ διὰ τὸ ἀσθενὲς τὸ ἡμέτερον. Αὐτῷ μὲν γὰρ ἔξεστι νεῦσαι μόνον, μᾶλλον δὲ ἐθελῆσαι μόνον, καὶ ποιῆσαι πάντα ἅπερ ἂν βούληται· ἡμεῖς δὲ ἅπαξ ἑαυτῶν γενόμενοι κύριοι, οὐκ ἀνεχόμεθα πάντα ὑπακούειν αὐτῷ. Ἐὰν οὖν ἄκοντας ἑλκύσῃ, ὅπερ ἔδωκεν ἀφαιρήσεται, τὴν τῆς ἐξουσίας λέγω ἐλευθερίαν. Ἵν' οὖν μὴ τοῦτο γένηται, ἐδέησεν αὐτῷ μεθόδων πολλῶν. Ταῦτα δὲ ἡμῖν οὐχ ἁπλῶς εἴρηται, ἀλλὰ διὰ τὸ ποικίλον τοῦ μακαρίου Παύλου καὶ σοφόν· ὥστε ὅταν ἴδῃς αὐτὸν φεύγοντα κινδύνους,

16 κἂν : κἀν AL B
8, 1 ὅπου : ὅταν BDM AL E || 2 ὁ[1] *om.* CFGP || κέχρηται : -μένος ἦ BDM AL E || 3 οὐ πάντοτε : μὴ πάντα BDM AL E || ἐξ εὐθ. ἡμ. ~ BDM AL E || ὁμιλῇ BDM AL E || 7 θελῆσαι G || 8 ἑαυτῷ A || 9 γινόμενοι AL γενώμενοι M || ἀνεχώμεθα M || 10 οὖν : δὲ BDM AL E || ἀφαιρήσεται FGP : -ρεθήσεται *cett.* || 11 λέγω *om.* BDM AL E

1. Les li. 14-17 montrent l'importance que Chrysostome attachait pour la direction des âmes à une méthode faite de respect, de délicatesse et de fine psychologie. Voir *Lettres à Olympias, SC* 13 bis, Introd., p. 45 s.

2. Chrysostome a toujours insisté sur le fait que Dieu respecte notre libre arbitre (cf *IVe Panég.*, 2, 1-7 ; 4, 1-6 ; et § 5. Voir aussi l'homélie spéciale, consacrée à ce sujet : *Domine, non est in homine,* § 1-2, 4-5, *PG* 56, 155 B - 156 B, 160 A - 162 C, et encore : *De statuis, hom.* XII, 3, *PG* 49, 140 B -

exalter hautement l'âme de Paul, qui s'est comportée de la même manière à l'égard de ceux qui souffraient. Car, tout autant que ceux qui ont le corps malade, ceux dont l'âme est atteinte ont besoin d'être traités avec habileté ; si, au contraire, on les aborde sans précaution, toutes les chances de les sauver disparaîtront[1].

Respect de Dieu pour l'homme

8. Et qu'y a-t-il d'étonnant à voir les hommes agir de cette façon lorsque Dieu, malgré sa toute-puissance, utilise cette pratique habituelle des médecins et ne se comporte pas toujours avec nous sans précaution ? Car il veut que nous soyons vertueux de propos délibéré, et non pas sous l'effet de la contrainte et de la force, et c'est la raison pour laquelle il a besoin également de recourir à des détours, non par impuissance de sa part, loin de moi cette pensée, mais à cause de notre faiblesse. En réalité, il lui suffit de faire un signe, ou plutôt de vouloir pour que s'accomplissent tous ses desseins ; mais pour nous, dès lors que nous avons été une fois maîtres de nous-mêmes, nous ne supportons pas de lui obéir purement et simplement. Si réellement il nous attire malgré nous, il nous ôtera ce qu'il nous a donné, je veux dire l'indépendance de notre liberté[2]. Par conséquent, pour qu'il n'en soit pas ainsi, il a besoin de recourir à de nombreux détours. Et ce n'est pas à la légère que je m'exprime ainsi, mais à cause des attitudes diverses du bienheureux Paul et de son habileté. Ainsi donc, quand tu le vois fuir les dangers, admire-le tout autant que

141 A ; *De mutat. nominum, hom.* III, 6, *PG* 51, 143 C - 144 C ; *De verbis Apostoli « Habentes eumdem spiritum... », hom.* I, 5, *PG* 51, 276 B-C ; *In Psalm. CXV,* 2, *PG* 55, 322 B-C ; *In Matth., hom.* XLI, *PG* 58, 471 C - 472 A ; *hom.* LIX, 2-3, *PG* 58, 575 C - 578 A ; *In Johan., hom.* V, 3-4, *PG* 59, 58 B-C ; *hom.* XLV, 3, *PG* 59, 254 C-D ; *In Epist. ad Rom., hom.* XIII, 2, *PG* 60, 510 A-B ; *In Epist. ad Col., hom.* VIII, 1-2, *PG* 62, 352 D - 353 A ; *In undecim homilias, hom.* VIII, *habita postquam presbyter Gothus...,* § 6, *PG* 63, 508 D - 510 C.

θαύμασον ὁμοίως, ὥσπερ ὅταν ἴδῃς ὁμόσε χωροῦντα αὐτοῖς· καθάπερ γὰρ τοῦτο ἀνδρείας, οὕτω κἀκεῖνο σοφίας. Ὅταν ἴδῃς μεγάλα φθεγγόμενον, θαύμασον ὁμοίως, ὥσπερ ὅταν ἴδῃς μετριάζοντα· καθάπερ γὰρ τοῦτο ταπεινοφροσύνης, οὕτως ἐκεῖνο μεγαλοψυχίας. Ὅταν ἴδῃς καυχώμενον, θαύμασον ὁμοίως, ὥσπερ ὅταν ἴδῃς διακρουόμενον ἐγκώμιον· καὶ γὰρ καὶ τοῦτο ἤθους ἀτύφου, κἀκεῖνο φιλοστόργου καὶ φιλανθρώπου· τὴν γὰρ τῶν πολλῶν οἰκονομῶν σωτηρίαν, ταῦτα ἔπραττε.

9. Διὸ καὶ ἔλεγεν· Εἴτε ἐξέστημεν, Θεῷ· εἴτε σωφρονοῦμεν, ὑμῖν[n]. Οὔτε γάρ τις ἄλλος εἶχε τοσαύτας ἀνάγκας πρὸς ἀπόνοιαν, οὔτε ἄλλος τις οὕτω καθαρὸς ἀλαζονείας ἦν. Σκόπει δέ. Ἡ γνῶσις φυσιοῖ[o]· καὶ πάντες τοῦτο ἂν εἴποιμεν μετ' ἐκείνου· καὶ τοσαύτη δὲ ἦν ἐν αὐτῷ γνῶσις, ὅση ἐν οὐδενὶ τῶν πώποτε ἀνθρώπων γεγενημένων· ἀλλ' ὅμως αὐτὸν οὐκ ἐπῆρεν, ἀλλὰ καὶ ἐν αὐτῷ τούτῳ μετριάζει. Διὸ καὶ λέγει· Ἐκ μέρους γινώσκομεν, καὶ ἐκ μέρους προφητεύομεν[p]· καὶ πάλιν· Ἐγώ, ἀδελφοί, οὔπω λογίζομαι ἐμαυτὸν κατειληφέναι[q], καί· Εἴ τις δοκεῖ εἰδέναι τι, οὔπω οὐδὲν ἔγνωκε[r]. Πάλιν νηστεία φυσᾷ· καὶ τοῦτο ὁ

20 ὥσπερ *om.* AL

9, 3 καθαρῶς BDM E || 4 ἦν : ἀπέστη BDM AL E || 5 καὶ *om.* CFGP || δὲ *om.* BDM AL E || ἐν *om.* C || 6 ἐν *om.* BDM E || ἀνθρώπων *om.* BDM AL || 7 τοῦτο A || 8 διὸ καὶ *om.* BDM AL E || λέγων BDM AL E || 9 πάλιν *om.* BDM AL E || ἀδελφοί *om.* BDM AL E || οὔπω : οὐ BDM AL E

n. II Cor. 5, 13.
o. I Cor. 8, 1.
p. I Cor. 13, 9.
q. Phil. 3, 13.
r. I Cor. 8, 2.

lorsque tu le vois aller à leur rencontre : en effet, si ce dernier comportement est un signe de courage, le premier témoigne de sa sagesse. Quand tu le vois parler d'un ton qui en impose, admire-le tout autant que lorsque son langage est modéré : si dans ce dernier cas il fait preuve d'humilité, le premier dénote de la grandeur d'âme. Quand tu le vois se glorifier, admire-le tout autant que lorsqu'il repousse l'éloge : si cette deuxième attitude relève de la modestie, la première provient d'un cœur rempli de tendresse et de bonté. C'est, en effet, le souci de pourvoir au salut de la multitude qui inspirait tous ses actes.

L'humilité de Paul

9. C'est pourquoi il disait également : « Si nous avons été hors de sens, c'était pour Dieu ; si nous sommes raisonnables, c'est pour vous[n]. » Assurément, personne n'eut autant d'occasions pressantes de céder à un fol orgueil, et personne ne fut à ce point exempt de vantardise. Réfléchis donc. « La science enfle[o] [1] », et tous nous pouvons le dire avec lui ; mais la science en lui était si élevée que jamais personne au monde n'en posséda de semblable, et pourtant, loin de se laisser griser par elle, il y trouve encore précisément un motif de modestie. Voilà pourquoi il dit : « Partielle est notre science, et partielle notre prophétie[p] », et encore : « Quant à moi, frères, je ne me flatte point d'avoir déjà atteint le but[q] », et également : « Si quelqu'un s'imagine connaître quelque chose, il ne connaît rien encore[r]. » Le jeûne enfle, lui aussi, et le Pharisien le montre bien quand il

1. Le terme de γνῶσις n'a pas la même signification que dans le IVe panégyrique : voir *supra,* IV, 10, 16-18 et note. Le verset cité ici se rapporte à la question des *idolothytes :* cf. *I Cor.* 8, 1.7.10. Mais les citations qui suivent (*I Cor.* 13, 9 ; 8, 2) montrent que Chrysostome veut souligner le caractère limité et relatif de la connaissance religieuse elle-même, dans la ligne de *I Cor.* 8, 1b (cf. *Sur l'incompr. de Dieu, hom.* I, li. 110-167, *SC* 28 bis, Paris 1970, p. 106-112). Le primat reste à la charité (*I Cor.* 8, 3 ; 13, 1-13).

Φαρισαῖος δηλοῖ λέγων· Νηστεύω δὶς τῆς ἑβδομάδος[s]. Ἀλλ' οὗτος οὐχὶ νηστεύων, ἀλλὰ καὶ λιμώττων ἑαυτὸν ἔκτρωμα[t] ἐκάλει.

10. Τί λέγω νηστείαν καὶ γνῶσιν, ὅπου γε ὁμιλίαι τοσαῦται καὶ οὕτω συνεχεῖς πρὸς τὸν Θεὸν ἦσαν αὐτῷ γεγενημέναι, ὅσαι μήτε προφητῶν, μήτε ἀποστόλων ἐγένοντο μηδενί, καὶ μᾶλλον ἐταπεινοῦτο διὰ ταῦτα; Μὴ γάρ μοι ταύτας εἴπῃς τὰς ἀναγεγραμμένας· τὰς γὰρ πλείους ἀπέκρυψε, καὶ οὔτε πάσας εἶπεν, ἵνα μὴ δόξαν ἑαυτῷ περιθῇ μεγάλην, οὔτε πάσας ἐσίγησεν, ἵνα μὴ τὰ τῶν ψευδαποστόλων ἀνοίξῃ στόματα. Οὐδὲν γὰρ ἁπλῶς ἐκεῖνος ἐποίει, ἀλλὰ πάντα μετὰ αἰτίας δικαίας καὶ εὐλόγου· καὶ μετὰ τοσαύτης σοφίας μετῄει τὰ ἐναντία πράγματα, ὡς τῶν αὐτῶν πανταχοῦ τυγχάνειν ἐπαίνων. Ὃ δὲ λέγω τοιοῦτόν ἐστι. Μέγα ἀγαθὸν τὸ μηδὲν μέγα περὶ ἑαυτοῦ λέγειν· ὁ δὲ οὕτως αὐτὸ εὐκαίρως ἐποίει, ὡς εἰπὼν μᾶλλον ἢ σιγήσας ἐπαινεθῆναι. Καὶ εἰ μὴ τοῦτο πεποίηκε, τῶν ἀκαίρως ἐγκωμιαζόντων κατηγορήθη ἂν μᾶλλον· εἰ γὰρ μὴ ἐκαυχήσατο, πάντα ἂν ἀπώλεσε καὶ προέδωκε, καὶ τὰ τῶν ἐχθρῶν ἂν ἐπῆρε πράγματα. Οὕτως οἶδε τῷ καιρῷ πανταχοῦ κεχρῆσθαι, καὶ μετὰ γνώμης ὀρθῆς καὶ τὰ ἀπηγορευμένα ποιεῖν, καὶ οὕτω χρησίμως, ὡς τῶν προστεταγμένων μηδὲν ἔλαττον ἐκ τούτων εὐδοκιμεῖν. Μᾶλλον γὰρ Παῦλος καυχώμενος τότε εὐδοκί-

13 καὶ *om.* BDM AL E

10, 2 συνεχῶς A ‖ 4 μηδενὶ : τινι CFGP ‖ 9 μετὰ αἰτίας δικαίας πάντα ~ BDM AL E ‖ δικαίας + τε FP ‖ 10 καὶ μετὰ τοσαύτης : μ. τοσ. οὖν CFGP ‖ 11 τυγχάνων BDM AL ‖ 12 μέγα[2] *om.* C ‖ 14 τοῦτο : οὕτω CFGP

s. Cf. Lc 18, 12.
t. Cf. I Cor. 15, 8.

dit : « Je jeûne deux fois la semaine[s]. » Pour Paul, il ne s'agissait pas de jeûner, mais bien de souffrir de la faim, et pourtant il se nommait lui-même un avorton[t].

Même dans son éloge personnel

10. Pourquoi parler de jeûne et de science, puisqu'il eut sans aucun doute avec Dieu des entretiens si élevés et si continuels[1], comme aucun prophète et aucun apôtre n'en eurent jamais, et qu'il s'en humiliait davantage ? Ne me parle pas de ceux qu'il a rapportés par écrit, car il a tenu cachés la plupart d'entre eux : il n'a pas tout dit, afin de ne pas s'attribuer une gloire considérable, et d'autre part il n'a pas tout gardé secret, afin de fermer la bouche aux faux apôtres[2]. Car cet homme n'agissait jamais à la légère, mais toujours avec un motif juste et raisonnable, et il poursuivait des desseins opposés avec tant de sagesse qu'il obtenait partout les mêmes éloges. Voici ce que je veux dire. C'est une grande vertu de ne jamais parler de soi en termes de fierté ; mais il le faisait, lui, avec tant d'à-propos que sa parole plus que son silence mérite des louanges. S'il n'avait pas agi ainsi, on l'aurait blâmé plus que ceux qui font leur éloge à contretemps ; en effet, s'il ne s'était pas glorifié, il aurait tout perdu par lâcheté et rehaussé le parti de ses ennemis. Il sait partout si bien tirer parti des circonstances et faire avec une intention droite même ce qui est défendu, et en se rendant si utile, qu'il en retire tout autant d'honneur qu'en accomplissant les commandements. Oui, Paul en se glorifiant s'est alors attiré plus d'honneur qu'un autre en

1. Chrysostome a fait, plus haut (9, 1-2), une brève allusion à l'enthousiasme religieux de S. Paul que certains adversaires jugeaient exagéré, lorsqu'il a cité un verset de *II Cor.* (5, 13), d'interprétation d'ailleurs difficile (voir E.B. Allo, *Saint Paul, Seconde Épître aux Corinthiens,* Paris 1937, p. 163-165). Il va maintenant parler explicitement des entretiens mystiques qu'il eut avec le Seigneur (*II Cor.* 12, 1-7).

2. L'allusion aux faux apôtres revient plusieurs fois dans ces panégyriques (cf. *IVe Panég.*, 17, 11-12 et p. 220, n. 2).

μησεν, ἢ ἕτερός τις κρύπτων τὰ ἑαυτοῦ κατορθώματα· οὐδεὶς γὰρ τοσαῦτα εἰργάσατο ἀγαθὰ ἀποκρύπτων τὰ ἑαυτοῦ, ὅσα ἐκεῖνος ἐξειπὼν τὰ ἑαυτοῦ.

11. Καὶ τὸ δὴ πάλιν θαυμαστότερον, ὅτι οὐ μόνον ἐξεῖπεν, ἀλλὰ καὶ μέχρι τῆς χρείας ἔστη. Οὐ γὰρ ὡς τοῦ καιροῦ παρέχοντος αὐτῷ πολλὴν τὴν ἄδειαν, ἀμέτρως πάλιν τῷ πράγματι ἐχρήσατο, ἀλλ' ἔγνω μέχρι ποῦ προελθεῖν ἔδει. Καὶ οὐδὲ τοῦτο αὐτῷ ἤρκεσεν, ἀλλ' ὥστε μὴ τοὺς ἄλλους διαφθεῖραι, μηδὲ παρασκευάσαι ἁπλῶς ἑαυτοὺς ἐγκωμιάζειν, καὶ ἄφρονα ἑαυτὸν καλεῖ· αὐτὸς μὲν γάρ, τῆς χρείας καλούσης, τοῦτο ἐποίησεν. Ἐπειδὴ δὲ εἰκὸς ἦν τοὺς ἄλλους εἰς αὐτὸν ὁρῶντας, ἁπλῶς καὶ εἰκῇ κεχρῆσθαι τῷ παραδείγματι· ὃ καὶ ἐπὶ τῶν ἰατρῶν γίνεται· πολλάκις γάρ, ὃ μετὰ καιροῦ φάρμακον ἐπέθηκεν οὗτος, ἀκαίρως ἕτερος ἐπιθεὶς ἐλυμήνατο καὶ ἐπεσκότησε τῇ τοῦ φαρμάκου δυνάμει.

12. Ἵν' οὖν μὴ καὶ ἐνταῦθα τοῦτο γένηται, ὅρα πόσῃ κέχρηται τῇ προδιορθώσει μέλλων καυχᾶσθαι, οὐχ ἅπαξ, οὐδὲ δίς, ἀλλὰ πολλάκις ἀναδυόμενος. Ὤφελον γὰρ ἀνείχεσθέ μου, φησί, μικρὸν τῇ ἀφροσύνῃ[u] · καὶ πάλιν· Ὃ λαλῶ, οὐ λαλῶ κατὰ Κύριον, ἀλλ' ὡς ἐν ἀφροσύνῃ. Ἐν ᾧ δ' ἄν τις ἐν ἀφροσύνῃ τολμᾷ λέγων, τολμῶ κἀγώ[v]. Καὶ τοσαῦτα εἰπών, οὐδὲ τούτοις ἠρκέσθη, ἀλλὰ πάλιν μέλλων εἰς τὰ ἐγκώμια ἐμβαίνειν κρύπτει ἑαυτὸν λέγων· Οἶδα

11, 7 ἑαυτοὺς *om.* BDM
12, 3 ὄφελον BDM E || 5 οὐ κ. Κ. λ. ~ C || 7 τούτοις : οὕτως BDM E

u. II Cor. 11, 1.
v. II Cor. 11, 17.21.

dissimulant ses grandes vertus : personne, en effet, n'a fait autant de bien en cachant ses mérites que cet homme en révélant les siens.

11. Et ce qu'il y a de plus merveilleux encore, c'est que non seulement il les ait révélés, mais qu'il s'en soit tenu à ce qui était nécessaire. Ce n'est pas sous prétexte que les circonstances lui assuraient une grande sécurité qu'il agissait à nouveau ainsi sans mesure, mais il se rendait compte jusqu'où il devait aller. Et encore cette limite ne lui suffisait-elle pas ; pour éviter de corrompre les autres en les disposant à faire leur éloge sans raison, il se traite même d'insensé ; pour lui, en toute vérité, ce n'est que lorsque le besoin s'en faisait sentir qu'il agissait de cette manière. Mais vraisemblablement les autres, en l'observant, suivraient tout bonnement son exemple, et en pure perte. C'est ce qui se produit aussi pour les médecins : souvent, quand l'un a appliqué un remède à propos, un autre l'applique à contretemps, en altérant ou en compromettant l'efficacité du remède.

12. Pour qu'il n'en soit pas ainsi en la circonstance, vois quelles précautions [1] il prend quand il doit se glorifier, en cherchant à s'y soustraire, non pas une fois, ni deux, mais fréquemment. « Oh ! si vous pouviez supporter de ma part, dit-il, un peu de folie [u] ! » Et encore : « Ce que je dis, je ne le dis pas selon le Seigneur, mais comme sous le coup de la folie... Ce dont on se prévaut en termes insensés, je l'ose moi aussi [v]. » Puis, sans se contenter de toutes ces précautions oratoires, lorsqu'il est sur le point de s'embarquer dans les éloges, il dissimule son

1. A partir de là Chrysostome, dans un développement assez long et sinueux, commente quelques versets des chapitres 11 et 12 de la *IIe Ép. aux Corinthiens,* en insistant sur toutes les précautions que prend l'Apôtre avant de procéder à son éloge. On se reportera avec intérêt au texte intégral de ce magnifique éloge de Paul par lui-même (*II Cor.* 11, 1 - 12, 18), et aux homélies que Chrysostome lui a consacrées (*In Epist. II ad Cor., hom.* XXIII-XXVII, *PG* 61, 553-590).

ἄνθρωπον[w] · καὶ πάλιν · Ὑπὲρ τοῦ τοιούτου καυχήσομαι, ὑπὲρ δὲ ἐμαυτοῦ οὐ καυχήσομαι[x] · καὶ μετὰ ταῦτα πάντα · Γέγονα ἄφρων, φησίν, ὑμεῖς με ἠναγκάσατε[y]. Τίς οὖν οὕτως ἀνόητος καὶ σφόδρα ἀναίσθητος, ὡς τὸν ἅγιον ἐκεῖνον ὁρῶν, τοσαύτης ἐπικειμένης ἀνάγκης, ὀκνοῦντα καὶ ἀναδυόμενον περὶ ἑαυτοῦ τι μέγα εἰπεῖν, καὶ καθάπερ ἵππον κατὰ κρημνῶν ἐρχόμενον καὶ ἀναχαιτίζοντα συνεχῶς, καίτοι μέλλων τοσαῦτα οἰκονομεῖν, μὴ φεύγειν ἐκ πολλῆς τὸ πρᾶγμα περιουσίας, καὶ μόνου καιροῦ καταναγκάζοντος κεχρῆσθαι τῷ πράγματι;

13. Βούλει καὶ ἕτερον αὐτοῦ δείξω τοιοῦτον; Τὸ γὰρ δὴ θαυμαστὸν · τοῦτό ἐστιν, ὅτι οὐκ ἠρκεῖτο τῷ συνειδότι, ἀλλὰ καὶ ἡμᾶς ἐδίδασκε πῶς ἕκαστον τούτων μετιέναι δεῖ, οὐχ ἑαυτῷ μόνον ἀπολογίαν κατασκευάζων ἀπὸ τῆς τῶν καιρῶν ἀνάγκης, ἀλλὰ καὶ τοὺς ἄλλους παιδεύων, ὥστε ἐμπεσόντος καιροῦ μὴ φεύγειν τὸ τοιοῦτον, μήτε ἀκαίρως αὐτὸ μετιέναι πάλιν. Διὰ γὰρ τούτων ὧν εἶπε, μονονουχὶ ταῦτα ἔλεγε · κακὸν μέγα τὸ περὶ ἑαυτοῦ λέγειν μέγα τι καὶ θαυμαστόν · καὶ ἐσχάτης ἀνοίας τοῦτο,

12 ὡς : ὃς BDM E || 15 καὶ *om.* CFGP
13, 6 τὸν BDM || 8 μέγα *om.* CFGP || αὐτοῦ E || 9 τοῦτο *om.* CFGP

w. II Cor. 12, 2.
x. II Cor. 12, 5.
y. II Cor. 12, 11.

1. Tous les mss portent le nominatif μέλλων, ainsi que les éditions de Savile, F. du Duc et Montfaucon (y compris la réédition de celui-ci par Gaume). La forme μέλλοντα (*PG* 50, 501 A) a donc été introduite à tort par Migne.

2. Très souvent Chrysostome a insisté sur les dangers de la vaine gloire. Il a même consacré à ce sujet une œuvre distincte, surtout quand il s'agit de l'éducation : *Sur la vaine gloire et l'éducation des enfants, SC* 188, Paris 1972, cf. *Index :* κενοδοξία, p. 235-236. Pour notre part, nous nous bornons

identité, en disant : « Je connais un homme[w]... » Et encore : « Pour cet homme-là je me vanterai, mais pour moi-même, je ne me vanterai pas[x] », et, pour finir : « Me voilà devenu fou, dit-il, c'est vous qui m'y avez contraint[y]. » En voyant donc ce grand saint, pressé par une nécessité si impérieuse, hésiter et reculer avant de procéder à son éloge, tel un cheval qui, arrivé en haut d'un précipice, ne cesse de regimber, quel homme serait assez inintelligent et assez stupide, si importantes que soient les affaires qu'il doit administrer[1], pour ne pas éviter de tout son pouvoir cette manière d'agir et n'y avoir recours que sous l'empire de la nécessité ?

Modèle à suivre

13. Veux-tu que je te montre encore à ce propos Paul sous un autre aspect ? Car ce qu'il y a assurément de merveilleux, c'est qu'il ne se contentait pas du témoignage de sa conscience, mais encore qu'il nous apprenait de quelle manière il faut rechercher chacune de ces occasions. Non seulement il se justifiait lui-même, en prouvant que les circonstances l'y obligeaient, mais, en outre, il instruisait les autres de telle façon que, si une occasion se présentait, ils ne renoncent pas à un semblable comportement, sans toutefois le rechercher à contretemps. A travers ses paroles, Paul voulait dire à peu près ceci : c'est un grand mal de parler de soi en termes de fierté et d'admiration[2], et c'est le dernier degré de la sottise, mon bien-aimé[3], que de

a indiquer ici quelques références où il a souligné que cette vaine gloire est contraire à l'attitude du Christ lui-même (*In Johan., hom.* XLI, 1-2, *PG* 59, 235 B-C ; *hom.* XLV, 3, *PG* 59, 255 B-C ; *hom.* XLIX, 2, 275 C-D ; *hom.* LV, 1, 301 C-D, 302 C ; *hom.* LXVII, 2, 371 C - 372 A), et à celle de S. Paul (*In Epist. II ad Cor., hom.* XXII, 2, *PG* 61, 548 D - 551 A ; *hom.* XXIII, 2, 3, 5, *PG* 61, 554 B - 555 B, 557 A-B, 559 D - 560 B ; *hom.* XXVI, 1, 576 A-D ; *Epist. ad Galat. Comment., in cap. I,* § 7-8, *PG* 61, 625 A - 626 A ; *in cap. VI,* § 3-4, 678 D - 679 B).

3. Ce vocatif singulier qu'on retrouvera aussi dans le *VII*[e] *Panég.* (2, 1), et familier à Chrysostome, est un héritage de la diatribe (voir *Introd.*, ch. IV, p. 36).

ἀγαπητέ, τὸ μηδεμιᾶς ἀνάγκης ἐπικειμένης, καὶ ἀνάγκης βιαίας, καλλωπίζεσθαι τοῖς ἐγκωμίοις[z] · οὐκ ἔστι τοῦτο κατὰ Κύριον λαλεῖν, ἀλλὰ παραπληξίας μᾶλλον δεῖγμα τὸ τοιοῦτόν ἐστι, καὶ πάντα ἡμῖν κενοῖ τὸν μισθὸν μετὰ τοὺς πολλοὺς ἱδρῶτας καὶ πόνους. Ταῦτα γὰρ ἅπαντα καὶ πλείονα τούτων, δι' ὧν παρῃτήσατο καὶ ἀνάγκης ἐμπεσούσης, εἶπε πρὸς ἅπαντας. Τὸ δὲ τούτου μεῖζον, ὅτι οὐδὲ ἀνάγκης ἐμπεσούσης, πάντα ἐξέχεεν εἰς μέσον, ἀλλὰ τὰ πλείονα ἀπεκρύψατο καὶ τὰ μείζονα. Ἐλεύσομαι γάρ, φησίν, εἰς ὀπτασίας καὶ ἀποκαλύψεις Κυρίου · φείδομαι δέ, μή τις εἰς ἐμὲ λογίσηται, ὑπὲρ ὃ βλέπει ἢ ἀκούει τι ἐξ ἐμοῦ[a]. Ταῦτα δὲ ἔλεγε παιδεύων ἅπαντας, μηδὲ ἀνάγκης οὔσης, πάντα ὅσα σύνισμεν ἑαυτοῖς, φέροντας αὐτὰ εἰς μέσον κατατιθέναι, ἀλλ' ὅσα τοῖς ἀκούουσι χρήσιμα.

14. Ἐπεὶ καὶ ὁ Σαμουήλ · οὐδὲν γὰρ ἀπεικὸς καὶ ἐκείνου μνησθῆναι τοῦ ἁγίου, εἰς γὰρ ὠφέλειαν ἡμῶν καὶ τὰ ἐγκώμια γίνεται · ἐκαυχήσατό ποτε καὶ ἐκεῖνος, καὶ ἐξεῖπεν οἰκεῖα κατορθώματα · ἀλλὰ ποῖα; Ἃ τοῖς ἀκούουσι συνέφερεν. Οὐ γὰρ περὶ σωφροσύνης ἀπέτεινε λόγον μακρόν, οὐδὲ περὶ ταπεινοφροσύνης, οὐδὲ περὶ τοῦ μὴ μνησικακεῖν, ἀλλὰ ὑπὲρ τίνος; Ὑπὲρ τούτου, ὃ μάλιστα ἔδει μαθεῖν τὸν τότε βασιλεύοντα, ὑπὲρ δικαιοσύνης, καὶ τοῦ καθαρὰς ἔχειν τὰς χεῖρας δώρων.

10-11 καὶ ἀνάγκης βιαίας *om.* FP || 15-16 ἐκπεσούσης A || 18 τὰ *om.* BDM AL E || 20 βλέπει + με CP || ἢ ἀκούει *om.* BDM AL E || 20-21 ἐξ ἐμοῦ *om.* BDM AL E || 22 φέροντας : -τες AL D (-τας D$^{pc.}$) -τα G || αὐτὰ *om.* BDM || 23 χρήσιμα : συνέφερεν BDM E

14, 1 ὁ *om.* C || 8 ὑπὲρ δικαιοσύνης : δικαιοσύνην BDM AL

z. Cf. II Cor. 10, 18.
a. II Cor. 12, 1.6.

prendre la parure des éloges, sans y être contraint d'aucune manière, de façon pressante et même impérieuse [z]; ce n'est pas là parler comme le veut le Seigneur, mais une telle attitude est plutôt une preuve de folie, et elle réduit à rien notre récompense, en même temps que toutes nos fatigues et toutes nos peines. Voilà bien tout ce que Paul a voulu dire à tous, et davantage encore, quand il chercha à s'y dérober, y compris en cas de nécessité. Et, ce qui est encore plus important, c'est que, même en cas de nécessité, loin d'étaler devant tout le monde tous ses mérites, il en dissimula la plupart et les plus grands. « J'en viendrai, dit-il, aux visions et aux révélations du Seigneur..., ou plutôt je vous les épargne, de peur qu'on se fasse de moi une idée supérieure à ce qu'on voit en moi ou à ce qu'on entend dire de moi [a]. » En s'exprimant ainsi, il nous enseigne à tous que, même en cas de nécessité, nous n'avons pas à apporter et à développer devant tout le monde tout ce que nous savons de nous-mêmes, mais seulement ce qui est utile à nos auditeurs.

Exemples similaires

14. C'est ce que fit également Samuel, et il n'est pas déraisonnable d'évoquer aussi le souvenir de ce saint personnage, car ici encore c'est à notre profit que l'éloge est destiné. Un jour, cet homme se vanta et fit connaître certains aspects de sa propre vertu. Mais lesquels ? Ceux qui pouvaient être utiles à ses auditeurs. Il ne fit pas un long discours sur la chasteté, ni sur l'humilité, ni sur l'oubli des offenses ; alors, sur quoi ? Sur ce que le roi de ce temps-là avait le plus besoin d'apprendre, la pratique de la justice, et le devoir de garder ses mains pures de tout présent [1].

1. A propos du sens particulier du mot σωφροσύνη, au sens de *chasteté*, voir *I*[er] *Panég.*, § 9, 1, et note. Pour le souci irréprochable de la justice, manifesté par Samuel lors de l'élection de Saül à la royauté, voir *I Sam.* 12, 1-5.

Καὶ ὁ Δαυῒδ πάλιν καυχώμενος, ἀπ' ἐκείνων καυχᾶται τῶν δυναμένων τὸν ἀκροατὴν διορθῶσαι. Οὐδὲ γὰρ ἐκεῖνος ἄλλην εἶπεν ἀρετήν, ἀλλὰ τὴν ἄρκτον καὶ τὸν λέοντα παρήγαγεν εἰς μέσον, καὶ οὐδὲν ἕτερον. Τὸ μὲν γὰρ περαιτέρω τὸν λόγον ἐξαγαγεῖν, φιλοτίμου καὶ ἀλαζόνος· τὸ δὲ εἰπεῖν ταῦτα ἃ πρὸς τὴν παροῦσαν ἔμελλε χρείαν ἀναγκαῖα εἶναι, φιλανθρώπου καὶ τὸ τῶν πολλῶν συμφέρον ὁρῶντος· ὃ δὴ καὶ Παῦλος ἐποίησε. Καὶ γὰρ διεβάλλετο, ὡς οὐκ ὢν ἀπόστολος δόκιμος, οὐδὲ ἔχων τινὰ ἰσχύν. Ἀνάγκη τοίνυν ἦν δι' ἐκεῖνα εἰς ταῦτα ἐμπεσεῖν, ἃ μάλιστα ἐδείκνυ αὐτοῦ τὸ ἀξίωμα.

15. Ὁρᾷς δι' ὅσων ἐπαίδευσε τὸν ἀκροατὴν μὴ ἁπλῶς καυχᾶσθαι; Πρῶτον μὲν γὰρ διὰ τοῦ δεῖξαι, ὅτι ἀνάγκη τοῦτο ἐποίησε· δεύτερον, διὰ τοῦ καὶ ὡς ἄφρονα ἑαυτὸν καλέσαι, καὶ πολλαῖς χρήσασθαι παραιτήσεσι· τρίτον, διὰ τοῦ μὴ πάντα εἰπεῖν, ἀλλὰ τὰ μείζονα ἀποκρύψασθαι, καὶ ταῦτα ἀνάγκης οὔσης· τέταρτον, διὰ τοῦ προσωπεῖον ἕτερον ὑπελθεῖν, καὶ εἰπεῖν ὅτι· Οἶδα ἄνθρωπον[b]· πέμπτον, διὰ τοῦ μὴ καὶ τὴν ἄλλην ἀρετὴν ἅπασαν εἰς μέσον ἀγαγεῖν, ἀλλ' ἐκεῖνο τὸ μέρος οὗ μάλιστα ὁ παρὼν ἐδεῖτο καιρός.

16. Οὐκ ἐν τῷ καυχᾶσθαι δὲ μόνον, ἀλλὰ καὶ ἐν τῷ ὑβρίζειν τοιοῦτος ἦν. Καίτοι καὶ τοῦτο κεκωλυμένον ἦν, τὸ ὑβρίζειν ἀδελφόν, ἀλλ' οὕτω καὶ τούτῳ δεόντως ἐχρήσατο πάλιν ὡς τῶν ἐγκωμιαζόντων μᾶλλον εὐδοκιμῆσαι.

10 ἀπ' : ἐπ' AL ‖ 12 εἶπεν ἄλλην ~ A ‖ 14 τὸν *om.* AL

15, 2 γὰρ *om.* CFGP ‖ 3 καὶ *om.* CFGP ‖ 5 ἀποκρῦψαι AL ‖ 8 ἅπασαν : ἅπ. αὐτοῦ BDM E ἅπασας A ‖ 9 παρὸν A

16, 3 τούτῳ : τοῦτο BDM E

b. II Cor. 12, 2.

David, lui aussi, quand il se vante à son tour, se vante de ce qui pouvait remettre son auditeur dans le droit chemin. En effet, cet homme ne fit allusion à aucune de ses vertus, sinon à son exploit de l'ours et du lion [1] : voilà ce qu'il mit en avant, et rien d'autre. En dire davantage eût été le fait d'un ambitieux et d'un fanfaron ; mais dire ce qu'exigeait la nécessité présente était la marque d'un homme bienveillant et qui regardait l'intérêt du plus grand nombre. C'est ainsi que Paul agit également. On le calomniait, en disant qu'il n'était pas un apôtre vraiment qualifié [2], et qu'il n'avait aucun pouvoir. Il était donc indispensable à cause de ces griefs qu'il en vînt à aborder les titres qui prouvaient principalement sa dignité.

15. Vois-tu quels moyens il a employés pour apprendre à ne pas se vanter sans raison ? Premièrement, il explique qu'il a agi ainsi par nécessité ; deuxièmement, il va jusqu'à se traiter lui-même d'insensé, et à s'excuser à plusieurs reprises ; troisièmement, loin de tout déclarer, il dissimule les éloges les plus importants, et cela même en cas de nécessité ; quatrièmement, il se cache derrière un autre personnage, en s'exprimant ainsi : « Je connais un homme [b]... » ; cinquièmement, il n'expose pas devant tout le monde l'ensemble de ses vertus, mais seulement celles que demandait la circonstance présente.

Paul ose réprimander

16. D'ailleurs, ce n'est pas seulement quand il se glorifiait, mais encore quand il s'emportait fortement que Paul se conduisait ainsi. Assurément, c'est là une chose défendue d'insulter un frère, et cependant il s'est encore acquitté de cette tâche avec tant d'à-propos qu'il en a recueilli plus d'estime que ceux qui décernent des éloges. Voilà pourquoi,

1. David, ayant accepté le défi de Goliath, rappelle qu'il savait défendre les brebis de son père « contre le lion et contre l'ours » (*I Sam.* 17, 34-37).

2. Ce terme évoque l'un des soucis majeurs de Paul, celui de prouver l'authenticité de sa mission (cf. *I Cor.* 9, 27).

Διά τοι τοῦτο καὶ Γαλάτας καλῶν ἀνοήτους καὶ ἅπαξ καὶ δίς[c], καὶ Κρῆτας γαστέρας ἀργάς, καὶ θηρία κακά[d], καὶ ἐντεῦθεν ἀνακηρύττεται. Καὶ γὰρ ὅρον ἡμῖν ἔδωκε καὶ κανόνα, ὥστε τῶν κατὰ Θεὸν ἀμελουμένων μὴ κεχρῆσθαι θεραπείᾳ, ἀλλὰ πληκτικώτερον μεταχειρίζειν τὸν λόγον. Καὶ πάντων μέτρα ἐστὶ παρ' αὐτῷ κείμενα· διὰ δὴ τοῦτο πάντα ποιῶν καὶ λέγων εὐδοκίμει, καὶ ὑβρίζων καὶ ἐπαινῶν, καὶ ἀποστρεφόμενος καὶ θεραπεύων, καὶ ἐπαίρων ἑαυτὸν καὶ μετριάζων, καὶ καυχώμενος καὶ ταλανίζων. Καὶ τί θαυμάζεις, εἰ ὕβρις καὶ λοιδορία εὐδοκιμεῖ, ὅπου γε καὶ φόνος εὐδοκίμησε καὶ ἀπάτη καὶ δόλος, καὶ ἐπὶ τῆς Παλαιᾶς, καὶ ἐπὶ τῆς Καινῆς;

17. Ταῦτ' οὖν ἅπαντα μετὰ ἀκριβείας ἐξετάσαντες, καὶ Παῦλον θαυμάσωμεν, καὶ τὸν Θεὸν δοξάσωμεν, καὶ ἡμεῖς οὕτως αὐτὸν μεταχειρισώμεθα, ἵνα καὶ αὐτοὶ τῶν αἰωνίων ἐπιτύχωμεν ἀγαθῶν, χάριτι καὶ φιλανθρωπίᾳ τοῦ Κυρίου ἡμῶν Ἰησοῦ Χριστοῦ, ᾧ ἡ δόξα καὶ τὸ κράτος νῦν καὶ ἀεὶ καὶ εἰς τοὺς αἰῶνας τῶν αἰώνων. Ἀμήν.

5 τοι *om.* BDM E ‖ 9 πληκτικότερον A ‖ 13 καὶ καυχώμενος καὶ ταλανίζων *om.* AL
17, 3 αὐτὸν : τὰ αὐτῶν E ‖ 5-6 νῦν καὶ ἀεὶ καὶ *om.* BDM E.

c. Cf. Gal. 3, 1.3.
d. Cf. Tite 1, 12.

1. Nous trouvons là une allusion aux reproches de Paul aux Galates (*Gal.* 3, 1.3) et aux Crétois (cf. *Tite* 1, 12). Les termes pittoresques qui visent ces derniers reproduisent ici, en partie, la citation du poète crétois Épiménide, de Cnossos (VIe s. av. J.-C.), que S. Paul a rapportée : cf. *Epicorum graecorum fragmenta,* vol I, éd. G. Kinkel (coll. Teubner, n[o] 86), Leipzig 1877, EPIMENIDES, *Oracula,* n[o] 5, p. 234.

2. De fait, dans l'Ancien Testament, plusieurs récits font l'éloge de la ruse (cf. *Gen.* 27 ; *Judith* 10, 11-13 ; 11, 5-7.16-19 ; 12, 15-20) et même du

bien qu'il traite une fois les Galates « d'insensés[c] », et même deux fois, et les Crétois de « ventres paresseux et de mauvaises bêtes[d 1] », même cette manière de parler tourne hautement à sa louange. Et, en vérité, il nous a tracé une limite et une règle, de telle façon qu'en présence de gens qui négligent Dieu, plutôt que d'avoir recours à des ménagements, nous soyons capables d'employer un langage assez frappant. Ainsi pour toute situation nous trouvons chez lui la juste mesure. C'est pourquoi dans tous ses actes comme dans toutes ses paroles il est tenu en honneur, quand il s'emporte et quand il décerne des éloges, quand il manifeste de l'aversion et quand il use de ménagements, quand il exalte sa personne et quand il s'humilie, quand il se vante et quand il se présente comme un pauvre malheureux. Et pourquoi t'étonner, à la pensée que l'insulte et l'outrage soient tenus en estime, puisqu'en vérité même le meurtre l'a été, ainsi que la fraude et la ruse, aussi bien dans l'Ancien Testament que dans le Nouveau[2] ?

Exhortation finale

17. Examinons donc avec un soin minutieux toutes ces manières d'agir, puis admirons Paul et glorifions Dieu, et nous aussi conduisons-nous de même avec lui, afin de recevoir à notre tour les biens éternels, par la grâce et l'amour de notre Seigneur Jésus-Christ, à qui appartiennent la gloire et la puissance, maintenant et toujours et pour les siècles des siècles. Amen.

meurtre, lorsque celui-ci est accompli pour la délivrance des opprimés ou la sauvegarde de la foi en Israël (cf. *I Sam.* 17, 38-54 ; *III Rois* 18, 20-40 ; *IV Rois* 11, 9-20 ; *Judith* 13, 4-20 ; *I Macc.* 2, 23-26...). Dans le Nouveau Testament, si l'on trouve parfois encore, dans le cadre des paraboles, l'éloge de l'habileté et de la ruse (cf. *Lc* 16, 1-9), on sait que l'accent est mis sur la douceur, l'amour et le pardon même envers nos ennemis (cf. *Matth.* 5, 3-12 ; 6, 43-48 ; *Lc* 6, 27-38 ; 9, 51-56 ; 10, 29-37 ; 23, 34), que seule la grâce du Christ peut donner la force d'accomplir.

Τοῦ αὐτοῦ
ἐγκώμιον εἰς τὸν ἅγιον ἀπόστολον Παῦλον
λόγος ς′

1. Βούλεσθε τήμερον, ἀγαπητοί, παρέντες τὰ μεγάλα Παύλου καὶ θαυμαστά, ἃ δοκεῖ παρά τισι λαβήν τινα ἔχειν, ταῦτα εἰς μέσον ἀγάγωμεν; καὶ γὰρ καὶ αὐτὰ ἐκείνων ὀψόμεθα οὐκ ἔλαττον αὐτὸν ποιοῦντα λαμπρὸν καὶ μέγαν. Τί οὖν ἐστιν ὃ λαβὴν ἔχει; Ὤφθη ποτέ, φησί, πληγὰς δεδοικώς· καὶ γὰρ ὤφθη, ὅτε αὐτὸν προέτειναν τοῖς ἱμᾶσι[a] · καὶ οὐ τότε μόνον, ἀλλὰ καὶ ἄλλοτε πάλιν ἐπὶ τῆς πορφυροπώλιδος, ὅτε καὶ πράγματα παρέσχε τοῖς βουλομένοις αὐτὸν ἐξαγαγεῖν[b]. Οὐδὲν γὰρ ἄλλο κατασκευάζων

Tit., 1 Τοῦ + ἐν ἁγίοις πατρὸς ἡμῶν Ἰωάννου τοῦ Χρυσοστόμου M ‖ αὐτοῦ *om.* M ‖ 2 ἐγκώμιον *om.* D E ‖ ἀπόστολον *om.* BDM

1, 1 παρόντες BDM ‖ 3 αὐτὰ + τὰ BDM AL ‖ ἐκείνων *om.* CFGP E ‖ 8 παρεῖχε BDM AL E

a. Cf. Act. 22, 25.
b. Cf. Act. 16, 14-40.

1. Pour l'emploi de l'adverbe τήμερον, voir *IVe Panég.*, 1, 1 ; *Ve Panég.*, 1, 22-23 et *VIIe Panég.*, 1, 6 ; voir aussi p. 182, n. 1 et *Introd.*, p. 14-18.

2. Dans ce discours, Chrysostome envisage plusieurs traits particuliers de la personne de Paul. Dans une première partie, il imagine deux reproches : Paul, dira-t-on, a eu parfois peur des coups (§ 1-3) et il a redouté également la mort (§ 4-6) ; mais il a triomphé de ses faiblesses (§ 7-9). En second lieu, il examine quelques autres griefs (§ 10-13).

3. Dans les lignes 6-9, Chrysostome évoque brièvement deux circonstances relatées dans le Livre des *Actes*. La première allusion se rapporte à

VI

LES REPROCHES ADRESSÉS A PAUL ACCROISSENT SA GRANDEUR

Du même, panégyrique du saint apôtre Paul Sixième discours

La peur des coups

1. Voulez-vous aujourd'hui[1], mes bien-aimés, que laissant de côté les grandes et merveilleuses vertus de Paul, nous mettions sous nos yeux ce qui pour certains semble donner prise en quelque sorte à l'attaque, et nous verrons que ces traits eux-mêmes, tout autant que les autres, le rendent illustre et grand[2]. Qu'est-ce donc qui donne prise à l'attaque ? On l'a vu un jour, dira-t-on, avoir peur des coups. Oui, on l'a vu, quand on l'étendit pour la flagellation[a], et pas seulement à ce moment-là, mais une autre fois encore, à propos de la marchande de pourpre, lorsqu'il causa des difficultés à ceux qui voulaient le faire sortir de prison[b 3]. Vraiment, en agissant de cette façon, il n'avait

l'arrestation de Paul à Jérusalem (21, 30 - 22, 30), quand le tribun Lysias eut prescrit de lui donner la question par le fouet (22, 24-25). En cette circonstance, devant les protestations de Paul, le supplice n'eut pas lieu (22, 25-29). – La seconde allusion concerne le ministère de Paul à Philippes, son emprisonnement avec Silas, et leur flagellation qui, cette fois, eut bien lieu (16, 1-40). De ce récit dramatique deux éléments seulement sont ici évoqués : le séjour de Paul chez Lydie, négociante en pourpre (16, 14-15. 40) et la protestation finale de Paul (16, 35-39). – Chrysostome voit dans ces attitudes de l'Apôtre fièrement désapprobatrices le souci de ménager à

τοῦτο ἐποίει ἢ ἀσφάλειαν ἑαυτῷ καὶ τὸ μὴ ταχέως τοῖς αὐτοῖς περιπεσεῖν. Τί οὖν ἂν εἴποιμεν; Ὅτι οὐδὲν αὐτὸν οὕτω μέγαν δείκνυσι καὶ θαυμαστόν, ὡς ταῦτα τὰ εἰρημένα· οἷον ὅτι ψυχὴν ἔχων τοιαύτην, οὐχὶ τολμηράν, οὐδὲ ἀπονενοημένην, καὶ σῶμα οὕτως εἶκον πληγαῖς καὶ τρέμον μάστιγας, τῶν ἀσωμάτων δυνάμεων οὐκ ἔλαττον πάντων ὑπερεῖδε τῶν δοκούντων εἶναι φοβερῶν, ἡνίκα ὁ καιρὸς τοῦτο ἀπῄτει. Ὅταν οὖν ἴδῃς αὐτὸν ἀποτεινόμενον καὶ δεδοικότα, ἀναμνήσθητι τῶν ῥημάτων ἐκείνων, δι' ὧν ὑπερέβη τοὺς οὐρανούς, καὶ πρὸς τοὺς ἀγγέλους ἡμιλλᾶτο, λέγων· Τίς ἡμᾶς χωρίσει ἀπὸ τῆς ἀγάπης τοῦ Θεοῦ; θλῖψις, ἢ στενοχωρία, ἢ διωγμός, ἢ λιμός, ἢ κίνδυνος, ἢ μάχαιρα[c]; Ἀναμνήσθητι τῶν ῥημάτων ἐκείνων, δι' ὧν οὐδὲν ταῦτα εἶναί φησι, λέγων· Τὸ γὰρ παραυτίκα ἐλαφρὸν τῆς θλίψεως ἡμῶν καθ' ὑπερβολὴν εἰς ὑπερβολὴν αἰώνιον βάρος δόξης κατεργάζεται ἡμῖν, μὴ σκοπούντων ἡμῶν τὰ βλεπόμενα, ἀλλὰ τὰ μὴ βλεπόμενα[d]. Πρόσθες τούτοις τὰς καθημερινὰς θλίψεις, τοὺς θανάτους τοὺς καθ' ἑκάστην ἡμέραν[e]· καὶ ταῦτα ἐννοήσας, καὶ Παῦλον θαύμαζε, καὶ σαυτοῦ μηκέτι ἀπογνῷς.

11 αὐτὸν *om.* BDM AL ‖ 12 μέγαν AL : μέγα *cett.* ‖ 17-18 τεινόμενον CFGP ‖ 21 Θεοῦ : Χριστοῦ BDM E ‖ 22 τῶν ῥημάτων ἐκείνων : πάλιν κἀκείνων CFGP ‖ 24-25 εἰς ὑπερβολὴν *om.* G

c. Rom. 8, 35.
d. II Cor. 4, 17-18.
e. Cf. I Cor. 15, 31.

l'avenir sa sécurité (li. 9-11). En réalité, Paul voulait avant tout dénoncer de tels agissements, tout en soulignant ses droits de « citoyen romain » (16, 37-38 ; 22, 25-29).

1. Cette remarque souligne l'authenticité de la vie mystique de S. Paul : aucune trace, en lui, d'exaltation illusoire (οὐδὲ <ψυχὴν ἔχων> ἀπονενοημένην).

2. Ce n'est pas la nature incorporelle des anges qui fait leur titre de gloire (cf. *Ier Panég.*, 15, 10 ; *VIIe Panég.*, 3, 10-14). Ici Chrysostome reconnaît

aucun autre dessein que d'assurer sa propre sécurité et d'éviter de retomber aussitôt dans les mêmes adversités. Eh bien ! que pouvons-nous répondre ? Que rien ne montre autant son extraordinaire grandeur que les circonstances évoquées. La preuve en est que, tout en ayant un tel caractère dépourvu d'audace et plein de bon sens [1], et un corps qui offrait si peu de résistance aux coups et qui tremblait tellement devant le fouet, il méprisa à l'égal des Puissances incorporelles [2] tout ce qui est considéré comme terrible, lorsque l'occasion l'exigeait. Quand tu le vois protester fortement tout en ayant peur [3], souviens-toi de ces fameuses paroles grâce auxquelles il pénétra dans le ciel [4] et rivalisait avec les anges : « Qui nous séparera de l'amour du Christ ? La tribulation, ou l'angoisse, ou la persécution, ou la faim, ou le danger, ou le glaive [c] ? » Souviens-toi de ces paroles, quand il affirme que cela n'est rien : « Oui, nos légères tribulations d'un moment nous préparent, bien au-delà de toute mesure, un poids éternel de gloire, pour nous qui ne regardons pas aux choses visibles, mais aux invisibles [d]. » Ajoute encore les tribulations quotidiennes [5], les morts qu'il endurait chaque jour [e] et, en y songeant, admire Paul et ne te décourage plus.

pourtant que si, par amour pour le Christ, un homme arrive à braver toutes sortes de supplices, il devient pour ainsi dire *l'égal des anges* (cf. *De Paenitentia, hom.* V, 1, *PG* 49, 307 C). Sur cet idéal (βίος ἰσαγγελικός), voir H.I. Marrou, *Nouvelle Histoire de l'Église,* t. I, Paris 1963, p. 313.

3. Le participe ἀποτεινόμενον a fait l'objet de diverses traductions. Montfaucon, reproduisant le texte de la version latine d'Anien, présente les mots *extentum ad plagas* (t. II, p. 506, *PG* 50, 503 B). Nous avons, pour notre part, retenu l'un des sens du verbe ἀποτείνω qui signifie souvent, à la voix moyenne, *parler avec véhémence.* Les deux participes juxtaposés par Chrysostome (ἀποτεινόμενον καὶ δεδοικότα) sont, à ses yeux, un rappel de l'état d'âme de Paul dans les deux situations évoquées aux li. 6-11 : s'il a protesté avec véhémence, c'est donc qu'il avait peur (voir *supra,* p. 260, n. 3).

4. Voir *supra*, p. 136, n. 1.

5. Il semble que ces tribulations quotidiennes visent surtout les inquiétudes spirituelles de saint Paul vis-à-vis des fidèles qui sont retombés

2. Αὐτὴ γὰρ ἡ δοκοῦσα τῆς φύσεως εἶναι ἀσθένεια, αὐτὴ μέγιστον δεῖγμα τῆς ἀρετῆς ἐστι τῆς ἐκείνου, ὅτι οὐκ ἀπηλλαγμένος τῆς τῶν πολλῶν ἀνάγκης τοιοῦτος ἦν. Ἐπειδὴ γὰρ ἡ τῶν κινδύνων ὑπερβολὴ πολλοῖς ἂν ταύτην παρέσχε τὴν ὑπόληψιν, καὶ ὑποπτεύειν ἴσως ἐποίησεν ὅτι, ἀνώτερος τῶν ἀνθρωπίνων γενόμενος, τοιοῦτος ἦν· διὰ ταῦτα συνεχωρεῖτο πάσχειν, ἵνα μάθῃς ὅτι εἷς τῶν πολλῶν ὢν κατὰ τὴν φύσιν, κατὰ τὴν προθυμίαν οὐ μόνον ὑπὲρ τοὺς πολλοὺς ἦν, ἀλλὰ καὶ τῶν ἀγγέλων εἷς ἦν. Μετὰ γὰρ τοιαύτης ψυχῆς καὶ τοιούτου σώματος τοὺς μυρίους ὑπέμενε θανάτους, καὶ κατεφρόνει τῶν παρόντων, τῶν μελλόντων. Διὸ καὶ τὰ μεγάλα ἐκεῖνα καὶ πολλοῖς ἄπιστα ἐφθέγξατο ῥήματα· Ὅτι ηὐχόμην ἀνάθεμα εἶναι ἀπὸ Χριστοῦ ὑπὲρ τῶν ἀδελφῶν μου, τῶν συγγενῶν μου κατὰ σάρκα[f].

3. Δυνατὸν γάρ, εἰ βουληθείημεν μόνον, πᾶσαν φύσεως ἀγωνίαν τῇ τῆς προθυμίας νικῆσαι δυνάμει· καὶ οὐδέν ἐστιν ὅπερ ἀδύνατον ἀνθρώποις τῶν ὑπὸ Χριστοῦ κελευσθέντων· ἂν γὰρ ὅσην ἔχωμεν προθυμίαν ταύτην

2, 1 αὐτὴ : αὕτη BDM C E ‖ 2 αὐτὴ *om.* CFGP ‖ 7 συνεχωρείτω A ‖ πάσχειν *om.* BDM AL E ‖ ὅτι *om.* A ‖ 8 τὴν[1] *om.* AL ‖ 9 ἦν *om.* CFGP ‖ καὶ *om.* CFGP BDM ‖ ἦν εἷς ~ BDM AL E ‖ 10-11 ὑπέμεινε BDM E ‖ 11 παρόντων : ὄντων BDM AL E + τῶν ὄντων CFGP ‖ 12 διὸ *om.* BDM AL E ‖ 13 ἐφθέγγετο CFGP ‖ 14 μου[2] *om.* BDM

3, 1 δυνατὸν γάρ : ὥστε δυνατὸν CFGP E ‖ μόνον : καὶ ἡμεῖς CFGP E ‖ 2 τῇ τῆς *om.* BDM AL E ‖ 2-4 καὶ – κελευσθέντων : οὐδὲν γάρ ἐστι τῶν ὑπὸ X. κελ. ὅπερ ἀδύν. ἀνθρ. κατορθωθῆναι CFGP ‖ 4 γὰρ : τοίνυν CFGP ‖ ταύτην *om.* BDM AL E

f. Rom. 9, 3.

ou sur le point de retomber dans le péché (cf. *II Cor.* 11, 28-29, et *Ier Panég.*, 12, 8-11 et note).

1. Voir références parallèles, *IIe Panég.*, § 1, p. 143, n. 3.

2. Pour la liste des passages de ces sept panégyriques, où Chrysostome cite *Rom.* 9, 3, voir *Ier Panég.*, note à 13, 9.

2. Car ce qui semble être une faiblesse de la nature est précisément la preuve la plus forte de la vertu de cet homme, puisque, sans être affranchi des misères communes, il est devenu si grand. La surabondance des dangers aurait fait croire à beaucoup, et peut-être ont-ils réellement soupçonné que, s'il fut si grand, c'est parce qu'il était au-dessus des hommes : voilà la raison pour laquelle il lui fut donné de souffrir, afin que tu apprennes que tout en étant sur le plan de la nature au même niveau que le commun des mortels, sur le plan de la volonté il était non seulement au-dessus d'eux, mais au niveau des anges. En effet, avec une âme comme la nôtre et un corps comme le nôtre [1] il endurait des morts innombrables, et méprisait les épreuves présentes ou à venir. C'est pourquoi il prononça des paroles extraordinaires et même incroyables pour beaucoup de gens : « Je souhaiterais d'être anathème, séparé du Christ, pour mes frères, ceux de ma race selon la chair [f2]. »

Force de la volonté

3. Car il nous est possible, pourvu toutefois que nous le voulions, de dominer n'importe quelle anxiété de la nature par la puissance de la volonté [3], et il n'y a rien d'impossible aux hommes dans ce que le Christ a commandé [4]. Si nous apportons de notre côté tout le zèle dont nous sommes capables, Dieu fait pencher fortement la balance pour notre

3. De la li. 1 à la li. 17, Chrysostome insère un développement d'ordre plus général sur la force de la volonté humaine, qu'il désigne par les deux mots : προθυμία, προαίρεσις. Le second de ces termes, qui sera repris plus loin (5, 9-16 et § 6-8) un grand nombre de fois, a pratiquement dans tout ce contexte le même sens que le premier. Une nuance seulement peut parfois les séparer : si le second mot (προαίρεσις) met l'accent sur la décision personnelle, le premier (προθυμία) le met sur l'ardeur de la volonté (voir *infra*, p. 271, n. 3, et *Introd.*, ch. III, « Portrait de Paul », p. 47-48.

4. Nous avons gardé la leçon traditionnelle depuis l'édition de Savile (καὶ οὐδέν ἐστιν ὅπερ... κελευσθέντων), c'est-à-dire celle des mss AL BDM E. La leçon fournie par les mss CFGP (cf. Apparat) nous a paru provenir d'un

ἐπιδῶμεν, καὶ ὁ Θεὸς πολλὴν ἡμῖν συνεισάγει ῥοπήν, καὶ οὕτω πᾶσι τοῖς ἐπιοῦσι δεινοῖς ἀνάλωτοι γενησόμεθα. Οὐδὲ γὰρ τὸ φοβεῖσθαι πληγὰς καταγνώσεως ἄξιον, ἀλλὰ τὸ δὶα τὸν φόβον τῶν πληγῶν ἀνάξιόν τι τῆς εὐσεβείας ὑπομεῖναι, ὥστε τὸ δεδοικέναι πληγὰς τὸν ἐν τοῖς ἀγῶσιν ἄληπτον θαυμαστότερον δείκνυσι τοῦ μὴ φοβουμένου. Μᾶλλον γὰρ ἡ προαίρεσις οὕτω διαλάμπει· τὸ μὲν γὰρ φοβηθῆναι πληγάς, τῆς φύσεως· τὸ δὲ μηδὲν διὰ τὸν φόβον τῶν πληγῶν ἀπρεπὲς ὑπομεῖναι, τῆς προαιρέσεως διορθουμένης τὸ τῆς φύσεως ἐλάττωμα, καὶ κρατούσης τῆς ἀσθενείας ἐκείνης· ἐπεὶ οὐδὲ τὸ λυπεῖσθαι ἔγκλημα, ἀλλὰ τὸ διὰ τὴν λύπην εἰπεῖν τι ἢ πρᾶξαι τῶν τῷ Θεῷ μὴ δοκούντων. Εἰ μὲν γὰρ ἔλεγον ὅτι οὐκ ἦν ἄνθρωπος Παῦλος, καλῶς μοι τὰ τῆς φύσεως ἐλαττώματα εἰς μέσον ἦγες, ὡς μέλλων ταύτῃ τὸν λόγον ἐλέγχειν· εἰ δὲ λέγω καὶ διαβεβαιοῦμαι ὅτι ἄνθρωπος μὲν ἦν, καὶ ἡμῶν οὐδὲν ἀμείνων κατὰ τὴν φύσιν, βελτίων δὲ γέγονε κατὰ τὴν προαίρεσιν, εἰκῇ μοι ταῦτα προφέρεις, μᾶλλον δὲ οὐκ εἰκῇ, ἀλλὰ ὑπὲρ Παύλου. Καὶ γὰρ δεικνύεις ἐντεῦθεν ἡλίκος ἐκεῖνος ἦν, ὡς ἐν τοιαύτῃ φύσει τὰ ὑπὲρ τὴν φύσιν ἰσχῦσαι. Οὐκ ἐκεῖνον δὲ μόνον ἐπαίρεις, ἀλλὰ καὶ ἀπορράπτεις τῶν ἀναπεπτωκότων τὰ στόματα, οὐκ ἀφιεὶς αὐτοὺς εἰς τὴν τῆς φύσεως ὑπεροχὴν καταφυγεῖν, ἀλλ' ὠθῶν αὐτοὺς εἰς τὴν ἀπὸ προαιρέσεως σπουδήν.

5 συνεισάγει : παρέξει CFGP ‖ 7 οὐδὲ : οὐ BDM E ‖ 9-10 τὸν – ἄληπτον *om.* CFGP ‖ 10 ἄληπτον + καὶ E ‖ 11 οὕτω *om.* BDM AL E ‖ μὲν *om.* BDM E ‖ γὰρ[2] : οὖν CFP + μὴ A ‖ 16 τὴν *om.* CG ‖ 20 μὲν *om.* BDM AL E ‖ 21 ἄμεινον BDM ‖ 23 καὶ γὰρ : ἀλλὰ BDM AL ‖ 24 τὴν *om.* BDM E ‖ 25 ἐπαίρεις μόνον ~ BDM AL E.

désir d'améliorer le texte original, comme nous avons cru le remarquer à d'autres reprises, surtout dans ce VIe Panégyrique (voir *Introd.*, ch. IV, § 4, p. 77-78).

1. Chrysostome a pris soin de distinguer dans ses homélies et dans ses lettres le terme de λύπη et celui d'ἀθυμία. La tristesse est parfois inévitable,

bien, et ainsi nous deviendrons invulnérables à tous les dangers qui nous assaillent. Non, ce n'est pas la crainte des coups qui mérite condamnation, mais le fait de se conduire par crainte des coups d'une façon indigne d'un homme religieux, si bien que la peur des coups rend celui qui demeure invincible dans les combats plus admirable que celui qui ne les craint pas. En effet, dans ces conditions la volonté brille davantage : si la crainte des coups provient de la nature, le fait de se conduire toujours comme il convient, malgré la crainte des coups, provient de la volonté, qui corrige l'infériorité de la nature et triomphe de sa faiblesse. C'est pourquoi le fait d'être triste n'est pas non plus à condamner [1], mais celui de parler ou d'agir en raison de cette tristesse d'une manière que Dieu n'approuve pas. Assurément, si je disais que Paul ne fut pas un homme, à bon droit tu me mettrais sous les yeux les déficiences de sa nature, avec l'intention de réfuter ainsi mon discours. Mais si je dis et affirme énergiquement qu'il fut un homme et que, sans être d'une nature supérieure à la nôtre, il eut une volonté plus forte que la nôtre, c'est en vain que tu avances cette objection ; ou plutôt non, ce n'est pas en vain, mais en faveur de Paul. Tu montres par là même à quelle grandeur cet homme est parvenu, jusqu'à posséder, dans une nature semblable à la nôtre, une force supérieure à la nôtre. Et tu ne te contentes pas de l'exalter, lui, mais en même temps tu clos la bouche de ceux qui se sont laissé abattre, en ne leur permettant pas de chercher un recours dans la supériorité de sa nature, et en les poussant, au contraire, vers l'effort de la volonté.

et Jésus lui-même l'a connue à Gethsémani (*In Matth., hom.* LXXXIII, *PG* 58, 745 D - 746 A), ou encore devant le tombeau de Lazare (*In Johan., hom.* LXIII, *PG* 59, 349 D - 350 A, 350 C-D). Il faut, au contraire, toujours lutter contre l'ἀθυμία, c'est-à-dire le découragement (cf. *Lettres à Olympias, SC* 13bis, Paris 1968, V, 1b, p. 120 ; V, 1c, p. 124 ; VII, 1a, p. 132 ; VIII, 1b, p. 158).

4. Ἀλλὰ καὶ θάνατον, φησίν, ἔδεισέ ποτε; Καὶ γὰρ καὶ τοῦτο τῆς φύσεως. Ἀλλ' ὅμως οὗτος αὐτὸς πάλιν ὁ θάνατον δεδοικὼς ἔλεγε· Καὶ γὰρ ἡμεῖς, οἱ ὄντες ἐν τῷ σκήνει, στενάζομεν βαρούμενοι[g]. Καὶ πάλιν· Ἡμεῖς αὐτοὶ ἐν ἑαυτοῖς στενάζομεν[h]. Εἶδες πῶς ἀντίρροπον τῆς φυσικῆς ἀσθενείας τὴν ἀπὸ προαιρέσεως εἰσήγαγε δύναμιν; Ἐπεὶ καὶ μάρτυρες πολλοὶ πολλάκις ἀπάγεσθαι μέλλοντες ἐπὶ θανάτῳ ὠχρίασαν καὶ φόβου καὶ ἀγωνίας ἐνεπλήσθησαν· ἀλλὰ καὶ διὰ τοῦτο μάλιστα θαυμαστοί, ὅτι καὶ οὗτοι δεδοικότες θάνατον, οὐκ ἔφυγον θάνατον διὰ τὸν Ἰησοῦν. Οὕτω καὶ Παῦλος φοβούμενος θάνατον, οὐδὲ γέενναν παραιτεῖται[i] διὰ τὸν ποθούμενον Ἰησοῦν, καὶ τρέμων τελευτήν, τὸ ἀναλῦσαι ἐπιζητεῖ[j]. Οὐχ οὗτος δὲ μόνον τοιοῦτος ἦν, ἀλλὰ καὶ ὁ κορυφαῖος αὐτῶν πολλάκις εἰπὼν

4, 1 φησίν *om.* BDM AL ‖ καὶ γὰρ *om.* CFGP ‖ 2 οὗτος *om.* AL ‖ πάλιν αὐτὸς ~ BDM E ‖ 3 ἡμεῖς *om.* BDM AL ‖ 4-5 ἡμεῖς – στενάζομεν : καθ' ὑπερβολὴν ἐβαρήθημεν ὑπὲρ δύναμιν ὡς ἐξαπορηθῆναι ἡμᾶς καὶ τοῦ ζῆν CFGP ‖ 9 ὅτι καὶ οὗτοι : καὶ ὅτι A ‖ 13 οὐχ οὗτος δὲ μόνον : οὐχ οὗτ. δ. μόνος BDM E οὐ μόνον δ. οὗτ. CFGP ‖ 14 καὶ + Πέτρος CFGP ‖ αὐτῶν : καίτοι CFGP

g. II Cor. 5, 4.
h. Rom. 8, 23.
i. Cf. Rom. 9, 3.
j. Cf. Phil. 1, 23.

1. Chrysostome ne donne ici aucun exemple pour la crainte de l'Apôtre devant la mort. C'est que le récit de son arrestation à Jérusalem, avec les événements qui suivent, étaient connus de tous (*Act.* 21, 27-40; 22, 1-28; 23, 16-22; 25, 6-12). Le langage de Paul en ces circonstances témoignait d'ailleurs avant tout du désir de voir respecter son innocence et de prolonger encore son apostolat (cf. *Phil.* 1, 23-24).

2. A la place de la seconde de ces citations, les mss CFGP présentent un autre verset de *II Cor.* 1, 8b (voir Apparat). Nous avons gardé ces deux citations quasi identiques, telles que nous les trouvons dans les autres mss et les éditions antérieures. Ce procédé de répétition est bien dans la manière de Chrysostome.

La peur de la mort

4. Mais, dira-t-on, il lui est arrivé de craindre aussi la mort[1]? Sans aucun doute, et c'est là encore une réaction de la nature. C'est pourtant le même homme qui craignait la mort et qui disait, à l'opposé : « Oui, nous qui sommes dans cette tente, nous gémissons accablés[g] », et encore : « Nous gémissons nous-mêmes intérieurement[h 2]. » As-tu remarqué comme il présente, en contrepoids à la faiblesse de la nature, la force que donne la volonté? C'est la raison pour laquelle souvent beaucoup de martyrs, sur le point d'être conduits au supplice, ont eux aussi pâli devant la mort et furent remplis de crainte et d'angoisse[3]; mais c'est précisément à cause de cela qu'ils sont admirables, puisque tout en craignant la mort ils n'ont pas fui la mort à cause de Jésus. Pareillement Paul, tout en craignant la mort, ne refuse même pas la géhenne[i], à cause de Jésus qu'il aimait passionnément, et tout en tremblant à l'idée de sa fin, il désirait quitter ce monde[j 4]. Ce n'est pas lui seulement d'ailleurs qui éprouvait de tels sentiments, mais encore le chef des apôtres : après avoir souvent déclaré qu'il était prêt à donner

3. On sait cependant que plusieurs martyrs semblent n'avoir éprouvé aucune peur devant la mort : ainsi, Ignace d'Antioche et Polycarpe de Smyrne (cf. *Ignace aux Romains,* I-VIII, *SC* 10, Paris 1969, p. 108-117; *Martyre de Polycarpe,* XI-XIV, *ibid.*, p. 222-229), les premiers Martyrs de Lyon (cf. *Eusèbe de Césarée, H.E.*, V, I, 20-23, 29-31, 35, 51-52, 55-56, *SC* 41, Paris 1955, p. 11-15, 20-21), les saintes Perpétue et Félicité à Carthage (cf. *Passio sanctarum Perpetuae et Felicitatis, Florilegium Patristicum, fasc.* XVIII, Bonn 1938, § XVIII-XX, p. 52-59), ou encore à Rome même : *Martyrium S. Justini et sociorum, Florileg. Patrist., fasc.* III, Bonn 1905, éd. G. Rauschen, p. 97-103. Sur ce sujet, voir aussi W.H.C. Frend, *Martyrdom and Persecution in the Early Church,* Oxford 1965. Aussi bien les passages du Livre des *Actes* auxquels Chrysostome se réfère implicitement ici (23, 16-22; 25, 6-12) n'indiquent pas avec évidence un sentiment de peur de l'apôtre Paul devant la mort (voir *supra,* note 1).

4. On remarquera l'accent spécial mis sur l'amour de Paul pour le Christ (μάρτυρες πολλοὶ... διὰ τὸν Ἰησοῦν· οὕτω καὶ Παῦλος... διὰ τὸν ποθούμενον Ἰησοῦν).

ὅτι ἕτοιμός ἐστι τὴν ψυχὴν ἐπιδοῦναι[k], σφόδρα ἐδεδοίκει θάνατον. Ἄκουσον γοῦν τί διαλεγόμενος αὐτῷ περὶ τούτου φησὶν ὁ Χριστός · Ὅταν δὲ γηράσῃς, ἐκτενεῖς τὰς χεῖράς σου, καὶ ἄλλος σε ζώσει καὶ οἴσει ὅπου οὐ θέλεις[l], τὸ τῆς φύσεως ἐλάττωμα διηγούμενος, οὐ τὸ τῆς προαιρέσεως.

5. Ἡ γὰρ φύσις τὰ αὐτῆς καὶ ἀκόντων ἡμῶν ἐπιδείκνυται, καὶ κρατῆσαι τῶν ἐλαττωμάτων ἐκείνων οὐκ ἔνι, οὐδὲ τὸν σφόδρα βουλόμενον καὶ σπουδάζοντα · οὐκοῦν οὐδὲν ἐντεῦθεν παραβλαπτόμεθα, ἀλλὰ καὶ θαυμαζόμεθα μᾶλλον. Ποῖον γὰρ ἔγκλημα φοβεῖσθαι θάνατον; ποῖον δὲ οὐκ ἐγκώμιον, φοβούμενον θάνατον μηδὲν διὰ τὸν φόβον ἀνελεύθερον ὑπομεῖναι; Οὐ γὰρ τὸ φύσιν ἔχειν ἐλάττωμα ἔχουσαν, ἔγκλημα, ἀλλὰ τὸ τοῖς ἐλαττώμασι δουλεύειν · ὡς ὅ γε τὴν παρ' αὐτῆς ἐπήρειαν τῇ τῆς προαιρέσεως ἀνδρείᾳ διορθούμενος, μέγας καὶ θαυμαστός. Καὶ γὰρ

15 ὅτι – ἐπιδοῦναι : ὑπὲρ τοῦ διδασκάλου τ. ψ. θήσειν CFGP || 15-16 ἐδεδοίκει θάνατον : τὸν θ. ἐδ. CFGP || 17-18 ἐκτενεῖς τὰς χεῖράς σου (σου *om.* E) *om.* BDM AL || 18 καὶ ἄλλος σε ζώσει : ζώσουσί σε BDM AL || οἴσει : ἄξουσι BDM AL

5, 3 σπουδάζοντα + ἃ οὐκ ἔνι οὐδὲ ἐλάβομεν ταῦτα BDM AL || οὐκοῦν : ἐπειδὴ BDM AL || 9-10 τῇ – ἀνδρείᾳ *om.* AL || 10 γὰρ *om.* BDM AL

k. Cf. Matth. 26, 33.35 ; Mc 14, 29.31 ; Lc 22, 33 ; Jn 13, 37.
l. Jn 21, 18.

1. Pour cette référence à *Jn* 21, 18, nous avons préféré la citation complète du verset, c'est-à-dire la leçon des mss CFGP E. La leçon des mss AL BDM, reproduite dans les éditions antérieures, n'est pas de soi invraisemblable, car Chrysostome ne s'astreint pas toujours à citer exactement tel verset de l'Écriture. Toutefois le fait que cette phrase intégrale se trouve non seulement en CFGP, mais aussi en E, qui n'a pas tout à fait la même filiation, nous a paru un meilleur garant (voir *Introd.*, ch. IV, § 4, p. 74-75 et stemma, p. 85.

sa vie[k], il craignit fortement la mort. Écoute, par exemple, en quels termes le Christ s'entretient avec lui sur ce sujet : « Quand tu avanceras en âge, tu étendras les mains, et un autre te mettra ta ceinture et te conduira où tu ne voudrais pas[11] » ; il fait ainsi allusion à la déficience de la nature, et non à celle de la volonté.

5. L'influence de la nature apparaît toujours, même malgré nous, et personne ne peut triompher de ces déficiences, pas même celui qui est animé d'une forte volonté et d'un zèle ardent[2]. Il n'en résulte donc pour nous aucun dommage, mais un sujet de plus grande admiration. Quel chef d'accusation représente, en effet, la crainte de la mort ? Quel motif d'éloge, au contraire, que de craindre la mort et de ne consentir malgré cette crainte à aucune bassesse de sentiments ! Car ce n'est pas le fait de posséder une nature avec ses déficiences qui est condamnable, mais celui d'être l'esclave de ces déficiences, si bien que celui qui corrige le mal qu'elle peut nous faire par l'énergie de sa volonté est sans aucun doute grand et admirable[3]. Il montre ainsi quelle est la puissance de la volon-

2. Cette réflexion implique une reconnaissance de la complexité de notre nature qui, même rachetée par le Christ, demeure blessée et fragile.

3. Dans ce passage plus général (§ 5-6), on remarque quelques éléments stoïciens : le souci de ne pas être l'*esclave* de réactions naturelles et d'affronter la mort avec une souveraine liberté (5, 1-7), l'exaltation de la *volonté* (le mot προαίρεσις, de résonance stoïcienne, est employé huit fois, dont deux avec l'adjectif γενναῖα, 6, 2.14), enfin l'affirmation que cette volonté, à force d'exercice, peut devenir très solide (6, 1-3.9-12). Mais quelques autres réflexions sont inspirées de la Révélation. Que l'homme ne soit pas vertueux par nature (5, 12), c'était aussi pour Chrysostome une donnée biblique (cf. *Gen.* 3 ; *Matth.* 26, 41 ; *Mc* 14, 38 ; *Rom.* 5) ; en outre, les exemples qu'il prend étaient familiers aux chrétiens : l'évocation des martyrs (6, 3-5), le rappel du sacrifice d'Abraham (6, 6-8), la mention des trois jeunes Hébreux dans la fournaise (6, 8-9), qui préfigurait la victoire sur la mort, enfin, l'obtention de couronnes incorruptibles (5, 13-15), selon *I Cor.* 9, 24-25 ; *II Tim.* 4, 8 (cf. *Rom.* 8, 17 ; *II Cor.* 4, 14-18 ; *Col.* 1, 27).

ταύτῃ δείκνυσιν ὅσον ἐστὶ προαιρέσεως ἰσχύς, καὶ ἐπιστομίζει τοὺς λέγοντας, διὰ τί μὴ φύσει γεγόναμεν καλοί; τί γὰρ διαφέρει τοῦτο <φύσει>, ἢ προαιρέσει εἶναι; πόσῳ δὲ τοῦτο βέλτιον ἐκείνου; ὅσῳ καὶ στεφάνους ἔχει, καὶ λαμπρὰν τὴν ἀνακήρυξιν.

6. Ἀλλὰ βέβαιον τὸ τῆς φύσεως; Ἀλλ' εἰ βούλει προαίρεσιν γενναίαν ἔχειν, τοῦτο στερρότερον ἐκείνου γίνεται. Ἢ οὐχ ὁρᾷς τῶν μαρτύρων ξίφεσι τὰ σώματα τεμνόμενα, καὶ τὴν μὲν φύσιν εἴκουσαν τῷ σιδήρῳ, τὴν δὲ προαίρεσιν οὐ παραχωροῦσαν αὐτῷ, οὐδὲ ἐλεγχομένην; οὐκ εἶδες ἐπὶ τοῦ Ἀβραάμ, εἰπέ μοι, προαίρεσιν φύσεως κρατήσασαν, ἡνίκα τὸν παῖδα σφαγιάσαι ἐκελεύσθη[m], καὶ ταύτην ἐκείνης δυνατωτέραν φανεῖσαν; οὐκ εἶδες ἐπὶ τῶν τριῶν παίδων τὸ αὐτὸ τοῦτο συμβάν[n]; οὐκ ἀκούεις καὶ τῆς ἔξωθεν παροιμίας λεγούσης, ὅτι δευτέρα φύσις ἡ προαίρεσις γίνεται ἐκ συνηθείας; Ἐγὼ δὲ φαίην ἂν ὅτι καὶ προτέρα, καθὼς τὰ προειρημένα ἀπέδειξεν. Ὁρᾷς ὅτι δυνατὸν καὶ τὴν ἀπὸ τῆς φύσεως ἔχειν στερρότητα, ἐὰν προαίρεσις ᾖ γενναία καὶ διεγηγερμένη, καὶ πλείονα καρποῦσθαι τὸν ἔπαινον τόν γε ἑλόμενον καὶ βουληθέντα, ἢ ἀναγκασθέντα καλὸν εἶναι;

13 φύσει *coni. Sav.* : *om. codd.* || πόσῳ : πολὺ CFGP E || 14 τοῦτο *om.* BDM

6, 1 βουληθείης CFGP E || 2 γενναίαν ἔχειν : ἐπιδείξασθαι γεν. (γεν. *om.* E) CFGP E || 3 γενήσεται CFGP E || ξίφεσι *om.* BDM AL || 6 οὐκ *om.* BDM AL || εἰπέ μοι *om.* BDM AL || 12 προειρημένα A : εἰρημένα *cett.* || 14 πλεῖον CP || 16 ἢ ἀναγκασθέντα *om.* C

m. Cf. Gen. 22, 1-18.
n. Cf. Dan. 3, 8-30.

té, et il ferme la bouche à ceux qui disent : « Pourquoi ne sommes-nous pas vertueux par nature ? » En quoi importe-t-il, à vrai dire, que ce soit par nature ou par volonté ? Et quelle est, de beaucoup, la supériorité de ce dernier état ? C'est qu'il procure des couronnes et une brillante renommée.

La volonté l'emporte sur la nature

6. Pourtant, ce qui est solide, c'est l'apport de la nature ? Eh bien ! si tu veux posséder une volonté généreuse, ce trésor est plus résistant que l'apport en question. Ne vois-tu pas que le corps des martyrs est transpercé par l'épée et que, si leur nature recule devant le fer, cependant leur volonté ne cède pas et ne se laisse pas vaincre ? N'as-tu pas remarqué, en ce qui concerne Abraham, dis-moi, que la volonté a eu raison de la nature, lorsqu'il reçut l'ordre d'égorger son fils[m], et que manifestement la première a été plus puissante que la seconde ? N'as-tu pas constaté le même résultat pour les trois jeunes Hébreux[n 1] ? N'entends-tu pas aussi le proverbe courant chez les païens, d'après lequel avec l'habitude la volonté devient une seconde nature ? Et quant à moi, je dirais plutôt la première, comme les exemples précédemment cités l'ont montré. Comprends-tu qu'il est possible d'acquérir également la fermeté de la nature, pourvu que la volonté soit généreuse et en éveil, et de recueillir un plus bel éloge, quand on prend le parti d'être vertueux et qu'on le veut, plutôt que si l'on y est forcé ?

1. Chrysostome aime à citer cet exemple : cf. *De Statuis, hom.* I, 11 ; *hom.* IV, 3-4 ; *hom.* VI, 5 : *PG* 49, 31 C, 63 C - 65 A, 87 D - 89 A ; *De Poenitentia, hom.* V, 4, *PG* 49, 512 A ; *In Sanctos Martyres Juventinum et Maximinum,* § 2, *PG* 50, 575 B ; *In Genesim, Sermo* V, 2, *PG* 54, 600 D - 601 B ; *In Matth., hom.* XXXIII, 7, *PG* 57, 397 A ; *In Epist. ad Phil., hom.* I, 3, *PG* 62, 186 BC ; *In Epist. ad Philem., hom.* II, 3, *PG* 62, 712 B-C ; *Lettre d'Exil,* § 15-17, *SC* 103, Paris 1964, p. 131-145 ; *Lettres à Olympias,* VII, 2 c-d, *SC* 13bis, Paris 1968, p. 138-141.

7. Τοῦτό ἐστι μάλιστα καλόν, ὡς ὅταν λέγῃ· Ὑπωπιάζω μου τὸ σῶμα καὶ δουλαγωγῶ[o]. Τότε μάλιστα ἐγὼ αὐτὸν ἐπαινῶ, ὁρῶν οὐκ ἀπονητὶ τὴν ἀρετὴν κατορθοῦντα, ὥστε μὴ εἶναι τοῖς μετὰ ταῦτα ῥᾳθυμίας ὑπόθεσιν τὴν εὐκολίαν τὴν ἐκείνου. Καὶ ὅταν λέγῃ πάλιν· Τῷ κόσμῳ ἐσταύρωμαι[p], τὴν προαίρεσιν αὐτοῦ στεφανῶ. Ἔνι γάρ, ἔνι φύσεως ἰσχὺν προαιρέσεως ἀκριβείᾳ μιμήσασθαι· κἂν εἰς μέσον ἀγάγωμεν τοῦτον αὐτὸν τὸν ἀνδριάντα τῆς ἀρετῆς, εὑρήσομεν ὅτι τὰ ἐκ προαιρέσεως αὐτῷ προσόντα καλά, εἰς φύσεως στερρότητα ἐφιλονείκησεν ἐξενεγκεῖν.

8. Ἤλγει μὲν γὰρ τυπτόμενος, τῶν δὲ ἀσωμάτων δυνάμεων τῶν οὐκ ἀλγουσῶν οὐχ ἧττον αὐτῶν κατεφρόνει, ὡς ἔστιν ἀκοῦσαι τῶν ῥημάτων αὐτοῦ, ἃ μηδὲ τῆς φύσεως αὐτὸν ποιεῖ νομίζεσθαι τῆς ἡμετέρας. Ὅταν γὰρ λέγῃ· Ἐμοὶ κόσμος ἐσταύρωται, κἀγὼ τῷ κόσμῳ[q], καὶ πάλιν· Ζῶ δὲ οὐκέτι ἐγώ, ζῇ δὲ ἐν ἐμοὶ Χριστός[r], τί ἄλλο ἐστὶν εἰπεῖν, ἢ ὅτι καὶ ἐξ αὐτοῦ μετέστη τοῦ σώματος; τί δέ,

7, 1 τοῦτο : ὅτι δὲ τούτῳ (τοῦτό E) CFGP E || μάλιστα A : + εἶναι *cett.* || ὡς ὅταν λέγῃ : δείκνυσι καὶ Παῦλος λέγων περὶ ἑαυτοῦ CFGP E || 2 ἐγὼ *om.* BDM AL E || 5 τὴν² *om.* BDM AL || 8 τοῦτον + τὸν A

8, 5 ἐμοὶ — κόσμῳ : τῷ κόσμῳ ἐσταύρωμαι καὶ ὁ κόσμος ἐμοὶ BDM AL || καὶ πάλιν *om.* BDM AL || 7 τί δέ : τί δαί BDM *om.* CFGP E + τῇ σαρκὶ BDM AL

o. I Cor. 9, 27.
p. Cf. Gal. 6, 14.
q. Gal. 6, 14.
r. Gal. 2, 20.

1. Revenant à l'exemple personnel de Paul (§ 7-9), Chrysostome cite, dans un ordre assez libre, tantôt certains versets de l'Apôtre qui font ressortir la conscience de sa fragilité (*I Cor.* 9, 27, en 7, 1-2 et 8, 15-17; *II Cor.* 12, 7, en 8, 8), tantôt d'autres qui montrent le haut degré de sa vertu et de sa vie mystique (*Gal.* 6, 14, en 7, 5-6 et 8, 5; *Gal.* 2, 20, en 8, 6); on notera aussi, dans le même sens, les allusions à *II Cor.* 11, 24-25 (8, 13) et à *Phil.* 1, 12-14 (8, 13-14).

Paul conscient de sa faiblesse

7. C'est cela surtout qui est beau, comme lorsque Paul dit[1] : « Je châtie mon corps et le réduis en servitude[o]. » C'est alors surtout que je fais son éloge, en voyant que ce n'est pas sans peine qu'il pratiquait si bien la vertu, et de telle manière que ceux qui viendraient après ne puissent arguer de son aisance pour justifier leur mollesse. Quand il dit encore : « Je suis crucifié pour le monde[p] », je tresse une couronne à sa volonté. Il est donc possible, oui, il est possible d'imiter la force de la nature par une discipline rigoureuse de la volonté. Et si nous mettons sous nos yeux cet homme qui fut lui-même la personnification de la vertu, nous constaterons que les qualités qu'il possédait en vertu de sa volonté, il a eu à cœur de les rendre aussi fermes que si elles étaient naturelles.

8. Assurément, il souffrait d'être frappé, mais tout autant que les Puissances incorporelles qui ne souffrent pas il méprisait ces souffrances[2], comme on peut le remarquer d'après ses paroles, qui sembleraient même insinuer qu'il ne partageait pas notre nature. En effet, quand il dit : « Le monde est crucifié pour moi, comme je le suis pour le monde[q] », et encore : « Je vis, ou plutôt ce n'est plus moi, c'est le Christ qui vit en moi[r] », qu'est-ce que cela veut dire, sinon qu'il avait même quitté son corps[3] ? Et encore, quand il dit : « Il m'a été mis une écharde

2. Le pronom αὐτῶν est le complément du verbe κατεφρόνει. Mais il ne renvoie à aucun substantif exprimé auparavant ; il faut le sous-entendre en le tirant du verbe ἤλγει (li. 1).

3. La locution employée ici est un peu surprenante, puisque Paul, vivant en ce monde, avait toujours un corps comme le nôtre. Aussi avions-nous d'abord pensé à traduire, en transposant légèrement : « sinon qu'il ne tenait même plus compte de son corps ». Mais nous avons préféré, en définitive, demeurer plus près du verbe μεθίστημι. Aussi bien Chrysostome, qui en beaucoup d'autres endroits a exalté la dignité chrétienne du corps (voir note à VII, 3, 14-17), admirait également l'idéal d'une vie semblable à celle des anges (ἰσαγγελικὸς βίος : voir *supra,* note à 1, 15, où pour ainsi dire le corps n'existe plus. Cet idéal nous paraît rejoindre celui que saint Bernard a

ὅταν λέγῃ · Ἐδόθη μοι σκόλοψ τῇ σαρκί, ἄγγελος σατᾶν[s]; τοῦτο δὲ οὐδὲν ἕτερόν ἐστιν, ἢ δεῖξαι μέχρι τοῦ σώματος ἱστάμενον τὸν πόνον · οὐκ ἐπειδὴ ἔνδον οὐ διέβαινεν, ἀλλ' ἐπειδὴ τῇ περιουσίᾳ τῆς προαιρέσεως αὐτὸν διεκρούετο καὶ ἐξώθει. Τί δέ, ὅταν ἕτερα πολλὰ τούτων θαυμαστότερα λέγῃ, καὶ χαίρῃ μαστιζόμενος, καὶ καυχᾶται ἐπὶ ταῖς ἁλύσεσι[t]; Τί ἂν ἄλλο τις εἴποι, ἢ τοῦτο ὅπερ ἔφην, ὅτι τὸ λέγειν · Ὑπωπιάζω μου τὸ σῶμα καὶ δουλαγωγῶ, καὶ φοβοῦμαι μήπως ἄλλοις κηρύξας αὐτὸς ἀδόκιμος γένωμαι[u], τὸ ἀσθενὲς τῆς φύσεως δείκνυσι, διὰ δὲ τούτων, ὧν εἶπον, τὴν εὐγένειαν τῆς προαιρέσεως;

8 ὅταν + δὲ CFGP E || 9 τοῦτο — ἐστιν : οὐδὲν ἕτερον διὰ τούτου CFGP E || δεῖξαι *om.* CFGP E || σώματος + δείκνυσιν CFGP E || 12 τί δὲ : τί δαὶ BDM || 15 ὅτι τό λέγειν : ὅταν δὲ λέγῃ CP || 15 καὶ δουλαγωγῶ *om.* BDM || 17 γένωμαι + οὐ μόνον CP || διὰ δὲ τούτων : διὰ τούτ. FG ἀλλὰ διὰ τούτ. CP || 18 εἶπον : εἶπεν καὶ CFGP E

s. II Cor. 12, 7.
t. Cf. II Cor. 11, 24-25 ; Phil. 1, 12-14.
u. I Cor. 9, 27.

exprimé, lui aussi, quand il s'adressait à des novices qui se présentaient au monastère : *Si ad ea quae intus sunt festinatis, hic foris dimittite corpora quae de saecula attulistis : soli spiritus ingrediantur; caro non prodest quidquam (S. Bernardi Vita,* I, 4, 20, *PL* 185, 238 B).

1. Chrysostome a appliqué ces expressions aux adversaires de Paul : *In Epist. II ad Cor., hom.* XXVI, 2-3, *PG* 61, 577 C - 578 D ; *In S. Eustathium Antiochenum,* § 3, *PG* 50, 603 B-C ; *Lettres à Olympias,* XVII, 3 d, *SC* 13bis, p. 380-383. Il en est de même chez THÉODORET, : *Interpretatio Epist. II ad Cor.,* XII, 7, *PG* 82, 449 A-C. ÉPHREM a supposé qu'il pouvait s'agir du froid, ou bien d'Alexandre le fondeur (sur cet adversaire de Paul, voir *infra,* 10, 1-2 et note) : *S. Ephraem Syri Commentarii in Epistolas D. Pauli* (Venise 1883, p. 113). Enfin, GRÉGOIRE DE NAZIANZE, dans une allusion rapide à ce même verset, l'applique à ses propres infirmités

en la chair, un ange de Satan[s1]... », cette expression n'a pas d'autre sens que de montrer que sa souffrance résidait seulement dans son corps. Ce n'est pas qu'elle n'essayât de passer dans son âme, mais avec la surabondance de sa volonté il la repoussait et lui en interdisait l'entrée[2]. Et encore, quand il prononce beaucoup d'autres paroles plus admirables que celles-là, quand il se réjouit des coups de fouet et se glorifie de ses chaînes[t3]? Que peut-on ajouter à ce que j'affirmais, à savoir que lorsqu'il dit : « Je meurtris mon corps et le réduis en servitude, et je crains qu'après avoir prêché à d'autres je ne devienne moi-même disqualifié[u4] », il indique la faiblesse de sa nature, mais que, lorsqu'il prononce les paroles que j'ai rappelées, il montre la noblesse de sa volonté ?

physiques (*Éloge de Basile,* LXXXII, 2, coll. Hemmer-Lejay, t. VI, *Discours funèbres,* Paris 1908, p. 230). On sait que les exégètes modernes penchent pour une maladie à accès sévères et imprévisibles, contractée peut-être par l'Apôtre dans ses voyages en Asie Mineure (E.B. ALLO, *Saint Paul, Seconde Épître aux Corinthiens,* Paris 1937, p. 311, 313-322 ; E. OSTY et J. TRINQUET, *La Bible,* Paris 1973, p. 2427).

2. Cette remarque est analogue à celle de 3, 15-17, à propos de la tristesse.

3. Pour la fierté que Paul retirait de ses chaînes, voir *IIe Panég.*, 5, 13-14 et surtout *VIIe Panég.*, 1, 20-21 et note ; 9, 4-6.

4. Chrysostome a souvent cité dans son œuvre ce texte de Paul. Parfois il insiste avant tout sur la première partie de ce verset, en soulignant le devoir de la tempérance (*Contra eos qui subintroductas...* § 5, *PG* 47, 501 B-C ; *De Lazaro* III, 6, *PG* 48, 1000 C ; *In Epist. I ad Cor., hom.* XIII, 4 ; *hom.* XXIII, 1, *PG* 61, 112 C, 190 A-B). Ailleurs il est inspiré plutôt par la seconde, en rappelant que dans la vie chrétienne, dont la voie est étroite (*In Epist. ad Hebr., hom.* XXXIII, 4, *PG* 63, 230 C) et où l'on n'est jamais totalement à l'abri de risques (*In Epist. ad Phil., hom.* IV, 1, *PG* 62, 206 B), il est salutaire de garder une certaine crainte et une profonde humilité (*In Epist. ad Ephes., hom.* XXII, 4-5, *PG* 62, 161 C ; *In Epist. ad Phil., hom.* VIII, 1, *PG* 62, 239 A-B ; *hom.* XI, 3, *ibid.*, 267 C). A un degré éminent, le moine se souviendra que la vie présente est un combat (*Ad Stagirium,* II, 4, *PG* 47, 453 A), et l'apôtre devra, à la suite de Paul, s'entraîner sans cesse à cette lutte (*In Epist. I ad Tim., hom.* V, 1, *PG* 62, 527 C-D), tout en maintenant en lui l'humilité (*ibid. hom.* XVI, 1, *PG* 62, 586 D - 587 B).

9. Διὰ γὰρ τοῦτο ἀμφότερα κεῖται, ἵνα μήτε διὰ τὰ μεγάλα ἐκεῖνα ἑτέρας αὐτὸν εἶναι νομίσῃς φύσεως καὶ ἀπογνῷς, μήτε διὰ τὰ μικρὰ ταῦτα καταγνῷς τῆς ἁγίας ψυχῆς, ἀλλὰ κἀντεῦθεν πάλιν τὴν ἀπόγνωσιν ἐκβαλών, εἰς χρηστὰς σαυτὸν ἀγάγῃς ἐλπίδας. Διὰ τοῦτο τίθησι πάλιν καὶ τὸ τῆς χάριτος τοῦ Θεοῦ μεθ' ὑπερβολῆς, μᾶλλον δὲ οὐ μεθ' ὑπερβολῆς, ἀλλὰ μετὰ εὐγνωμοσύνης, ἵνα μηδὲν αὐτοῦ νομίσῃς εἶναι. Λέγει δὲ καὶ τὰ τῆς αὐτοῦ προθυμίας, ἵνα μὴ τὸ πᾶν ἐπὶ τὸν Θεὸν ῥίψας, διάγῃς καθεύδων καὶ ῥέγχων. Καὶ πάντων μέτρα καὶ κανόνας εὑρήσεις παρ' αὐτῷ μετὰ ἀκριβείας κειμένους.

10. Ἀλλὰ καὶ ἐπηράσατο τῷ χαλκεῖ, φησίν, Ἀλεξάνδρῳ ποτέ[v]. Καὶ τί τοῦτο; Οὐ γὰρ θυμοῦ τὸ ῥῆμα ἦν, ἀλλ' ὀδύνης τῆς ὑπὲρ τῆς ἀληθείας· οὐ γὰρ δι' ἑαυτὸν ἤλγει, ἀλλ' ὅτι ἀνθίστατο τῷ κηρύγματι· Λίαν γὰρ ἀνθίσταται, φησίν, οὐχὶ ἐμοί, ἀλλὰ τοῖς ἡμετέροις λόγοις[w]· ὥστε ἡ ἀρὰ οὐ μόνον τὸν τούτου πόθον ἐδείκνυε τὸν ὑπὲρ τῆς ἀληθείας, ἀλλὰ καὶ τοὺς μαθητὰς παρεμυθεῖτο. Ἐπειδὴ γὰρ πάντας εἰκὸς ἦν σκανδαλίζεσθαι, τῶν ἐπηρεαζόντων τῷ λόγῳ οὐδὲν πασχόντων, διὰ τοῦτο ταῦτά φησιν. Ἀλλὰ καὶ

9, 2 εἶναι αὐτὸν ~ A ‖ 3 ἁγίας + ἐκείνης CP ‖ 4 ἐκβάλλων M ‖ 5 σαυτὸν ἀγάγῃς A : ἀγ. σαυτ. *cett.* ‖ 8 καὶ *om.* M ‖ 10 καί[2] + τί λέγω CFGP E

10, 6 οὐ μόνον : καὶ BDM AL ‖ πόθον : πόνον CFGP E ‖ ἐδείκνυ C ‖ ὑπὲρ : περὶ BDM AL ‖ 7 ἀλλὰ καὶ : κἀκεῖνον καὶ BDM AL

v. Cf. I Tim. 1, 20.
w. II Tim. 4, 15.

1. Chrysostome conclut nettement la 1re partie de ce panégyrique. Sur ce problème de la part de Dieu et de celle de l'homme, on trouve un développement à peu près identique dans l'homélie sur le libre arbitre : *Domine, non est in homine,* § 4, *PG* 56, 160 B-C.

2. De fait, Paul a parlé sans indulgence de cet homme à deux reprises

Grâce et volonté

9. C'est pourquoi ces deux éléments se trouvent à la fois chez lui, de peur que devant ses grandes qualités, tu ne penses qu'il était d'une autre nature et que tu ne te décourages, ou bien qu'en observant ses réactions moins élevées, tu ne condamnes cette âme sainte, mais au contraire pour que devant cet exemple, bannissant le découragement, tu t'engages personnellement pour ton salut dans la voie de l'espérance. C'est pourquoi encore il établit la part de la grâce de Dieu avec une surabondance de termes, – ou plutôt, ce n'est pas surabondance, mais sagesse –, pour t'inviter à penser que rien ne vient de lui. Mais il affirme aussi la part de sa volonté, de peur qu'en abandonnant tout à Dieu tu ne passes ton temps à dormir et à ronfler. Ainsi tu trouveras exactement chez lui la mesure et la règle de tout [1].

Sévérité pour certains

10. Mais, objectera-t-on encore, il a maudit, un jour, Alexandre le fondeur [v 2]. Qu'importe ? Ce langage, en effet, n'était pas inspiré par la colère, mais par la douleur, et pour la défense de la vérité ; de fait, ce n'était pas à cause de lui personnellement qu'il souffrait, mais parce que cet homme résistait à la prédication de l'Évangile : « Il résiste fortement, dit-il, non pas à moi, mais à mes paroles [w]. » Ainsi cette malédiction non seulement prouvait son amour passionné pour la vérité, mais encore réconfortait les disciples. En effet, tous étaient naturellement scandalisés, en voyant que ceux qui cherchaient à nuire à la Parole ne subissaient aucune épreuve, et c'est la raison pour laquelle il parle ainsi. Mais il a encore par-

(*I Tim.* 1, 19-20; *II Tim.* 4, 14-15). Peut-être cet Alexandre est-il le même que celui qui est mentionné lors de l'émeute des orfèvres à Éphèse, en *Act.* 19, 33-34 (voir E. Osty et J. Trinquet, *La Bible,* p. 2477). Chrysostome expliquera à nouveau en termes analogues la sévérité de Paul dans la Xe homélie sur la *IIe Ép. à Timothée* : § 1, *PG* 62, 656 C - 657 A.

κατηύξατό ποτε ἑτέρων τινῶν, λέγων· Εἴπερ δίκαιον παρὰ Θεῷ ἀνταποδοῦναι τοῖς θλίβουσιν ἡμᾶς θλῖψιν[x]· οὐκ ἐκείνους ἐπιθυμῶν δίκην δοῦναι, μὴ γένοιτο, ἀλλὰ τοὺς ἐπηρεαζομένους σπεύδων παραμυθήσασθαι· διὸ καὶ ἐπάγει· Αὐτοῖς τοῖς θλιβομένοις ἄνεσιν[y]. Ἐπεὶ ὅταν αὐτός τι πάσχῃ ἀηδές, ἄκουσον πῶς φιλοσοφεῖ, καὶ τοῖς ἐναντίοις ἀμείβεται, λέγων· Λοιδορούμενοι εὐλογοῦμεν, διωκόμενοι ἀνεχόμεθα, βλασφημούμενοι παρακαλοῦμεν[z]. Εἰ δὲ τὰ ὑπὲρ τῶν ἄλλων λεγόμενα ἢ γινόμενα ὀργῆς εἶναι φαίης, ὥρα σοι καὶ τὸν Ἐλύμαν ἐξ ὀργῆς αὐτὸν πεπηρωκέναι καὶ ὑβρικέναι[a], καὶ τὸν Ἀνανίαν καὶ τὴν Σάπφειραν τὸν Πέτρον ἐξ ὀργῆς ἀπεκτονέναι[b]. Ἀλλ' οὐδεὶς οὕτως ἀνόητος καὶ ἠλίθιος ὡς ταῦτα εἰπεῖν. Καὶ ἕτερα δὲ πολλὰ εὑρίσκομεν αὐτὸν καὶ λέγοντα καὶ ποιοῦντα, δοκοῦντα εἶναι φορτικά, καὶ ταῦτα μάλιστά ἐστιν, ἃ τὴν ἐπιείκειαν αὐτοῦ δείκνυσι. Καὶ γὰρ ὅταν τῷ σατανᾷ παραδῷ τὸν ἐν Κορίνθῳ πεπορνευκότα[c], ἐξ ἀγάπης αὐτὸ πολλῆς ποιεῖ καὶ φιλοστόργου διανοίας· καὶ τοῦτο δείκνυσι καὶ ἐκ τῆς δευτέρας ἐπιστολῆς. Καὶ ὅταν Ἰουδαίοις ἀπειλῇ καὶ λέγῃ·

12 μὴ γένοιτο *om.* BDM AL ‖ 22 δὲ *om.* BDM AL ‖ 24 καὶ ταῦτα : ταῦτα δὲ CFGP E ‖ 25 αὐτῷ A ‖ δείκνυσι : δῆλον ποιεῖ CFGP

x. II Thess. 1, 6.
y. II Thess. 1, 7.
z. I Cor. 4, 12.13.
a. Cf. Act. 13, 9-11.
b. Cf. Act. 5, 3-5.9-10.
c. Cf. I Cor. 5, 3-5.

1. Cette citation, aux li. 10-11 et 14 de ce §, de la *II*[e] *Épître aux Thessaloniciens* (1, 6-7), ainsi que celle, à la li. 29, de la *I*[re] (2, 16), font allusion à certaines paroles dures de l'Apôtre contre les Juifs de Thessalonique qui, devant les succès de sa prédication en leur ville même auprès de païens

fois maudit d'autres personnes, quand il disait : «... Puisqu'il est juste aux yeux de Dieu que soient accablés à leur tour ceux qui nous accablent[x 1].» Ce n'est pas qu'il désirait les punir, à Dieu ne plaise, mais il s'efforçait de consoler ceux qui étaient maltraités ; c'est pourquoi il ajoute encore : «Quant à ceux qui sont accablés, qu'ils trouvent le repos[y].» Car, lorsque c'est lui qui subit une épreuve désagréable, écoute quelle sagesse est la sienne[2], et comment il répond à ses adversaires en disant : «On nous insulte et nous bénissons, on nous persécute et nous l'endurons, on nous calomnie et nous consolons[z].» De plus, si tu prétendais que ses paroles ou ses actes à l'égard des autres étaient inspirés par la colère, il te faudrait à ce moment-là dire aussi que Paul, sous l'effet de la colère, a rendu Élymas aveugle et l'a insulté[a], ou encore que c'est la colère de Pierre qui a provoqué la mort d'Ananie et de Saphire[b 3] ; mais personne ne manque d'intelligence et de bon sens au point de tenir ce langage. Nous constatons encore que Paul, en beaucoup d'autres circonstances, se comportait d'une façon en apparence pénible à supporter, et pourtant c'est là surtout qu'il montre sa bonté. Par exemple, quand il livre à Satan le Corinthien coupable de fornication[c], c'est avec une grande charité et un cœur plein de tendresse qu'il agit, et il le montre bien également dans sa seconde épître[4]. De même, quand il menace les

convertis, et dans la ville voisine de Bérée auprès de leurs coréligionnaires, ameutèrent contre lui la population de ces deux cités (*Act.* 17, 1-13).

2. Le verbe φιλοσοφεῖ caractérise ici le comportement spécifiquement chrétien de Paul en face de ses persécuteurs (voir *supra, Ier Panég.*, 1, 4 et note).

3. Pour les allusions à Élymas, à Ananie et Saphire, voir *supra, IVe Panég.*, 2, 5-6 et note.

4. Chrysostome confond à nouveau ici deux personnages différents : le fornicateur de Corinthe (*I Cor.* 5, 1-5) et un autre homme qui avait offensé Paul en la personne d'un de ses représentants : c'est de ce dernier seulement qu'il est question en *II Cor.* 2, 4-8. A ce propos, voir *IIIe Panég.*, 5, 18-24 et note.

Ἔφθασεν αὐτοὺς ἡ ὀργὴ εἰς τέλος[d], οὐ θυμοῦ πληρούμενος αὐτὸ ποιεῖ, — ἀκούεις γοῦν αὐτοῦ συνεχῶς ὑπὲρ αὐτῶν εὐχομένου —, ἀλλὰ βουλόμενος φοβῆσαι καὶ σωφρονεστέρους ἐργάσασθαι.

11. Ἀλλὰ τὸν ἱερέα, φησίν, ὕβρισε, λέγων· Τύπτειν σε μέλλει ὁ Θεός, τοῖχε κεκονιαμένε[e]. Καὶ οἶδα μὲν ὅτι τινὲς πρὸς τοῦτο ἀπολογούμενοι, προφητείαν εἶναί φασι τὸ εἰρημένον. Καὶ οὐκ ἐγκαλῶ τοῖς λέγουσι· καὶ γὰρ συνέβη τοῦτο, καὶ οὕτως ἐτελεύτησεν. Εἰ δέ τις δριμύτερος ὢν ἐχθρὸς ἀντιλέγοι, καὶ περιεργότερόν τι ποιῶν ἀνθυποφέροι λέγων· καὶ εἰ προφητεία ἦν, τίνος ἕνεκεν ἀπελογεῖτο λέγων· Οὐκ ᾔδειν ὅτι ἀρχιερεύς ἐστι[f]; τοῦτο ἂν εἴποιμεν ὅτι τοὺς ἄλλους παιδεύων καὶ νουθετῶν πρὸς τοὺς ἄρχοντας ἐπιεικῶς διακεῖσθαι, ὥσπερ καὶ ὁ Χριστὸς ἐποίει. Μυρία γὰρ ῥητὰ καὶ ἄρρητα περὶ τῶν γραμματέων εἰπὼν καὶ Φαρισαίων, φησίν· Ἐπὶ τῆς καθέδρας Μωϋσέως ἐκάθισαν οἱ γραμματεῖς καὶ οἱ Φαρισαῖοι· πάντα οὖν, ὅσα ἂν λέγωσιν ὑμῖν ποιεῖν, ποιεῖτε[g]. Οὕτω δὴ καὶ ἐνταῦθα ὁ Παῦλος, ὁμοῦ καὶ τὸ ἀξίωμα διετήρησε, καὶ τὸ μέλλον ἔσεσθαι προανεφώνησεν.

11, 1-2 μέλλει σε ~ AL ‖ 5-6 ἐχθρὸς ὢν ~ A ‖ 10 ὁ A : *om. cett.* ‖ 12 Μωϋσέως : μωσ. CFGP ‖ 13 οὖν *om.* A ‖ 14 ποιεῖτε A : + κατὰ δὲ τὰ ἔργα αὐτῶν μὴ ποιεῖτε *cett.*

d. I Thess. 2, 16.
e. Act. 23, 3.
f. *Ibid.*
g. Cf. Matth. 23, 2-3.

1. Le texte de ce verset de *I Thess.* retenu dans les éditions critiques du N.T. est légèrement différent de celui-ci. Il se présente ainsi : ἔφθασεν δὲ ἐπ' αὐτοὺς ἡ ὀργὴ εἰς τέλος. Nous l'avons traduit tel qu'il figure dans notre texte (10, 29), c'est-à-dire, sans la préposition ἐπί.

2. La leçon οἴδαμεν des éditions antérieures doit être abandonnée. Tous les mss portent les deux mots : οἶδα μέν.

Juifs, en disant : « La colère (de Dieu) les a devancés, pour en finir[d 1] », ce n'est pas parce qu'il est rempli de colère qu'il agit ainsi, – en tout cas, tu l'entends prier continuellement pour eux –, mais parce qu'il voulait leur inspirer de la crainte et une sagesse plus élevée.

Pour le grand prêtre

11. Mais, dira-t-on, il a insulté le grand prêtre en ces termes : « Dieu va te frapper, muraille blanchie[e]. » Je sais bien[2] que certains, pour justifier cette parole, affirment qu'il y avait là une prophétie, et je ne blâme pas ceux qui le disent : en effet, cet événement arriva, et c'est de cette façon qu'il mourut[3]. Cependant si un adversaire, se faisant plus chicaneur, n'était pas d'accord et en ergotant davantage revenait sur cette parole, en disant : Même en admettant que ce fût une prophétie, pourquoi Paul se défendit-il, en ajoutant : « Je ne savais pas que cet homme fût le grand prêtre[f] », nous répondrions que c'était pour instruire les autres et les avertir d'avoir envers ceux qui détiennent l'autorité les sentiments qui conviennent, ainsi que le Christ le fit lui-même. En effet, bien qu'il ait prononcé au sujet des scribes et des Pharisiens un très grand nombre de paroles dont toutes ne sont pas à répéter, il déclare : « Les scribes et les Pharisiens sont assis dans la chaire de Moïse ; mettez donc en pratique tout ce qu'ils peuvent vous dire[g]. » Telle fut aussi en la circonstance la conduite de Paul : il sauvegarda la dignité du personnage, et en même temps il prédit l'avenir.

3. Ananie, nommé grand prêtre vers 47, probablement destitué en 51 ou 52, puis rentré en grâce et déposé à nouveau en 59, fut effectivement assassiné en 66, au début de la Guerre Juive contre les Romains, (voir FL. JOSÈPHE, *La Guerre juive,* livre II, 441 s., éd. A. Pelletier, *CUF,* t. II, Paris 1980, p. 84. L'ignorance de Paul en ce qui concerne la dignité de cet homme (11, 8 : cf. *Act.* 23, 5) paraît étrange ; cependant, Chrysostome en a lui-même formulé une explication très plausible (*In Act. Apost., hom.* XLVIII, 2, *PG* 60, 334 C - 335 A). Quant aux li. 8-16 de ce

12. Εἰ δὲ καὶ τὸν Ἰωάννην ἀπέτεμε[h], καὶ τοῦτο ἀξίως τῆς ὑπὲρ τοῦ κηρύγματος προνοίας. Τὸν γὰρ τὴν διακονίαν ταύτην ἐγκεχειρισμένον, οὐχὶ χαῦνόν τινα εἶναι χρή, οὐδὲ ἀναπεπτωκότα, ἀλλὰ ἀνδρεῖον καὶ εὔτονον, μηδὲ ἅπτεσθαι τῆς καλῆς πραγματείας ταύτης, εἰ μὴ μέλλοι μυριάκις ἀντεπιδιδόναι τὴν ἑαυτοῦ ψυχὴν εἰς θάνατον καὶ κινδύνους, καθὼς καὶ αὐτός φησιν ὁ Χριστός · Εἴ τις θέλει ὀπίσω μου ἐλθεῖν, ἀπαρνησάσθω ἑαυτόν, καὶ ἀράτω τὸν σταυρὸν αὐτοῦ, καὶ ἀκολουθείτω μοι[i]. Ὁ γὰρ μὴ οὕτω διακείμενος πολλοὺς καὶ ἑτέρους προδίδωσι, καὶ μᾶλλον ἡσυχάζων ὠφελεῖ καθ' ἑαυτὸν ὤν, ἢ παριὼν εἰς μέσον, καὶ φορτίον δεχόμενος τῆς δυνάμεως ἑαυτοῦ μεῖζον · καὶ γὰρ καὶ ἑαυτὸν καὶ τοὺς ἐμπιστευθέντας προσαπολλύει. Πῶς γὰρ οὐκ ἄτοπον, εἰ μέν τις κυβερνητικὴν ἀγνοεῖ, καὶ τὴν πρὸς τὰ κύματα μάχην, μηδὲ μυρίων ἀναγκαζόντων ἑλέσθαι ἐπὶ τῶν οἰάκων καθίσαι, τὸν δὲ ἐπὶ τὸ κήρυγμα ἰόντα, ἁπλῶς καὶ ὡς ἔτυχεν ἐπὶ τοῦτο χωρεῖν, καὶ ἀπερισκέπτως καταδέχεσθαι πρᾶγμα μυρίων θανάτων πρόξενον; Οὔτε γὰρ κυβερνήτην, οὔτε τὸν πρὸς τὰ θηρία πυκτεύοντα, οὐ τὸν μονομαχεῖν ἑλόμενον, οὐκ ἄλλον οὐδένα

12, 5 ταύτης πραγματείας ~ M ‖ 6 ἐπιδιδόναι CFGP E ‖ 7 θέλῃ M ‖ 12 ἑαυτοῦ *om.* BDM AL ‖ 17 ἔτυχεν *om.* AL ‖ τούτῳ AL ‖ 20 τὸν : τὸ A

h. Cf. Act. 15, 38.
i. Matth. 16, 24 ; Mc 8, 34 ; cf. Lc 9, 23.

paragraphe, elles illustrent le précepte de l'*Exode* 22, 27, et les paroles de Jésus en *Matth.* 23, 2-3 ; de ces dernières, seul est cité, du moins selon la meilleure leçon manuscrite, celle du ms. A, le membre de phrase adapté à ce contexte.

1. Paul refusa effectivement de reprendre avec lui pour son second voyage (*Act.* 15, 37-39) ce personnage de « Jean, appelé Marc », parce que ce dernier les avait quittés antérieurement (*Act.* 13, 13). Dans le N.T., ce disciple apparaît tantôt comme ici, avec le nom de « Jean » (*Act.* 13, 5.13), tantôt

Paul et Jean-Marc

12. Il est vrai également que Paul se sépara de Jean[h 1], et là encore il songeait, comme il le fallait, à l'intérêt de la prédication évangélique. Il est nécessaire, en effet, que celui qui a assumé un tel service[2] ne fasse preuve d'aucune mollesse et qu'il ne se laisse pas abattre, mais qu'il soit courageux et vigoureux, et qu'il n'aborde pas cette noble tâche, s'il n'est pas prêt, en retour, à se livrer lui-même mille fois à la mort et aux dangers, comme le Christ le déclare expressément : « Si quelqu'un veut venir à ma suite, qu'il renonce à lui-même, qu'il se charge de sa croix et qu'il me suive[i]. » Car, s'il n'est pas ainsi disposé, il abandonne lâchement beaucoup d'autres hommes, et il est plus utile en restant tranquille et en ne s'occupant que de lui qu'en se mettant en avant et en acceptant un fardeau qui dépasse ses forces : il se perd lui-même, en même temps que ceux qui lui ont été confiés. Ne serait-ce pas une chose étrange de voir qu'un homme qui ignore le métier de pilote et l'art de livrer combat contre les vagues refuse, même si une foule de gens cherche à l'y contraindre, de s'asseoir aux barres du gouvernail, et inversement que celui qui part pour prêcher l'Évangile s'avance tout bonnement et n'importe comment sur ce terrain, en acceptant inconsidérément une tâche d'où peuvent résulter tant de morts ? Non, ni le pilote, ni celui qui lutte contre les bêtes, ni celui qui a choisi le métier de gladiateur[3], ni aucun

avec celui de « Marc » (*Act.* 15, 39 ; *Col.* 4, 10 ; *II Tim.* 4, 11 ; *Philém.*, 24 ; *I Pierre* 5, 13), tantôt avec l'expression de « Jean, surnommé Marc » (*Act.* 12, 12-25), ou celle de « Jean, appelé Marc » (*Act.* 15, 37). L'*Ép. aux Colossiens* (4, 10) nous apprend qu'il était le cousin de Barnabé. Pierre l'appellera son « fils » (*I Pierre* 5, 13). Selon plusieurs exégètes, ce Jean-Marc n'est autre que l'auteur du deuxième Évangile (cf. *La Bible de Jérusalem,* éd. 1973, et E. Osty et J. Trinquet, *La Bible* n. à *Act.* 12, 12).

2. Dans tout ce passage (12, 2-26), on trouve des idées et quelques termes analogues à ceux du *De Sacerdotio,* III, 8, 17-29, *SC* 272, p. 160.

3. Les trois comparaisons évoquées ici par Chrysostome appartiennent à la rhétorique traditionnelle (voir *Introd.*, ch. II, p. 34, n. 6). On notera que les combats de gladiateurs, contre lesquels Constantin puis Constance II

οὕτω πρὸς θανάτους καὶ σφαγὰς παρατεταγμένην ἔχειν δεῖ τὴν ψυχήν, ὡς τὸν τὸ κήρυγμα ἀναδεχόμενον. Καὶ γὰρ οἱ κίνδυνοι μείζους, καὶ οἱ ἀντίπαλοι χαλεπώτεροι, καὶ τὸ οὕτω σφαγῆναι, οὐ περὶ τῶν τυχόντων. Οὐρανὸς γὰρ τὸ ἔπαθλον κεῖται, καὶ γέεννα τοῖς ἁμαρτάνουσι τὸ ἐπιτίμιον, καὶ ψυχῆς ἀπώλεια καὶ σωτηρία. Οὐ τὸν τὸ κήρυγμα δὲ μόνον ἀναδεχόμενον οὕτω παρατετάχθαι δεῖ, ἀλλὰ καὶ ἁπλῶς τὸν πιστόν· ἅπασι γὰρ παρακελεύεται τὸν σταυρὸν αἴρειν καὶ ἀκολουθεῖν· εἰ δὲ πᾶσι, πολλῷ μᾶλλον τοῖς διδασκάλοις καὶ ποιμέσιν, ὧν καὶ Ἰωάννης ἦν τότε, ὁ καὶ Μάρκος λεγόμενος. Διὸ καὶ δικαίως ἐξετέμνετο, ὅτι ἐν αὐτῷ τάξας ἑαυτὸν τῷ μετώπῳ τῆς φάλαγγος, σφόδρα ἀνάνδρως εἱστήκει· διὸ καὶ ἀπέστησεν αὐτὸν ὁ Παῦλος, ὥστε μὴ τὴν ἐκείνου νωθείαν τῶν τόνων αὐτῶν τὸν δρόμον ἐκκόψαι.

21 παρατεταμένην B ‖ 34 τοῦ τόνου C

avaient déjà porté des édits (voir *Cod. Theod.* XV, 12, 1.2), avaient progressivement diminué dans l'Empire, avant d'être formellement et définitivement interdits par Honorius, en 404. Libanios, qui a exprimé son admiration pour ces combats (*Orat.* I, *Autobiographie,* 5, éd. J. Martin - P. Petit, *CUF,* Paris 1979, p. 97), après avoir mentionné ceux de l'année 328 (*Orat.* I, *ibid.*), n'en signale aucun autre à Antioche (voir aussi P. PETIT, *Libanius et la vie municipale à Antioche au IVe s. après J.-C.*, Paris 1955, p. 125). On peut remarquer également, à la suite de P.E. MÜLLER, (*Commentatio historica de genio, moribus et luxu aevi theodosiani,* Göttingen 1798, p. 86-87), que Chrysostome, si sévère contre les spectacles, ne fait aucune allusion à ces combats comme à un état de choses encore existant, ce qui confirme sans doute leur disparition aussi bien à Antioche qu'à Constantinople, à la fin du IVe siècle. En revanche, les *venationes,* ou combat des hommes contre les bêtes, surtout contre des ourses et des autre ne doivent avoir une âme disposée à livrer bataille contre toutes sortes de morts et de supplices[1] autant que celui qui se charge de la prédication de l'Évangile. Car les dangers sont plus grands, les adversaires plus difficiles à vaincre, et il ne s'agit pas de supplices ordinaires ; l'enjeu, c'est le ciel comme récompense, et la géhenne comme châtiment pour ceux qui échouent, bref, la perte ou le salut de l'âme. D'ailleurs, ce n'est pas seulement celui qui se charge de la prédication de l'Évangile qui doit être ainsi prêt à livrer bataille, mais encore le simple fidèle, car c'est à tous sans exception qu'il est prescrit de se charger de la croix et de suivre (le Christ) ; or, si c'est à tous, combien plus aux docteurs et aux pasteurs[2], dont faisait précisément partie à ce moment-là Jean, appelé également Marc. Voici pourquoi il fut retranché, et à juste titre : c'est parce qu'après s'être placé lui-même sur la ligne de bataille, en plein front, il s'y était conduit avec beaucoup de lâcheté, et c'est la raison pour laquelle Paul l'écarta des autres, de façon que sa nonchalance ne brisât pas l'élan de leurs efforts[3].

panthères, y existaient toujours, ainsi qu'en témoignent plusieurs lettres ou discours de Libanios dont on peut trouver la référence dans P. Petit, *op. cit.*, p. 125.

1. Le substantif σφαγή, comme tous les mots qui se rattachent à la même racine, évoque un acte de meurtre, d'égorgement. Il peut avoir aussi parfois le sens, un peu atténué, de blessure. Étant donné le contexte précisé par les li. 23-24 de ce §, nous avons pensé pouvoir le rendre ici par le terme de *supplices*.

2. Au mot διδασκάλοις, Chrysostome ajoute celui de ποιμέσιν, en insistant ainsi, dans la ligne des grands textes pauliniens (*Act.* 20, 28-31 ; *II Cor.* 11, 28 ; *Col.* 1, 24 ; *I Thess.* 2, 7b-8), sur le devoir des « pasteurs » de tout affronter pour l'amour de ceux qui leur sont confiés.

3. Si l'on se reporte au texte des *Actes* (13, 13), la peur et les hésitations de Jean-Marc y sont seulement sous-entendues. Chrysostome a précisé ailleurs que la longueur de la mission apostolique de Paul a effrayé ce disciple (*In Act. Apost., hom.* XXVIII, 2, *PG* 60, 211 C). Le jugement porté dans notre texte sur Jean-Marc paraît très sévère.

13. Εἰ δὲ λέγοι Λουκᾶς, ὅτι ἐγένετο παροξυσμὸς μεταξὺ αὐτῶν[j], μὴ τοῦτο ἔγκλημα εἶναι νόμιζε. Οὐ γὰρ τὸ παροξυνθῆναι χαλεπόν, ἀλλὰ τὸ ἀλόγως καὶ ἐπ' οὐδενὶ δικαίῳ. Θυμὸς γὰρ ἄδικος, φησίν, οὐκ ἀθωωθήσεται[k] · οὐχ ἁπλῶς θυμός, ἀλλὰ ὁ ἄδικος. Καὶ ὁ Χριστὸς πάλιν · Ὁ ὀργιζόμενος τῷ ἀδελφῷ αὐτοῦ εἰκῇ[l] · οὐχ ἁπλῶς ὀργιζόμενος. Καὶ ὁ προφήτης δέ φησιν · Ὀργίζεσθε, καὶ μὴ ἁμαρτάνετε[m]. Εἰ γὰρ μὴ δεῖ κεχρῆσθαι τῷ πάθει, μηδὲ καιροῦ καλοῦντος, εἰκῇ καὶ μάτην ἡμῖν ἔγκειται · ἀλλ' οὐκ εἰκῇ. Διὸ καὶ ὁ δημιουργὸς τοῦτο κατεφύτευσε πρὸς διόρθωσιν τῶν ἁμαρτανόντων, ἵνα διεγείρῃ τὸ νωθρὸν τῆς ψυχῆς καὶ παρειμένον, ἵνα ἀφυπνίζῃ τὸν καθεύδοντα καὶ διαλελυμένον, καθάπερ στόμωμα σιδήρῳ, οὕτω τὸ τῆς ὀργῆς εὔτονον ἐνθεὶς ἡμῶν τῇ διανοίᾳ, ἵνα αὐτῷ χρησώμεθα εἰς δέον. Διὰ τοῦτο καὶ ὁ Παῦλος πολλάκις αὐτῷ ἐκέχρητο, καὶ ποθεινότερος μᾶλλον τῶν μετὰ ἐπιεικείας διαλεγομένων ἦν ὀργιζόμενος, πάντα μετὰ τοῦ προσήκοντος καιροῦ ποιῶν ὑπὲρ τοῦ κηρύγματος . Οὐδὲ γὰρ ἐπιείκεια

13, 2 μὴ : μηδὲ C ‖ 4 ἀθωωσήσεται A ‖ 10 κατεφύτευσε : ἐνέθηκε CFGP E ‖ 13 καθάπερ + οὖν CFGP E ‖ στόμα BM ‖ 14 ἐνθεὶς ἡμῶν : ἡμῖν ἐνθ. A ἐνετέθη ἡμῶν CFGP E ‖ 16 μᾶλλον *om.* BDM AL

j. Cf. Act. 15, 39.
k. Cf. Sir. 1, 22.
l. Matth. 5, 22.
m. Ps. 4, 5.

1. Le mot παροξυσμός (*Act.* 15, 39) évoque une querelle assez vive et, de fait, Paul tint rigueur à Jean-Marc un certain temps (*Act.* 15, 37-40). C'était sans doute, écrira Chrysostome, pour que ce dernier devienne plus intrépide (*In Act. Apost., hom.* XXXIV, 1, 2, *PG* 60, 245 D, 247 A), et il ajoute à ce propos que les apôtres demeuraient des hommes comme nous (*ibid.* 246 B).

13. Et si Luc dit qu'ils s'irritèrent l'un contre l'autre[j], ne vois pas là un motif de reproche[1]. En réalité, ce n'est pas le fait de s'irriter qui est signe de malveillance, mais quand il se pratique sans raison et sans motif légitime. « Une colère injuste, dit l'Écriture, ne sera pas impunie[k] » ; ce n'est pas simplement une colère, mais une colère injuste. Le Christ dit à son tour : « Celui qui se met en colère contre son frère sans raison[l 2]... », et non pas simplement : « qui se met en colère[3] ». Et le Prophète dit aussi : « Mettez-vous en colère, et ne péchez pas[m]. » En effet, si l'on ne doit pas faire usage de cette passion, même quand une circonstance le demande, c'est en vain et inutilement qu'elle fait partie de notre être ; mais non, ce n'est pas en vain. Voilà pourquoi le Créateur a implanté en nous cette passion, en vue de corriger les pécheurs, afin de réveiller la paresse et le laisser-aller de l'âme, et de tirer du sommeil celui qui dort ou vit dans le relâchement ; comme le tranchant d'une épée, il a mis en notre cœur la vigueur de la colère, pour que nous en tirions parti quand il le faut. C'est la raison pour laquelle Paul y faisait souvent appel, et quand il se mettait en colère, il était plus digne d'envie que ceux dont la conversation s'accompagne de douceur, parce qu'il agissait toujours exactement au moment voulu dans l'intérêt de la prédication de l'Évangile. Car ce n'est pas non plus la douceur par elle-même

Mais, dans la suite, Paul manifesta à Jean-Marc sa sympathie (*Col.* 4, 10 ; *Philém.*, 24) et il fit même son éloge (*II Tim.* 4, 11). Chrysostome remarquera que Paul le regardait toujours comme un homme de valeur (ἄνδρα μέγαν) : *In Epist. ad Col., hom.* XI, 2, *PG* 62, 375 C, et même digne d'admiration (θαυμαστόν) : *In Epist. ad Philem., hom.* III, 1, *PG* 62, 716 B.

2. On sait que l'adverbe grec εἰκῇ ne se trouve pas dans le texte reçu du Nouveau Testament. Cette variante peut contribuer, sur un point mineur mais précis, à savoir quelle était la Bible en usage dans l'Église d'Antioche (cf. *supra,* p. 217, n. 3).

3. Chrysostome a développé longuement cette distinction entre ces deux sortes de colère dans *In Matth., hom.* XVI, 7-8, *PG* 57, 248 A - 250 B.

ἁπλῶς καλόν, ἀλλ' ὅταν ὁ καιρὸς ἀπαιτῇ · ὡς, ἐὰν τοῦτο μὴ προσῇ, καὶ ἐκείνη νωθεία, καὶ ἡ ὀργὴ θρασύτης γίνεται.

14. Ταῦτα δὲ πάντα οὐχ ὑπὲρ Παύλου ἀπολογούμενος εἶπον · οὐδὲ γὰρ δεῖται τῆς ἡμετέρας γλώττης · ὁ γὰρ ἔπαινος αὐτοῦ οὐκ ἐξ ἀνθρώπων, ἀλλ' ἐκ τοῦ Θεοῦ · ἀλλ' ἵνα παιδεύσωμεν τοὺς ἀκροατὰς εἰς δέον ἅπασι κεχρῆσθαι, καθάπερ καὶ ἔμπροσθεν εἶπον. Οὕτω γὰρ δυνησόμεθα πάντοθεν κερδαίνειν, καὶ μετὰ πολλῆς τῆς εὐπορίας εἰς τὸν ἀκύμαντον λιμένα καταπλεῖν, καὶ τῶν ἀκηράτων ἐπιτυχεῖν στεφάνων, ὧν γένοιτο πάντας ἡμᾶς καταξιωθῆναι, χάριτι καὶ φιλανθρωπίᾳ τοῦ Κυρίου ἡμῶν Ἰησοῦ Χριστοῦ, ᾧ ἡ δόξα καὶ τὸ κράτος νῦν καὶ ἀεὶ καὶ εἰς τοὺς αἰῶνας τῶν αἰώνων. Ἀμήν.

19-20 μὴ τοῦτο ~ A

14, 2 οὐδὲ : οὐ BDM AL || 5 καὶ *om.* CFGP || 6 τῆς *om.* A || 7 καταπλεῦσαι CFGP E || 7-8 στεφάνων ἐπιτυχεῖν ~ CFGP || 8 ἡμᾶς *om.* D || ἀξιωθῆναι CFGP || 10 νῦν καὶ ἀεὶ καὶ *om.* BDM E.

qui est une vertu, mais celle que réclame l'occasion ; si cette condition n'existe pas, la douceur devient de la nonchalance, et la colère de l'arrogance.

Exhortation finale

14. Je n'ai pas fait tout ce discours pour prendre la défense de Paul ; il n'a pas besoin de nos paroles, car il ne reçoit pas son éloge des hommes, mais de Dieu. Mais notre intention était d'apprendre aux auditeurs à se servir de tout au moment opportun, comme je l'ai déjà dit auparavant. Ainsi pourrons-nous utiliser toute circonstance à notre profit et aborder chargés de richesses au port qui ne connaît pas de vagues et obtenir des couronnes qui soient intactes. Puissions-nous tous en être jugés dignes, par la grâce et l'amour de notre Seigneur Jésus-Christ, à qui appartiennent la gloire et la puissance, maintenant et toujours et pour les siècles des siècles. Amen.

Τοῦ αὐτοῦ
ἐγκώμιον εἰς τὸν ἅγιον ἀπόστολον Παῦλον
λόγος ζʹ

1. Ὅταν οἱ τὰ σημεῖα βαστάζοντες τὰ βασιλικά, σάλπιγγος πρὸ αὐτῶν ἠχούσης καὶ πολλῶν στρατιωτῶν προηγουμένων, εἰς τὰς πόλεις εἰσίωσιν, ἅπας ὁ δῆμος συντρέχειν εἴωθεν, ὥστε καὶ τῆς ἠχῆς ἀκοῦσαι, καὶ τὸ σημεῖον ἰδεῖν ἐφ' ὑψηλοῦ φερόμενον, καὶ τοῦ βαστάζοντος τὴν ἀνδρείαν. Ἐπεὶ οὖν καὶ Παῦλος εἰσέρχεται σήμερον, οὐκ εἰς πόλιν, ἀλλ' εἰς τὴν οἰκουμένην, συνδράμωμεν ἅπαντες. Καὶ γὰρ οὗτος σημεῖον βαστάζει, οὐ τοῦ κάτω βασιλέως, ἀλλὰ τὸν σταυρὸν τοῦ ἄνω Χριστοῦ, καὶ προηγοῦνται οὐκ ἄνθρωποι, ἀλλ' ἄγγελοι, καὶ εἰς τιμὴν

Tit., 1 Τοῦ + ἐν ἁγίοις πατρὸς ἡμῶν Ἰωάννου τοῦ Χρυσοστόμου M || αὐτοῦ *om.* M || 2 ἐγκώμιον *om.* C D E || ἀπόστολον *om.* BDM

1. Le terme de σημεῖον dans tout ce passage (§ 1-2), qu'il soit employé seul (1, l. 5. 8 ; 2, 12-14) ou dans l'un de ses composés, σημειοφόρος (2, 26), est l'équivalent du mot latin *vexillum.* Avec une inévitable transposition, on peut le rendre, en français, par *étendard,* d'autant plus que le parallélisme avec le *vexillum crucis* que porte S. Paul (1, 8. 9. 21 ; 2, 11-14) justifie et appelle cette traduction. Le fait qu'il y ait d'abord le pluriel (1, 1), puis le singulier (1, 5 ; 2, 12) peut se comprendre. Si, en effet, pour les nombreux soldats qui le précédaient (1, 2-3), chaque unité avait son *vexillum,* l'empereur était personnellement gratifié de deux *vexilla,* ainsi

VII

LE RAYONNEMENT DE PAUL EST FONDÉ SUR LA CROIX

Du même, panégyrique du saint apôtre Paul Septième discours

Le porte-étendard du Christ

1. Chaque fois que ceux qui portent les étendards de l'empereur[1], annoncés par le son de la trompette et précédés de nombreux soldats, font leur entrée dans les villes, tout le peuple ensemble a coutume d'accourir, de manière à entendre le son de l'instrument, et à voir l'étendard qui s'élève dans les airs, ainsi que la bravoure de celui qui le porte. Puisque Paul fait aujourd'hui[2] lui aussi son entrée, non dans une ville mais dans l'univers entier, accourons donc tous ensemble. Au fait, lui aussi il porte un étendard, pas celui d'un roi de la terre, mais la croix du Christ, le Roi du ciel. Et ce ne sont pas les hommes qui marchent devant lui, mais des anges, soucieux

qu'en témoignent, par exemple, les reproductions d'un protocole impérial dans les reliefs de l'Arc de Constantin et sur un des piliers de l'Arc de Galère à Thessalonique (voir ces reproductions dans R. BIANCHI BANDINELLI, *Rome. La fin de l'art antique*, coll. « Univers des formes », trad. française de J.C. et E. Picard, Paris 1970, p. 77-78, 303). En employant d'abord le pluriel (1, 1), Chrysostome fait donc allusion à cet usage. Puis, il s'attache au type de l'étendard impérial en lui-même (1, 5 ; 2, 12), plus élevé que ceux des autres unités (1, 4-5), pour le comparer à l'étendard spirituel que représente la croix du Christ.

2. Sur la portée de cet adverbe, voir p. 182, n. 1, et *Introd.*, p. 14-18.

τοῦ βασταζομένου καὶ εἰς ἀσφάλειαν τοῦ φέροντος. Εἰ γὰρ τοῖς τὸν ἴδιον βίον οἰκονομοῦσι, καὶ οὐδὲν τῶν κοινῶν πράττουσιν, ἄγγελοι παρὰ τοῦ τῶν ὅλων Δεσπότου εἰσὶ δεδομένοι φύλακες, καθὼς καὶ Ἰακὼϐ φησιν· Ὁ ἄγγελος ὁ ῥυόμενός με ἐκ νεότητός μου[a]· πολλῷ μᾶλλον ἐπὶ τῶν τὴν οἰκουμένην ἐγχειρισθέντων καὶ τηλικοῦτον βασταζόντων ὄγκον δωρεῶν πάρεισιν αἱ δυνάμεις αἱ ἄνω. Οἱ μὲν οὖν παρὰ τῶν ἔξωθεν ταύτης ἠξιωμένοι τῆς τιμῆς, ἱμάτια περίκεινται καὶ περιαυχένιον κόσμον χρυσοῦν, καὶ πάντοθέν εἰσι λαμπροί· οὗτος δὲ ἅλυσιν ἀντὶ χρυσοῦ περικείμενος βαστάζει τὸν σταυρόν· οὗτος ἐλαυνόμενος, οὗτος μαστιζόμενος καὶ λιμώττων.

2. Ἀλλὰ μὴ στυγνάσῃς, ἀγαπητέ. Καὶ γὰρ ὁ κόσμος οὗτος ἐκείνου πολλῷ βελτίων καὶ λαμπρότερος, καὶ Θεῷ φίλος· διὸ καὶ βαστάζων οὐκ ἔκαμνε. Τοῦτο γάρ ἐστι τὸ θαυμαστόν, ὅτι μετὰ δεσμῶν καὶ μαστίγων λαμπρότερος τῶν τὴν ἁλουργίδα καὶ τὸ διάδημα ἐχόντων ἦν. Ὅτι γὰρ

1, 14 φύλακες *om.* BDM AL ‖ καθὼς : ὡς CFP *om.* G ‖ καὶ +ὁ C ‖ Ἰακὼϐ : τίς BDM AL ‖ 16 τηλικούτων C ‖ 21 οὗτος ἐλαυνόμενος *om.* BDM E ‖ 22 λιμώττων + οὗτος ἐλαυνόμενος BDM E

2, 3 ἔκαμε BDM AL E ‖ 4 μαστίγων + καὶ στιγμάτων BDM AL E ‖ 5 τὸ διάδημα AL : τὰ διαδήματα *cett.*

a. Gen. 48, 15-16.

1. Le développement sur les anges se fait ici plus particulier : il évoque l'Ange gardien que Dieu donne à chacun de nous, et que Paul Claudel devait admirablement représenter (*Le Soulier de satin,* Ire Journée, sc. XII, éd. La Pléiade, Paris 1956, p. 700-702 ; IIIe Journée, sc. VIII, p. 800-812).

2. On trouve encore en ces panégyriques quelques allusions aux chaînes de Paul (*IIe Panég.,* 5, 12-14 ; *VIIe Panég.,* 9, 4-6). Dans l'œuvre de Chrysostome, le plus beau développement sur ce sujet, exprimé en termes lyriques, prend place dans l'une des homélies sur l'*Ép. aux Éphésiens : hom.* VIII, 1-3, *PG* 62, 56 B - 59 D. Voir encore *De Statuis, hom.* XVI, 3-5, *PG* 49, 164 D - 169 C ; *In eos qui male utuntur hoc Apostoli dicto : Sive... Christus annuntiatur,* § 8, *PG* 51, 317 B-C ; *In Act. Apost., hom.* XLIV, 2,

d'honorer l'emblème qui est porté et de protéger celui qui le tient en main. Si, en effet, ceux qui n'ont à régler que leur propre vie et n'accomplissent aucune fonction publique ont reçu du Maître de l'univers des anges pour les garder, comme le dit Jacob : « L'ange qui m'a délivré dès ma jeunesse[a]... », combien plus, quand il s'agit de ceux qui ont reçu la charge du monde entier et portent un si grand poids de grâces, les Puissances célestes sont-elles à leurs côtés[1]. Assurément dans l'ordre temporel ceux qui ont été jugés dignes d'un tel honneur portent des vêtements et un collier d'or, et toute leur personne resplendit. Paul, au contraire, a autour de lui une chaîne[2] qui lui tient lieu d'or et il porte la croix : il est persécuté, il est flagellé et affamé[3].

Dans les chaînes

2. Mais ne t'en attriste pas, mon bien-aimé. Car cette dernière parure est bien supérieure à l'autre et plus magnifique, et c'est celle que Dieu aime : c'est pourquoi il ne se lassait pas de la porter. Ainsi donc, et c'est là une chose prodigieuse, la présence de liens et de coups de fouet[4] le rendait plus resplendissant que la robe de pourpre et le diadème pour ceux qui les portent. Oui, il

PG 60, 309 C-D ; *hom.* LII, 4, *PG* 60, 363 D - 364 A ; *In Epist. ad Ephes., hom.* VI, 2, *PG* 62, 44 D ; *In Epist. ad Phil., hom.* I, 3, *PG* 62, 185 A-D ; *hom.* II, 1-2, *PG* 62, 191 C - 193 A ; *In Epist. ad Col., hom.* X, 3-4, *PG* 62, 369 B - 372 A ; *In Epist. II ad Tim., hom.* IV, 2, *PG* 62, 620 C - 621 B ; *In Epist. ad Philem., hom.* I, 1, *PG* 62, 703 D, 704 C ; *hom.* II, 1-2, *PG* 62, 709 D - 710 B ; *hom.* III, 1, *PG* 62, 715 D.

3. Chrysostome va employer onze fois le verbe βαστάζειν (§ 1-2), afin de bien marquer que pour un chrétien le signe authentique de sa royauté spirituelle réside dans sa participation à la croix du Christ (cf. *Apoc.* 5, 9-10 ; 7, 13-14).

4. Nous avons retenu la leçon plus brève des mss CFGP. En effet, alors que les deux autres substantifs : δεσμῶν, μαστίγων (2, 4) font écho à deux autres termes précédents (ἅλυσιν, μαστιζόμενος, 1, 20.22), le mot στιγμάτων qui suit dans les mss AL BDM E paraît être une glose, inspirée par *Gal.* 6, 17.

λαμπρότερος, καὶ οὐ κόμπος τὰ εἰρημένα, ἐδήλωσεν αὐτοῦ τὰ ἱμάτια. Διαδήματα μὲν γὰρ μυρία καὶ πορφυρίδας τοσαύτας ἂν ἐπιθῇς ἀρρωστοῦντι, οὐδὲ μικρόν τι τῆς φλογὸς ὑποτεμέσθαι δυνήσῃ · τὰ δὲ ἐκείνου σιμικίνθια[b] ὁμιλοῦντα τοῖς σώμασι τῶν καμνόντων, πᾶσαν νόσον δραπετεύειν ποιεῖ, καὶ εἰκότως. Εἰ γὰρ λῃσταὶ τοῦτο ὁρῶντες τὸ σημεῖον οὐ τολμῶσιν ἐπελθεῖν, ἀλλ' ἀμεταστρεπτὶ φεύγουσι, πολλῷ μᾶλλον νόσοι καὶ δαίμονες ὁρῶντες ἐκεῖνο τὸ σημεῖον φεύγουσιν. Ἐβάσταζε δέ, οὐχ ἵνα αὐτὸς αὐτὸ φέρῃ μόνος, ἀλλ' ἵνα ἅπαντας τοιούτους ποιήσῃ καὶ διδάξῃ βαστάζειν · διὸ καὶ ἔλεγε · Μιμηταί μου γίνεσθε, καθὼς ἔχετε τύπον ἡμᾶς[c] · καὶ πάλιν · Ἃ ἠκούσατε καὶ εἴδετε ἐν ἐμοί, ταῦτα πράσσετε[d] · καὶ πάλιν · Ἡμῖν ἐχαρίσθη, οὐ μόνον τὸ εἰς αὐτὸν πιστεύειν, ἀλλὰ καὶ τὸ ὑπὲρ αὐτοῦ πάσχειν[e]. Τὰ μὲν γὰρ τοῦ παρόντος ἀξιώματα βίου τότε μείζονα φαίνεται, ὅταν εἰς ἕνα περιστῇ μόνον · ἐπὶ δὲ τῶν πνευματικῶν τοὐναντίον · τότε μάλιστα λάμπει τὸ τῆς τιμῆς, ὅταν πολλοὺς τῆς προεδρίας ἔχῃ κοινωνούς, καὶ ὅταν ὁ

9 σικίνθια F ‖ 11 καὶ εἰκότως *om.* BDM ‖ 11-12 λῃσταὶ – σημεῖον : πολέμιοι βασιλέως σημ. ὁρ. CFGP E ‖ 12-13 ἀλλὰ μεταστ. F ‖ 13 μᾶλλον + καὶ BDM E ‖ 14 ἐκεῖνο τὸ σημεῖον : τοῦτο τὸ σ. FGP E τὸ σημ. τοῦτο C ‖ 15 ἅπαντας AL : πάντας *cett.* ‖ 16 ἔλεγε : ἐβόα BDM AL ‖ 17 μιμηταί μου γίνεσθε καθὼς *om.* BDM AL ‖ ἔχετε τύπον ἡμᾶς : τύπον καλοῦ ἡμᾶς ἔχοντες BDM AL ‖ 17-18 καὶ πάλιν *om.* BDM AL ‖ 18 εἴδετε ἐν ἐμοὶ καὶ ἠκούσατε ~ BDM AL ‖ ταῦτα πράσσετε *om.* BDM AL ‖ 21 ἀξιώματος F

b. Cf. Act. 19, 12.
c. Phil. 3, 17.
d. Phil. 4, 9.
e. Phil. 1, 29.

1. Nous avons préféré la forme σιμικίνθια, attestée par tous les mss, ainsi que par Savile, F. du Duc (t. V, p. 532) et Montfaucon (t. II, p. 512 E), à la forme σημικίνθια. Ce mot, rare d'ailleurs, a été différemment interprété par les traducteurs de la Bible : *linges, mouchoirs, ceintures, tabliers* (ce dernier

en était plus resplendissant, et mon langage n'est pas exagéré, ainsi qu'en ont témoigné ses vêtements. Car, si tu places sur un malade des milliers de diadèmes et autant d'habits de pourpre, tu ne pourras absolument pas lui couper la fièvre ; en revanche, les vêtements[b] de Paul[1], une fois en contact avec le corps des malades, mettent en fuite toute maladie, et c'est à juste titre. Des brigands, en voyant l'étendard du Prince, loin d'oser s'approcher, ne prennent-ils pas la fuite sans se retourner ? A bien plus forte raison maladies et démons, en apercevant cet étendard sublime, s'enfuient-ils. De plus, si Paul le portait, ce n'était pas pour être le seul à le tenir en main, mais pour que tous l'imitent et pour leur apprendre à le porter. C'est pourquoi il disait : « Devenez mes imitateurs, selon l'exemple que nous vous donnons[c] », et encore : « Ce que vous avez entendu dire et ce que vous avez constaté en moi, faites-le[d] », et encore : « Vous avez reçu la grâce, non seulement de croire au Christ, mais encore de souffrir pour lui[e 2]. » De fait, si les dignités de la vie présente paraissent plus grandes lorsqu'elles sont rassemblées autour d'un seul personnage, sur le plan spirituel c'est le contraire : l'honneur brille d'un éclat particulier lorsque beaucoup sont associés au premier rang, que celui qui

se rapprochant davantage de l'étymologie : *semi-cingere*). H. ÉTIENNE, *Thesaurus linguae graecae,* vol. 7, col. 256, a adopté le sens de *mouchoirs*, ainsi que Du Cange. Mais, à un autre endroit, Chrysostome (*De incompr., hom.* IX, 2, *PG* 48, 782, li. 6), en se référant à ce même passage des *Actes* 19, 12, remplace ce mot par ἱματία : on peut alors penser qu'en l'occurrence Jean a légèrement commenté le terme, ou bien que celui-ci avait perdu son sens étymologique. Suivant cette dernière hypothèse, nous avons retenu ce mot de *vêtements* (voir *De Sacerdotio,* IV, 6, *SC* 272, p. 264, li. 23-24 et n. 2).

2. Ces trois citations sont rangées dans un ordre progressif. Si dans la première Paul invite ses disciples à regarder le modèle (τύπον) qu'il peut représenter pour eux, la seconde les exhorte à le reproduire (πράσσετε), et la troisième insiste sur la souffrance endurée pour le Christ, qui est une grâce (ἐχαρίσθη).

μετέχων μὴ εἷς ᾖ, ἀλλὰ πολλοὺς ἔχῃ τοὺς τῶν αὐτῶν ἀπολαύοντας. Ὁρᾷς οὖν πάντας σημειοφόρους, καὶ ἕκαστον τὸ ὄνομα αὐτοῦ βαστάζοντα ἐνώπιον ἐθνῶν καὶ βασιλέων, αὐτὸν δὲ καὶ ἐνώπιον γεέννης[f], καὶ ἐνώπιον κολάσεως. Ἀλλ' οὐκ εἶπεν οὕτως · οὐ γὰρ ἠδύναντο ἐκεῖνοι βαστάζειν.

3. Εἶδες ὅσης ἐστὶν ἀρετῆς ἡ φύσις ἡ ἡμετέρα δεκτική; ὡς οὐδὲν ἀνθρώπου τιμιώτερον καὶ θνητοῦ μένοντος; Τί γάρ μοι τούτου μεῖζον ἔχεις εἰπεῖν; τί δὲ ἴσον; πόσων δὲ ἀγγέλων καὶ ἀρχαγγέλων οὐκ ἔστιν ἄξιος ὁ τοῦτο εἰπὼν τὸ ῥῆμα; Ὁ γὰρ ἐν σώματι θνητῷ καὶ ἐπικήρῳ πάντα ὑπὲρ τοῦ Χριστοῦ προδούς, ὧν κύριος ἦν, μᾶλλον δὲ ὧν οὐκ ἦν, – καὶ γὰρ καὶ τὰ ἐνεστῶτα, καὶ τὰ μέλλοντα προέδωκε, καὶ ὕψωμα καὶ βάθος καὶ κτίσιν ἑτέραν[g] –, οὗτος εἰ ἐν ἀσωμάτῳ φύσει ἦν, τί οὐκ ἂν εἶπε; τί δὲ οὐκ ἂν ἔπραξε; Καὶ γὰρ καὶ τοὺς ἀγγέλους διὰ τοῦτο θαυμάζω, ὅτι κατηξιώθησαν τοιαύτης τιμῆς, οὐχ ὅτι ἀσώματοι ἔτυχον ὄντες · ἐπεὶ καὶ ὁ διάβολος ἀσώματός τέ ἐστι καὶ ἀόρατος, ἀλλ' ὅμως πάντων ἐστὶν ἀθλιώτερος, ἐπειδὴ τῷ ποιήσαντι προσέκρουσε Θεῷ. Ἐντεῦθεν καὶ ἀνθρώπους ἀθλίους εἶναί φαμεν, οὐχ ὅταν σάρκα περι-

28 καὶ ἐνώπιον γεέννης *om.* E ‖ 29 οὕτως : αὐτὸ BDM E αὐτῷ AL **3,** 1 δεκτική + καὶ E ‖ 3 τί δὲ : τί δαὶ BDM ‖ 9 τί δὲ : τί δαὶ BDM ‖ 11 τοιαύτης *om.* BDM AL E ‖ 15 σάρκα *coni. Montf.* : σάρκας *codd.*

f. Cf. Rom. 9, 3.
g. Cf. Rom. 8, 38-39.

1. La traduction du verbe εἶπεν par «commander» est appelée par les deux allusions un peu enveloppées (2, 28-29 ; 3, 3-5) au souhait de Paul d'être *anathème*. Pour la liste des citations de *Rom.* 9, 3, dans ces sept Discours, voir note à *I*[er] *Panég.*, 13, 7-9.

2 Il paraît impossible de rendre ici en français moderne d'une manière

y participe n'est pas seul, et que beaucoup jouissent avec lui des mêmes faveurs. Tu vois bien que tous portaient l'étendard du Christ, que chacun s'en allait porter son nom à la face des peuples et des rois, et que lui-même, Paul, affrontait la géhenne et affrontait le châtiment. Mais cela, il ne l'a pas commandé [1], car ces hommes-là n'étaient pas capables de le porter.

Dignité du corps

3. As-tu compris quel degré de vertu notre nature peut atteindre et comment il n'y a rien de plus précieux que l'homme, même sans qu'il ait à sortir de sa condition mortelle ? Que peux-tu donc me citer de supérieur à Paul, ou même d'égal ? Combien d'anges et d'archanges ne vaut pas l'homme qui a tenu un tel langage ! Celui qui dans un corps mortel et périssable sacrifia pour le Christ tout ce qu'il possédait, plus encore, ce qu'il ne possédait pas, – car il sacrifia les choses présentes, les choses à venir, hauteur, profondeur [2] et autre créature [g] –, cet homme-là, s'il avait eu une nature incorporelle, que n'aurait-il pas dit, que n'aurait-il pas fait ? Aussi bien si j'admire les anges, c'est parce qu'ils ont été jugés dignes de l'honneur qu'ils ont reçu, et non pas parce qu'ils sont privés d'un corps. En effet, le diable également n'a pas de corps, on ne le voit pas, et cependant il est le plus malheureux de tous les êtres pour avoir offensé Dieu qui l'a créé. En conséquence, nous affirmons également que si les hommes sont malheureux, ce n'est pas parce qu'ils sont

limpide les deux mots ὕψωμα, βάθος, empruntés à *Rom.* 8, 39. La Bible de Maredsous a traduit : *les sommets et les abîmes;* mais, indépendamment du changement de nombre, l'expression n'est guère plus claire, en définitive. La *T.O.B.* traduit : *les forces des hauteurs et celles des profondeurs,* mais elle ajoute au texte. Nous avons préféré, pour notre part, ici comme au *Ier Panég.*, 6, 11, rester plus près du texte grec et mettre simplement, ainsi que la Bible de Jérusalem et celle d'Osty, les mots *hauteur et profondeur.* On trouve, en note, dans la Bible de Jérusalem, la remarque suivante : « Sans doute ces mots désignent-ils les forces mystérieuses du cosmos, plus ou moins hostiles à l'homme, selon la conception des anciens. »

κειμένους ἴδωμεν, ἀλλ' ὅταν μὴ εἰς δέον αὐτῇ χρωμένους· ἐπεὶ καὶ ὁ Παῦλος σάρκα περιέκειτο. Πόθεν οὖν τοιοῦτος ἦν; Καὶ οἴκοθεν, καὶ παρὰ Θεοῦ, καὶ διὰ τοῦτο παρὰ Θεοῦ, ἐπειδὴ οἴκοθεν· οὐ γάρ ἐστι προσωπολήπτης ὁ Θεός[h]. Εἰ δὲ λέγοις· καὶ πῶς δυνατὸν ἐκείνους μιμήσασθαι, ἄκουσον τί φησι· Μιμηταί μου γίνεσθε, καθὼς κἀγὼ Χριστοῦ[i]. Ἐκεῖνος τοῦ Χριστοῦ γέγονε μιμητής, σὺ δὲ οὐδὲ τοῦ συνδούλου; ἐκεῖνος Δεσπότην ἐζήλωσε, σὺ δὲ οὐδὲ τὸν ὁμόδουλον; καὶ ποίαν ἕξεις ἀπολογίαν;

4. Καὶ πῶς αὐτὸν ἐμιμήσατο, φησί; Τοῦτο ἐξ ἀρχῆς σκόπει καὶ ἀπ' αὐτῶν τῶν προοιμίων. Ἐπειδὴ γὰρ ἀπὸ

19 Θεοῦ : Θεῷ A ‖ 20 ἐκεῖνον BDM L ἐκείνοις A
4, 1 φησί : θέλεις μαθεῖν CFGP E ‖ 2 ἀπ' : ἐξ' BDM AL

h. Act. 10, 34 ; cf. Rom. 2, 11.
i. I Cor. 11, 1.

1. La li. 15 de ce § pose une difficulté textuelle importante. En effet, à la place du mot σάρκα, on lit dans *tous* les manuscrits la leçon σάρκας, ainsi que dans les éditions de Savile et de Fronton du Duc ; mais il est difficile, si l'on respecte ce pluriel, d'expliquer le pronom de la ligne suivante, au singulier : αὐτῇ. Peut-être aurions-nous ici un exemple d'une confusion due au phénomène de la translittération, le premier jambage du π initial du mot suivant pouvant alors être pris, en écriture onciale, pour un σ final du précédent (sur des erreurs de ce genre, voir A. DAIN, *Les manuscrits,* Paris 1949, ch. 3, § 3, «Les exemplaires translittérés», p. 116-117). Nous avons donc reproduit la conjecture de Montfaucon : σάρκα.

2. Chrysostome a tenu à souligner souvent la dignité humaine et chrétienne du corps. Il a expliqué ainsi, sans doute contre une conception manichéenne, que le corps, qui n'est pas fatalement associé au péché (*In Epist. ad Rom., hom.* XI, 3, *PG* 60, 487 A-C ; *hom.* XIII, 2, 509 C - 510 B ; *In Epist. I ad Cor., hom.* XVII, 1, *PG* 61, 140 C-D ; *hom.* XXXIX, 9, *PG* 61, 345 C-D ; *In Epist. ad Ephes., hom.* V, 4, *PG* 62, 41 A-B), est en lui-même bon, noble et beau (*De resurrectione mortuorum,* § 6, *PG* 50, 427 D - 428 C ; *In Epist. ad Gal. Comment., in cap.* V, *PG* 61, 671 B-D) ; il a son rôle à jouer dans la découverte de Dieu et dans l'accueil de l'Évangile (*De

revêtus d'un corps[1], comme nous le constatons, mais parce qu'ils ne s'en servent pas comme il faut. Paul, lui aussi, était revêtu d'un corps[2]. D'où lui venait donc une telle grandeur ? A la fois de lui et de Dieu ; et si elle venait de Dieu, c'est en même temps parce qu'elle venait de lui[3], car « Dieu ne fait pas acception de personnes[h] ». Si tu disais alors : Mais comment est-il possible d'imiter des hommes tels que lui[4] ? écoute ce qu'il déclare : « Montrez-vous mes imitateurs, comme je le suis moi-même du Christ[i]. » Lui, il s'est fait l'imitateur du Christ, et toi tu ne pourrais pas l'être de celui qui était aussi un serviteur ? Lui, il chercha à rivaliser avec son Maître, et toi, tu ne pourrais pas le faire avec un serviteur comme toi ? Quel genre d'excuse pourras-tu présenter ?

Deux moments de son ministère. 1. A Damas

4. Mais comment, dira-t-on, a-t-il imité le Christ ? Examine ce point dès le commencement, en remontant tout à fait au début[5]. Dès qu'il sortit des flots

resur. mort., § 7, *PG* 50, 429 A ; *In Johannem, hom.* LVI, 2, *PG* 59, 308 B) ; il doit être, même en ce monde, le temple de l'Esprit-Saint (*In Epist. I ad Cor., hom.* XVII, 1, *PG* 61, 140 D ; *hom.* XVIII, 1-2, *PG* 61, 145 D, 146 D - 148 A), qui donnera la force de maîtriser et de spiritualiser ses instincts (*In Epist. ad Rom., hom.* XII, 4, *PG* 60, 499 B, *hom.* XIII, 7-8, 517 A - 518 C) ; enfin, en vertu de la Résurrection du Christ, il est, lui aussi, destiné à l'immortalité (*De resur. mort.*, § 7, *PG* 50, 429 B - 430 B ; *In Epist. ad Rom., hom.* XIV, 6, *PG* 60, 531 C - 532 B ; *In Epist. I ad Cor., hom.* XVII, 1-2, *PG* 61, 140 D - 141 B ; *In Epist. ad Col., hom.* VII, 2, *PG* 62, 345 B-C). Voir aussi A. Merzagora, *Giovanni Crisostomo...* (art. cité *supra*, note à IV, 10, 17), p. 227-234.

3. On remarquera cette formule lapidaire sur l'union de la grâce et de la volonté personnelle.

4. P. Soler (p. 105) a rendu de façon très juste la nuance emphatique que prend ici le pronom ἐκείνους.

5. Ici commence l'une des deux illustrations concrètes de l'apostolat de S. Paul, mises en évidence dans ce Discours. Elle évoque d'abord brièvement son baptême et sa prédication à Damas (4, 2-7), puis elle compare les premières initiatives apostoliques de Paul avec celle de Moïse (4, 9-19 ; 5, 1-

τῶν θείων ναμάτων τοσοῦτον πῦρ ἔχων ἀνῆλθεν, ὡς μηδὲ ἀναμεῖναι διδάσκαλον· οὐ γὰρ περιέμεινε Πέτρον, οὐδὲ ἦλθε πρὸς Ἰάκωβον, οὐδὲ πρὸς ἄλλον οὐδένα[j], ἀλλ' ὑπὸ τῆς προθυμίας ἀρθείς, οὕτω τὴν πόλιν ἀνῆψεν ὡς πόλεμον ἀναρριπισθῆναι κατ' αὐτοῦ χαλεπόν[k]· ἐπεὶ καὶ Ἰουδαῖος ὤν, τὰ ὑπὲρ τὴν ἀξίαν ἐποίει, δεσμεύων, ἀπάγων, δημεύων[l]. Οὕτω καὶ Μωσῆς, οὐδενὸς χειροτονήσαντος αὐτόν, τὴν ἀδικίαν τῶν βαρβάρων ἐκώλυσε τὴν κατὰ τῶν ὁμοφύλων. Ταῦτα γὰρ ψυχῆς γενναίας ἀπόδειξις καὶ γνώμης ἐλευθέρας, οὐκ ἀνεχομένης σιγῇ φέρειν τὰ ἑτέρων κακά, κἂν μηδεὶς ὁ χειροτονῶν ᾖ. Ὅτι γὰρ δικαίως ἐπεπήδησε τῇ προστασίᾳ, ἔδειξεν ὁ Θεὸς χειροτονήσας αὐτὸν ὕστερον· ὃ καὶ ἐπὶ Παύλου πεποίηκεν. Ὅτι γὰρ καὶ οὗτος καλῶς ἐποίησε τοῦ λόγου ἁψάμενος τότε καὶ τῆς διδασκαλίας, καὶ τοῦτο ἐδήλωσεν ὁ Θεός, ταχέως αὐτὸν ἐπὶ τὸ τῶν διδασκάλων ἀξίωμα ἀγαγών.

4 περιέμενε A || 10 αὐτὸν *om.* BDM || ἐκώλυε CFGP E || 12 οὐκ ἀνεχομένης : οὐκ ἀνεχομένη AL οὐ γὰρ ἀνέχεται CFGP E

j. Cf. Gal. 1, 17.
k. Cf. Act. 9, 20-25 ; II Cor. 11, 32-33.
l. Cf. Act. 9, 1-2 ; 22, 4-5 ; 26, 10-12.

8 ; 6, 1-5),enfin, elle commente à nouveau le zèle de ce néophyte (6, 5-21), capable pourtant d'accepter des conseils de prudence donnés par d'autres apôtres (§ 7).

1. L'épithète employée le plus souvent par Chrysostome pour qualifier les eaux du baptême semble être l'adjectif ἱερός : voir *VII*[e] *Panég.*, 6, 7-8 ; *Huit Catéchèses baptismales, Cat.* II, § 25, li. 1, *SC* 50bis (Paris 1970), p. 147, et § 27, li. 4, p. 148. On trouve également l'adjectif ἅγιος : *Varia graeca sacra,* éd. Papadopoulos-Kerameus, Saint-Pétersbourg 1909, *Cat.* III, § 8, li. 2, p. 173. L'épithète la plus forte est, comme ici, celle de θεῖος (voir aussi *Huit Cat. bapt., Cat.* II, § 29, li. 6, *op. cit.,* p. 149). Chrysostome a d'ailleurs pris soin de noter que ce n'est pas l'eau elle-même qui sanctifie, pas plus que les gestes du prêtre, mais la grâce de l'Esprit-Saint (*Huit Cat. bapt., Cat.* II,

divins[1], il en remonta avec une telle ardeur qu'il n'eut même pas la patience d'attendre un maître ; en effet, sans attendre Pierre, avant d'aller trouver Jacques ou quelqu'un d'autre[j], transporté par son zèle, il enflamma tellement la ville qu'il souleva contre lui une guerre violente[k2]. D'ailleurs, même quand il était juif, il accomplissait des actes qui dépassaient son rang[3], chargeant de chaînes, conduisant en prison, confisquant les biens[l]. Pareillement Moïse, sans avoir reçu mission de personne, arrêta l'injustice des étrangers contre ses compatriotes. Voilà bien le signe d'un âme noble et d'un cœur généreux, qui ne tolère pas de supporter en silence les malheurs d'autrui, quand bien même il n'a reçu aucune mission. Que Moïse ait eu raison de se précipiter à ce poste de défenseur, Dieu le montra en lui assignant plus tard cette mission[4]. C'est ce qu'il a fait également pour Paul. Car, lui aussi, il avait bien agi en se mettant dès ce moment-là à enseigner la Parole, et Dieu le manifesta, en l'élevant rapidement à la dignité des docteurs[5].

§ 10, *op. cit.*, p. 138-139 ; *Var. gr. sacra, Cat.* III, § 3, p. 169-170). On remarquera également l'expression σωτηρία νάματα, employée pour désigner symboliquement la source de l'Eucharistie (*Huit Cat. bapt., Cat.* III, § 26, li. 13, p. 167).

2. Pour le zèle enflammé de Paul, sitôt après son baptême et la persécution qu'il provoqua, voir aussi *In Act. Apost., hom.* XX, 1, 2-3, *PG* 60, 159 B-C, 160 C - 162 A ; *In Epist. II ad Cor., hom.* XXV, 2, *PG* 61, 572 C - 573 A. Tout comme S. Luc (*Act.* 9, 19-20), Chrysostome abrège et ne mentionne pas ici le séjour de Paul en Arabie (cf. *Gal.* 1, 17).

3. L'expression ὑπὲρ τὴν ἀξίαν ἐποίει est dans la ligne du Livre des *Actes* (9, 14 ; 22, 5 ; 26, 10). Paul, de lui-même, n'avait pas ce droit d'arrestation, mais il avait reçu les pleins pouvoirs des grands prêtres. Sur l'aspect passionné du caractère de Paul, voir *Introd.* ch. III, p. 43.

4. Pour les interventions spontanées de Moïse au service de ses compatriotes opprimés, voir *Ex.* 2, 11-22. Pour les missions que Dieu lui confie, voir *Ex.* 3-4 ; 6, 2-13. 28-30 ; 7, 8-29 ; 8-10 ; 13, 17-22.

5. A cet endroit, le mot διδάσκαλος, étant donné le terme d'ἀξίωμα qui le précède, semble contenir implicitement celui d'ἀπόστολος. Paul avait conscience, on le sait, d'avoir été *envoyé* avant tout pour *enseigner* l'Évangile (... ἀπέστειλέν με Χριστὸς... εὐαγγελίζεσθαι, *I Cor.* 1, 17), et Chrysostome,

5. Εἰ μὲν γὰρ τιμῆς ἕνεκεν καὶ προεδρίας ἐπεπήδων τοῖς πράγμασι, καὶ τῆς αὐτῶν θεραπείας εἰκότως ἂν ἐνεκλήθησαν. Ἐπειδὴ δὲ κινδύνους ἠγάπων, καὶ θανάτους ἐπεσπῶντο, ἵνα τοὺς ἄλλους διασώσωσιν ἅπαντας, τίς οὕτως ἄθλιος ὥστε ἐγκαλέσαι προθυμίᾳ τοσαύτῃ ; Ὅτι γὰρ τῆς τῶν ἀπολλυμένων σωτηρίας ἐρῶντες ταῦτα ἔπραττον, ἐδήλωσε καὶ ἡ τοῦ Θεοῦ ψῆφος, ἐδήλωσε καὶ ἡ τῶν κακῶς ἐρασθέντων τὸν ἔρωτα τοῦτον ἀπώλεια. Ἐπεπήδησάν ποτε καὶ ἕτεροι ἀρχῇ καὶ προστασίᾳ, ἀλλὰ πάντες ἀπέθανον, οἱ μὲν ἐμπρησθέντες[m], οἱ δὲ γῆς διαστάσει καταποθέντες[n]. Οὐ γὰρ διὰ προστασίαν τοῦτο ἐποίουν, ἀλλὰ διὰ προεδρίας ἔρωτα. Ἐπεπήδησε καὶ Ὀζίας, ἀλλὰ καὶ οὗτος ἀκάθαρτος[o] γέγονεν · ἐπεπήδησε καὶ Σίμων, ἀλλὰ κατεδικάσθη, καὶ περὶ τῶν ἐσχάτων ἐκινδύνευσε[p] · ἐπεπήδησε καὶ Παῦλος, ἀλλ' ἐστεφανώθη, οὐχὶ ἱερωσύνῃ καὶ τιμῇ, ἀλλὰ διακονίᾳ καὶ πόνοις καὶ κινδύνοις. Καὶ ὅτι ἀπὸ ζήλου πολλοῦ καὶ προθυμίας

5, 7 ἐδήλωσε – ψῆφος *om.* F ‖ 9 ἐπεπήδησάν : -δησε γὰρ BDM AL ‖ ἕτεροι : ἕτερος BDM AL ‖ 10 πάντες ἀπέθανον : καὶ ἀπέθανεν BDM AL ‖ οἱ μὲν ἐμπρεσθέντες : ὁ μὲν ἐμπρεσθείς BDM AL ‖ οἱ δὲ : ὁ δὲ BDM AL E ‖ γῆς : τῆς γῆς BDM AL *om.* CFGP E ‖ 11 διαστάσει : δ. γῆς CP διαναστάσει καὶ E διαστάσης καὶ BDM AL ‖ καταποντίσθεις BDM AL ‖ 13 καὶ οὗτος : καὶ αὐτὸς E *om.* BDM AL ‖ ἐπεπήδησε + δὲ AL ‖ 14 κατεδικάσθη : κατηγορήθη BDM AL ‖ 16 οὐχὶ AL : οὐχ *cett.*

m. Cf. Jug. 9, 49.
• n. Cf. Nombr. 16, 31-32 ; Deut. 11, 6 ; Ps. 105 (106), 17.
o. Cf. II Chr. 26, 16-21.
p. Cf. Act. 8, 18-24.

commentant le premier envoi en mission de Saul et de Barnabé par l'Église d'Antioche, (*Act.* 13, 1-3), a souligné explicitement ce lien entre la mission apostolique et *l'enseignement :* χειροτονεῖται [Σαῦλος] λοιπὸν εἰς ἀποστολήν, ὥστε μετ' ἐξουσίας κηρύττειν (*In Act. Apost., hom.* XXVI, 1, *PG* 60, 205 C).

1. On se reportera aux six homélies de Chrysostome sur Ozias (*SC* 277) et notamment à la Ve (p. 178 s.).

Le souci de ses frères

5. Si, en effet, c'était pour obtenir des honneurs et des préséances qu'ils s'étaient précipités vers ces tâches, on les aurait alors accusés à juste titre de se rechercher eux-mêmes. Mais comme ils aimaient les dangers et s'attiraient toutes sortes de périls mortels dans l'intention de sauver les autres hommes, absolument tous, qui serait assez misérable pour leur faire grief d'un tel zèle ? En réalité, ils ont agi ainsi, parce qu'ils désiraient passionnément le salut de ceux qui étaient en perdition : c'est ce qu'a bien montré la décision de Dieu, c'est ce qu'a bien montré aussi la perte de ceux qui furent misérablement épris de la passion que j'ai mentionnée. D'autres également se sont parfois précipités vers le pouvoir et vers un poste de premier plan; mais tous sont morts, tantôt devenus la proie des flammes[m], tantôt engloutis dans un tremblement de terre[n] : c'est que, loin de songer à protéger les autres, ils le faisaient par amour du premier rang. Ozias, par exemple, s'est précipité[1], mais il est devenu lépreux[o]; de même, Simon s'est précipité, mais il fut déclaré coupable et courut les pires dangers[p]; Paul, lui aussi, s'est précipité, mais il remporta la couronne, non celle du sacerdoce et des honneurs, celle, au contraire, du service[2], des fatigues et des dangers. Et comme il entreprit sa course sous l'inspiration d'un zèle puissant et

2. Dans le Nouveau Testament le terme de διακονία prend des sens variés. Parfois il concerne tel ou tel service d'ordre matériel (*Lc* 10, 40; *Act.* 6, 1 ; 11, 29; *Rom.* 15, 31 ; *II Cor.* 8, 4 ; 9, 1.12-13 ; 11, 8); le plus souvent il se rapporte au ministère ou à une mission (*Act.* 12, 25 ; 20, 24 ; 21, 19 ; *Rom.* 11, 13 ; 12, 7 ; *I Cor.* 12, 5 ; *II Cor.* 4, 1 ; 5, 18 ; 6, 3 ; *Éphés.* 4, 12 ; *Col.* 4, 17 ; *I Tim.* 1, 12 ; *II Tim.* 4, 5.11. Sur ce sujet, voir G. Kittel, *Theologisches Wörterbuch zum Neuen Testament, Zweiter Band,* Stuttgart 1954, *Art.* Διακονέω, Διακονία, Διάκονος, p. 81-93. Le thème du sacerdoce considéré comme un *service* est souvent évoqué dans le *De Sacerdotio :* on n'y trouve pas moins de seize attestations du mot διακονία (voir Index, dans l'édition *SC,* n° 272, et la note à propos du premier emploi de ce mot, II, 5, 14).

ἐπέδραμε, διὰ τοῦτο ἀνακηρύττεται καὶ λαμπρὸς ἐκ προοιμίων ἦν.

6. Ὥσπερ γὰρ ὁ χειροτονούμενος ἄρχων, ἂν μὴ δεόντως τὸ πρᾶγμα μετίῃ, καὶ μείζονός ἐστι κολάσεως ἄξιος, οὕτω κἂν μὴ χειροτονηθῇ τις, μεταχειρίζῃ δὲ προσηκόντως, οὐ λέγω τὰ τῆς ἱερωσύνης, ἀλλὰ τὰ τῆς τῶν πολλῶν προνοίας, τοῦ παντὸς ἄξιός ἐστι. Διὰ τοῦτο οὐδεμίαν ἀνέμεινεν ἡμέραν ἡσυχάζων ὁ πυρὸς οὗτος σφοδρότερος, ἀλλ' ὁμοῦ τε ἀνέβη ἀπὸ τῆς ἱερᾶς τῶν ὑδάτων πηγῆς, καὶ πολλὴν ἀνῆψεν ἑαυτῷ τὴν φλόγα, καὶ οὔτε κινδύνους ἐνενόησεν, οὐ τὸν γέλωτα καὶ τὴν αἰσχύνην τὴν παρὰ Ἰουδαίων, οὐ τὸ ἀπιστεῖσθαι παρ' αὐτοῖς, οὐκ ἄλλο τῶν τοιούτων οὐδέν· ἀλλ' ἑτέρους λαβὼν ὀφθαλμούς, τοὺς τῆς ἀγάπης, καὶ ἑτέραν διάνοιαν, μετὰ πολλῆς ἐνέπιπτε τῆς ῥύμης, ὥσπερ τις χειμάρρους, ἅπαντα παρασύρων τὰ Ἰουδαίων, καὶ διὰ τῶν Γραφῶν δεικνὺς ὅτι αὐτός ἐστιν ὁ Χριστός[q]. Καίτοι γε οὔπω χαρίσματα πολλὰ τῆς χάριτος ἦν αὐτῷ, οὔπω τοσούτου Πνεύματος κατηξίωτο· ἀλλ' ὅμως εὐθέως ἐφλέγετο, καὶ ψυχῇ θανατώσῃ πάντα ἔπραττε, καὶ ὥσπερ ἀπολογούμενος ὑπὲρ τοῦ παρελθόντος χρόνου, οὕτω πάντα ἐποίει, καὶ ἐπραγματεύετο εἰς τὸ πονοῦν μάλιστα τοῦ πολέμου μέρος ἑαυτὸν ἐμβάλλων, καὶ ὃ κινδύνων ἔγεμε καὶ φόβων.

6, 5 παντὸς : παρόντος A ‖ 6 ἐνέμεινεν BDM ‖ 9 κινδύνοις P ‖ 12 μετὰ + τῆς E ‖ 15-16 οὔπω – αὐτῷ : οὐδὲν ἀπὸ τῆς χάριτος ἐργαζόμενος τέως καθάπερ μετὰ ταῦτα φαίνεται πολλὰ καὶ μεγάλα CFGP E ‖ 16 οὔπω + γὰρ CFGP E ‖ 20 εἰς τὸ πονοῦν (+ ἑαυτὸν CP E) – μέρος AL BDM CP E *om.* FG ‖ 21 ἑαυτὸν ἐμβάλλων : ἑαυτόν, *nusquam apparens in* BDM AL, *hic positum est in* FG, *sicut postea fecerunt edd.* ‖ ἐμβάλλων : ἐμβάλων P ἐμπεσών BDM AL

q. Cf. Act. 9, 20.22.

d'une ardeur intense, voilà la raison pour laquelle on proclame son nom et pour laquelle il fut illustre dès le début.

6. De même que celui qui est investi d'une charge de commandement, s'il ne remplit pas sa tâche comme il faut, mérite un châtiment encore plus grand, de même, si quelqu'un, sans mission explicite, exerce comme il convient, je ne dis pas les fonctions du sacerdoce, mais des tâches où il prend soin de la multitude, il est digne de tous éloges. C'est pourquoi Paul ne resta pas un seul jour à se reposer, lui dont l'ardeur dépassait celle du feu; mais au moment où il remonta de la fontaine sacrée, une flamme très vive s'alluma en lui, et loin de songer aux dangers et aux moqueries des Juifs qui lui manquaient de respect, ou encore à leur incrédulité ou à toute autre difficulté de ce genre, dès qu'il eut reçu d'autres yeux, ceux de la charité, et une autre intelligence, il s'élança d'un mouvement impétueux, à la manière d'un torrent, emportant dans son cours toutes les positions des Juifs, et leur prouvant par les Écritures que (Jésus) est bien le Christ[q]. En vérité, il ne jouissait pas encore d'un grand nombre de faveurs divines, il n'était pas encore gratifié de l'Esprit au degré qui deviendra le sien[1], et pourtant tout de suite il fut enflammé, et il se comportait en tout avec une âme mortifiée, agissant en tout comme s'il voulait trouver une excuse à son passé et, sans ménager sa peine, se jetant à l'endroit du combat qui le ferait le plus souffrir et qui était rempli de dangers effrayants.

1. Ces expressions qui visent les miracles futurs de l'apôtre Paul et les grâces mystiques exceptionnelles qui seront les siennes (*II Cor.* 12, 1-4), rappellent une locution du même genre (voir *Ve Panég.*, 3, 9 et la note), mais ici avec plus d'emphase. Voir aussi *In Act. Apost.*, *hom.* XX, 2, *PG* 60, 160 D.

7. Καὶ ὅμως οὕτω τολμητὴς ὢν καὶ ὁρμητίας καὶ πῦρ πνέων, οὕτω πάλιν πειθήνιος ἦν καὶ εὐήνιος τοῖς διδασκάλοις ὥστε μὴ ἐν τοσαύτῃ ῥύμῃ προθυμίας αὐτοῖς ἀντιπεσεῖν. Καὶ γὰρ ζέοντι τότε καὶ μαινομένῳ προσελθόντες εἶπον ὅτι δεῖ ἀπελθεῖν εἰς Ταρσὸν καὶ Καισάρειαν[r], καὶ οὐκ ἀντεῖπεν· εἶπον ὅτι χρὴ διὰ τοῦ τείχους χαλασθῆναι, καὶ ἠνέσχετο[s]· συνεβούλευσαν ξυρᾶσθαι, καὶ οὐκ ἀντέπεσεν[t]· εἶπον μὴ εἰσελθεῖν εἰς τὸ θέατρον, καὶ εἶξεν[u]. Οὕτως ἑνὸς ἦν πανταχοῦ τοῦ συμφέροντος τοῖς πιστοῖς, τῆς εἰρήνης, τῆς ὁμονοίας, καὶ πανταχοῦ ἑαυτὸν ἐτήρει τῷ κηρύγματι.

8. Ὥστε ὅταν ἀκούσῃς ὅτι τὸν ἀδελφιδοῦν πέμπει πρὸς τὸν χιλίαρχον[v], βουλόμενος ἑαυτὸν ἐξαρπάσαι τῶν κινδύνων, καὶ ὅταν ἐπικαλῆται Καίσαρα[w], καὶ ὅταν εἰς

7, 1 δμως : δπως E ‖ ὢν : ἦν AL ‖ 3-4 μὴ — ἀντιπεσεῖν : αὐτοῖς μηδὲ ἀντιπ. ἐν τῇ τοσ. ῥύμῃ τῆς προθ. CFGP E ‖ 4 καὶ γὰρ ζέοντι : ζέοντι γ'οὖν αὐτῷ CFGP ζ. γ'οὖν E ‖ 6 εἶπον : εἶπαν M ‖ 9 πανταχοῦ *om.* CFGP E ‖ 9-10 τῶν συμφερόντων BDM AL ‖ 10 τῆς ὁμονοίας AL + τῆς συμφωνίας *cett.*

8, 1 ἀδελφὸν BDM AL ‖ 1-2 πρὸς τὸν χιλίαρχον *om.* BDM AL ‖ 2 βουλόμενος *om.* CFGP E ‖ ἑαυτὸν *scr. Sav.* : αὐτὸν BDM AL *om.* CFGP E ‖ ἐξαρπάσαι + αὐτὸν CFGP E ‖ 3 ἐπικαλέσηται BDM AL

r. Cf. Act. 9, 30.
s. Cf. Act. 9, 25 ; II Cor. 11, 33.
t. Cf. Act. 21, 23-24.26.
u. Cf. Act. 19, 29-31.
v. Cf. Act. 23, 16-18.
w. Cf. Act. 25, 10-11.

1. Les exemples évoqués dans les lignes qui suivent (li. 4-9) pour expliquer la docilité de S. Paul sont tels qu'on ne peut ici traduire le terme διδασκάλοις par les mots de *maîtres* ou de *docteurs*. En effet, dans ces exemples, il s'agit, la plupart du temps, des «frères» des communautés

Sa déférence à l'égard des apôtres

7. Et cependant, tout en manifestant une telle hardiesse et une telle ardeur, et animé d'un tel feu, il était, à l'opposé, tellement docile et doux envers ceux qui lui dictaient sa conduite[1] que malgré l'impétuosité de son zèle il ne leur résistait pas. En effet, tandis qu'il était bouillant et transporté d'enthousiasme, ils vinrent le trouver en lui disant qu'il fallait partir pour Tarse et Césarée[r], et il ne discuta pas ; ils lui dirent de se laisser descendre dans une corbeille, et il s'y résigna[s] ; ils lui conseillèrent de se raser, et il ne s'y opposa pas[t2] ; ils lui demandèrent de ne pas se présenter au théâtre et il obéit[u]. En toute circonstance il s'attachait tellement et seulement à l'intérêt des fidèles, à la paix, à la concorde[3] ; en toute circonstance également il veillait sur lui-même pour annoncer l'Évangile[4].

2. Le voyage à Rome

8. Par conséquent, lorsque tu entends[5] que Paul envoie son neveu trouver le tribun[v], dans l'intention de se soustraire lui-même aux dangers, lorsqu'il en appelle à César[w], et quand il se hâte vers Rome, ne vois pas dans ces

chrétiennes qui conseillent l'Apôtre. Nous avons donc eu recours à une périphrase qui se rattache au sens duverbe διδάσκω : enseigner, montrer (sous-entendu : la route à suivre).

2. Nous trouvons là une allusion à la demande présentée à Paul par les frères de Jérusalem (*Act.* 21, 23-24), même si l'Apôtre ne se fit pas effectivement raser la tête ce jour-là, comme il l'avait fait à Cenchrées (*Act.* 18, 18).

3. Après τῆς ὁμονοίας, les mss, à l'exception de A et de L, ajoutent τῆς συμφωνίας. Nous croyons qu'il s'agit là d'une glose, comme l'avait déjà pensé Savile. Nous avons donc suivi la leçon de AL, étant donné la valeur de ce groupe. (Voir *Introd.,* ch. IV, p. 81).

4. Même réflexion, avec les mêmes termes, dans *In Epist. II ad Cor., hom.* XXV, 2, *PG* 61, 572 D. Sur cette prudence de Paul, qui est un aspect de son οἰκονομία, voir *supra, Ve Panég.*, § 4, 6, 8 (li. 12-23), et *Introd.* p. 28, n. 11. Voir aussi *In Act. Apost., hom.* XX, 3, *PG* 60, 162 A.

5. Le verbe ἀκούειν nous semble faire allusion ici au texte qui était lu pendant la synaxe.

τὴν Ῥώμην σπεύδῃ, μὴ νομίσῃς ἀνανδρείας εἶναι τὰ ῥήματα. Ὁ γὰρ στένων, ἐπειδὴ παρῆν ἐν τῷ βίῳ τούτῳ[x], πῶς οὐκ ἂν εἵλετο μετὰ Χριστοῦ εἶναι; καὶ ὁ τῶν οὐρανῶν καταφρονῶν καὶ ἀγγέλων δι' αὐτὸν ὑπερορῶν, πῶς ἂν ἐπεθύμησε τῶν παρόντων; Τίνος οὖν ἕνεκεν τοῦτο ἐποίει; Ἵνα ἐνδιατρίψῃ τῷ κηρύγματι, καὶ μετὰ πολλῶν ἀνθρώπων ἀπέλθῃ, πάντων ἐστεφανωμένων. Καὶ γὰρ ἐδεδοίκει μήποτε πτωχὸς καὶ πένης τῆς τῶν πολλῶν σωτηρίας ἀποδημήσῃ ἐντεῦθεν. Διὸ καὶ ἔλεγε· Τὸ ἐπιμεῖναι τῇ σαρκὶ ἀναγκαιότερον δι' ὑμᾶς[y].

9. Διὸ καὶ ὁρῶν τὸ δικαστήριον τὴν βελτίω ψῆφον περὶ αὐτοῦ κατατιθέμενον, ὡς πρὸς τὸν Φῆστον Ἀγρίππας ἔλεγεν· Ἀπολελύσθαι ἠδύνατο ὁ ἄνθρωπος οὗτος, εἰ μὴ ἐπεκέκλητο Καίσαρα[z], καὶ δεθείς, καὶ μετὰ μυρίων ἑτέρων δεσμωτῶν ἀπαγόμενος μυρία εἰργασμένων δεινά, οὐκ ᾐσχύνετο τῷ συνδεδέσθαι ἐκείνοις, ἀλλὰ καὶ προενόει πάντων τῶν συμπλεόντων, καίτοι γε ὑπὲρ αὐτοῦ θαρρῶν καὶ εἰδὼς ὡς ἐν ἀσφαλείᾳ ἦν, καὶ πέλαγος τοσοῦτον ἀνήγετο δεδεμένος, καὶ ἔχαιρεν ὡς ἐπὶ μεγίστην ἀρχὴν προπεμπόμενος. Καὶ γὰρ οὐδὲ μικρὸς ἆθλος αὐτῷ τῆς Ῥωμαίων πόλεως ἡ διόρθωσις προὔκειτο. Ἀλλ' ὅμως οὐδὲ

11 πτωχὸς *om.* CFGP E ‖ καὶ *om.* CFGP ‖ 12 τὸ + γὰρ BDM AL
9, 1 ὁρῶν + αὐτῶν BDM AL ‖ περὶ : ὑπ' E ‖ 1-2 περὶ αὐτοῦ *om.* BDM AL ‖ 2 καταθέμενον BDM AL E ‖ πρὸς τὸν Φῆστον Ἀγρίππας : καὶ ὁ Φῆστος BDM AL ‖ 3 ἀπολύεσθαι BDM AL ‖ ἐδύνατο AL ‖ 4 ἐπεκαλέσατο BDM AL ‖ 6 τῷ : τὸ AL ‖ 10 γὰρ + ὡς E

x. Cf. Rom. 8, 23 ; II Cor. 5, 4.
y. Phil. 1, 24.
z. Act. 26, 32.

1. C'est maintenant la 2e illustration du zèle apostolique de Paul : celle qui, après son arrestation à Jérusalem (*Act.* 21, 30) et son transfert à Césarée (*Act.* 23, 23), l'amena à en appeler à César (*Act.* 25, 9-12).

paroles un signe de lâcheté[1]. En effet, celui qui gémissait de rester en ce monde[x], comment n'aurait-il pas préféré la compagnie du Christ ? Et celui qui méprisait le ciel[2] et dédaignait les anges à cause du Christ, comment aurait-il désiré les biens temporels ? Pourquoi donc agissait-il ainsi ? Afin de se consacrer à la prédication de l'Évangile et de quitter ce monde escorté d'un grand nombre d'hommes qui tous portent la couronne. Et de fait, il craignait d'avoir à abandonner cette terre comme un pauvre, sans avoir obtenu le salut de la plupart des hommes. Voilà pourquoi il disait : « Demeurer dans la chair est plus urgent à cause de vous. »

9. Voilà pourquoi également, tout en voyant que le tribunal proposait une décision plus favorable à son sujet, au point qu'Agrippa[3] disait à Festus : « On aurait pu relâcher cet homme, s'il n'en avait pas appelé à César[z] », enchaîné qu'il était et emmené avec d'innombrables prisonniers coupables d'innombrables forfaits, il ne rougit pas d'être enchaîné avec eux, mais au contraire durant la traversée il veillait sur tous ses compagnons, bien qu'il fût plein de confiance pour lui-même et qu'il eût conscience d'être en sécurité, et il gagna le large à une distance si impressionnante, toujours chargé de chaînes, et tout en se réjouissant, comme s'il était envoyé pour assumer une charge très importante. Et, effectivement, ce n'était pas un combat sans conséquence qui lui était proposé, c'était la conversion de la ville de Rome. Et pourtant, loin de

Chrysostome voit dans le départ de Paul vers Rome le désir d'accroître ses conquêtes apostoliques (li. 1-11). On rapprochera cette explication des affirmations de Paul lui-même : *Rom.* 1, 8-15 ; 15, 22-24.28-29.

2. Voir p. 136, n. 1.

3. C'est bien le roi Agrippa qui a dit ce mot à Festus (cf. *Act.* 26, 32). Les mss AL BDM l'attribuent à Festus ; on ne peut suivre cette leçon. Il faut donc adopter celle des mss CFGP E et rectifier sur ce point le texte que présentaient les éditions de Savile, F. du Duc et Montfaucon, où on lisait : ὡς καὶ ὁ Φῆστος ἔλεγεν.

τῶν ἐν τῷ πλοίῳ κατωλιγώρησεν, ἀλλὰ καὶ ἐκείνους ἐρρύθμισε, διηγησάμενος τὴν αὐτῷ φανεῖσαν ὄψιν, ἐξ ἧς ἐμάνθανον ὅτι πάντες οἱ πλέοντες μετ' αὐτοῦ δι' αὐτὸν σώζονται[a]. Τοῦτο δὲ ἐποίει, οὐχ ἑαυτὸν ἐπαίρων, ἀλλ' ἐκείνους ἑαυτῷ πειθηνίους παρασκευάζων. Διὰ τοῦτο καὶ ὁ Θεὸς συνεχώρησε διεγερθῆναι τὴν θάλασσαν[b], ἵνα καὶ δι' ὧν παρηκούσθη, καὶ δι' ὧν ἠκούσθη, διὰ πάντων δειχθῇ ἡ Παύλου χάρις. Καὶ γὰρ συνεβούλευσε μὴ ἀναπλεῦσαι[c], καὶ παρηκούσθη, καὶ γέγονε κίνδυνος περὶ τῶν ἐσχάτων· καὶ οὐδὲ οὕτως ἦν φορτικός, ἀλλὰ πάλιν ὡς παίδων πατὴρ προενόει[d], καὶ ὅπως μηδεὶς ἀπόλοιτο πάντα ἔπραττεν. Ἐπειδὴ δὲ καὶ τῆς Ῥωμαίων ἐπέβη, κἀκεῖ πῶς μετὰ ἐπιεικείας διαλέγεται[e]; πῶς μετὰ ἐλευθερίας τοὺς ἀπειθοῦντας ἐπιστομίζει[f]; Καὶ οὐδὲ ἐνταῦθα ἵσταται, ἀλλὰ καὶ ἐκεῖθεν εἰς Ἱσπανίαν ἔδραμε.

10. Καὶ γὰρ κινδυνεύων μᾶλλον ἐθάρρει, καὶ τολμηρότερος ἐγίνετο ἐντεῦθεν, οὐκ αὐτὸς δὲ μόνος, ἀλλὰ καὶ οἱ μαθηταὶ δι' αὐτόν. Ὥσπερ γὰρ εἴπερ ἑώρων αὐτὸν ἐνδιδόντα καὶ ὀκνηρότερον γινόμενον, ἴσως ἂν καὶ αὐτοὶ καθυφῆκαν· οὕτως, ἐπειδὴ εἶδον αὐτὸν ἀνδρειότερον γινόμενον, καὶ ἐπηρεαζόμενον, καὶ μᾶλλον ἐπιτιθέμενον,

13 διηγησάμενος — ὄψιν : καὶ (*om.* D) θείαν ὄψιν αὐτῷ φανεῖσαν ἀπήγγελλε (-γγειλε A) BDM AL ‖ 13-15 ἐξ ἧς — σώζονται : καὶ ἔλεγε τὰ εἰρημένα οἷον (οἷ A) ὅτι σοι κεχάρισμαι τοὺς ἀνθρώπους BDM AL ‖ 15 δὲ *om.* A ‖ 15-16 ἐκείνους *om.* BDM E ‖ 17 τὴν *om.* E ‖ 19 χάρις AL + πνευματικὴ *cett.* ‖ 23 τῆς : τῇ CFGP E ‖ κἀκεῖ πῶς : κἀκεῖνος E

10, 2 οὐκ αὐτὸς δὲ : καὶ οὐκ αὐ. BDM AL

a. Cf. Act. 27, 22-25.
b. Cf. Act. 27, 14-41.
c. Cf. Act. 27, 10.21.
d. Cf. Act. 27, 22-25.33-36.
e. Cf. Act. 28, 17-20.
f. Cf. Act. 28, 25-31.

négliger ses compagnons de voyage, il leur rendit la sérénité en racontant la vision qu'il avait eue : tous ceux qui voyageaient avec lui apprenaient ainsi qu'ils lui devaient leur salut[a]. Il agissait de cette façon, non pour se vanter lui-même, mais pour les rendre dociles à son égard. Tel est le motif pour lequel Dieu permit que la mer fût agitée[b], pour que, aussi bien quand on avait refusé d'écouter Paul que lorsqu'on lui avait obéi, en toute circonstance la grâce[1] qui était en lui fût manifestée. En effet, quand il avait conseillé de ne pas prendre la mer[c], on ne l'avait pas écouté et l'on avait couru les pires dangers ; pourtant, même dans une telle situation, loin de leur être à charge, il veillait au contraire sur eux comme un père sur ses enfants[d], et il faisait tout pour que personne ne soit perdu[2]. Puis, une fois entré dans Rome, là aussi quelle douceur dans sa conversation[e], quelle liberté quand il ferme la bouche aux incrédules[f] ! Et, sans s'arrêter dans cette ville, il la quitta pour courir en Espagne[3].

La fécondité des épreuves de Paul. Ses disciples

10. C'est que les dangers augmentaient sa confiance et le rendaient plus hardi, et pas seulement lui, mais aussi ses disciples grâce à lui. En effet, s'ils l'avaient vu abandonner la partie et céder à la peur, peut-être auraient-ils eux-mêmes flanché, mais, en revanche, comme ils avaient remarqué qu'il n'en était que plus courageux et que, malgré les insolences qu'il subissait, il attaquait davantage, ils

1. Après l'article ἡ, les mss ajoutent πνευματική, à l'exception de AL ; il s'agit d'un cas analogue à celui de 7, 10 : voir *supra,* la note *ad loc.*

2. On se reportera au récit pittoresque et dramatique de cette tempête : *Act.* 27, 9-44.

3. On retrouve la même allusion dans deux homélies sur l'*Ép. aux Romains : hom.* XXIX, 3, *PG* 60, 657 C ; *hom.* XXX, 1, *PG* 60, 662 C. De fait l'Apôtre a exprimé formellement cette intention (*Rom.* 15, 24.28). Mais il semble peu probable qu'il ait pu la réaliser : cf. E. Osty et J. Trinquet, *La Bible,* Paris 1973, Introd. aux *Actes des Apôtres,* p. 2315.

μετὰ παρρησίας ἐκήρυττον. Καὶ τοῦτο δηλῶν ἔλεγεν· Ὡς τοὺς πλείονας τῶν ἀδελφῶν, πεποιθότας τοῖς δεσμοῖς μου, περισσοτέρως τολμᾶν ἀφόβως τὸν λόγον λαλεῖν[g]. Ὅταν γὰρ ὁ στρατηγὸς ᾖ γενναῖος, οὐχὶ σφάττων μόνον οὐδὲ ἀποκτιννύς, ἀλλὰ καὶ τιτρωσκόμενος, τοὺς ὑπ' αὐτῷ ταττομένους θρασυτέρους ποιεῖ, καὶ μᾶλλον τιτρωσκόμενος ἢ τιτρώσκων. Ὅταν γὰρ ἴδωσιν αὐτὸν αἵματι πεφυρμένον καὶ τραύματα περιφέροντα, καὶ μηδὲ οὕτω παραχωροῦντα τοῖς ἐχθροῖς, ἀλλ' ἑστῶτα γενναίως, καὶ δόρυ σείοντα, καὶ βάλλοντα τοὺς ἐναντίους, καὶ πρὸς τὰς ἀλγηδόνας οὐκ ἐνδιδόντα, μετὰ πλείονος παρατάττονται καὶ αὐτοὶ τῆς προθυμίας· ὃ δὴ καὶ ἐπὶ Παύλου γέγονεν. Ὁρῶντες γὰρ αὐτὸν δεδεμένον καὶ ἐν τῷ δεσμωτηρίῳ κηρύττοντα, καὶ μαστιζόμενον, καὶ τοὺς μαστίζοντας χειρούμενον, πλείονα ἐδέχοντο παρρησίαν. Διὸ καὶ τοῦτο δηλῶν, οὐχ ἁπλῶς Πεποιθότας εἶπεν, ἀλλὰ προστίθησι· Περισσοτέρως τολμᾶν ἀφόβως τὸν λόγον λαλεῖν[h]· τουτέστι, μᾶλλον νῦν ἢ ὅτε λελυμένος ἤμην, ἐπαρρησιάζοντο οἱ ἀδελφοί. Τότε πλείονα προθυμίαν καὶ αὐτὸς ἐλάμβανε· μᾶλλον γὰρ τότε παρω-

10 ὁ *om.* BDM ‖ οὐχὶ : οὐδὲ A ‖ οὐδὲ : καὶ A ‖ 11 ἀποτιννὺς FGP ἀποκτειννὺς L ‖ 13 αὐτὸν *om.* BDM AL ‖ αἵματι πεφυρμένον : τὸ (*om.* BD) αἷμα ῥέον BDM AL ‖ 14 περιφέροντα : ἐπικείμενα BDM AL ‖ παραχωροῦντα + αὐτὸν BDM AL ‖ 17 καὶ αὐτοὶ *om.* BDM AL ‖ 21 διὸ καὶ τοῦτο δηλῶν : καὶ ἔλεγεν BDM AL ‖ 22 εἶπεν : οὕτως BDM AL ‖ ἀλλὰ προστίθησι : ἀλλ' ὥστε BDM AL ‖ 23 τουτέστι *om.* BDM AL ‖ μᾶλλον + γὰρ BDM AL E ‖ 24 ἤμην + φησίν BDM AL ‖ τότε + γὰρ BDM AL ‖ 25 γὰρ *om.* BDM AL

g. Phil. 1, 14.
h. *Ibid.*

1. Après les deux illustrations de l'apostolat de Paul qui forment la partie centrale de ce Discours, Chrysostome revient à son thème initial, celui des épreuves de Paul, pour en souligner davantage la fécondité.

2. Ce verset de *Phil.* 1, 14 a déjà été cité dans le *IV*[e] *Panég.* (15, 12-14). Pour son commentaire dans l'œuvre de Chrysostome, voir aussi *In Epist. ad*

annonçaient l'Évangile avec assurance[1]. C'est ce qu'il expliquait en disant : « La plupart des frères, enhardis du fait même de mes chaînes, redoublent d'une belle audace à proclamer sans crainte la Parole[g 2]. » Quand le général fait preuve de courage, non seulement en égorgeant et en tuant, mais encore en étant blessé, il rend plus hardis ceux qui sont sous ses ordres, et plus en raison des blessures qu'il reçoit que de celles qu'il donne : car, lorsqu'ils le voient inondé de sang et couvert de blessures et, même dans cet état, ne pas lâcher pied devant l'adversaire, mais au contraire tenir bon avec courage, brandir sa lance et frapper l'ennemi, sans s'abandonner à ses souffrances, ils livrent eux-mêmes bataille avec une ardeur plus vive[3]. Eh bien ! c'est ce qui s'est passé également pour Paul. Lorsque (ses disciples) le voyaient enchaîné et prêchant l'Évangile dans la prison, flagellé et gagnant à sa cause ceux qui le fouettaient[4], ils n'en éprouvaient que plus d'assurance. C'est pourquoi, pour le laisser entendre, il ne dit pas seulement : « Les voilà enhardis », mais il ajoute : « Ils redoublent d'une belle audace à proclamer sans crainte la Parole[h]. » Autrement dit : les frères parlent maintenant avec plus d'assurance que lorsque j'étais en liberté. Alors, lui aussi, il en éprou-

Phil., hom. II, 1-2, *PG* 62, 191 D - 192 C ; *In eos qui male utuntur hoc Apostoli dicto : Sive... Christus annuntiatur,* § 7, *PG* 51, 316 C - 317 C ; *In Epist. II ad Cor., hom.* XII, 3, *PG* 61, 484 D ; *In Epist. ad Col., hom.* X, 4, *PG* 62, 370 C - 371 A ; *Sur la Providence de Dieu,* XIV, 5-6, *SC* 79, Paris 1961, p. 204-206.

3. A propos de cette comparaison empruntée à l'art militaire, et qui tend vers l'ἔκφρασις, voir Th.E. Ameringer, *op. cit.,* ch. VI, p. 70-71.

4. Dans *II Cor.* 11, 24, Paul rappelle qu'il a subi à cinq reprises le supplice juif habituel (cf. *Deut.* 25, 3) de 39 coups de fouet. Il ajoute qu'il a encore été flagellé en *trois* circonstances (*II Cor.* 11, 25) : le Livre des *Actes* nous a conservé le récit de l'une d'entre elles, dans la ville de Philippes, *Act.* 16, 22-24 (cf. *I Thess.* 2, 2). Ce dernier récit ne dit pas que les bourreaux de Paul furent gagnés à sa cause, mais il mentionne la conversion du geôlier et de sa famille (16, 30-34), et la visite des stratèges à la prison pour le prier de quitter la ville (*Act.* 16, 35-39).

ξύνετο κατὰ τῶν ἐχθρῶν, καὶ αἱ προσθῆκαι τῶν διωγμῶν προσθῆκαι πλείονος παρρησίας ἦσαν αὐτῷ καὶ μείζονος θάρσους ὑπόθεσις.

11. Συνεκλείσθη γοῦν ποτε, καὶ τοσοῦτον ἐξέλαμψεν, ὥστε καὶ τὰ θεμέλια τινάξαι, καὶ τὰς θύρας ἀναπετάσαι, καὶ τὸν δεσμοφύλακα μεταστῆσαι πρὸς ἑαυτόν[i], καὶ τὸν δικάζοντα μικροῦ μεταπεῖσαι, ὡς καὶ αὐτὸν ἐκεῖνον λέγειν· Ἐν ὀλίγῳ με πείθεις Χριστιανὸν γενέσθαι[j]. Πάλιν ἐλιθάζετο[k], καὶ τὴν καταλεύουσαν πόλιν εἰσελθὼν μετέθηκεν. Ἐκάλεσαν αὐτὸν ὡς μέλλοντες κρίνειν, ποτὲ μὲν Ἰουδαῖοι[l], ποτὲ δὲ Ἀθηναῖοι[m], καὶ γεγόνασιν οἱ δικασταὶ μαθηταί, οἱ ἀντίδικοι ὑπήκοοι. Καὶ καθάπερ πῦρ ἐμπεσὸν εἰς διαφόρους ὕλας μᾶλλον αὔξεται, καὶ προσθήκην λαμβάνει τὴν ὑποκειμένην ὕλην· οὕτω καὶ ἡ γλῶσσα Παύλου, ὅσοις ἂν συνεγένετο, πρὸς ἑαυτὸν αὐτοὺς μεθίστη, καὶ οἱ πολεμοῦντες αὐτῷ τοῖς ἐκείνου

11, 1 συνεκλείσθη : ἐνεβλήθη CFGP E ‖ γοῦν *om.* CFGP E ‖ ποτε + εἰς τὸ δεσμωτήριον CFGP E ‖ ἐξέλαμψεν + οὐδὲν ἐντεῦθεν παραβλαβεὶς CFGP E ‖ 4 καὶ αὐτὸν *om.* BDM AL ‖ 4-5 λέγειν : εἰπεῖν CFGP ‖ 12 συνεγίνετο CFGP ‖ 13 – **12,** 9 τοῖς ἐκείνου – δι[δασκαλίας] *mihi defuit* C *ex errore photogr.*

i. Cf. Act. 16, 25-34.
j. Act. 26, 28.
k. Cf. Act. 14, 19 ; II Cor. 11, 25.
l. Cf. Act. 18, 12-16 ; 22, 30 - 23, 10.
m. Cf. Act. 17, 18-34.

1. Chrysostome juxtapose librement des allusions extraites de contextes différents. Les fondations de la prison ébranlées, l'ouverture des portes et la conversion du geôlier se rapportent à l'incident de Philippes (*Act.* 16, 25-34). Mais la citation qui suit : « Encore un peu, et tu me persuades de devenir chrétien », est la parole d'Agrippa à Paul, prisonnier à Césarée (*Act.* 26, 28).

2. Pour cette lapidation de Paul à Lystres, voir *Act.* 14, 19-20 et *Ier Panég.*, 7, 8-11 et note *ad loc.* L'historien des *Actes* ne dit pas que Paul convertit ceux qui lui avaient lancé des pierres, mais que dans la ville voisine de Derbé Paul et Barnabé firent de nombreuses conversions (*Act.* 14, 21).

vait une ardeur plus vive : en effet, il était davantage stimulé contre ses ennemis, et à mesure qu'augmentaient les persécutions, augmentait également son assurance, et c'était pour lui le point de départ d'une plus grande confiance.

Ses persécuteurs

11. Par exemple, un jour où on l'avait mis en prison, ses yeux brillèrent d'un tel éclat que les fondations furent ébranlées, que les portes s'ouvrirent, que le geôlier embrassa son parti[i] et qu'à peu de choses près le juge se laissa également persuader, si bien que celui-ci lui dit en personne : « Encore un peu, et tu me persuades de devenir chrétien[j 1]. » Une autre fois, on le lapidait[k], et sitôt qu'il fut dans la ville dont les citoyens lui lançaient des pierres, il les convertit[2]. Il fut cité devant un tribunal pour y être jugé, tantôt par des Juifs[l], tantôt par des Athéniens[m], et les juges deviennent ses disciples, et ses adversaires ses sujets[3]. De même que le feu qui a envahi différents matériaux prend plus de puissance et saisit la matière qu'il rencontre pour se développer davantage, de même la parole de Paul gagnait à sa cause tous ceux avec lesquels il fut en relation, et ceux qui lui faisaient la guerre, captivés par ses dis-

3. *Les Actes* mentionnent deux circonstances où Paul fut traduit en justice par les Juifs : la première, à Corinthe, devant le proconsul Gallion (18, 12-17), la seconde, à Jérusalem, devant le Sanhédrin (22, 30 23, 10). Quant à la présence de Paul à l'Aréopage d'Athènes, (*Act.* 17, 19-34), il n'est pas absolument sûr que les philosophes stoïciens et les épicuriens qui l'y menèrent (17, 18-20) aient songé à provoquer contre lui une sentence judiciaire (cf. *La Bible de Jérusalem,* Paris 1973, p. 1597). L'évocation des résultats obtenus par S. Paul (11, 8-9) semble surtout destinée à mettre en valeur une antithèse. On sait, en effet, que son discours, à Athènes, « sur le dieu inconnu » ne gagna que quelques disciples (17, 32-34). Pour Corinthe, on peut noter la conversion postérieure du chef de la synagogue, Sosthène, si ce dernier est bien celui que nomme Paul au début de la *Ire Ép. aux Corinthiens* (*Act.* 18, 17 ; *I Cor.* 1, 1). Enfin, devant le Sanhédrin, à défaut de conversions véritables, quelques Pharisiens protestèrent énergiquement en faveur de Paul (*Act.* 23, 9-10).

λόγοις ἁλόντες τροφὴ ταχέως ἐγίγνοντο τῷ πνευματικῷ τούτῳ πυρί, καὶ δι' αὐτῶν πάλιν ὁ λόγος ἤρετο, καὶ ἐφ' ἑτέρους προῄει. Διὸ καὶ ἔλεγε · Δέδεμαι, ἀλλ' ὁ λόγος τοῦ Θεοῦ οὐ δέδεται[n]. Ἐφυγάδευον αὐτόν · καὶ τὸ μὲν πρᾶγμα δίωξις ἦν, τὸ δὲ συμβαῖνον, ἀποστολὴ διδασκάλων. Καὶ ὅπερ ἂν ἐποίησαν φίλοι καὶ συντεταγμένοι, τοῦτο ἐποίουν οἱ πολέμιοι, οὐκ ἐῶντες ἐν ἑνὶ ἱδρυθῆναι χωρίῳ, ἀλλὰ πανταχοῦ περιάγοντες τὸν ἰατρόν, δι' ὧν ἐπεβούλευον, δι' ὧν ἤλαυνον, ὡς πάντας ἀκοῦσαι τῆς ἐκείνου γλώττης. Ἔδησαν πάλιν αὐτόν, καὶ μᾶλλον παρώξυναν · τοὺς μαθητὰς ἤλασαν, καὶ τοῖς οὐκ ἔχουσι διδάσκαλον ἔπεμψαν · ἐπὶ μεῖζον ἤγαγον δικαστήριον, καὶ τὴν μείζονα ὠφέλησαν πόλιν.

12. Διὸ καὶ ἀλγοῦντες οἱ Ἰουδαῖοι περὶ τῶν ἀποστόλων ἔλεγον · Τί ποιήσομεν τοῖς ἀνθρώποις τούτοις[o]; Δι' ὧν, φασί, προαιρούμεθα, διὰ τούτων αὔξομεν. Παρέδωκαν τῷ δεσμοφύλακι, ἵνα ἀκριβῶς αὐτὸν κατάσχῃ · ὁ δὲ ἀκριβέστερον ἐδέθη ὑπὸ Παύλου. Μετὰ δεσμωτῶν ἔπεμψαν, ἵνα μὴ φύγῃ · ὁ δὲ τοὺς δεσμώτας κατήχησε · διὰ τῆς θαλάσσης ἔπεμψαν, ἵνα καὶ ἄκοντες παρασκευάσωσι ταχέως ἀνυσθῆναι τὴν ὁδόν · καὶ τὸ

14 ταχέως *om.* E ‖ ἐγίνετο E ‖ 15 ὁ λόγος πάλιν ~ A ‖ 16 δέδεμαι : κακοπαθῶ μέχρι δεσμῶν ὡς κακοῦργος FGP E ‖ 16-17 τοῦ Θεοῦ *om.* BDM AL ‖ 20 ἐν *om.* AL

12, 3 φασὶ *coni. Sav.* : φησὶ FGP E *om.* BDM AL ‖ 4 ἀκριβῶς A : ἀσφαλῶς *cett.*

n. II Tim. 2, 9.
o. Act. 4, 16.

1. L'expression ἀποστολὴ διδασκάλων s'applique, en plus de Paul lui-même, à ses principaux compagnons de ministère, c'est-à-dire notamment à Barnabé (*Act.*13-14), puis à Timothée et à Silas (*Act.* 16-18), à Tite (*II Cor.* 2, 13 ; 7, 6-7), enfin à l'évangéliste S. Luc (*Act.* 16, 10-40 ; 20, 5 - 23, 22 ; 27-28). En songeant à ces divers groupes de missionnaires, dont Paul était comme le noyau et l'inspirateur, on peut ici rendre le mot διδασκάλων

cours, devenaient vite un aliment pour ce feu spirituel : alors, grâce à eux, la Parole prenait encore plus d'ampleur et atteignait d'autres hommes. C'est pourquoi il disait : « Je porte des chaînes, mais la parole de Dieu n'est pas enchaînée[n]. » On le chassait, et c'était bien réellement une poursuite, mais le résultat, c'était l'envoi en mission d'apôtres[1]. Et ce qu'auraient fait des amis ou des partisans, ses ennemis le faisaient, en ne le laissant pas s'installer dans un seul pays, mais en envoyant partout le médecin qu'il était, grâce à leurs pièges et à leurs poursuites, de telle sorte que tout le monde entendait la parole de Paul. On l'enchaîna à nouveau et on le stimula davantage ; on expulsa ses disciples et on envoya un maître à ceux qui n'en avaient pas ; on le conduisit vers un tribunal supérieur et on rendit service à une ville plus importante[2].

12. C'est la même raison qui faisait dire aux Juifs troublés devant les apôtres : « Qu'allons-nous faire à ces gens-là[o 3] ? Car ce que nous entreprenons, dit-on, augmentera leur influence. » Ils le confièrent au geôlier, afin qu'il le garde rigoureusement, mais cet homme fut enchaîné par Paul plus rigoureusement encore. Ils le firent partir avec les prisonniers, pour éviter qu'il s'enfuie, mais il enseigna la foi à ces prisonniers ; ils le firent partir par la mer, de telle sorte que même sans le vouloir ils le mirent en état de terminer rapidement son

par le terme d'*apôtres,* selon la remarque exprimée plus haut (voir note à 4, 18).

2. Cette allusion vise peut-être déjà le transfert de Paul à Césarée, dont la population était sans doute moins nombreuse que celle de Jérusalem, mais qui, comme capitale des procurateurs, jouissait d'une célébrité particulière. Elle s'applique, en tout cas, certainement au transfert de l'Apôtre jusqu'à Rome, avec sa prédication dans la capitale de l'Empire (*Act.* 28, 16-31).

3. Les persécutions contre Paul et ses disciples rappellent à Chrysostome les manœuvres du Sanhédrin contre Pierre et Jean à Jérusalem (*Act.* 4, 13-18). Les li. 2 et 3 de ce § sont un commentaire du verset 16a : Chrysostome imagine une réflexion des membres du Sanhédrin que le texte des *Actes* (4, 16b) exprime autrement.

ναυάγιον τὸ συμβὰν ἐγένετο διδασκαλίας ὑπόθεσις τοῖς συμπλέουσι· μυρίας ἠπείλουν κολάσεις, ἵνα σβεσθῇ τὸ κήρυγμα, τὸ δὲ ᾔρετο μᾶλλον. Καὶ ὥσπερ ἐπὶ τοῦ Δεσπότου ἔλεγον οἱ Ἰουδαῖοι· Ἀποκτείνωμεν αὐτόν, ἵνα μὴ ἔλθωσιν οἱ Ῥωμαῖοι, καὶ ἄρωσιν ἡμῶν τὴν πόλιν καὶ τὸ ἔθνος[p], καὶ τοὐναντίον συνέβη, – ἐπειδὴ γὰρ ἀπέκτειναν αὐτόν, διὰ τοῦτο ἦραν οἱ Ῥωμαῖοι καὶ τὸ ἔθνος αὐτῶν καὶ τὴν πόλιν, καὶ ἅπερ ἐνόμιζον εἶναι κωλύματα, ταῦτα ἐγένετο βοηθήματα τοῦ κηρύγματος –, οὕτω καὶ Παύλου κηρύττοντος, ἅπερ ἐπῆγον ἐκεῖνοι τὸν λόγον ἐκκόπτοντες, ταῦτα αὐτὸν ηὔξησε, καὶ εἰς ὕψος ἐπῆρεν ἄφατον.

13. Διὰ δὴ ταῦτα πάντα εὐχαριστήσωμεν τῷ εὐμηχάνῳ Θεῷ, μακαρίσωμεν τὸν Παῦλον, δι' οὗ ταῦτα γέγονεν, εὐξώμεθα καὶ αὐτοὶ τῶν αὐτῶν ἐπιτυχεῖν ἀγαθῶν, χάριτι καὶ φιλανθρωπίᾳ τοῦ Κυρίου ἡμῶν Ἰησοῦ Χριστοῦ, δι' οὗ καὶ μεθ' οὗ τῷ Πατρὶ δόξα, ἅμα τῷ ἁγίῳ Πνεύματι, εἰς τοὺς αἰῶνας τῶν αἰώνων. Ἀμήν.

11 ὥσπερ : ὅπερ BDM AL ‖ 12 δεσπότου + γέγονεν ὅτε CFGP E ‖ οἱ Ἰουδαῖοι *om.* BDM AL E ‖ ἀποκτείνομεν B ‖ 13 ἔλθωσιν *om.* BDM AL ‖ οἱ Ῥωμαῖοι καὶ ἄρωσιν : ἄρωσιν οἱ Ῥωμαῖοι BDM AL ‖ ἡμῶν τὴν πόλιν : καὶ (*om.* M) τὴν π. ἡμ. BDM AL ‖ 17 βοηθήματα : βοήθεια AL ‖ 18 καὶ *om.* E ‖ ἐπήγαγον BDM AL.

p. Cf. Jn 11, 48.

1. Deux conséquences du rejet du Christ par la plupart des membres du Sanhédrin sont ici exprimées : la ruine de Jérusalem et une plus grande diffusion de l'Évangile. Selon la tradition, Chrysostome voit dans la destruction de Jérusalem un châtiment providentiel. Jésus lui-même avait parlé en ce sens (*Matth.* 23, 38 ; *Lc* 13, 35 ; 19, 44).

voyage ; quant au naufrage qui arriva, ce fut pour lui l'occasion d'instruire ceux qui naviguaient à ses côtés ; ils le menaçaient de mille châtiments afin d'éteindre la prédication de l'Évangile, mais celle-ci se propageait davantage. De même que les Juifs en parlant du Maître disaient : « Tuons-le, pour éviter que les Romains ne viennent et détruisent notre ville et notre nation[p] », et que c'est le contraire qui arriva, – en effet, c'est parce qu'ils le firent mourir que les Romains détruisirent leur nation et leur ville et, en croyant ainsi dresser un obstacle, ils favorisèrent la prédication de l'Évangile[1] –, de même, en ce qui concerne la prédication de Paul, c'est en accumulant les intrigues pour extirper la Parole que ces gens-là augmentèrent son influence et l'élevèrent à une hauteur inouïe.

Exhortation finale

13. Pour tous ces bienfaits, rendons grâces à Dieu qui en est l'admirable auteur, proclamons Paul bienheureux, lui qui en fut l'instrument, prions pour obtenir nous aussi les mêmes biens, par la grâce et l'amour de notre Seigneur Jésus-Christ, par qui et avec qui gloire soit au Père, en même temps qu'au Saint-Esprit, pour les siècles des siècles[2]. Amen.

2. Ce VIIe Panégyrique présente une doxologie plus longue et plus majestueuse que les six discours précédents. Les manuscrits sont ici unanimes, et ce fait est d'autant plus remarquable que pour les doxologies des six autres discours, ils se répartissent en deux familles différentes. On peut se demander si Chrysostome, ayant conscience de la solennité plus grande du ton qu'il avait employé dans ce discours (cf. Harry M. HUBBELL, « Chrysostom and Rhetoric », in *Classical Philology,* 1924, n° 19, p. 273-274) n'a pas voulu le souligner jusque dans la doxologie. Ou alors, cette doxologie spéciale serait l'œuvre d'un scribe byzantin, qui aurait réuni postérieurement ces sept panégyriques en une même collection (voir *Introd.,* ch. I, p. 13, n. 3).

NOTES COMPLÉMENTAIRES

1. Daphné

Portant le nom d'une Nymphe dont Apollon s'était épris, le faubourg de Daphné se trouve à 8 km au sud-ouest d'Antioche. Son plateau fertile, ses jardins donnant sur l'Oronte, ses bois de cyprès et de lauriers, et ses sources célèbres qui alimentaient toute la cité en faisaient déjà un site très recherché des Antiochiens qui y construisirent de belles villas, avec souvent de riches mosaïques (voir LIBANIOS, *Orat.* XI, *Antiochikos* § 233-242, éd. R. Foerster, vol. I, fasc. 2, Leipzig 1903, p. 518-522 ; trad. française dans A.-J. FESTUGIÈRE, *Antioche païenne et chrétienne,* p. 23-37, et commentaire archéologique par R. MARTIN, *ibid.,* p. 38-61). La construction d'un théâtre par Hadrien, d'un stade olympique, d'un temple de Zeus et surtout un célèbre et antique sanctuaire d'Apollon en augmentaient encore l'attrait (voir STRABON, XVI, 2, 6, éd. H.L. Jones, vol. VII (coll. Loeb), Londres 1966.

Dès le début du IIIᵉ s. avant J.-C., en effet, le fondateur d'Antioche, Séleucus Iᵉʳ, avait consacré ce lieu à Apollon et fait construire un temple en son honneur avec une statue colossale, due au sculpteur athénien Bryaxis (voir LIBANIOS, *Antioch.,* § 94-99, *op. cit.,* p. 467-468 ; *Or.* LX, *Monodia de Templo Apollinis Daphnaeo,* § 9-11, *Libanii Opera,* éd. Foerster, vol. IV, Leipzig 1908, p. 317-319 ; SOZOMÈNE, *H.E.* V, 19, *GCS* 50, p. 224). Ce premier temple fut orné et embelli par Antiochus Épiphane (175-163) : voir AMMIEN MARCELLIN, XXII, 13, 1, éd. W. Seyfarth, t. III, Berlin 1970, p. 44, 46, et le commentaire de ce texte par G. DOWNEY, *A history of Antioch in Syria,* p. 105, n. 91. Quatre siècles après, Dioclétien restaura le temple (J. MALALAS, *Chronographia, lib.* XII, éd. Dindorf, Bonn 1831, p. 307). Enfin, quelques mois avant son arrivée à Antioche (18 juillet 362), l'empereur Julien le fit entourer d'un magnifique péristyle (L'EMPEREUR JULIEN, Lettre nº 80, éd. J. Bidez, *C U F,* t. I, 2ᵉ partie, p. 88 ; AMMIEN, XXII, 13, 2, *op. cit.,* p. 46).

Sur l'ancienne Antioche, et incidemment sur Daphné et le temple d'Apollon, les deux ouvrages les plus précis demeurent ceux de G. DOWNEY : *A his-*

tory of Antioch in Syria, Princeton 1961 (voir surtout p. 83, 85, 105, 327) et *Ancient Antioch,* Princeton 1963 (p. 15, 19, 35, 41-43, 58, 62-63, 96, 119, 152-153, 167). On consultera aussi avec profit, surtout pour la reproduction des mosaïques, les trois volumes in-fol., *Antioch on the Orontes. The excavations,* qu'ont édités à Princeton, en 1934, G.W. Elderkin (1er vol.) puis, en 1938 et 1941, R. Stillwell (2e et 3e vol.).

Quant à l'incendie de ce temple d'Apollon, survenu le 22 octobre 362, voir *supra,* p. 193, n. 4.

2. Le culte des SS. Pierre et Paul à Constantinople

Nous n'avons pas d'attestation explicite des fêtes des SS. Pierre et Paul après Noël, pour Constantinople. Si cette solennité du 25 décembre y prend place aussi, sans doute un peu avant 380 (J. BERNARDI, *La prédication des Pères cappadociens,* p. 205), on y voit apparaître, d'autre part, avant le concile d'Éphèse (431), une fête distincte en l'honneur de la Vierge Marie, ἡ ἁγία Θεοτόκος Παρθένος Μαρία (PROCLUS, *De laudibus S. Mariae Oratio* I, *PG* 65, 680 D, 681 A), étroitement liée à celle de la Nativité du Seigneur, et célébrée très vraisemblablement le 26 décembre (voir F.J. LEROY, *L'homilétique de Proclus de Constantinople,* Cité du Vatican 1967, *Studi e T.* 247, p. 66-67 et notes). Mais il paraît très probable, selon le P. A. Renoux, qu'à la fin du IVe et encore au début du Ve siècle, l'Église de Constantinople avait adopté également les fêtes des saints Étienne, Pierre, Jacques, Jean et Paul pour la période comprise entre Noël et l'Épiphanie. Nous savons d'ailleurs que des échanges existaient entre la capitale et des Églises d'Asie qui célébraient ces fêtes, ainsi qu'en témoignent, par exemple, le séjour et la prédication de Grégoire de Nazianze à Constantinople de 379 à 381 (J. BERNARDI, *op. cit.,* p. 95, 141, 228).

Il n'est pas non plus sans intérêt de noter qu'à la fin du IVe siècle dans la région de Constantinople une église, au moins, était dédiée aux apôtres Pierre et Paul. Celle-ci se trouvait sur la rive orientale du Bosphore, à un endroit appelé d'abord *Le Chêne,* puis *Rufinianes* (aujourd'hui Djadi-Bostan), à une lieue environ au sud-est de Chalcédoine (auj. Kadi-Keui). Elle avait été construite par Rufin, de 392 à 395, en son domaine (voir CALLINICOS, *Vie d'Hypatios :* 8, 4, 14 ; 13, 2 ; 28, 31 ; 41, 3-5, *SC* 177, Paris 1971, p. 98-99, 102-103, 122-123, 192-193, 242-243, et *Introd.* p. 14 ; SOZOMÈNE, *H.E.* VIII, 17, 3, *GCS* 50, p. 371). C'est très vraisemblablement à cette église que fait allusion un passage de l'homélie de Chrysostome, *Contra ludos et theatra,* prononcée en 399 (πέλαγος περάσαντες.., ἐπὶ τοὺς κορυφαίους ἐτρέχομεν, τὸν Πέτρον.., τὸν Παῦλον.., πανήγυριν ἐπιτελοῦντες πνευματικήν, καὶ τοὺς ἄθλους αὐτῶν ἀνακηρύττοντες... *PG* 56, 265 B). En outre, une autre église dédiée à ces deux apôtres existait probablement dans la ville même de Constantinople. A cette dernière, que la *PG* de Migne mentionnait déjà (*PG* 56, 265, note d), R. Janin a donné une localisation plus précise : « dans le quartier du Triconque, non loin du Capitole » (*La géographie ecclésiastique de l'Empire byzantin,* Ire partie, *Le Siège de Constantinople et le Patriarcat œcuménique,* t. III, *Les églises et les monastères,* Paris 1969, p. 401).

3. Les manuscrits de l'Athos

Sur les cinq manuscrits qui proviennent du Mont Athos et qui figurent dans cette liste, deux d'entre eux, le *cod. Athous Stavronikita 22* et le *cod. Athous Panteleimon 58,* ont été signalés par le P. Michel Aubineau dans deux articles : « Neuf manuscrits chrysostomiens, Athos Stavronikita 4, 7, 10, 12, 13, 15, 22, 31, 32 », *Orient. Christ. Per.,* t. 42 (1976), p. 81-84 ; « Un nouveau Panegyricon chrysostomien pour les fêtes fixes de l'année liturgique, Athos Panteleimon 58 », *Anal. Boll.,* t. 92 (1974), p. 79-96. J'en ai obtenu les microfilms par l'Institut de Recherche et d'Histoire des Textes. Deux autres, le *cod. Athous Lavra B 94,* et le *cod. Athous Vatopedi 637* qui ne contient, lui, que le Ier de nos panégyriques, étaient cités depuis longtemps déjà, notamment dans les catalogues de l'Athos ; les microfilms m'en ont été procurés par l'Institut Patriarcal d'Études Patristiques, au monastère de Vladon, à Thessalonique.

Il me restait à voir le *cod. Athous Lavra B 112.* Alors que mon travail était déjà très avancé, j'ai pu entreprendre, au mois de juin 1978, en compagnie d'un de mes anciens élèves, Bruno-Marie Nawrocki, dont l'aide m'a été très précieuse, le voyage au monastère de Lavra. Je tiens à exprimer ici ma profonde gratitude aux religieux qui président à ce monastère : ils nous ont accueillis et nous ont permis d'examiner ce *cod. Lavra B 112.* Faute de temps, nous n'avons pu en faire la lecture exhaustive. Nous avons d'abord constaté, par quelques sondages portant sur des endroits caractéristiques, que ceux-ci étaient identiques à ceux du *cod. Paris. gr. 755* (A), y compris dans les quelques fautes qui leur sont propres (voir *supra,* p. 70-71). Nous avons ensuite vérifié cette observation pour plus de 350 leçons, en particulier toutes celles qui, dans notre apparat antérieur, présentaient l'une ou l'autre des quatre combinaisons suivantes : soit A seul, soit AH, soit A + BDM, soit A + E + BDM (voir stemma p. 85), et nous avons fait entrer ce *cod. Lavra B 112* (L) dans notre apparat.

4. L'édition latine de Venise (1503)

De l'édition de Venise de 1503, nous avons pu voir, à Paris, un exemplaire du Ier volume (t. I-III), conservé à la Réserve de la Bibl. Nat. Il y en a un également à la Bibl. Naz. Marciana de Venise, à la Bayerische Staatsbibliothek de Munich, à la Staatsbibliothek de Bamberg, ainsi qu'à la Staats- und Stadtbibliothek d'Augsbourg. Dans ce Ier volume, au t. II, f. 94[r-v], figurent d'assez larges extraits de notre IIIe panégyrique, avec ce titre : *In Commemoratione Sancti Pauli, sermo XXXIV;* mais la traduction est médiocre, parfois erronée, avec plusieurs omissions, dont l'une très longue.

En outre, l'index initial de ce Ier volume mentionne les œuvres contenues dans le second, à savoir : Homélies sur S. Matthieu (t. IV); Homélies sur S. Jean (t. V); Homélies *De laudibus Pauli,* et sur les Épîtres à Tite, à Philémon, aux Hébreux, à Timothée, *Ex I[a] ad Cor. (In Cena Domini homilia), Adversus vituperatores vitae monasticae* (t. VI). Ni la Bibl. Nat. de Paris, ni celle de Saint-Marc à Venise, ni celles de Munich et de Bamberg ne possèdent ce IIe volume; en revanche, un exemplaire en est conservé à la Bibliothèque d'Augsbourg, qui offre ainsi aux chercheurs le texte complet de cette édition de 1503. Huit homélies *De laudibus Pauli* s'y trouvent, au t. VI, du f. 1 au f. 12[v], sans indication du nom du traducteur, et sans la lettre d'Anien à Évangelus, qui précédait la Ire homélie dans les éditions parues à Paris en 1499 et 1509 (voir *supra,* p. 86-88). Nous remercions vivement le Dr. Salzbrunn, Directrice de cette Bibliothèque, qui nous a confirmé l'existence de cet exemplaire et envoyé quelques photocopies appropriées.

D'autre part, nous avons vu également à la Réserve de la Bibl. Nat. de Paris un livre sur vélin qui ne contient aucune indication de lieu, ni de date, ni titre originel, et qui est une autre édition, presque intégrale, de la dernière section (t. VI) de celle de Venise. Cette édition distincte, de 144 pages, qui porte la cote *Vélins 1253,* comprend, en effet, les mêmes œuvres que ce tome VI, jusqu'aux homélies sur les Épîtres à Timothée inclusivement. Chaque folio commence et se termine exactement de la même façon, avec le même nombre de lignes et les mêmes lettrines; mais il y a des différences dans les abréviations et parfois dans la distribution de telle ou telle ligne. Ce livre débute donc de la même manière directement par le texte des huit homélies *De laudibus Pauli* (f. 1-12[v]), lui aussi sans indication du nom du traducteur. Selon la notation de Chr. BAUR (*op. cit.,* p. 147, n. 47), un exemplaire analogue était conservé au British Museum, avec la cote 3265.g.6. Malheureusement, celui-ci a été détruit lors d'un bombardement de la dernière guerre, ainsi que me l'a écrit M. le Conservateur de la British Library, qui précise ensuite que, d'après la fiche de catalogue de cet ouvrage, on lui a attribué précisément Venise comme lieu d'impression, et une date autour de 1505.

D'après les sondages que nous avons faits sur le *De laudibus Pauli* dans l'exemplaire d'Augsbourg et dans le livre sur vélin de la Bibl. Nat., le texte identique qu'ils présentent comporte quelques différences avec le texte d'Anien édité à Paris en 1499. L'auteur de l'édition de Venise, un moine de l'Abbaye Sainte-Justine, à Padoue, *Lucas Bernardus Brixianus* (voir son

Épître dédicatoire, en tête du t. III dans le Ier volume), avait sans doute sous les yeux une version légèrement différente du texte d'Anien. A moins que les retouches n'aient été opérées par lui ou par le correcteur, *Thomas Januensis de Valerano* (voir la dédicace de ce IIe volume). Si ce fut le cas, les retouches ne se sont pas inspirées – nous avons pu le vérifier – du texte du *Marcianus gr. 113* (C).

APPENDICES

1. Exégèse de Romains 11, 31

Ce verset difficile de S. Paul (cité *supra*, p. 168) a donné lieu à des exégèses et traductions différentes.

On remarquera d'abord que, si tous les mss de notre texte présentent les mots τῷ ἡμετέρῳ ἐλέει, nous avons cependant conjecturé, à la suite de F. du Duc et de Montfaucon, la leçon τῷ ὑμετέρῳ ἐλέει, en pensant que Chrysostome n'a pu avoir en vue que cette dernière, universellement reçue.

En outre, cette citation comporte ici, à deux reprises, l'omission de l'adverbe νῦν, retenu dans les éditions critiques du Nouveau Testament : οὕτως καὶ οὗτοι νῦν... ἵνα καὶ αὐτοὶ νῦν ἐλεηθῶσιν. La première omission s'explique sans doute par le fait que Chrysostome ne s'assujettit pas toujours à la citation de tous les mots ; la seconde provient vraisemblablement du texte même qu'il avait sous les yeux : quelques mss du N.T., en effet, dont l'*Alexandrinus*, ainsi que le papyrus P^{46} et le texte de la Koiné, ne le possèdent pas.

Mais ce verset pose surtout le problème de la fonction et du sens à attribuer au datif τῷ ὑμετέρῳ ἐλέει. La plupart des exégètes y ont vu un complément du verbe ἠπείθησαν qui le précède ; ils aboutissent ainsi à la traduction suivante : *« de même les Juifs ont maintenant désobéi par suite de la miséricorde qui vous a été faite... »* C'est la traduction que présente la Bible d'Osty et, à quelques nuances près, celle de Jérusalem. Au contraire, quelques-uns, parmi lesquels C.E.B. Cranfield, dans son Commentaire sur l'*Épître aux Romains*[1], ont pensé que ce datif devait être transféré dans la proposition finale qui le suit : ἵνα καὶ αὐτοὶ νῦν ἐλεηθῶσιν. On arrive, en cette hypothèse, à une traduction de ce genre, retenue par la *T.O.B.* : « De

1. *A critical and exegetical Commentary on the Epistle to the Romans*, vol. II, Edinburgh 1979, p. 582-586.

même, eux aussi ont désobéi maintenant, *afin que par suite de la miséricorde exercée envers vous ils obtiennent alors miséricorde à leur tour.»* Non sans hésitation, nous avons nous-même adopté cette interprétation et cette traduction.

La difficulté majeure à laquelle elles se heurtent est que le complément circonstanciel τῇ ὑμετέρῳ ἐλέει, placé avant ἵνα, paraît appartenir à la proposition précédente et donc être mieux rendu par la traduction traditionnelle. Mais C.E.B. Cranfield[1] fait remarquer qu'il y a des exemples d'un tel transfert même devant ἵνα ; il en a relevé un dans le grec classique, emprunté au *Charmide* (169a) de Platon, et quatre autres, extraits du N.T. Nous avons d'ailleurs trouvé, dans deux ouvrages techniques sur la langue et le style du N.T.[2], plusieurs exemples de cet emploi, *dont précisément celui de Rom.* 11, 31.

Surtout, cette dernière traduction paraît mieux en harmonie avec ce que Paul a expliqué plus haut (*Rom.* 11, 11.14.26), à savoir que la conversion des Gentils est destinée en même temps à exciter chez les Juifs une sainte jalousie et le désir de la miséricorde[3].

Chrysostome a exprimé un peu la même idée lorsqu'à propos de ce verset il développe ainsi le langage de Paul aux Romains : ἐσώθητε... ὥστε [τοὺς Ἰουδαίους] ἐπισπάσασθαι τῷ ζηλῷ μένοντες[4]. Pour le commentaire de Chrysostome sur l'ensemble de ces chapitres 9-11 de l'*Épître aux Romains,* se reporter à l'Appendice suivant.

1. *Op. cit.,* p. 583-584.

2. W. BAUER, *Griechisch-Deutsches Wörterbuch zu den Schriften des Neuen Testaments und der übrigen urchristlichen Literatur,* Berlin 1963, p. 748 ; F. BLASS - A. DEBRUNNER, *Grammatik des neutestamentlichen Griechisch,* 14e éd., refondue et augmentée par F. REHKOPF, Göttingen 1976, § 475 et n. 1, p. 405-406.

3. C.E.B. CRANFIELD, *op. cit.,* p. 584-585.

4. *In epist. ad Rom., hom.* XIX, 7, *PG* 60, 592 C.

2. Le problème du salut des Juifs

En lisant le passage du IIIe panégyrique consacré à la charité de Paul à l'égard des Juifs et au problème de leur salut [1], on s'aperçoit que Chrysostome a bien compris et commenté avec justesse la pensée et la démarche de l'Apôtre dans les chapitres 9, 10 et 11 de l'*Épître aux Romains*. Il nous a semblé intéressant à ce propos de rechercher dans l'œuvre de Chrysostome plusieurs textes où il commente le jugement de Paul sur les Juifs, et d'en indiquer ensuite, plus brièvement, quelques autres où il exprime ses propres sentiments.

Dans plusieurs passages, Chrysostome a noté l'attitude chrétienne de Paul face à ses ennemis. Non seulement il continue à les aimer, et à prier pour ses persécuteurs qui sont le plus souvent des Juifs, mais il voit dans ces persécutions un titre de gloire surnaturelle et surtout une source de fécondité spirituelle. Bref, ce comportement consiste, comme le rappelle Chrysostome dans le VIe panégyrique, « à bénir quand il est insulté, à endurer quand il est persécuté, à consoler quand il est calomnié [2] ».

Mais, lorsque Chrysostome médite sur le jugement intérieur que portait l'apôtre Paul, quand celui-ci songeait au fait qu'un grand nombre de Juifs refusaient le message de l'Évangile, son commentaire se fait plus varié.

Tantôt il insiste sur la sévérité du langage de Paul à leur égard. En voulant se conduire uniquement d'après la Loi et en refusant la foi au Christ crucifié et ressuscité, ces Juifs, dont quelques-uns ne sont pas moralement plus honnêtes que les païens (cf. *In Epist. ad Rom., hom.* V, 4, *PG* 60, 426 D - 427 B ; *hom.* VI, 1-2, 433 C - 434 B), ont fait preuve d'obstination et d'opiniâtreté (*In Epist. ad Rom., hom.* XVI, 6, 10, *PG* 60, 556 B-C, 563 A - 564 C ; *hom.* XVII, 1-2, 564 D - 567 C). Leur refus dénote de la vaine gloire et de l'orgueil,

1. Cf. *IIIe Panég.*, § 3-4.

2. Voir, en plus du *IIIe Panég.*, § 3-4, et de cette citation qui figure dans le VIe, 10, 16-17 : *Ier Panég.*, 7, 10-11 ; *IIe Panég.*, 2, 15 - 3, 14 ; 5, 12-19 ; *IIIe Panég.*, 2, 2-5 ; *IVe Panég.*, 15, 9-14 ; *VIe Panég.*, 8, 12-14 ; *VIIe Panég.*, 2, 19-20 ; 10, 1-28.

non seulement parce qu'ils sont mécontents de voir les païens faire désormais partie du Peuple de Dieu (*In Epist. ad Rom., hom.* XVI, 2, *PG* 60, 550 B-C) et désireraient toujours pour eux des privilèges exclusifs (*In Epist. ad Rom., hom.* XVI, 9, 561 A, 561 D - 562 B ; *In Joh., hom.* IX, 1-2, *PG* 59, 70 D - 72 A), mais parce qu'ils prétendent ainsi fixer des limites ou des lois à l'économie divine du salut (*In Epist. ad Rom., hom.* XVI, 8, *PG* 60, 559 C - 560 B ; *hom.* XIX, 7, 592 D - 593 C). Chrysostome affirme donc qu'aux yeux de Paul ces Juifs rebelles étaient inexcusables (*In Epist. ad Rom., hom.* XVII, 3, *PG* 60, 567 C ; *hom.* XVIII, 1, 2, 3, 571 D, 572 D, 573 A-B, 574 A - 575 B, 575 C - 576 B ; *hom.* XIX, 2, 585 B). Même si, chemin faisant, dans le commentaire des chapitres 9, 10 et 11 de l'*Épître aux Romains,* Chrysostome rencontre avec S. Paul le mystère de la Prédestination, il prendra bien soin de rappeler que Dieu veut sauver tous les hommes (*hom.* XVI, 5, *PG* 60, 554 D - 555 A ; *hom.* XVIII, 5, 578 D - 579 A ; *hom.* XIX, 7, 592 C) et que leur liberté reste entière (*hom.* XVI, 8-9, 559 B-C, 560 A-C, 561 B-D, 562 B ; *hom.* XVIII, 3, 5, 575 D, 579 B ; *hom.* XIX, 6, 591 B).

Parfois Chrysostome souligne davantage encore la faute des Juifs, en montrant que Paul en avait profondément conscience, quand il se rappelait que non seulement ils avaient crucifié le Christ, mais déjà avant lui massacré les prophètes (*In Epist. ad Rom., hom.* XVIII, 4, 577 D - 578 C ; *hom.* XIX, 1, 584 C-D ; *In Epist. I ad Thess., hom.* III, 2, *PG* 62, 408 A), comme ils le persécutent maintenant lui-même et ses disciples (*In Epist. II ad Thess., hom.* II, 3, *PG* 62, 476 A-B ; *IVe Panég.*, 12, 14-19 ; 16, 21-29).

Pourtant, les remarques de Paul à l'égard des Juifs ne sont pas toutes accablantes aux yeux de Chrysostome, et elles ne sont pas désespérées. Dans deux homélies sur les *Actes des Apôtres,* il a souligné que Paul, tout en désapprouvant nettement les Juifs qui se montraient rebelles à l'Évangile, savait garder un ton modéré pour éviter de les blesser (*hom.* XXX, 1, *PG* 60, 221 C, 222 A ; *hom.* LV, 1, *PG* 60, 379 C-D ; 2, 381 C-D).

En outre, si les reproches de Paul, dans les chapitres 9, 10 et 11 de l'*Épître aux Romains,* se font souvent sévères, Chrysostome y a relevé en même temps, en ce qui concerne le salut des Juifs, plusieurs notes d'espérance. C'est que Paul connaissait les privilèges accordés par Dieu à Israël, et il en parle avec une fierté fervente et humble à la fois (*In Epist. ad Rom., hom.* XVI, 1, *PG* 60, 550 A ; 2, 550 D - 551 A). Chrysostome a également été sensible au déchirement du cœur de Paul devant l'incrédulité d'un grand nombre de Juifs (*hom.* XVI, 2, 550 B-C), comme à sa bienveillance à leur égard (*hom.* XVI, 3, 552 D ; *hom.* XVII, 1, 563 D, 564 D). De plus, l'Apôtre lui-même n'était-il pas Israélite ? Or, il a reconnu et accueilli le Christ, et avec lui, « trois mille, cinq mille, dix mille autres Juifs » (*hom.* XVIII, 3-4, *PG* 60, 576 D - 577 B ; hom. XIX, 6, 591 C-D).

Par-dessus tout il aime à montrer, avant de terminer le commentaire de ces trois chapitres, comment l'apôtre Paul, malgré sa profonde tristesse et son angoisse, continue à espérer le salut d'Israël (*In Epist. ad Rom., hom.* XIX, 2, 3, 5, 6, 7, *PG* 60, 585 C - 586 A, 587 A-B, 590 B-C, 591 A - 592 C). Ainsi, comme Chrysostome l'avait déjà rappelé plus brièvement dans notre IIIe panégyrique[1], c'est sur une note d'espérance fermement frappée et longuement soutenue qu'il termine son commentaire à propos de ce grand passage de l'*Épître aux Romains*[2].

Si maintenant, quittant la personne de Paul, on veut se représenter l'état d'esprit de Chrysostome à l'égard des Juifs, on trouvera aussi chez lui des accents variés.

On retient volontiers les diatribes véhémentes qu'il a proférées à ce propos dans certains passages de ses œuvres, surtout dans ses *Discours contre les Juifs*. On sait qu'à Antioche, vers la fin du IVe siècle, plusieurs chrétiens étaient tentés de se mêler aux fêtes des Juifs dans leurs synagogues, ou de se conformer à tel ou tel de leurs rites. Chrysostome y vit un grave danger pour leurs âmes, et il n'hésita pas à attaquer fortement les Juifs, ces hommes à la tête dure qui, refusant le joug du Christ, ont substitué à leur vocation d'enfants d'adoption une condition semblable à celle des chiens (*Advers. Judaeos,* I, 2, *PG* 48, 845 C - 846 B), qui se sont adonnés à l'intempérance (*ibid.,* 846 B-D), jusqu'à ressembler parfois à des porcs ou à des boucs

1. Cf. *IIIe Panég.*, 3, 18-29.

2. On remarquera surtout la netteté des expressions de Chrysostome, en conformité avec celles de Paul, au début du § 7 de sa XIXe Homélie : Ἀλλ' ὅμως ὁ Θεὸς οὐδὲ οὕτως ἀνέκοψεν ὑμῶν [τῶν Ἰουδαίων] τὴν κλῆσιν, ἀλλ' ἀναμένει πάντας τοὺς ἐξ ἐθνῶν μέλλοντας πιστεύειν εἰσελθεῖν, καὶ τότε κἀκεῖνοι ἥξουσιν, *PG* 60, 592 B.

(*ibid.*,§ 4, 848 D), ces Juifs dont les synagogues, plus ignobles que des tavernes (*Adv. Jud.* I, 4, 848 D), sont la demeure des courtisanes (I, 2, 846 D, 847 A ; II, 3, 861 A) ou des démons (I, 4, 848 D ; II, 3, 860 D - 861 A), et surtout dont les ancêtres ont crié : « Crucifiez-le, crucifiez-le » (I, 5, 850 B, 851 B ; V, I, 884 B ; VI, 2, 3, 4, 907 A, 907 D, 910 A).

Mais quand Chrysostome parlera des Juifs en oubliant ce ton agressif qui s'explique, en partie du moins, par les circonstances, il retrouvera dans son jugement la complexité de celui de Paul.

Tantôt il met en évidence l'aveuglement volontaire des Juifs et leur méchanceté à l'égard du Christ, annoncé par les Prophètes (*Adv. Jud.*, I, 2, 5, *PG* 48, 845 C, 850 C - 851 C ; VI, 5, 910 B-D), qui a affirmé lui-même son origine et sa puissance divines (*In Joh.*, *hom.* L, 1, *PG* 59, 279 B-D ; *hom.* LI, 1, 283 C - 284 A) et les a manifestées par ses miracles (*In Joh.*, *hom.* LXXVII, 2, *PG* 59, 416 C-D), dont les oracles prophétiques enfin se sont également réalisés (*Adv. Jud.*, V, 1-2, *PG* 48, 884 A - 886 B).

Tantôt il souligne la possibilité pour eux de se convertir, comme l'a fait l'apôtre Paul (*In Joh.*, *hom.* X, 1, *PG* 59, 74 B-C). Surtout, en différents passages, il fait ressortir, lui aussi, ce fait qu'ils avaient du mal à admettre la véritable sagesse divine, c'est-à-dire la folie de la croix (*In Act. Apost.*, *hom.* VI, 2, *PG* 60, 58 C ; *hom.* VII, 1, *PG* 60, 63 B-C ; *hom.* IX, 1, 3, *PG* 60, 76 C-D ; *hom.* IX, 3, 79 C-D). A ce propos, il fait allusion au Christ crucifié qui va jusqu'à bénir ses bourreaux (*In Act. Apost.*, *hom.* IX, 4, *PG* 60, 81 C) et il cite même l'une de ses ultimes paroles avant de mourir : « Père, pardonne-leur, car ils ne savent pas ce qu'ils font » (*In Epist. I ad Cor.*, *hom.* VII, 3, *PG* 61, 57 C-D).

En somme, si l'on se réfère principalement aux *Discours contre les Juifs,* on observe avec quelle fréquence et quelle insistance Chrysostome recommande aux chrétiens de n'avoir aucun contact avec les synagogues, et de n'observer aucune des fêtes et aucun des rites de la religion juive[1]. C'est que le danger de contamination pour leur foi lui

1. Cf. I, 1, 6, 8, *PG* 48, 844 C - 845 A, 851 D - 852 A, 855 D - 856 A ; II, 1, 2, 857 A-B, 858 A-B, 859 C ; III, 1, 861 C, 862 C ; IV, 1, 871 C-D ; V, 12, 904 A-B ; VII, 1, 915 C-D ; VIII, 1, 928 B-C. Il convient de renvoyer à ce propos à un article de A.M. Ritter, où il montre précisément que c'étaient les chrétiens judaïsants plus que les Juifs qui étaient visés par

paraissait grand, et c'est pourquoi dans ces *Discours* il a fortement élevé le ton et parfois dans la polémique dépassé la mesure. D'autre part, ses homélies sur l'Évangile de S. Matthieu et, plus encore, celles sur l'Évangile de S. Jean lui ont fait méditer plusieurs paroles sévères du Christ lui-même à l'égard de nombreux Juifs. Enfin, les obstacles dressés par beaucoup d'entre eux contre la diffusion de l'Évangile depuis les premières communautés chrétiennes ne pouvaient que l'indisposer gravement.

Mais, comme son maître l'apôtre Paul, Chrysostome demeurait avant tout un pasteur, soucieux certes de maintenir les fidèles dans la véritable foi, mais ne désespérant jamais du salut des égarés, fortement convaincu également du lien intime qui unit l'Ancien Testament avec le Nouveau, dont ce dernier est l'accomplissement. En outre, s'il a rappelé dans un grand nombre de ses homélies le risque de la damnation pour ceux qui ferment volontairement les yeux à la lumière, il savait aussi que Dieu est amour infini et toujours prêt au pardon, et qu'il ne cesse de renouveler ses appels dans l'Église, et, plus largement et mystérieusement encore, dans le secret des cœurs.

Chrysostome : cf. *Erwägungen zum Antisemitismus in der Alten Kirche, J. Chrysostomos, Acht Reden wider die Juden,* dans *Bleibendes im Wandel der Kirchengeschichte, Kirchenhistorische Studien,* Tübingen 1973, J.C.B. Mohr (Paul Siebeck), p. 71-91. Voir aussi A.M. MALINGREY, « La controverse antijudaïque dans l'œuvre de Jean Chrysostome d'après les Discours *Adversus Judaeos »,* dans le volume *De l'antijudaïsme antique à l'antisémitisme contemporain,* ouvrage collectif, Université de Lille III (1979), p. 87-104.

INDEX SCRIPTURAIRE

Les chiffres de droite renvoient aux numéros des panégyriques, des chapitres et des lignes.

Les astérisques indiquent les allusions.

Les références aux *Psaumes* sont données d'après la Septante.

INDEX DES NOMS PROPRES

Cet index comprend les noms de personnes et les noms géographiques. Pour les ethniques, voir l'Index des mots grecs.

INDEX DES MOTS GRECS

Sans que cet Index soit exhaustif, nous l'avons rendu assez abondant, en y insérant non seulement les mots qui, de près ou de loin, se rapportent au ministère et à la personnalité de l'apôtre Paul, mais aussi quelques termes pittoresques ou techniques qui témoignent de la richesse du vocabulaire chrysostomien.

TABLE DES MATIÈRES

NIHIL OBSTAT :

Strasbourg, le 25 janvier 1982
Michel Join-Lambert
prêtre de l'Oratoire

IMPRIMI POTEST :

Paris, le 2 février 1982
Daniel Milon
Supérieur général de l'Oratoire

IMPRIMATUR :

Paris, le 25 mars 1982
Paul Faynel
Vicaire épiscopal

SOURCES CHRÉTIENNES

LISTE COMPLÈTE DE TOUS LES VOLUMES PARUS

N.B. – L'ordre suivant est celui de la date de parution (nº 1 en 1942) et il n'est pas tenu compte ici du classement en séries : grecque, latine, byzantine, orientale, textes monastiques d'Occident ; et série annexe : textes para-chrétiens.

Sauf indication contraire, chaque volume comporte le texte original, grec ou latin, souvent avec un apparat critique inédit.

La mention *bis* indique une seconde édition. Quand cette seconde édition ne diffère de la première que par de menues corrections et des *Addenda et Corrigenda* ajoutés en appendice, la date est accompagnée de la mention « réimpression avec supplément ».

1. GRÉGOIRE DE NYSSE : **Vie de Moïse.** J. Daniélou (3ᵉ édition) (1968).

2 bis. CLÉMENT D'ALEXANDRIE : **Protreptique.** C. Mondésert, A. Plassart (réimpression de la 2ᵉ éd., 1976).

3 bis. ATHÉNAGORE : **Supplique au sujet des chrétiens.** *En préparation.*

4 bis. NICOLAS CABASILAS : **Explication de la divine Liturgie.** S. Salaville, R. Bornert, J. Gouillard, P. Périchon (1967).

5. DIADOQUE DE PHOTICÉ : **Œuvres spirituelles.** É des Places (réimpr. de la 2ᵉ éd., avec suppl., 1966).

6 bis. GRÉGOIRE DE NYSSE : **La création de l'homme.** *En préparation.*

7 bis. ORIGÈNE : **Hom. sur la Genèse.** H. de Lubac, L. Doutreleau (1976).

8. NICÉTAS STÉTHATOS : **Le paradis spirituel.** *remplacé par le nº 81.*

9 bis. MAXIME LE CONFESSEUR : **Centuries sur la charité.** *En préparation.*

10. IGNACE D'ANTIOCHE : **Lettres – Lettres et Martyre de** POLYCARPE DE SMYRNE. P.-Th. Camelot (4ᵉ édition) (1969).

11 bis. HIPPOLYTE DE ROME : **La Tradition apostolique.** B. Botte (1968).

12 bis. JEAN MOSCHUS : **Le Pré spirituel.** *En préparation.*

13. JEAN CHRYSOSTOME : **Lettres à Olympias.** A.-M. Malingrey. Trad. seule (1947).

13 bis. 2ᵉ édition avec le texte grec et la **Vie anonyme d'Olympias** (1968).

14. HIPPOLYTE DE ROME : **Commentaire sur Daniel.** G. Bardy, M. Lefèvre. Trad. seule (1947).
2ᵉ édition avec le texte grec. *En préparation.*

15 bis. ATHANASE D'ALEXANDRIE : **Lettres à Sérapion.** J. Lebon. *En prép.*

16 bis. ORIGÈNE : **Hom. sur l'Exode.** H. de Lubac, J. Fortier. *En prép.*

17. Basile de Césarée : **Sur le Saint-Esprit.** B. Pruche. Trad. seule (1947).
17 bis. 2e édition avec le texte grec (1968).
18 bis. Athanase d'Alexandrie : **Discours contre les païens.** P.-Th. Camelot (1977).
19 bis. Hilaire de Poitiers : **Traité des Mystères.** P. Brisson (réimpression, avec supplément, 1967).
20. Théophile d'Antioche : **Trois livres à Autolycus.** G. Bardy, J. Sender. Trad. seule (1948).
2e édition avec le texte grec. *En préparation.*
21. Éthérie : **Journal de voyage.** H. Pétré. *Remplacé par le nº 296.*
22 bis. Léon le Grand : **Sermons** 1-19. J. Leclercq, R. Dolle (1964).
23. Clément d'Alexandrie : **Extraits de Théodote.** F. Sagnard (réimpr., 1970).
24 bis. Ptolémée : **Lettre à Flora.** G. Quispel (1966).
25 bis. Ambroise de Milan : **Des Sacrements. Des Mystères. Explication du Symbole.** B. Botte (réimpr. de la 2e éd., 1980).
26 bis. Basile de Césarée : **Homélies sur l'Hexaéméron.** S. Giet (réimpr. avec suppl., 1968).
27 bis. **Homélies Pascales.** t. I. P. Nautin. *En préparation.*
28 bis. Jean Chrysostome : **Sur l'incompréhensibilité de Dieu.** J. Daniélou, A.-M. Malingrey, R. Flacelière (1970).
29 bis. Origène : **Homélies sur les Nombres.** A. Méhat. *En préparation.*
30 bis. Clément d'Alexandrie : **Stromate I.** *En préparation.*
31. Eusèbe de Césarée : **Histoire ecclésiastique,** t. I. Livres I-IV. G. Bardy (réimpression, 1964).
32 bis. Grégoire le Grand : **Morales sur Job,** t. I. Livres I-II. R. Gillet, A. de Gaudemaris (1975).
33 bis. **A Diognète.** H.-I. Marrou (réimpr. avec suppl., 1965).
34. Irénée de Lyon : **Contre les hérésies,** livre III. F. Sagnard. *Remplacé par les nos 210 et 211.*
35 bis. Tertullien : **Traité du baptême.** F. Refoulé. *En préparation.*
36 bis. **Homélies Pascales,** t. II. P. Nautin. *En préparation.*
37 bis. Origène : **Homélies sur le Cantique.** O. Rousseau (1966).
38 bis. Clément d'Alexandrie : **Stromate II.** *En préparation.*
39 bis. Lactance : **De la mort des persécuteurs.** 2 vol. *En préparation.*
40. Théodoret de Cyr : **Correspondance,** t. I. Y. Azéma (1955).
41. Eusèbe de Césarée : **Histoire ecclésiastique,** t. II. Livres V-VII. G. Bardy (réimpression, 1965).
42. Jean Cassien : **Conférences,** t. I. E. Pichery (réimpression, 1966).
43 bis. Jérôme : **Sur Jonas.** *En préparation.*
44. Philoxène de Mabboug : **Homélies.** E. Lemoine. Trad. seule (1956).
45. Ambroise de Milan : **Sur S. Luc,** t. I. G. Tissot (réimpr. avec suppl., 1971).
46 bis. Tertullien : **De la prescription contre les hérétiques.** *En préparation.*
47. Philon d'Alexandrie : **La migration d'Abraham.** *Épuisé.* Voir série « Les Œuvres de Philon ».
48. **Homélies Pascales,** t. III. F. Floëri et P. Nautin (1957).
49 bis. Léon le Grand : **Sermons** 20-37. R. Dolle (1969).

50 bis. JEAN CHRYSOSTOME : **Huit catéchèses baptismales inédites.** A. Wenger (réimpr. avec suppl., 1970).

51 bis. SYMÉON LE NOUVEAU THÉOLOGIEN : **Chapitres théologiques, gnostiques et pratiques.** J. Darrouzès et L. Neyrand (1980).

52 bis. AMBROISE DE MILAN : **Sur S. Luc,** t. II. G. Tissot (réimpr. avec suppl., 1976).

53 bis. HERMAS : **Le Pasteur.** R. Joly (réimpr. avec suppl., 1968).

54. JEAN CASSIEN : **Conférences,** t. II. E. Pichery (réimpression, 1966).

55. EUSÈBE DE CÉSARÉE : **Histoire ecclésiastique,** t. III. Livres VIII-X. G. Bardy (réimpression, 1967).

56. ATHANASE D'ALEXANDRIE : **Deux apologies.** J. Szymusiak (1958).

57. THÉODORET DE CYR : **Thérapeutique des maladies helléniques.** 2 volumes. P. Canivet (1958).

58 bis. DENYS L'ARÉOPAGITE : **La hiérarchie céleste.** G. Heil, R. Roques, M. de Gandillac (réimpr. avec suppl., 1970).

59. **Trois antiques rituels du baptême.** A. Salles. Trad. seule. *Épuisé.*

60. AELRED DE RIEVAULX : **Quand Jésus eut douze ans.** A. Hoste, J. Dubois (1958).

61 bis. GUILLAUME DE SAINT-THIERRY : **Traité de la contemplation de Dieu.** J. Hourlier (réimpression, 1977).

62. IRÉNÉE DE LYON : **Démonstration de la prédication apostolique.** L. Froidevaux. Nouvelle trad. sur l'arménien. Trad. seule (réimpr., 1971).

63. RICHARD DE SAINT-VICTOR : **La Trinité.** G. Salet (1959).

64. JEAN CASSIEN : **Conférences,** t. III. E. Pichery (réimpr., 1971).

65. GÉLASE Ier : **Lettre contre les Lupercales et dix-huit messes du sacramentaire léonien.** G. Pomarès (1960).

66. ADAM DE PERSEIGNE : **Lettres,** t. I. J. Bouvet (1960).

67. ORIGÈNE : **Entretien avec Héraclide.** J. Scherer (1960).

68. MARIUS VICTORINUS : **Traités théologiques sur la Trinité.** P. Henry, P. Hadot. Tome I. Introd., texte critique, traduction (1960).

69. **Id.** – Tome II. Commentaire et tables (1960).

70. CLÉMENT D'ALEXANDRIE : **Le Pédagogue,** t. I. H.-I. Marrou, M. Harl (1960).

71. ORIGÈNE : **Homélies sur Josué.** A. Jaubert (1960).

72. AMÉDÉE DE LAUSANNE : **Huit homélies mariales.** G. Bavaud, J. Deshusses, A. Dumas (1960).

73 bis. EUSÈBE DE CÉSARÉE : **Histoire ecclésiastique,** t. IV. Introd. générale de G. Bardy et tables de P. Périchon (réimpr. avec suppl., 1971).

74 bis. LÉON LE GRAND : **Sermons** 38-64. R. Dolle (1976).

75. S. AUGUSTIN : **Commentaire de la Ire Épître de S. Jean.** P. Agaësse (réimpression, 1966).

76. AELRED DE RIEVAULX : **La vie de recluse.** Ch. Dumont (1961).

77. DEFENSOR DE LIGUGÉ : **Le livre d'étincelles,** t. I. H. Rochais (1961).

78. GRÉGOIRE DE NAREK : **Le livre de Prières.** I. Kéchichian. Trad. seule (1961).

79. JEAN CHRYSOSTOME : **Sur la Providence de Dieu.** A.-M. Malingrey (1961).

80. JEAN DAMASCÈNE : **Homélies sur la Nativité et la Dormition.** P. Voulet (1961).

81. NICÉTAS STÉTHATOS : **Opuscules et lettres.** J. Darrouzès (1961).
82. GUILLAUME DE SAINT-THIERRY : **Exposé sur le Cantique des Cantiques.** J.-M. Déchanet (1962).
83. DIDYME L'AVEUGLE : **Sur Zacharie.** Texte inédit. L. Doutreleau. Tome I. Introduction et livre I (1962).
84. **Id.** – Tome II. Livres II et III (1962).
85. **Id.** – Tome III. Livres IV et V, Index (1962).
86. DEFENSOR DE LIGUGÉ : **Le livre d'étincelles,** t. II. H. Rochais (1962).
87. ORIGÈNE : **Homélies sur S. Luc.** H. Crouzel, F. Fournier, P. Périchon (1962).
88. **Lettres des premiers Chartreux,** tome I : S. BRUNO, GUIGUES, S. ANTHELME. Par un Chartreux (1962).
89. **Lettre d'Aristée à Philocrate.** A. Pelletier (1962).
90. **Vie de sainte Mélanie.** D. Gorce (1962).
91. ANSELME DE CANTORBÉRY : **Pourquoi Dieu s'est fait homme.** R. Roques (1963).
92. DOROTHÉE DE GAZA : **Œuvres spirituelles.** L. Regnault, J. de Préville (1963).
93. BAUDOUIN DE FORD : **Le sacrement de l'autel.** J. Morson, É. de Solms, J. Leclercq. Tome I (1963).
94. **Id.** – Tome II (1963).
95. MÉTHODE D'OLYMPE : **Le banquet.** H. Musurillo, V.-H. Debidour (1963).
96. SYMÉON LE NOUVEAU THÉOLOGIEN : **Catéchèses.** B. Krivochéine, J. Paramelle. Tome I. Introduction et Catéchèses 1-5 (1963).
97. CYRILLE D'ALEXANDRIE : **Deux dialogues christologiques.** G. M. de Durand (1964).
98. THÉODORET DE CYR : **Correspondance,** t. II. Y. Azéma (1964).
99. ROMANOS LE MÉLODE : **Hymnes.** J. Grosdidier de Matons. Tome I. Introduction et Hymnes I-VIII (1964).
100. IRÉNÉE DE LYON : **Contre les hérésies,** livre IV. A. Rousseau, B. Hemmerdinger, Ch. Mercier, L. Doutreleau. 2 vol. (1965).
101. QUODVULTDEUS : **Livre des promesses et des prédictions de Dieu,** R. Braun. Tome I (1964).
102. **Id.** – Tome II (1964).
103. JEAN CHRYSOSTOME : **Lettre d'exil.** A.-M. Malingrey (1964).
104. SYMÉON LE NOUVEAU THÉOLOGIEN : **Catéchèses.** B. Krivochéine, J. Paramelle. Tome II. Catéchèses 6-22 (1964).
105. **La Règle du Maître.** A. de Vogüé. Tome I. Introd. et chap. 1-10 (1964).
106. **Id.** – Tome II. Chap. 11-95 (1964).
107. **Id.** – Tome III. Concordance et Index orthographique. J.-M. Clément, J. Neufville, D. Demeslay (1965).
108. CLÉMENT D'ALEXANDRIE : **Le Pédagogue,** tome II. Cl. Mondésert, H.-I. Marrou (1965).
109. JEAN CASSIEN : **Institutions cénobitiques.** J.-C. Guy (1965).
110. ROMANOS LE MÉLODE : **Hymnes.** J. Grosdidier de Matons. Tome II. Hymnes IX-XX (1965).
111. THÉODORET DE CYR : **Correspondance,** t. III. Y. Azéma (1965).
112. CONSTANCE DE LYON : **Vie de S. Germain d'Auxerre.** R. Borius (1965).

113. Syméon le Nouveau Théologien : **Catéchèses.** B. Krivochéine, J. Paramelle. Tome III. Catéchèses 23-34, Actions de grâces 1-2 (1965).

114. Romanos le Mélode : **Hymnes.** J. Grosdidier de Matons. Tome III. Hymnes XXI-XXXI (1965).

115. Manuel II Paléologue : **Entretien avec un musulman.** A.-Th. Khoury (1966).

116. Augustin d'Hippone : **Sermons pour la Pâque.** S. Poque (1966).

117. Jean Chrysostome : **A Théodore.** J. Dumortier (1966).

118. Anselme de Havelberg : **Dialogues,** livre I. G. Salet (1966).

119. Grégoire de Nysse : **Traité de la Virginité.** M. Aubineau (1966).

120. Origène : **Commentaire sur S. Jean.** C. Blanc. Tome I. Livres I-V (1966).

121. Éphrem de Nisibe : **Commentaire de l'Évangile concordant ou Diatessaron.** L. Leloir. Trad. seule (1966).

122. Syméon le Nouveau Théologien : **Traités théologiques et éthiques.** J. Darrouzès. Tome I. Théol. 1-3, Éth. 1-3 (1966).

123. Méliton de Sardes : **Sur la Pâque (et fragments).** O. Perler (1966).

124. **Expositio totius mundi et gentium.** J. Rougé (1966).

125. Jean Crhysostome : **La Virginité.** H. Musurillo, B. Grillet (1966).

126. Cyrille de Jérusalem : **Catéchèses mystagogiques.** A. Piédagnel, P. Paris (1966).

127. Gertrude d'Helfta : **Œuvres spirituelles.** Tome I. **Les Exercices.** J. Hourlier, A. Schmitt (1967).

128. Romanos le Mélode : **Hymnes.** J. Grosdidier de Matons. Tome IV. Hymnes XXXII-XLV (1967).

129. Syméon le Nouveau Théologien : **Traités théologiques et éthiques.** J. Darrouzès. Tome II. Éth. 4-15 (1967).

130. Isaac de l'Étoile : **Sermons.** A. Hoste, G. Salet. Tome I. Introduction et Sermons 1-17 (1967).

131. Rupert de Deutz : **Les œuvres du Saint-Esprit.** J. Gribomont, É. de Solms. Tome I. Livres I et II (1967).

132. Origène : **Contre Celse.** M. Borret. Tome I. Livres I et II (1967).

133. Sulpice Sévère : **Vie de S. Martin.** J. Fontaine. Tome I. Introduction, texte et traduction (1967).

134. **Id.** – Tome II. Commentaire (1968).

135. **Id.** – Tome III. Commentaire (suite), Index (1969).

136. Origène : **Contre Celse.** M. Borret. Tome II. Livres III et IV (1968).

137. Éphrem de Nisibe : **Hymnes sur le Paradis.** F. Graffin, R. Lavenant. Trad. seule (1968).

138. Jean Chrysostome : **A une jeune veuve. Sur le mariage unique.** B. Grillet, G.-H. Ettlinger (1968).

139. Gertrude d'Helfta : **Œuvres spirituelles.** Tome II. **Le Héraut.** Livres I et II. P. Doyère (1968).

140. Rufin d'Aquilée : **Les bénédictions des Patriarches.** M. Simonetti, H. Rochais, P. Antin (1968).

141. Cosmas Indicopleustès : **Topographie chrétienne.** Tome I. Introduction et livres I-IV. W. Wolska-Conus (1968).

142. **Vie des Pères du Jura.** F. Martine (1968).

143. Gertrude d'Helfta : **Œuvres spirituelles.** Tome III. **Le Héraut.** Livre III. P. Doyère (1968).

144. **Apocalypse syriaque de Baruch.** Tome I. Introduction et traduction. P. Bogaert (1969).
145. **Id.** – Tome II. Commentaire et tables (1969).
146. **Deux homélies anoméennes pour l'octave de Pâques.** J. Liébaert (1969).
147. ORIGÈNE : **Contre Celse.** M. Borret. Tome III. Livres V et VI (1969).
148. GRÉGOIRE LE THAUMATURGE : **Remerciement à Origène. – La lettre d'Origène à Grégoire.** H. Crouzel (1969).
149. GRÉGOIRE DE NAZIANZE : **La passion du Christ.** A. Tuilier (1969).
150. ORIGÈNE : **Contre Celse.** M. Borret. Tome IV. Livres VII et VIII (1969).
151. JEAN SCOT : **Homélie sur le Prologue de Jean.** E. Jeauneau (1969).
152. IRÉNÉE DE LYON : **Contre les hérésies,** livre V. A. Rousseau, L. Doutreleau, C. Mercier. Tome I. Introduction, notes justificatives et tables (1969).
153. **Id.** – Tome II. Texte et traduction (1969).
154. CHROMACE D'AQUILÉE : **Sermons.** Tome I. Sermons 1-17. J. Lemarié (1969).
155. HUGUES DE SAINT-VICTOR : **Six opuscules spirituels.** R. Baron (1969).
156. SYMÉON LE NOUVEAU THÉOLOGIEN : **Hymnes.** J. Koder, J. Paramelle. Tome I. Hymnes I-XV (1969).
157. ORIGÈNE : **Commentaire sur S. Jean.** C. Blanc. Tome II. Livres VI et X (1970).
158. CLÉMENT D'ALEXANDRIE : **Le Pédagogue.** Livre III. Cl. Mondésert, H.-I. Marrou et Ch. Matray (1970).
159. COSMAS INDICOPLEUSTÈS : **Topographie chrétienne.** Tome II. Livre V. W. Wolska-Conus (1970).
160. BASILE DE CÉSARÉE : **Sur l'origine de l'homme.** A. Smets et M. Van Esbroeck (1970).
161. **Quatorze homélies du IXe siècle d'un auteur inconnu de l'Italie du Nord.** P. Mercier (1970).
162. ORIGÈNE : **Commentaire sur l'Évangile selon Matthieu.** Tome I. Livres X et XI. R. Girod (1970).
163. GUIGUES II LE CHARTREUX : **Lettres sur le vie contemplative** (ou **Échelle des Moines). Douze méditations.** E. Colledge, J. Walsh (1970).
164. CHROMACE D'AQUILÉE : **Sermons.** Tome II. S. 18-41. J. Lemarié (1971).
165. RUPERT DE DEUTZ : **Les œuvres du Saint-Esprit.** Tome II. Livres III et IV. J. Gribomont, É de Solms (1970).
166. GUERRIC D'IGNY : **Sermons.** Tome I. J. Morson, H. Costello, P. Deseille (1970).
167. CLÉMENT DE ROME : **Épître aux Corinthiens.** A. Jaubert (1971).
168. RICHARD ROLLE : **Le chant d'amour (Melos amoris).** F. Vandenbroucke et les Moniales de Wisques. Tome I (1971).
169. **Id.** – Tome II (1971).
170. ÉVAGRE LE PONTIQUE : **Traité pratique.** A. et C. Guillaumont. Tome I. Introduction (1971).
171. **Id.** – Tome II. Texte, traduction, commentaire et tables (1971).
172. **Épître de Barnabé.** R.-A. Kraft, P. Prigent (1971).
173. TERTULLIEN : **La toilette des femmes.** M. Turcan (1971).
174. SYMÉON LE NOUVEAU THÉOLOGIEN : **Hymnes.** J. Koder, L. Neyrand. Tome II. Hymnes XVI-XL (1971).

175. Césaire d'Arles : **Sermons au peuple.** Tome I. Sermons 1-20. M.-J. Delage (1971).
176. Salvien de Marseille : **Œuvres.** Tome I. G. Lagarrigue (1971).
177. Callinicos : **Vie d'Hypatios.** G.J.M. Bartelink (1971).
178. Grégoire de Nysse : **Vie de sainte Macrine.** P. Maraval (1971).
179. Ambroise de Milan : **La pénitence.** R. Gryson (1971).
180. Jean Scot : **Commentaire sur l'évangile de Jean.** É. Jeauneau (1972).
181. **La Règle de S. Benoît.** Tome I. Introduction et Chapitres I-VII. A. de Vogüé et J. Neufville (1972).
182. **Id.** – Tome II. Chapitres VIII-LXXIII, Tables et concordance. A. de Vogüé et J. Neufville (1972).
183. **Id.** – Tome III. Étude de la tradition manuscrite. J. Neufville (1972).
184. **Id.** – Tome IV. Commentaire (I-III). A. de Vogüé (1971).
185. **Id.** – Tome V. Commentaire (IV-VI). A. de Vogüé (1971).
186. **Id.** – Tome VI. Commentaire (VII-IX), Index. A. de Vogüé (1971).
187. Hésychius de Jérusalem, Basile de Séleucie, Jean de Béryte, Pseudo-Chrysostome, Léonce de Constantinople : **Homélies pascales.** M. Aubineau (1972).
188. Jean Chrysostome : **Sur la vaine gloire et l'éducation des enfants.** A.-M. Malingrey (1972).
189. **La chaîne palestinienne sur le psaume 118.** Tome I. Introduction, texte critique et traduction. M. Harl (1972).
190. **Id.** – Tome II. Catalogue des fragments, Notes et Index. M. Harl (1972).
191. Pierre Damien : **Lettre sur la toute-puissance divine.** A. Cantin (1972).
192. Julien de Vézelay : **Sermons.** Tome I. Introduction et Sermons 1-16. D. Vorreux (1972).
193. **Id.** – Tome II. Sermons 17-27, Index. D. Vorreux (1972).
194. **Actes de la Conférence de Carthage en 411.** Tome I. Introduction. S. Lancel (1972).
195. **Id.** – Tome II. Texte et traduction de la Capitulation et des Actes de la première séance. S. Lancel (1972).
196. Syméon le Nouveau Théologien : **Hymnes.** J. Koder, J. Paramelle, L. Neyrand. Tome III. Hymnes XLI-LVIII, Index (1973).
197. Cosmas Indicopleustès : **Topographie chrétienne.** T. III. Livres VI-XII, Index. W. Wolska-Conus (1973).
198. **Livre** (cathare) **des deux principes.** Ch. Thouzellier (1973).
199. Athanase d'Alexandrie : **Sur l'incarnation du Verbe.** C. Kannengiesser (1973).
200. Léon le Grand : **Sermons.** tome IV. Sermons 65-98, Éloge de S. Léon, Index. R. Dolle (1973).
201. **Évangile de Pierre.** M.-G. Mara (1973).
202. Guerric d'Igny : **Sermons.** Tome II. J. Morson, H. Costello, P. Deseille (1973).
203. Nersès Snorhali : **Jésus, Fils unique du Père.** I. Kéchichian. Trad. seule (1973).
204. Lactance : **Institutions divines,** livre V. Tome I. Introd., texte et trad. P. Monat (1973).
205. **Id.** – Tome II. Commentaire et index. P. Monat (1973).

206. Eusèbe de Césarée : **Préparation évangélique,** livre I. J. Sirinelli, É. des Places (1974).

207. Isaac de l'Étoile : **Sermons.** A. Hoste, G. Salet, G. Raciti. Tome II. Sermons 18-39 (1974).

208. Grégoire de Nazianze : **Lettres théologiques.** P. Gallay (1974).

209. Paulin de Pella : **Poème d'actions de grâces** et **Prière.** C. Moussy (1974).

210. Irénée de Lyon : **Contre les hérésies,** livre III. A. Rousseau, L. Doutreleau. Tome I. Introduction, notes justificatives et tables (1974).

211. **Id.** – Tome II. Texte et traduction (1974).

212. Grégoire le Grand : **Morales sur Job.** Livres XI-XIV. A. Bocognano (1974).

213. Lactance : **L'ouvrage du Dieu créateur.** Tome I. Introd., texte critique et trad. M. Perrin (1974).

214. **Id.** – Tome II. Commentaire et index. M. Perrin (1974).

215. Eusèbe de Césarée : **Préparation évangélique,** livre VII. G. Schrœder, É. des Places (1975).

216. Tertullien : **La chair du Christ.** Tome I. Introduction, texte critique et traduction. J.- P. Mahé (1975).

217. **Id.** – Tome II. Commentaire et Index. J.-P. Mahé (1975).

218. Hydace : **Chronique.** Tome I. Introduction, texte critique et traduction. A. Tranoy (1975).

219. **Id.** – Tome II. Commentaire et index. A. Tranoy (1975).

220. Salvien de Marseille : **Œuvres,** t. II. G. Lagarrigue (1975).

221. Grégoire le Grand : **Morales sur Job.** Livres XV-XVI. A. Bocognano (1975).

222. Origène : **Commentaire sur S. Jean.** Tome III. Livre XIII. C. Blanc (1975).

223. Guillaume de Saint-Thierry : **Lettre aux Frères du Mont-Dieu (Lettre d'or).** J.-M. Déchanet (1975).

224. **Actes de la Conférence de Carthage en 411.** Tome III. Texte et traduction des Actes de la 2e et de la 3e séance. S. Lancel (1975).

225. Dhuoda : **Manuel pour mon fils.** P. Riché, B. de Vregille et C. Mondésert (1975).

226. Origène : **Philocalie 21-27 (Sur le libre arbitre).** É. Junod (1976).

227. Origène : **Contre Celse.** M. Borret. Tome V. Introduction et index (1976).

228. Eusèbe de Césarée : **Préparation évangélique.** Livres II-III. É. des Places (1976).

229. Pseudo-Philon : **Les Antiquités Bibliques.** D. J. Harrington, C. Perrot, P. Bogaert, J. Cazeaux. Tome I. Introduction critique, texte et traduction (1976).

230. **Id.** – Tome II. Introduction littéraire, commentaire et index (1976).

231. Cyrille d'Alexandrie : **Dialogues sur la Trinité.** Tome I. Dial. I et II. G.-M. de Durand (1976).

232. Origène : **Homélies sur Jérémie.** P. Nautin et P. Husson. Tome I. Introduction et homélies I-XI (1976).

233. Didyme l'Aveugle : **Sur la Genèse.** Tome I (Sur Genèse I-IV). P. Nautin et L. Doutreleau (1976).

234. Théodoret de Cyr : **Histoire des moines de Syrie.** Tome I. Introduction et **Histoire philothée** I-XIII. P. Canivet et A. Leroy-Molinghen (1977).

235. Hilaire d'Arles : **Vie de S. Honorat.** M.-D. Valentin (1977).

236. **Rituel cathare.** C. Thouzellier (1977).

237. Cyrille d'Alexandrie : **Dialogues sur la Trinité.** Tome II. Dial. III-IV. G.-M. de Durand (1977).

238. Origène : **Homélies sur Jérémie.** Tome II. Homélies XII-XX et homélies latines, index. P. Nautin et P. Husson (1977).

239. Ambroise de Milan : **Apologie de David.** P. Hadot et M. Cordier (1977).

240. Pierre de Celle : **L'école du cloître.** G. de Martel (1977).

241. **Conciles gaulois du IVe siècle.** J. Gaudemet (1977).

242. S. Jérôme : **Commentaire sur S. Matthieu.** Tome I. Livres I et II. É. Bonnard (1978).

243. Césaire d'Arles : **Sermons au peuple.** Tome II. Sermons 21-55. M.-J. Delage (1978).

244. Didyme l'Aveugle : **Sur la Genèse.** Tome II (Sur Genèse V-XVII). Index. P. Nautin et L. Doutreleau (1978).

245. **Targum du Pentateuque.** Tome I : **Genèse.** R. Le Déaut et J. Robert. Trad. seule (1978).

246. Cyrille d'Alexandrie : **Dialogues sur la Trinité.** Tome III. Livres VI-VII, index. G.-M. de Durand (1978).

247. Grégoire de Nazianze : **Discours** 1-3. J. Bernardi (1978).

248. **La doctrine des douze apôtres.** W. Rordorf et A. Tuilier (1978).

249. S. Patrick : **Confession et Lettre à Coroticus.** R.P.C. Hanson et C. Blanc (1978).

250. Grégoire de Nazianze : **Discours** 27-31 (Discours théologiques). P. Gallay (1978).

251. Grégoire le Grand : **Dialogues.** Tome I. Introduction, bibliographie et cartes. A. de Vogüé (1978).

252. Origène : **Traité des principes.** Livres I et II. H. Crouzel et M. Simonetti. Tome I : Introduction, texte critique et traduction (1978).

253. **Id.** – Tome II : Commentaire et fragments. H. Crouzel et M. Simonetti (1978).

254. Hilaire de Poitiers : **Sur Matthieu,** t. I : Introduction et chap. 1-13. J. Doignon (1978).

255. Gertrude d'Helfta : **Œuvres spirituelles.** Tome IV. **Le Héraut.** Livre IV. J.-M. Clément, B. de Vregille et les Moniales de Wisques (1978).

256. **Targum du Pentateuque.** Tome II : **Exode et Lévitique.** R. Le Déaut et J. Robert. Trad. seule (1979).

257. Théodoret de Cyr : **Histoire des moines de Syrie.** Tome II, **Histoire Philothée** (XIV-XXX), **Traité sur la Charité** (XXXI) et Index. P. Canivet et A. Leroy-Molinghen (1979).

258. Hilaire de Poitiers : **Sur Matthieu.** Tome II. Chap. 14-33, appendice et index. J.Doignon (1979).

259. S. Jérôme : **Commentaire sur S. Matthieu.** Tome II. Livres III et IV, Index. É. Bonnard (1979).

260. Grégoire le Grand : **Dialogues.** Tome II. Livres I-III. A. de Vogüé et P. Antin (1979).

261. **Targum du Pentateuque.** Tome III : **Nombres.** R. Le Déaut et J. Robert. Trad. seule (1979).

262. Eusèbe de Césarée : **Préparation évangélique,** livres IV, 1 - V, 17. O. Zink et É. des Places (1979).

263. Irénée de Lyon : **Contre les hérésies,** livre I. A. Rousseau, L. Doutreleau. Tome I. Introduction, notes justificatives et tables (1979).

264. **Id.** – Tome II. Texte et traduction (1979).

265. Grégoire le Grand : **Dialogues.** Tome III. Livre IV, tables et index. A. de Vogüé et P. Antin (1980).

266. Eusèbe de Césarée : **Préparation évangélique,** livre V, 18-36 et VI. É. des Places (1980).

267. **Scolies ariennes sur le concile d'Aquilée.** R. Gryson (1980).

268. Origène : **Traité des principes.** Tome III. Livres III et IV : Texte critique et traduction. H. Crouzel et M. Simonetti (1980).

269. **Id.** – Tome IV. Livres III et IV : Commentaire et fragments. H. Crouzel et M. Simonetti (1980).

270. Grégoire de Nazianze : **Discours** 20-23. J. Mossay (1980).

271. **Targum du Pentateuque.** Tome IV. **Deutéronome,** bibliographie, glossaire et index des tomes I-IV. R. Le Déaut (1980).

272. Jean Chrysostome : **Sur le sacerdoce (dialogue et homélie).** A.-M. Malingrey (1980).

273. Tertullien : **A son épouse.** C. Munier (1980).

274. **Lettres des premiers Chartreux.** Tome II : Les moines de Portes. Par un Chartreux (1980).

275. Pseudo-Macaire : **Œuvres spirituelles.** Tome I. V. Desprez (1980).

276. Théodoret de Cyr : **Commentaire sur Isaïe,** Tome I : Introduction et sections 1-3. J.-N. Guinot (1980).

277. Jean Chrysostome : **Homélies sur Ozias.** J. Dumortier (1981).

278. Clément d'Alexandrie : **Stromate V.** Tome I : introduction, texte et index par A. Le Boulluec ; traduction de P. Voulet (1981).

279. **Id.** – Tome II : commentaire, bibliographie et index par A. Le Boulluec (1981).

280. Tertullien : **Contre les Valentiniens.** Tome I : introduction, texte et traduction. J.-C. Fredouille (1980).

281. **Id.** – Tome II : commentaire et index. J.-C. Fredouille (1981).

282. **Targum du Pentateuque.** Tome V. Index analytique. R. Le Déaut (1981).

283. Romanos le Mélode : **Hymnes.** J. Grosdidier de Matons. Tome V. Hymnes XLVI-LVI (1981).

284. Grégoire de Nazianze : **Discours** 24-26. J. Mossay (1981).

285. François d'Assise : **Écrits.** Th. Desbonnets, Th. Matura, J.-F. Godet, D. Vorreux, o.f.m. (1981).

286. Origène : **Homélies sur le Lévitique.** M. Borret. Tome I : Introduction et Hom. I-VII (1981).

287. **Id.** – Tome II : Hom. VIII-XVI, Index (1981).

288. Guillaume de Bourges : **Livre des guerres du Seigneur.** G. Dahan (1981).

289. Lactance : **La colère de Dieu.** C. Ingremeau (1982).

290. Origène : **Commentaire sur S. Jean.** Tome IV. L. XIX-XX. C. Blanc (1982).

291. Cyprien de Carthage : **A Donat et La vertu de patience.** J. Molager (1982).

292. Eusèbe de Césarée : **Préparation évangélique,** livre XI. G. Favrelle et É. des Places (1982).

293. Irénée de Lyon : **Contre les hérésies,** livre II. A. Rousseau, L. Doutreleau. Tome I. Introduction, notes justificatives et tables (1982).

294. **Id.** – Tome II. Texte et traduction (1982).

295. Théodoret de Cyr : **Commentaire sur Isaïe.** Tome II. Section 4-13. J.-N. Guinot (1982).

296. Égérie : **Journal de voyage.** P. Maraval. – **Lettre de Valérius,** M.C. Díaz y Díaz (1982).

297. **Les Règles des saints Pères.** A. de Vogüé. Tome I : **Trois règles de Lérins au Ve siècle** (1982).

298. **Id.** – Tome II : **Trois règles du VIe siècle** (1982).

299. Basile de Césarée : **Contre Eunome,** suivi de Eunome : **Apologie.** B. Sesboüé, G.M. de Durand et L. Doutreleau. Tome I (1982).

300. Jean Chrysostome : **Panégyriques de S. Paul.** A. Piédagnel (1982).

Hors série :

Directives pour la préparation des manuscrits (de « Sources Chrétiennes »). A demander au Secrétariat de « Sources Chrétiennes », 29, rue du Plat, 69002 Lyon.

La Règle de S. Benoît. VII. Commentaire doctrinal et spirituel. A. de Vogüé (1977).

SOUS PRESSE

Origène : **Philocalie 1-20 et Lettre à Africanus.** M. Harl et N. de Lange

Guillaume de Saint-Thierry : **Le miroir de la foi.** J.-M. Déchanet.

Basile de Césarée : **Contre Eunome,** suivi de Eunome, **Apologie.** B. Sesboüé, G.-M. de Durand et L. Doutreleau. Tome II.

Jean Chrysostome : **Commentaire sur Isaïe.** J. Dumortier.

PROCHAINES PUBLICATIONS

Eusèbe de Césarée : **Préparation évangélique,** Livres XII-XIII. É. des Places.

Tertullien : **La Pénitence.** Ch. Munier.

Tertullien : **La Patience.** J.-C. Fredouille.

Historia acephala Athanasii : M. Albert et A. Martin.

Sozomène : **Histoire ecclésiastique.** Tome I. A.-J. Festugière, B. Grillet, G. Sabbah.

Grégoire de Nazianze : **Discours** 4-5. J. Bernardi.

SOURCES CHRÉTIENNES
(1-300)

Également aux Éditions du Cerf :

LES ŒUVRES DE PHILON D'ALEXANDRIE

publiées sous la direction de

R. ARNALDEZ, C. MONDÉSERT, J. POUILLOUX.

Texte grec et traduction française.

1. **Introduction générale, De opificio mundi.** R. Arnaldez (1961).
2. **Legum allegoriae.** C. Mondésert (1962).
3. **De cherubim.** J. Gorez (1963).
4. **De sacrificiis Abelis et Caini.** A. Méasson (1966).
5. **Quod deterius potiori insidiari soleat.** I. Feuer (1965).
6. **De posteritate Caini.** R. Arnaldez (1972).

7-8. **De gigantibus. Quod Deus sit immutabilis.** A. Mosès (1963).

9. **De agricultura.** J. Pouilloux (1961).
10. **De plantatione.** J. Pouilloux (1963).

11-12. **De ebrietate. De sobrietate.** J. Gorez (1962).

13. **De confusione linguarum.** J.-C. Kahn (1963).
14. **De migratione Abrahami.** J. Cazeaux (1965).
15. **Quis rerum divinarum heres sit.** M. Harl (1966).
16. **De congressu eruditionis gratia.** M. Alexandre (1967).
17. **De fuga.** E. Starobinsky-Safran (1970).
18. **De mutatione nominum.** R. Arnaldez (1964).
19. **De somniis.** P. Savinel (1962).
20. **De Abrahamo.** J. Gorez (1966).
21. **De Iosepho.** J. Laporte (1964).
22. **De vita Mosis.** R. Arnaldez, C. Mondésert, J. Pouilloux, P. Savinel (1967).
23. **De Decalogo.** V. Nikiprowetzky (1965).
24. **De specialibus legibus.** Livres I-II. S. Daniel (1975).
25. **De specialibus legibus.** Livres III-IV. A. Mosès (1970).
26. **De virtutibus.** R. Arnaldez, A.-M. Vérilhac, M.-R. Servel, P. Delobre (1962).
27. **De praemiis et poenis. De exsecrationibus.** A. Beckaert (1961).
28. **Quod omnis probus liber sit.** M. Petit (1974).
29. **De vita contemplativa.** F. Daumas, P. Miquel (1964).
30. **De aeternitate mundi.** R. Arnaldez et J. Pouilloux (1969).
31. **In Flaccum.** A. Pelletier (1967).
32. **Legatio ad Caium.** A. Pelletier (1972).
33. **Quaestiones in Genesim et in Exodum. Fragments grecs.** F. Petit (1978).

34 A. **Quaestiones in Genesim,** I-II (e vers. armen.). C. Mercier 1979.

34 B. **Quaestiones in Genesim,** III-IV (e vers. armen.) (en préparation).

34 C. **Quaestiones in Exodum,** I-II (e vers. armen.) (en préparation).

35. **De Providentia,** I-II. M. Hadas-Lebel (1973).
36. **De animalibus.** A. Terian et J. Laporte (en préparation).

Photocomposition
C.C.S.O.M.
Abbaye de Melleray
44520 Moisdon-la-Rivière

Impression
Imprimerie de l'Indépendant
53200 Château-Gontier

N° Éditeur : 7615

Dépôt légal : 4e trimestre 1982